LA PERSONA CON DISCAPACIDAD EN EL DERECHO DE SUCESIONES

Directores

MANUEL ESPEJO LERDO DE TEJADA

Catedrático de Derecho Civil de la Universidad de Sevilla

GUILLERMO CERDEIRA BRAVO DE MANSILLA

Catedrático de Derecho Civil de la Universidad de Sevilla

Coordinadores

JUAN PABLO MURGA FERNÁNDEZ

Profesor Titular de Derecho Civil de la Universidad de Sevilla

MANUEL GARCÍA MAYO

Profesor Ayudante Doctor de Derecho Civil de la Universidad de Sevilla

LA PERSONA CON DISCAPACIDAD EN EL DERECHO DE SUCESIONES

IIIARANZADI

Primera edición, 2023

Esta publicación es parte de los siguientes proyectos de investigación:

Proyecto de I+D+i PID2020-118111GB-I00, "Sujetos e Instrumentos del Tráfico Privado VIII: Reforma del Derecho de sucesiones", financiado por MCIN/ AEI/10.13039/501100011033.

Proyecto I+D+i FEDER Andalucía 2014-2020 "Reforma del Derecho de sucesiones: legítimas, liquidación de deudas, herencia digital, y discapacidad" (US-1381625), financiado por el "Fondo Europeo de Desarrollo Regional (FEDER) y a la Consejería de Transformación Económica, Industria, Conocimiento y Universidades de la Junta de Andalucía, dentro del Programa Operativo FEDER 2014-2020".

Editorial Aranzadi, S.A.U.
Camino de Galar, 15
31190 Cizur Menor (Navarra)
ISBN: 978-84-1124-945-4
DL NA 778-2023
Printed in Spain. Impreso en España
Fotocomposición: Editorial Aranzadi, S.A.U.
Impresión: Rodona Industria Gráfica, SL
Polígono Agustinos, Calle A, Nave D-11
31013 – Pamplona

Colección "Derecho de sucesiones"

ALEXANDRA BRAUN, Lord President Reid Chair in Law, Universidad de Edimburgo

ILARIA AMELIA CAGGIANO, Catedrática de Derecho Civil de la Universidad Suor Orsola Benincasa de Nápoles

GREGOR CHRISTANDL, Catedrático del Institut für Zivilrecht, Ausländisches und Internationales Privatrecht, Universidad de Graz

STEFANO DELLE MONACHE, Catedrático de Derecho Civil de la Universidad de Padova

LUCILLA GATT, Catedrática de Derecho Civil de la Universidad Suor Orsola Benincasa de Nápoles

BIRKE HÄCKER, Professor of Comparative Law and Director of the Institute of European and Comparative Law, Universidad de Oxford

LEONARDO PÉREZ GALLARDO, Notario y Catedrático de Derecho Civil de la Universidad de La Habana

KENNETH REID, Emeritus Professor of Scots Law, Universidad de Edimburgo

JAN PETER SCHMIDT, Professor of Private Law, Senior Research Fellow y Head of the Centre for the Application of Foreign Law, Instituto Max Planck de Derecho Comparado y Derecho Internacional Privado

REINHARD ZIMMERMANN, Professor of Private Law, Roman Law and Comparative Legal History, Director del Instituto Max Planck de Derecho Comparado y Derecho Internacional Privado

Índice

4

MODIFICACIONES INTRODUCIDAS POR LA LEY 8/2021, DE 2 DE JUNIO EN MATERIA DE COLACIÓN Y DIVISIÓN DE HERENCIA

TOMÁS RUBIO GARRIDO

5

PROHIBICIÓN LEGAL DE TESTAR PARA LAS PERSONAS CON DISCAPACIDAD: JUSTIFICACIÓN E INTERPRETACIÓN DEL "NUEVO" ARTÍCULO 753 DEL CÓDIGO CIVIL

GUILLERMO CERDEIRA BRAVO DE MANSILLA

6

LA INCAPACIDAD PARA SUCEDER A LA PERSONA CON DISCAPACIDAD: LA PROHIBICIÓN DEL ART. 753 DEL CÓDIGO CIVIL TRAS LA REFORMA EFECTUADA POR LA LEY 8/2021, DE 2 DE JUNIO 171

SOFÍA DE SALAS MURILLO

9

EL PATRIMONIO PROTEGIDO: CONSTITUCIÓN Y FUNCIONAMIENTO ...

CRISTINA DE AMUNÁTEGUI RODRÍGUEZ

10

DISCAPACIDAD Y DERECHO DE SUCESIONES EN LA GEOGRAFÍA LATINOAMERICANA: PRINCIPALES REFORMAS

LEONARDO B. PÉREZ GALLARDO

Presentación

El presente volumen recoge las ponencias y comunicaciones presentadas en el Congreso Internacional *La persona con discapacidad en el Derecho de Sucesiones*, celebrado en Sevilla los días 12 y 13 de mayo de 2022, organizado por las Cátedras de Derecho Notarial y Derecho Registral de la Universidad de Sevilla.

Desde la perspectiva de la función notarial la Ley 8/2021, de 2 de junio marca un hito de singular importancia, en general y particularmente en el ámbito sucesorio. La Ley acentúa la importancia de la función notarial en relación con las personas en situación de discapacidad, reforzando la condición de autoridad del notario, que es ahora apoyo institucional de las personas en dicha situación y garante del respeto del principio de igualdad y no discriminación en el ejercicio de sus derechos.

El objetivo de la Cátedra de Derecho Notarial, erigida en la Universidad de Sevilla hace ahora cinco años, es dar a conocer la función notarial en el ámbito de universitario, tanto en la docencia como en la investigación. Especial importancia tiene, en ese sentido, el estudio de la Ley 8/2021, habida cuenta la transformación que la misma opera en la función notarial, dando un nuevo paso en el proceso iniciado por la Ley de Jurisdicción Voluntaria de 2015 y la Ley de Créditos Inmobiliarios de 2019.

Desde la puesta en marcha de la reforma, en el ámbito de la fiscalía y la judicatura se aprecia una rápida asimilación de los principios que la inspiran y, singularmente, el del carácter supletorio de las medidas de apoyo judiciales, respecto de los apoyos formales o informales de que disponga o se haya dotado la persona en situación de discapacidad.

En algunos ámbitos académicos, sin embargo, parece subsistir una mayor reticencia sobre la virtualidad real de la ley y su implantación futura. De ahí que sea especialmente oportuna la organización de este Congreso Internacional para despejar esas dudas. La Ley 8/2021 hace recaer sobre los notarios una gran responsabilidad y los notarios necesitamos, en el desempeño de nuestra tarea, contar con el apoyo de la doctrina científica y de la sociedad en general.

Leyendo el Preámbulo de la Ley, es evidente el propósito del legislador de llevar a cabo un cambio de sistema en el tratamiento de la discapacidad: en el *sistema anterior* predominaba la sustitución del discapacitado en la toma de decisiones que le afectasen; en el que se implanta, es el discapacitado el que como regla general debe tomar sus propias decisiones, debiéndose respetar su voluntad, deseos y preferencias.

El notario, en su tarea diaria, partía de la presunción de capacidad de todo aquél que no hubiera sido previamente incapacitado. En el nuevo sistema en ningún caso va a poder declararse judicialmente la falta de capacidad, ni tendrán efecto en cuanto al ejercicio de derechos las incapacitaciones ya declaradas (Disposición Transitoria Primera). Además, se reconoce a las personas con discapacidad el derecho a tomar decisiones, esto es la autonomía de la voluntad en condiciones de igualdad con las demás personas (artículo 249 CC). En este sentido, corresponde al notario, ser valedor de dicha igualdad y del respeto a la voluntad, deseos y preferencias de la persona, evitando influencias indebidas o abusos. Se trata de respetar la autonomía de la persona con discapacidad, pero esa voluntad autónoma hay que formarla y expresarla libremente, y esa tarea de facilitar la conformación y expresión de la voluntad es la que la Ley atribuye al notario.

Es importante situarnos en este cambio de perspectiva: el paso de un sistema de *protección* del discapacitado a un sistema de *reconocimiento y defensa de sus derechos*, en igualdad con los no discapacitados, mediante los apoyos y ayudas que se precisen. En un sistema de protección, nosotros somos los que decidimos qué necesita o le conviene al discapacitado (asumimos la iniciativa y el control). En un sistema de defensa de derechos y apoyos para su ejercicio, *es el discapacitado el que decide*, el que asume la iniciativa y control de sus decisiones y de los apoyos de que quiera dotarse para ejercer su capacidad jurídica. Esto puede crear en muchas personas (empezando por las familias) una sensación de *pérdida de control*, ante la desconfianza en la capacidad de decidir del discapacitado.

Ahí estriba la dificultad de la puesta en marcha de esta Ley: en superar el concepto "discapacitado", como si la discapacidad fuera algo definitivo e irreversible y asumir el de persona "en situación de discapacidad": la discapacidad como una situación que no define a la persona sino que impone a la sociedad una labor de ayuda, apoyo que tiene por fin el logro de un mayor grado de autonomía personal.

No es cierto que en el nuevo sistema la persona con discapacidad quede desprotegida. Precisamente es al notario al que la Ley encomienda la adopción de las salvaguardas precisas, para evitar abusos, conflictos de interés, captaciones de voluntad o influencias indebidas. Esa confianza que la Ley deposita en el notario como funcionario público es la misma que tenemos derecho a reclamar de la sociedad.

Es importante situar el eje axial de la reforma –y de la función notarial– en la defensa de los derechos fundamentales de la persona con discapacidad. Como dice el Preámbulo de la Ley, la nueva regulación se inspira en el artículo 10 de la Constitución que exige el respeto a la dignidad de la persona y los derechos que le son inherentes. El notario, como todos los poderes públicos, está obligado a procurar una tutela efectiva de esos derechos.

La Ley refuerza, en definitiva, el papel del notario en el ámbito de la discapacidad. Por una parte, el Estado ha delegado en el notario la condición de *autoridad de control en el ámbito extrajudicial*. El notario se erige, tras la reforma, en *apoyo institucional de la persona con discapacidad*. Por otra parte, la Ley reconoce el documento público notarial como único *título constitutivo* de los apoyos voluntarios de que quiera dotarse el discapacitado.

El notario debe asumir esta responsabilidad y sin perjuicio de la prudencia que siempre ha caracterizado su labor en el juicio de capacidad y prestación de consentimiento, deberá esforzarse especialmente, *en una relación personal y directa* con el discapacitado, *con una actitud proactiva* en defensa de su derecho a la libre determinación de su voluntad y ejercicio de su capacidad jurídica.

En concreto, en relación con *la capacidad para testar*, ningún pronunciamiento judicial puede privar al discapacitado de su derecho a testar, tampoco las sentencias de incapacitación anteriores pueden determinar esa privación de derechos. Por lo tanto, el discapacitado, independientemente de que tenga o no constituidos apoyos voluntarios o necesarios, tiene derecho a otorgar testamento, y a hacerlo en condiciones de igualdad con el resto de personas, si bien, tratándose de un acto personalísimo, no podrá utilizar otros apoyos que el institucional, esto es, el del propio notario, sin que éste pueda condicionar su autorización al cumplimiento de requisitos que la Ley no impone (como si lo hacía hasta la reforma el Código civil, en relación con el testamento del loco en intervalo lúcido).

Al notario corresponde, bajo su responsabilidad profesional, controlar la aptitud del otorgante para el ejercicio de su derecho a testar, juicio que vendrá relacionado con la complejidad de la disposición de que se trate, debiendo juzgar sobre el discernimiento de la persona *en el momento preciso del otorgamiento*, sin que frente a dicho juicio puedan prevalecer dictámenes médicos, ni una declaración administrativa de minusvalía; tampoco por sí solas las pruebas realizadas en un procedimiento de incapacitación previo o de constitución de la curatela representativa, en la medida en que la ley reconoce el derecho a testar al discapacitado también en estos casos. Tras la reforma, el juicio notarial sobre la aptitud para prestar consentimiento debe entenderse reforzado por la condición de autoridad de que se dota al notario, encargada del control de dicha aptitud en la esfera extrajudicial, en los términos del artículo 12 de la Convención de Nueva York.

En definitiva, con toda la dificultad que implica un cambio de paradigma como el que propugna la Ley 8/2021, esperamos que los frutos de este Congreso se traduzcan en un mayor conocimiento de la función notarial y su renovado alcance tras la reforma.

Francisco José Aranguren Urriza
Notario de Sevilla

I. Ponencias

Los desafíos del nuevo modelo de discapacidad y las reticencias para aceptar la capacidad jurídica de las personas con discapacidad cognitiva, intelectual o psicosocial*

MARÍA PAZ GARCÍA RUBIO

Catedrática de Derecho civil de la Universidad de Santiago de Compostela
Vocal de la Sección Primera de la Comisión General de Codificación

Cambiar los corazones y las mentes es esencial para los muchos cambios que serán necesarios para que se respete plenamente el derecho a la capacidad jurídica de todas las personas.

BOOTH GLEN, K.

SUMARIO: I. INTRODUCCIÓN. II. PRINCIPALES DESTINATARIOS DEL ARTÍCULO 12 CDPD. III. ¿POR QUÉ EL NUEVO SISTEMA GENERA CONSIDERABLE RECHAZO? 1. *Razones filosóficas.* 2. *Razones jurídicas.* 3. *Razones políticas o de política jurídica.* IV. NECESIDAD DE RECONSTRUIR UNA NUEVA AUTONOMÍA DE LA VOLUNTAD.

Este trabajo tiene varios objetivos. El primero, poner de relieve, una vez más, el profundo cambio de sistema que implica el derecho a la capacidad jurídica de las personas con discapacidad reconocido en el artículo 12 CDPD. El segundo, individualizar los colectivos de personas con discapacidad que son los auténticos destinatarios del citado precepto. El tercero, analizar las razones por las que, como demuestra la práctica, el

* El presente artículo se enmarca en la ejecución del Proyecto de investigación "El Derecho de familia que viene. Retos y respuestas" [ref. PID2019-109019RB-100], financiado por el Ministerio de Ciencia e Innovación, dentro del Plan Estatal de Investigación Científica y Técnica y de Innovación 2017-2020. Convocatoria de 2019. Agradezco a mis colegas y amigos M.ª Eugenia Torres Costas e Ignacio Varela Castro la lectura del trabajo y sus atinadas sugerencias.

nuevo sistema es visto con desconfianza en varios ámbitos. Finalmente, en lugar de repetir las líneas generales de la LAPD destinada a cumplir con los mandatos del artículo 12 CDPD en el Derecho estatal español, tarea que ya he abordado en otras ocasiones, dedicaré las páginas finales a explicar por qué la concepción de la capacidad jurídica dimanante del citado precepto convencional nos obliga a reconstruir ciertos conceptos, en concreto el de autonomía de la voluntad, que veníamos considerando como inamovibles.

I. INTRODUCCIÓN

El reconocimiento de la capacidad jurídica de las personas con discapacidad, en su doble dimensión de derecho a la titularidad y al ejercicio de los derechos, consagrado en el artículo 12 de la Convención de Nueva York sobre los derechos de las personas con discapacidad (en adelante CDPD)[1] y asumido por el ordenamiento jurídico español, señaladamente a través de la Ley 8/2021 sobre la reforma de la legislación civil y procesal para el apoyo a las personas con discapacidad en el ejercicio de la capacidad jurídica (en adelante LAPD), plantea al encargado de aplicar e interpretar las normas algunos desafíos de gran envergadura. Para dar cuenta de su importancia, comenzaré por apuntar que algunos teóricos estiman que el citado precepto supone que las personas con discapacidad cognitiva, intelectual o psicosocial –auténticos destinatarios del art 12 CDPD– ven elevada a la categoría de nuevo derecho humano la consideración de que son verdaderos sujetos de derechos capaces y no meros objeto de protección por parte de otros[2].

Sin que vaya a entrar en esta sede en detalles ya expuestos en otros lugares por una abundante literatura jurídica, a la que también yo misma he contribuido[3], recordaré que el citado precepto convencional contempla, además del reconocimiento de la capacidad jurídica de las personas con discapacidad en idénticas condiciones que

---

1. Ratificada por España en Instrumento de 23 de noviembre de 2007 (BOE núm. 96, de 21 de abril de 2008). Para comprender el alcance del artículo 12 CDPD resulta imprescindible la lectura de TORRES COSTAS, M.ª E., *La capacidad jurídica a la luz del artículo 12 de la Convención de Naciones Unidas sobre los Derechos de las Personas con Discapacidad*, Madrid, BOE, 2021.
2. Considera que el reconocimiento de la capacidad jurídica de las personas con discapacidad intelectual es un nuevo derecho humano, de lo que deriva su inalienabilidad e indivisibilidad, BOOTH GLEN, K., "Introducing a new human right: learning from others, bringing legal capacity home", *Columbia Human Rights Review,* 2018, pp. 2-98, espec., p. 5.
3. Entre otros, en forma de artículo, GARCÍA RUBIO, M.ª P., "Primeros pronunciamientos del Tribunal Supremo en aplicación de la Ley 8/2021, de 2 de junio, por la que se reforma la legislación civil y procesal para el apoyo a las personas con discapacidad en el ejercicio de su capacidad jurídica", *Anuario Derecho Civil,* t. LXXV, fasc. 1, enero-marzo, 2022, pp. 279-334 (en coautoría con M.ª E. Torres Costas); "Contenido y significado general de la reforma civil y procesal en materia de discapacidad", Editorial Jurídica SEPIN, julio 2021, *Familia y Sucesiones.* 3r. trimestre, 2021, n.º 136, pp. 45-62; "La reforma de la discapacidad en el Código Civil. Su incidencia en las personas de edad avanzada". *AFDUAM, 25, (2021). El Derecho de las sociedades envejecidas,* pp. 81-109; "La necesaria y urgente adaptación del Código civil español al artículo 12 de la Convención de Nueva York sobre los derechos de las personas con discapacidad", *Anales de la Academia Matritense del Notariado,* curso 2017/2018, pp. 143-191; "Las medidas de apoyo de carácter voluntario, preventivo o anticipatorio", *Revista de Derecho Civil,* vol. V, n.º 3, julio-septiembre 2018, pp. 29-60; "Algunas propuestas de reforma del Código Civil como consecuencia del nuevo modelo de discapacidad.

los demás, el derecho al apoyo como mecanismo de aseguramiento de la igualdad de las personas con discapacidad en el ejercicio de su capacidad jurídica[4]. Sí me interesa subrayar que el sistema de apoyos, como bien ha dejado sentado la Observación General Primera, dictada en 2014 por el Comité de Derechos de las Personas con Discapacidad, precisamente para ayudar a los Estados en la comprensión del artículo 12, que estaba siendo mal entendido, es algo sustancialmente diverso de los mecanismos de sustitución de la voluntad de la persona, como la tutela, figura que resulta del todo incompatible con el nuevo modelo. A partir de ahora el ejercicio de la capacidad jurídica corresponde a la persona con discapacidad (con apoyo, si así lo quiere); ningún mecanismo que le impida tal ejercicio será conforme con la CDPD.

Señalo también que, según afirma la citada Observación General, la CDPD prescinde del parámetro del mejor interés de la persona con discapacidad como criterio que ha de guiar la actuación de los sujetos públicos y privados en relación con estas personas[5]. Tal criterio, propio del modelo médico y paternalista, superado ahora por el modelo social de la discapacidad y el enfoque desde los derechos humanos, resulta totalmente desplazado por el principio que ordena, en todo caso, atender[6] a la voluntad, deseos y preferencias de la persona con discapacidad, expresión que, por lo que

---

En especial en materia de sucesiones, contratos y responsabilidad civil". *Revista de Derecho Civil*, vol V, n.º 3, julio-septiembre 2018, pp. 173-197.

En forma de capítulo de libro, GARCÍA RUBIO, M.ª P., "La capacidad para contratar de las personas con discapacidad", en *Estudios de Derecho de Contratos, vol. I*, A. M. Morales Moreno (dir.), E. Blanco Martínez (Coord.), Madrid, BOE, 2022, pp. 333-357; "Comentarios a los arts. 250, 251, 252, 1263, 1291.1, 1299, 1301 CC, disp. Final 2.ª y 3.ª" en *Comentario articulado a la reforma civil y procesal en materia de discapacidad*, M.ª P. García Rubio/ M.ª J. Moro Almaraz (dirs.), Thomson-Reuters, Civitas, 2022; "Comentarios al art. 249 CC" (coautoría con M.ª E. Torres Costas), en *Comentario articulado a la reforma civil y procesal en materia de discapacidad*, M.ª P. García Rubio/ M.ª J. Moro Almaraz (dirs.), Thomson-Reuters, Civitas, 2022; "Comentarios al art. 1302 CC", (coautoría con I. Varela Castro), en *Comentario articulado a la reforma civil y procesal en materia de discapacidad*, M.ª P. García Rubio/ M.ª J. Moro Almaraz (dirs.), Thomson-Reuters, Civitas, 2022; "Apuntes comparativos hispano-portugueses sobre la responsabilidad civil de las personas con discapacidad", en *Responsabilidade civil em saúde– Diálogo com o Prof. Doutor Jorge Sinde Monteiro*, Coimbra, 2021, pp. 317-340; "La responsabilidad civil de las personas con discapacidad y de quienes les prestan apoyo en el anteproyecto de Ley por la que se reforma la legislación civil y procesal para el apoyo a las personas con discapacidad en el ejercicio de su capacidad jurídica", en *Cuestiones clásicas y actuales del Derecho de daños: Estudios en Homenaje al Profesor Dr. Roca Guillamón*, coord. Por Joaquín Ataz y J. A. Cobacho, Vol. 2, 2021, ISBN 978-84-1346-262-2, pp. 969-1007; "Notas sobre el propósito y el significado del Anteproyecto de Ley por el que se reforma la legislación civil y procesal para el apoyo a las personas con discapacidad en el ejercicio de su capacidad jurídica", en *Jornadas sobre el nuevo modelo de discapacidad*, M.ª C. Gete-Alonso y Calera, (Coord.), Barcelona, Marcial Pons, 2020, pp. 41-63; "La esperada nueva regulación de la capacidad jurídica en el Código civil español a la luz del art. 12 de la Convención de las Naciones Unidas sobre los derechos de las personas con discapacidad de 13 de diciembre de 2006", en *Propostas de Modernización do Dereito*, M. García Goldar/J. Ammenman Yebra (dir.), Santiago de Compostela, 2017, pp. 7-18.

4. El derecho al apoyo ha sido calificado como un nuevo derecho humano por KANTER, A., en CRAIGE, J./BACH, M./GURBAI, S./KANTER, A., KIM, S.Y.H./LEWIS, O./ MORGAN, G., "Legal capacity, mental capacity and supported decision-making: Report from a panel event", en International *Journal of Law and Psychiatry*, vol. 62, enero-febrero 2019, pp. 160-168.

5. Como también ha hecho la LAPD.

6. Esto es, respetar o seguir, a pesar de lo que diga la STS de 8 de septiembre de 2021 (Roj: STS 3276/2021– ECLI:ES:TS2021:3276), la primera dictada tras la entrada en vigor de la LAPD; *vid.* nuestro comentario en GARCÍA RUBIO, M.ª P./TORRES COSTAS, M.ª E., "Primeros pronunciamientos del Tribunal Supremo en aplicación de la Ley 8/2021, de 2 de junio,…", cit., pp. 279-334.

a nuestro Derecho respecta, se repite más de veinte veces en el articulado de la nueva LAPD[7].

II. PRINCIPALES DESTINATARIOS DEL ARTÍCULO 12 CDPD

Aunque es bien conocido que el concepto de discapacidad adoptado en la CDPD es extraordinariamente amplio y heterogéneo, resulta asimismo evidente que quienes están en el foco del artículo 12 CDPD son, principalmente, las personas que han visto históricamente negada su capacidad para actuar en el ámbito de lo jurídico, esto es, las personas que por diferentes razones tienen dificultades para comprender, decidir o explicarse. En esta situación están, cuando menos, cuatro colectivos de personas especialmente vulnerables que, por lo demás, han sido históricamente discriminadas[8].

En primer lugar, las personas con discapacidad intelectual que, en su mayoría, la poseen desde su nacimiento; serían, entre otras, personas con síndrome de Down, autismo, parálisis cerebral, etc.[9]. Para este grupo, el peso de la educación, la inclusión y el fomento de sus habilidades innatas resulta fundamental en la medida en que pueden contribuir, al menos en un elevado número de casos, a que vean incrementada su autonomía y su libertad. Cuando no puedan hacerlo por sí solas, el sistema de apoyos que en cada ordenamiento se configure[10], siempre con respeto a su voluntad, deseos y preferencias, debe estar diseñado para asegurar el ejercicio de sus derechos en igualdad de condiciones que los demás.

En segundo lugar, mencionaré a las personas con problemas mentales de diversa naturaleza, en cuya vida se suceden periodos de "normalidad" con otros episodios de crisis durante los cuales sus facultades de comprensión y decisión se pueden ver comprometidas; personas con esquizofrenia, depresión profunda o trastorno bipolar, entre otros, estarían aquí incluidos. Para este colectivo probablemente la preocupación fundamental sea la de los tratamientos involuntarios que afectan a algunos de sus derechos

---

7.   La potencia de este nuevo principio es tal que, siguiendo de nuevo a la Observación General Primera, el artículo 249 CC llega a establecer que incluso, en casos excepcionales, cuando pese a haberse hecho un esfuerzo considerable, no sea posible determinar la voluntad, deseos y preferencia de la persona, el encargado del apoyo, deberá tener en cuenta la trayectoria vital de la persona con discapacidad, sus creencias y valores, así como los factores que ella hubiera tomado en consideración, con el fin de tomar la decisión que habría adoptado la persona en caso de no exigir representación. Estamos pues, ante un supuesto excepcional de apoyo representativo que, aun así, como he tratado de explicar en otra sede, no es sustitutivo de la voluntad de la persona con discapacidad –lo que estaría vetado por la CDPD– sino que atiende a una función cooperativa en la que sigue primando el mandato de respetar el poder de autodeterminación de la esa persona como manifestación de su dignidad humana (cf. artículo 3 CDPD).

8.   BOOTH GLEN, K., "Introducing a new human right...", cit., pp. 33 ss., menciona únicamente tres.

9.   Colectivo extraordinariamente heterogéneo, que incluye personas con altas capacidades en relación con ciertas habilidades a la par que muy deficitarias en otras, como sucede en algunos tipos de autismo; otras personas tienen dificultades cognitivas que pueden ser trabajadas y mejoradas con el adecuado estímulo y educación, como sucede con muchas personas con síndrome de Down; en otros casos las deficiencias cognitivas y prácticas son absolutamente severas, necesitando cuidados y atención a tiempo completo, lo que al algunos casos no impide que tengan habilidades comunicativas variadas (vid., por ejemplo, los casos de Sesha, Arthur, o Jaime, expuestos por NUSSBAUM, M. C., *Las fronteras de la justicia. Consideraciones sobre la exclusión*, Paidós, 2007, pp. 107-109).

10.   En el Derecho estatal español establecido, sobre todo, pero no solo, en la Ley 8/2021.

humanos más básicos y que deben ser eliminados –o limitados a casos muy extremos– de cualquier ordenamiento que se tenga por compatible con la CDPD. También en este punto el sistema de apoyos en el ejercicio de la capacidad resulta idóneo para los periodos de crisis[11]; particularmente, pueden ser de interés las medidas voluntarias, en forma de directivas anticipadas, que permitan a los propios protagonistas expresar su voluntad para el caso de producirse las situaciones críticas[12].

En tercer lugar, estarían las personas de edad avanzada que, como consecuencia del proceso de envejecimiento, se ven afectados de progresivas dificultades cognitivas, como la demencia, el Alzheimer u otras enfermedades degenerativas que producen situaciones de gran vulnerabilidad. El aumento de la esperanza de vida en las sociedades modernas conlleva un acelerado crecimiento del número de personas que se encuentran, o que se van a encontrar, en situaciones como las descritas[13]. También para este grupo de personas los apoyos voluntarios anticipados pueden ser, en muchos casos, una alternativa idónea para la toma de decisiones y la realización de actos con trascendencia jurídica en un tiempo en que la enfermedad ya haya avanzado. Sin olvidar que, precisamente por su edad, estas personas tienen una historia de vida detrás, a la que se puede y se debe apelar a la hora de interpretar su voluntad.

El cuatro grupo de protagonistas de los derechos mencionados en el artículo 12 CDPD estaría formado por las personas con traumas cerebrales derivados de accidentes de distinta naturaleza. Como en el grupo anterior, también en este existe una historia de vida que será en muchas ocasiones el criterio fundamental para respetar su voluntad, deseos y preferencias a través de un sistema de apoyos en el ejercicio de su capacidad jurídica.

III. ¿POR QUÉ EL NUEVO SISTEMA GENERA CONSIDERABLE RECHAZO?

Los más de tres quinquenios transcurridos desde la aparición de la CDPD y, en el caso concreto de España, las muchas opiniones orales y escritas generadas tras la

---

11. En el Derecho español, lamentablemente los internamientos involuntarios recogidos en el artículo 763 de la Ley de Enjuiciamiento Civil han quedado al margen de la reforma de la Ley 8/2021, sin que se adviertan evidentes deseos de un cambio legislativo que adapte una norma que, a todas luces, es incompatible con el sistema de la CDPD. Cabe señalar, no obstante, que entre los Objetivos expresamente marcados en la Estrategia Española sobre Discapacidad 2022-2030, se cita el estudio de las posibilidades de modificación del artículo 763 LEC a fin de asegurar medidas alternativas institucionalización forzosa y los tratamientos forzosos por motivo de discapacidad y de garantizar que las intervenciones por motivo de salud mental se basen en los derechos humanos.
12. BOOTH GLEN, K., "Introducing a new human right...", cit. p. 41, son directivas anticipadas de naturaleza psiquiátrica por las que la persona con capacidad autoriza a los doctores el tratamiento que pueda necesitar en caso de episodio de crisis psiquiátrica cuando no tenga conciencia de la enfermedad, incluso cuando se rechaza el tratamiento.
13. Sobre los muchos retos que plantea el envejecimiento al Derecho privado, GARCÍA RUBIO, M.ª, P., "La múltiple invisibilidad para el Derecho de la mujer de edad avanzada", en *El reto del envejecimiento de la mujer. Propuestas jurídicas de futuro*, A. Cañizares Laso (dir.), L. López de la Cruz/P. Saborido Sánchez (coord.), Valencia, Tirant lo Blanch, 2018, pp. 487-508. Poniéndolo ya en relación con la LAPD, GARCÍA RUBIO, M.ª P., "La reforma de la discapacidad en el Código Civil. Su incidencia en las personas de edad avanzada...", cit., pp. 81-109.

publicación de la LAPD, hace caso dos años, ponen en evidencia que el nuevo sistema no está siendo siempre bien comprendido y, mucho menos, aceptado. Aunque también entre nosotros pueden citarse abundantes ejemplos de juicios y decisiones refractarias al cambio que significa la LAPD[14], lo cierto es que esta resistencia se produce igualmente en el ámbito comparado, tanto en ordenamientos que han intentado la adaptación al modelo social de la discapacidad, diseñado por la CDPD, como en otros que todavía no lo han hecho, pero la divisan en el horizonte.

En concreto, autores anglosajones muy comprometidos con el modelo social y de los derechos humanos de las personas con discapacidad, como M. Bach[15] y K Booth Glen[16], citan diversas razones conceptuales/filosóficas, jurídicas y políticas que explicarían el rechazo al nuevo sistema instaurado por la CDPD. Siguiendo en alguna medida su esquema, voy a analizar algunas de ellas, si bien aplicadas a nuestra propia realidad, aludiendo tanto a la literatura especializada, como a la práctica judicial y social españolas.

1. RAZONES FILOSÓFICAS

Es bastante fácil constatar, desde la perspectiva conceptual, que muchas personas críticas con el modelo social de la discapacidad y, en particular, con el reconocimiento de la capacidad jurídica de las personas con discapacidad y con el sistema de apoyos, niegan la viabilidad de los mecanismos de apoyo en la toma de decisiones; lo hacen apelando directamente a los casos difíciles, en los que el recurso a la voluntad, deseos y preferencias de la persona con discapacidad, prioritaria en el nuevo modelo, resulta más problemática[17], cuando no directamente imposible[18], según aprecian esos mismos

---

14. Uno de los últimos y más significativos, BERCOVITZ RODRÍGUEZ-CANO, R., "Sobre la Ley 8/2021 para el apoyo a las personas con discapacidad en el ejercicio de su capacidad jurídica", *Revista Jurídica del Notariado*, n.º 113, julio-diciembre 2021, pp. 15-72; en p. 71, que, enunciando una especie de profecía autocumplida, concluye su trabajo estimando absolutamente innecesaria la reforma; tras exponer una interpretación continuista de la nueva Ley, la acusa de "puro nominalismo, prescindir de la palabra tutela, renunciar al concepto de capacidad de obrar y a su modificación, ocultándola bajo el concepto de medida de apoyo, presentar como supuesto extraño y anómalo la representación legal de las personas discapacitadas. Introduciendo con ello confusión en la dogmática jurídica y pretendiendo ocultar la situación real de un número muy importante de discapacitados, con cuya voluntad no se puede contar, por inexistente o inasumible, de manera que tienen que ser protegidos incluso contrariando esa voluntad e imponiendo tratamientos, régimen de vida y lugar de residencia". Con las premisas del autor, no es que sea innecesaria la LAPD, es que sobra totalmente la CDPD, por lo que, honestamente, creo que la consecuencia más lógica de su modo de ver las cosas sería pedir la denuncia del texto internacional.
15. BACH, M., "Inclusive citizenship: refusing the construction of cognitive foreigners in neoliberal times", *Research and Practice in Intellectual and Developmental Disabilities*, 2017, vol. 4, n.º 1, pp. 4-25.
16. BOOTH GLEN, K., "Introducing a new human right…", cit., pp. 15 ss.
17. En el ámbito comparado BACH, M., "Inclusive citizenship…", cit., p. 12; en el nuestro, responde a esta crítica, CUENCA GÓMEZ, P., "De objetos a sujetos de derechos. Reflexiones filosóficas sobre el art. 12 de la Convención Internacional sobre los Derechos de las Personas con Discapacidad", *Principios y preceptos de la reforma legal de la discapacidad. El Derecho en el umbral de la política*, P. A. Munar Bernat (dir.), Marcial Pons, 2021, pp. 47-75, espec., pp. 60 ss.
18. Como sería el caso de una persona con discapacidad que ni puede formar su voluntad ni puede expresarla y, por añadidura, carece de trayectoria vital que pueda ser interpretada; por ejemplo, porque ha manifestado desde su nacimiento esas deficiencias cognitivas y expresivas, con lo que resulta imposible tomar en cuenta su historia de vida en modo alguno.

críticos[19] o incluso quienes no lo son tanto[20]. La opción de la LAPD es admitir, en estos casos límite, una representación sustitutiva de carácter global[21], lo que tengo que reconocer que no es lo auspiciado por la Observación General Primera, cuyo texto expresa que los sistemas sustitutivos no pueden ser un recurso para el ejercicio de la capacidad jurídica en ningún caso. No obstante, debemos tener muy presente que hablamos de casos marginales y, por consiguiente, que el recurso a la curatela representativa prevista en la LAPD debería de serlo igualmente[22]; añado, además, que en este tipo de casos límite resulta verdaderamente complicado encontrar otra solución diferente a la sustitución en la toma de decisiones que no expulse totalmente estas personas del mundo jurídico[23].

También desde determinados planteamientos filosóficos se aprecia que el nuevo sistema contradice el concepto generalmente aceptado de autonomía, basado en la racionalidad y la inteligencia supuestamente normal, si bien no faltan destacados pensadores modernos que cuestionan este axioma desde varios puntos de vista[24]. De momento me limito a reconocer que la idea de autonomía y capacidad de actuar asociada a la racionalidad y a la normalidad cognitiva está muy arraigada en nuestra

19. Es el caso, por ejemplo, de VELILLA ANTOLÍN, N., "Una visión crítica a la Ley de apoyo a las personas con discapacidad", *El Notario del Siglo XXI*, n.º 103, mayo-junio 2022, quien, entre otras cosas afirma: "Más allá de las buenas intenciones, eliminar las instituciones tutelares para las personas con discapacidad psíquica grave supone un problema para quienes se tienen que ocupar de ellas. El legislador no ha tenido en cuenta, por ejemplo, que una persona que nace con una enfermedad congénita o una patología incapacitante que obliga a sus padres a asistirle en todas las actividades básicas de la vida diaria más allá de la mayoría de edad necesita una protección tan elevada que no puede por sí mismo prestar ningún tipo de consentimiento, por lo que es imprescindible que alguien lo haga en su lugar...".

20. Señala en nuestra literatura, LÓPEZ BARBA, E., *Capacidad jurídica. El artículo 12 de la Convención sobre los Derechos de las Personas con discapacidad y las medidas no discriminatorias de defensa del patrimonio*, Madrid, Dykinson, 2020, p. 38, que la cuestión de cómo resolver la situación de las personas afectadas por discapacidad intelectual severa es una constante que cuestiona de manera silenciosa la previsión del artículo 12.2 de la Convención.

21. GARCÍA RUBIO, M.ª P., "La reforma de la discapacidad en el Código Civil. Su incidencia en las personas de edad avanzada", cit., p. 98.

22. Por lo que no es una práctica plausible la realizada por no pocas autoridades judiciales que, tras la entrada en vigor de la LAPD y en aplicación de su régimen transitorio que establece los mecanismos de adaptación del viejo al nuevo sistema, se limitan a sustituir las precedentes sentencias de incapacitación y tutela, por designaciones de curadores representativos, práctica que si bien no está siendo general, si resulta bastante extendida.

23. La solución que proponen los autores anglosajones más proclives al sistema de la CDPD es el denominado "*facilitated decisión making*"; según SZMUKLER, G./BACH, M., "Mental health disabilities and human rights protections", 2015, 2, pp. 1-9, este mecanismo se activaría cuando una persona es incapaz de actuar jurídicamente de modo independiente, en casos en los que, por razones diversas es imposible trasladar a decisiones su voluntad, deseos y preferencias, porque son inviables, o porque la interpretación de esa voluntad es conflictiva o porque la persona en cuestión dice tener una voluntad contemporánea contradictoria con que ha manifestado de modo constante. La "facilitación" legitimaría a una persona para mediar en un diálogo de toma de decisiones con la persona con discapacidad, con su apoyo y con los profesionales implicados; el objetivo sería alcanzar la mejor interpretación posible de la voluntad y preferencias, lo que otra vez más nos enfrente a casos donde se cuestiona si esta realmente existe y se puede interpretar.

24. Para una crítica profunda a las tesis filosófico-políticas del contrato social, basadas en el beneficio mutuo, incluyendo la más reciente e influyente de Rawls, en concreto respecto de sus limitaciones para las personas con discapacidad, es referente indispensable NUSSBAUM, M. C., *Las fronteras de la justicia. Consideraciones sobre la exclusión*, Paidós, 2007, pp. 107-162.

tradición cultural, filosófica y jurídica, por lo que su reformulación no es sencilla; más adelante volveré sobre este tema.

2. RAZONES JURÍDICAS

La práctica de los Estados firmantes de la CDPD pone de manifiesto que la mayoría, por no decir todas las modificaciones legislativas operadas en los ordenamientos internos con el objetivo confesado de adaptarse al citado tratado internacional, no son plenamente coherentes con su artículo 12. De hecho, como ya se ha anticipado, el propio Comité de los Derechos de las Personas con Discapacidad se vio obligado a dictar la Observación General Primera en 2014, precisamente, porque consideraba que su significado estaba siendo mal entendido por los Estados. Casi una década después el propio Comité sigue considerando que prácticamente ningún Estado parte ha realizado la plena adaptación al art. 12 CDPD[25]. A esta desoladora constatación contribuye, sin duda, que ni el texto convencional ni los actos del Comité que lo glosan, establezcan demasiadas pautas técnicas concretas para que los Estados desarrollen el nuevo modelo en sus normas internas las cuales, necesariamente, han de ser muy distintas de las tradicionales.

Vuelvo a insistir en que el esquema instaurado por el artículo 12 CDPD no conlleva un mero lavado de cara con el que se trata de dar más protagonismo a las personas con discapacidad. El reconocimiento de su capacidad jurídica supone un auténtico cambio de paradigma[26] en el que, como recuerda la citada Observación General Primera, quedan proscritos los mecanismos de sustitución de la voluntad de las personas con discapacidad intelectual, cognitiva o psicosocial, señaladamente la tutela, que deben ser reemplazados por sistemas de apoyo en el ejercicio de la capacidad jurídica, basados en el respeto a la voluntad, deseos y preferencias de estas personas y nunca en su mejor interés o interés superior. Quienes tienen este tipo de discapacidades tienen también pleno derecho a ver reconocidos sus derechos, así como a ejercitarlos en las mismas condiciones que los demás, sin sufrir ningún tipo de discriminación o limitación. Por eso creo que, en nuestro caso, algunas decisiones judiciales dictadas tras la entrada en vigor de la LAPD, en las que se dice aplicar esta para, en realidad, llegar a resultados muy similares, cuando no idénticos, a los que se hubieran alcanzado con el sistema anterior, no pueden considerarse en verdad como aplicaciones del nuevo régimen jurídico.

---

25. En la práctica totalidad de las Observaciones Finales del Comité para los derechos de las personas con discapacidad a los Informes presentados por los Estados, se denuncia la falta de adaptación plena a los dictados de la CDPD. Entre los más recientes, Informe inicial de la República Bolivariana de Venezuela (CRPD/C/VEN/1), segundo y tercer informes combinados de Hungría (CRPD/C/HUN/2-3) de 25 de marzo de 2022; segundo y tercer informes combinados de México (CRPD/C/MEX/2-3), o informe inicial de Jamaica (CRPD/C/JAM/1) de 22 de marzo de 2022; informe inicial de Estonia (CRPD/C/EST/1), de 29 de marzo de 2021; informe inicial de Francia, de 7 de septiembre de 2021 (CRPD/C/FRA/CO/1); o el informe inicial de Noruega (CRPD/C/NOR/1 y Corr.1) de 4 de abril de 2019.

26. Cambio de paradigma en el sentido acuñado por TH. S. KUHN, *The Structure of Scientific Revolutions* (1962), aunque este lo diseñase para la Historia de la Ciencia y en el contexto de la CDPD se aplique al abandono del modelo médico-funcional de la discapacidad, para sustituirlo por el modelo social.

Por otro lado, algunos juristas piensan que el planteamiento según el cual las personas con discapacidades cognitivas o intelectuales pueden ejercitar sus derechos es absurdo e irreal, entre otras razones, porque los terceros no estarían dispuestos a entablar relaciones jurídicas con ellas, ante el peligro de su carácter claudicante[27]. Frente a tales argumentos es preciso invocar el poder del Estado para imponer los efectos jurídicos de los actos realizados por las personas con discapacidad (con apoyos, en su caso), en las mismas condiciones que los demás, potestad que están obligados a ejercer, según establece el artículo 12.5. CDPD.

También desde el punto de vista estrictamente jurídico se alude al choque entre el nuevo modelo y los dogmas de la autonomía de la voluntad y al consentimiento negocial, entendidos ambos desde parámetros de racionalidad y normalidad, cuestión sobre la que, como he dicho, regresaré más adelante.

3. RAZONES POLÍTICAS O DE POLÍTICA JURÍDICA

Desde el punto de vista sociológico y práctico se advierten igualmente algunas razones para el rechazo del modelo diseñado por el artículo 12 CDPD para el ejercicio de la capacidad jurídica de las personas con discapacidad cognitiva, intelectual o psicosocial. Las causas pueden resumirse en dos: arraigo del modelo anterior y desconocimiento del nuevo sistema.

Es indudable que el modelo sustitutivo en la toma de decisiones de las personas con el tipo de discapacidades, anterior a la CDPD y presente todavía en gran parte de los ordenamientos jurídicos internos, está profundamente arraigando en las profesiones jurídicas –notarios, jueces, fiscales, abogados, etc.– y extrajurídicas –como los especialistas en salud mental o en cuidados, por ejemplo–, todas ellas habituadas a tratar con personas con discapacidad intelectual. Para muchos de estos profesionales, el nuevo modo de abordar la discapacidad y la consagración del derecho a que las personas

---

27. Sin duda uno de los más críticos con la LAPD, insistiendo sobre todo en sus implicaciones en la contratación, es CARRASCO PERERA, A., "Brújula para navegar la nueva contratación con personas con discapacidad, sus guardadores y curadores", *CESCO*, 30 de junio de 2021. Para el autor citado nada de lo que introduce el nuevo modelo le parece plausible; particularmente, considera desacertado que se inmiscuya en la esfera contractual donde existen terceros cuya confianza hay que proteger, parece que por encima de cualquier otra consideración. Aunque algunas de las frases que utiliza son especialmente desafortunadas, me limito aquí a señalar que prácticamente todas sus afirmaciones derivan del absoluto desconocimiento del modelo social de la discapacidad recogido en la CDPD, de un planteamiento ideológico que niega la capacidad jurídica de las personas con discapacidad cognitiva o intelectual, y de una concepción del Derecho civil puramente patrimonialista que llega a considerar como no jurídicos otro tipo de asuntos relativos a la persona. En relación con la objeción apuntada en el texto, el autor afirma que el discapacitado sin curador representativo quedará fuera del mercado. Curiosamente, no están fuera de juego las personas con discapacidad cuando se plantea el ingreso de estas en un centro y se suscriben con ellas los pertinentes contratos, que normalmente suponen un desembolso económico muy importante, normalmente muy superior al del alquiler de una vivienda en el mercado, como bien pone de relieve TORRES COSTAS, M.ª E., "La firma del contrato de ingreso en residencia por el guardador de hecho a la luz de la Ley 8/2021, de 2 de junio, por la que se reforma la legislación civil y procesal para el apoyo a las personas con discapacidad en el ejercicio de su capacidad jurídica", *Anales de Derecho y Discapacidad de la Fundación Derecho y Discapacidad*, 2022 (Pendiente de publicación en el momento de redactar estas líneas).

que la tienen vean reconocido al máximo nivel su capacidad jurídica parece desafiar sus conocimientos y sus convicciones más sólidas, sus prácticas consolidadas e, incluso en ciertos casos, su estabilidad profesional. Tampoco falta quien denuncia la existencia de fuertes intereses económicos en el mantenimiento del modelo sustitutivo en el ejercicio de la capacidad jurídica, y ello tanto a nivel individual (algunos tutores, por ejemplo, que administran ricos patrimonios), como institucional[28].

Finalmente, ciertos sectores manifiestan una fuerte oposición emocional por parte de familiares y allegados de las personas con discapacidad intelectual en nombre de una necesaria protección que, a su juicio, desaparece con el nuevo modelo[29]. En esta misma línea, desde determinados planteamientos filosóficos se discute la idoneidad de borrar las interferencias paternalistas en la discapacidad, entendiendo que con ello se puede desembocar en el abandono de quienes, por no estar en condiciones de cuidar de sí mismos, requieren de un especial apoyo de la sociedad y del Estado[30]. Sin que pueda entrar aquí a analizar la veracidad o no de tal intuición o sentimiento, lo que no puedo dejar de señalar es que históricamente la protección y el paternalismo ha conducido a la vulnerabilidad y el apartamiento de estas personas de la vida social y jurídica, efectos que, precisamente, quieren ser evitados por el cambio de paradigma propugnado desde la CDPD[31].

Todas las razones apuntadas, y seguramente alguna más que no ha quedado reflejada en estos párrafos, no me impiden considerar que el reconocimiento del derecho de las personas con discapacidad cognitiva, intelectual o psicosocial a ver reconocida su capacidad jurídica en las mismas condiciones que los demás es un imperativo ético irrenunciable que el artículo 12 CDPD ha convertido también en una obligación jurídica que ha de ser cumplida por los Estados parte de la CDPD.

En el caso español, la adaptación a los dictados del artículo 12 CDPD fue el principal cometido que pretendió la LAPD; su carácter incompleto[32] y sus defectos técnicos,

---

28. BOOTH GLEN, K. "Introducing a new human right…", cit., pp. 23.
29. Solo a título de ejemplo, la siguiente noticia de prensa de mayo de 2022: "Las familias de personas con daño cerebral desconfían de la nueva ley de discapacidad y reclaman información", https://www.lavanguardia.com/vida/20220508/8251249/familias-personas-dano-cerebral-desconfian-nueva-ley-discapacidad-reclaman-informacion.html. El rechazo se manifiesta también, por parte de muchos familiares y entidades del entorno de la discapacidad en el tema de la educación inclusiva (*Vid.* https://elpais.com/educacion/2020-11-25/la-angustia-de-las-familias-por-los-cambios-en-la-educacion-especial.html, por ejemplo).
30. Fuertemente crítico con el modelo social, con el abandono de los planteamientos paternalistas y, en consecuencia, con el cambio legislativo, ALEMANY, M., "Una crítica a los principios de la reforma del régimen de la discapacidad", en *Principios y preceptos de la reforma legal de la discapacidad. El Derecho en el umbral de la política*, P. A. Munar Bernat (dir.), Marcial Pons, 2021, pp. 21-45.
31. Como dice CUENCA GÓMEZ, P., "De objetos a sujetos de derechos…", cit., pp. 64-65, este cambio no supone abandonar o dejar desamparadas a su suerte a las personas con discapacidad cognitiva, sino más bien lo que implica es cambiar la dirección del impulso protector, pasando de un sistema que les convierte en objetos de protección silenciando sus voces y transfiriendo sus decisiones y derechos a un tercero, a un sistema que les protege en tanto sujetos de derechos, exigiendo el máximo respeto a su voluntad y preferencias, garantizando la asistencia en la toma de cisiones, estableciendo salvaguardias y restaurándolas en el ejercicio de sus derechos humanos.
32. Básicamente por no haber incluido, como era la pretensión inicial, ni las normas relativas al consentimiento en materia de la salud y biomedicina, cuyas leyes reguladoras siguen sin ser adaptadas a la CDPD un año después de la publicación de la LAPD. Otro tanto cabe decir de

que sin duda posee, no desmerecen ni un ápice la adecuada dirección que toma y la necesidad de seguir dando pasos en el sentido de hacer posible e inevitable el "derecho a tener y a disfrutar de los derechos", que compete a todas las personas, también a quienes poseen discapacidades cognitivas, intelectuales o psicosociales.

Tengo que decir, para cerrar este epígrafe, que no faltan en la doctrina española quienes se han manifestado reticentes con la LAPD, pero en el sentido totalmente contrario al visto hasta aquí. Algunos de los más conspicuos representantes del nuevo paradigma instaurado por la CDPD han acusado a la ley española de insuficiente y de mantener algunos viejos resabios del modelo anterior[33]. Tengo que estar más de acuerdo con estos autores que con los que he venido reseñando hasta ahora. Según mi parecer, la ley española hubiera debido ser más explícita con el reconocimiento del derecho a renunciar al apoyo; asimismo, he apuntado que viola en supuestos excepcionales la interdicción del sistema sustitutivo auspiciada por la Observación General, si bien he puesto también de relieve las enormes dificultades técnicas que el buscar un modelo alternativo en los casos límite, o casos más difíciles. Sin embargo, con lo que no estoy de acuerdo con algunos de estos segundos críticos es con su afirmación según la cual que el Derecho civil es una disciplina particularmente resistente a cambios mayores[34]; la propia LAPD es un buen ejemplo de lo contrario.

IV. NECESIDAD DE RECONSTRUIR UNA NUEVA AUTONOMÍA DE LA VOLUNTAD

El poder de autodeterminación de la persona, esto es, el respeto por su voluntad de decidir cómo quiere configurar su vida, incluyendo sus relaciones con los demás y con las cosas que le rodean, de indiscutible raíz kantiana[35], ha sido –al menos desde la época de la codificación– la base de nuestro sistema filosófico, político y jurídico, singularmente, dentro de este último, de nuestro sistema de Derecho privado[36]. La autonomía de voluntad, expresada a través de los actos y negocios jurídicos de distinta

---

los tratamientos involuntarios y, particularmente, del internamiento no voluntario, al que ya he hecho mención anteriormente.

33. Con referencia al Proyecto de Ley, CUENCA GÓMEZ, P., "Reflections on the Reform of Spanish Civil Legislation on Legal Capacity of Persons with Disabilities", en *Supporting Legal Capacity in Socio-Legal Context*, Donnelty, M et altri (ed.), Oxford, Hart, 2022, pp. 157-175.

34. CUENCA GÓMEZ, P., "Reflections on the Reform...", cit., p. 175.

35. JIMÉNEZ REDONDO, M., "EL hombre como fin en sí: una aproximación kantiana a la idea de persona", en *Teoría y Derecho. Revista del Pensamiento Jurídico. Sobre el concepto de persona*, 14/2013, pp. 14-33; Hierro L. L., ¿Quién tiene derechos humanos?", *Teoría y Derecho. Revista del Pensamiento Jurídico. Sobre el concepto de persona*, 14/2013, pp. 63-81.

36. F. DE CASTRO, *El Negocio Jurídico*, Madrid, Civitas, Reimpresión 2002, de la edición de 1985, p. 12, define la autonomía privada, en su sentido jurídico amplio, como aquel poder complejo reconocido a la persona para el ejercicio de sus facultades, sea dentro del ámbito de libertad que le pertenece como sujeto de derechos, sea para crear reglas de conducta para sí y en relación con los demás, con la consiguiente responsabilidad en cuanto actuación en la vida social; en p. 13, el autor distingue, dentro de este sentido amplio dos partes: 1.ª El poder atribuido a la voluntad respecto a la creación, modificación y extinción de las relaciones jurídicas, y que se enmarca en el ámbito del negocio jurídico; 2.ª El poder de esa voluntad referido al uso, goce y disposición de poderes, facultades y derechos subjetivos, y que se concreta en la autonomía dominical o ámbito del ejercicio de los derechos subjetivos.

naturaleza (desde el contrato al testamento, pasando por los negocios jurídicos familiares, sean o no contractuales) constituye el vector fundamental sobre el que se asientan nuestros ordenamientos y, en definitiva, nuestros derechos.

Pero lo cierto es que el esquema que hemos aprendido, que cuenta ya con más de dos siglos de andadura, la voluntad como motor que permite crear, configurar y extinguir las relaciones jurídicas y da cauce al ejercicio de los propios derechos, se construyó a partir de un modelo abstracto, ideal, que se corresponde con un parámetro de igualdad formal entre los ciudadanos, pensado para hombres libres, con un determinado nivel de inteligencia y de formación, que pueden tomar y toman decisiones racionales y eficientes y que, en consecuencia, deben quedan vinculados por ellas[37]. Si esas condiciones no se daban, la consecuencia era que la voluntad no existía o estaba viciada, lo que hacía que los actos de autonomía no fueran tales y, en consecuencia, se tuvieran (o se pudieran llegar a tener) por nulos y no produjeran efectos (o los producidos se pudieran deshacer). Lógica derivación de este planteamiento era que las personas que por sus determinadas circunstancias (el sexo o género, durante un tiempo, por ejemplo) no respondían al parámetro ideal, no eran autónomas, no eran portadoras de una auténtica voluntad, en el sentido técnico expresado[38].

La descrita es la voluntad sobre la que se ha fundamentado nuestro concepto de consentimiento contractual, prototipo de todos los demás actos negociales y, en general, de los actos jurídicos de autonomía[39]; es la que consagraron en su día los Códigos civiles, entre ellos el español y, con algunas modulaciones, sigue siendo la que contemplamos, conscientemente o no, los juristas contemporáneos.

Es evidente que esa concepción de la voluntad casaba muy bien con modelos sobre la discapacidad intelectual hoy periclitados; el loco, el demente, el enajenado, no sabía lo que hacía, no tenía voluntad y, en consecuencia, debía de ser y efectivamente era apartado del tráfico jurídico. En el marco inmediatamente anterior a la LAPD, la persona con deficiencias psíquicas que la distanciaban del espectro de la normalidad podía ser judicialmente incapacitada. Su actuación era sustituida entonces por la de su representante legal (tutor/incluso curador, padre y/o madre) y, cuando esto no fuera posible, por tratarse de actos personalísimos (matrimonio, testamento, por ejemplo) simplemente era expulsado del sistema, pues no era infrecuente que en la sentencia de incapacitación se incluyera la prohibición de realizar tales actos de autonomía. En ambos casos se le negaba su condición de sujeto jurídico. Eso sí, la actuación sustitutiva

---

37. Lo expresa muy bien ÁLVAREZ MEDINA, S., *La autonomía de las personas. Una capacidad relacional,* CEPC, Madrid, 2018, p. 14, cuando afirma "El individuo capaz de evaluar sus posibilidades de acción, valorarlas y realizar un ejercicio de voluntad dirigido a plasmar sus preferencias en elecciones propias, no dependientes, ese es un individuo autónomo".

38. Como expresa muy bien HATTENAUER, H., *Conceptos fundamentales del Derecho civil,* trad. español, Barcelona, Ariel, 1987, la libertad (para realizar actos jurídicos) era imputable exclusivamente a aquellos que, gracias a su constitución espiritual e intelectual, podían prever y soportar las consecuencias de su acción, de modo que los enfermos mentales, los menores de edad y, en general, los incapaces de manifestar su razón, no eran responsables de su conducta no libre.

39. En tal sentido, ligando la idea de contrato y su obligatoriedad con la idea misma de persona y el respeto de la dignidad que le es debida, DÍEZ-PICAZO Y PONCE DE LEÓN, L., *Fundamentos del Derecho civil patrimonial, I. Introducción. Teoría del Contrato,* sexta ed., Cizur Menor, Thomson-Civitas, 2007, p. 143.

debía responder al interés o beneficio del incapacitado, que era, en cierto sentido, tratado como un objeto a proteger y cuidar, en lugar de como un sujeto protagonista de su propia vida.

Aplicado a las personas con ese tipo de discapacidad que afecta a sus aptitudes para comprender y tomar decisiones y/o para expresarlas, como sucede con los cuatro colectivos que han sido descritos en páginas precedentes, es palmario que el modelo respondía bien a las exigencias de la seguridad jurídica que reclaman los ordenamientos jurídicos, al crear *ex ante* las condiciones para que los actos que entraban en el tráfico fueran actos de verdadera "voluntad", aunque esta operase por sustitución, pues como se ha dicho, era el representante legal y no la persona con discapacidad quien decidía y expresaba la aludida voluntad.

Voluntad –desde la perspectiva abstracta señalada–, paternalismo –hacia la persona de cuya voluntad se prescindía en aras a su mejor interés– y seguridad jurídica, iban de la mano en este modelo.

A nadie se le oculta que en el nuevo paradigma de la discapacidad adoptado por la CDPD[40], y al menos en su intención primigenia, por la LAPD[41], este modelo ha de entenderse totalmente superado[42].

Según el nuevo modelo diseñado en la CDPD, como claramente expresa su Preámbulo y refleja todo su articulado, el poder de autodeterminación lo tienen todas las personas, porque es ínsito a la dignidad humana que a todas compete[43]. Un acto

---

40. Según recoge su Preámbulo, "... la discapacidad es un concepto que evoluciona y que resulta de la interacción entre las personas con deficiencias y las barreras debidas a la actividad y al entorno que evitan su participación plena y efectiva en la sociedad, en igualdad de condiciones que los demás". La nueva concepción tiene un sólido fundamento filosófico en pensadores como NUSSBAUM, M. C. y su enfoque de las capacidades (cf. *Las fronteras de la justicia...* cit., pp. 107-162).
41. También, de modo expreso, en la Estrategia española sobre la discapacidad 2022/2030, publicada en mayo de 2022 por el Ministerio de Asuntos Sociales y Agenda 2030.
42. Conviene recordar el texto de la Observación General Primera, párrafo 15, pp. 4-5 1.ª donde se dice: "En la mayoría de los informes de los Estados partes que el Comité ha examinado hasta la fecha se mezclan los conceptos de capacidad mental y capacidad jurídica, de modo que, cuando se considera que una persona tiene una aptitud deficiente para adoptar decisiones, a menudo a causa de una discapacidad cognitiva o psicosocial, se le retira en consecuencia su capacidad jurídica para adoptar una decisión concreta. Esto se decide simplemente en función del diagnóstico de una deficiencia (criterio basado en la condición), o cuando la persona adopta una decisión que tiene consecuencias que se consideran negativas (criterio basado en los resultados), o cuando se considera que la aptitud de la persona para adoptar decisiones es deficiente (criterio funcional). El criterio funcional supone evaluar la capacidad mental y denegar la capacidad jurídica si la evaluación lo justifica. A menudo se basa en si la persona puede o no entender la naturaleza y las consecuencias de una decisión y/o en si puede utilizar o sopesar la información pertinente. Este criterio es incorrecto por dos motivos principales: a) porque se aplica en forma discriminatoria a las personas con discapacidad; y b) porque presupone que se pueda evaluar con exactitud el funcionamiento interno de la mente humana y, cuando la persona no supera la evaluación, le niega un derecho humano fundamental, el derecho al igual reconocimiento como persona ante la ley. En todos esos criterios, la discapacidad de la persona o su aptitud para adoptar decisiones se consideran motivos legítimos para negarle la capacidad jurídica y rebajar su condición como persona ante la ley. El artículo 12 no permite negar la capacidad jurídica de ese modo discriminatorio...".
43. Como he dicho en otro lugar, se rechaza la dicotomía liberal que ve a los sujetos de derechos, o bien como agentes autónomos, o como víctimas vulnerables necesitadas de protección, para

humano no deja de ser un acto de voluntad, un acto autónomo, por el hecho de haber sido emitido por una persona con discapacidad, sea esta del tipo que sea. Vuelvo a recordar que en el texto convencional las personas con discapacidad tienen derecho a tomar sus propias decisiones (artículo 3 CDPD), también cuando estas decisiones tengan trascendencia jurídica (artículo 12 CDPD). Por añadidura, tienen derecho a que los ordenamientos jurídicos de los Estados parte de la citada Convención dispongan los apoyos precisos para que el ejercicio de esa capacidad jurídica (la actuación de su voluntad) se realice en condiciones de igualdad con los demás y produzca los mismos efectos. En este punto quisiera insistir una vez más en que los apoyos en el ejercicio de la capacidad jurídica no pueden ser impuestos, precisamente, por respeto a esa voluntad y porque el apoyo no es un fin en sí mismo, sino simplemente un medio para el fin que supone el ejercicio de la capacidad jurídica[44], algo que, sin embargo, el legislador español no se ha atrevido a expresar de modo directo y que ha sido negado por el Tribunal Supremo en la primera sentencia en que dice aplicar la LAPD[45].

En cualquier caso, la consecuencia lógica de la nueva perspectiva es que discapacidad o dificultad para entender, querer o expresarse ya no pueden ser considerados como antónimos de voluntad o de voluntad suficiente; muy al contrario, son conceptos compatibles que el sistema jurídico debe saber armonizar.

Los juristas necesitamos, pues, reconstruir un nuevo concepto de voluntad acorde con esta nueva concepción y con el estrenado paradigma de la CDPD. Para empezar, una voluntad que ya no puede ser abstracta y rígida, pues necesariamente ha de atender al caso concreto, a la persona en cuestión, al momento preciso de emitirla y al tipo de acto en el que se plasma. El juicio de capacidad (de voluntad) deja de ser un juicio general que la ley o la autoridad judicial hacen *ex ante*, y pasa convertirse en un ejercicio que debe realizar el aplicador del Derecho en el momento preciso, con el fin de determinar el alcance del consentimiento dado para un acto determinado en un contexto concreto. El consentimiento (la voluntad formada y expresada) deja de ser algo binario –se tiene o no se tiene– para pasar a ser un término contextual que puede tener muchos matices y que, entre otras variables, depende de la persona, de las circunstancias o del tipo de relación o de acto al que se refiere.

Esa labor obliga a considerar a la persona que consiente o actúa con todos sus atributos[46]; obliga a reconstruir sus aptitudes, sus circunstancias y sus condiciones de vida; obliga, con probabilidad rayana en la certeza, a rehacer el concepto de vicios de la voluntad, que con la nueva perspectiva parecen necesitados de ampliación (la ventaja injusta, por ejemplo; tal vez, la influencia indebida como algo distinto del dolo o la intimidación). La decisión sobre la validez o nulidad del acto se complica, tanto más

---

pasar a entender que un mismo individuo puede ocupar ambas posiciones, de autonomía y vulnerabilidad, víctima y agente, al mismo tiempo (GARCÍA RUBIO, M.ª P., "La persona en el Derecho civil. Cuestiones permanentes y algunas otras nuevas", *Teoría y Derecho. Revista del Pensamiento Jurídico. Sobre el concepto de persona*, 14/2013, pp. 83-108, espec., p. 99).

44.   BOOTH GLEN, K., "Supported Decision-Making and the Human Right of Legal Capacity", *Inclusión*, 2015, vol. 3, n.º 1, pp. 2-16, espec., p. 6.

45.   STS de 8 de septiembre de 2021, citada ya en la nota 6.

46.   En palabras de RODOTÁ, S., *La vida y las reglas. Entre el derecho y el no derecho*, Torino, 2010, p. 44, "hay que contemplar a la persona en una larga serie de facetas concatenadas, reconociéndole unas veces su autónoma capacidad y otras acompañándola con diversas formas de auxilio".

cuanto que en el nuevo modelo no cabe el paternalismo, no cabe apelar al mejor interés de la persona con discapacidad, no cabe la sustitución de su voluntad –imperfecta– por otra que responda al modelo de perfección –la de su tutor, por ejemplo–.

Acaso verán algunos aquí la sombra de un peligro acechante: el riesgo de que la seguridad jurídica se resienta a medida que la dignidad de la persona con discapacidad, expresada en su poder de autodeterminación, gana espacio. En este nuevo modelo, libertad de decidir de la persona (voluntad en el nuevo sentido) y dignidad prevalecerían sobre los riesgos que pueda experimentar la seguridad jurídica[47]. Y, en efecto, tal debe ser el nuevo orden de prelación.

Con todo, no ignoro que la seguridad jurídica sigue siendo un valor superior en nuestro ordenamiento jurídico, por imperativo constitucional (artículo 9 de la Constitución española), por lo que no me cabe duda de que también ha de ser tomado en consideración en las normas dictadas para responder y desarrollar el nuevo paradigma; que ya no se trate de un valor absoluto, ni siquiera prioritario, no significa que deba sea descuidado; en su justa medida, debe ser también objeto de consideración.

Algo de lo dicho se pone en evidencia en la muy poco transparente modificación que la LAPD ha operado en los arts. 1302, 1304 y 1314 CC. La reforma en materia de validez de contratos celebrados por personas con discapacidad ha dejado como resultado unos preceptos de difícil inteligencia. No obstante, una lectura razonable de los mismos permite equilibrar intereses que no han de considerarse enfrentados: autonomía de la persona con discapacidad y la confianza de los terceros con los que contratan en la medida en que su conducta no merezca reproche; las evidentes razones de espacio me obligan a no profundizar en este tema, para cuya aclaración remito a trabajos anteriores[48].

---

47. A la "dignidad del riesgo" apelan FLYNN, E./ARSTEIN-KERSLAKE, A., "The Support Model of Legal Capacity: Fact, Fiction or Fantasy?, *Berkeley Journal of International Law*, vol. 32 Iss. 1 (2014), pp. 124-143., espec., p. 141. A la dignidad del riesgo se refiere también expresamente la entidad Inclusión Internacional, muy activa durante toda la negociación de la CDPD, en su informe "Inclusion International. (2014). Independiente pero no solo. Informe mundial sobre el derecho a decidir. Londres, Gran Bretaña, Inglaterra: Inclusion International", espec., p. 70.
48. GARCÍA RUBIO, M.ª P. y VARELA CASTRO, I., "Comentario al artículo 1302", *Comentario articulado a la reforma civil y procesal en materia de discapacidad*, M.ª P. García Rubio/ M.ª J. Moro Almaraz (dirs.), I. Varela Castro, (coord.), Cizur Menor, Civitas Thomson Reuters, 2022, pp. 645-668, y VARELA CASTRO, I., "Comentario a los artículos 1304 y 1314", *Comentario articulado a la reforma civil y procesal en materia de discapacidad*, M.ª P. García Rubio/ M.ª J. Moro Almaraz (dirs.), I. Varela Castro, (coord.), Cizur Menor, Civitas Thomson Reuters, 2022, pp. 669-682.

La apreciación notarial de la capacidad para testar

ISIDORO LORA-TAMAYO RODRÍGUEZ

Notario honorario del Colegio Notarial de Madrid

I. LA CONSTANCIA POR EL NOTARIO DE LA VOLUNTAD DEL TESTADOR

El título de esta mesa redonda es: "La capacidad para testar de las personas con discapacidad" y el de mi intervención "La apreciación notarial de la capacidad". Ello es congruente con el art. 696 del CC que al establecer las formalidades del testamento abierto dispone que el notario: "También hará constar que, a su juicio, se halla el testador con la capacidad legal necesaria para otorgar testamento" y con el art. 707 CC al establecer, entre las solemnidades del testamento cerrado, en su n.º 4.º, entre otras formalidades, que sobre la cubierta del testamento extenderá el Notario la correspondiente acta de su otorgamiento, expresando hallarse, a su juicio, el testador con la capacidad legal necesaria para otorgar testamento.

Ninguno de estos artículos ha sido reformado por la Ley para el apoyo a las personas con discapacidad, como tampoco ha sido reformado el art 17 bis de la LN, que ordena al notario la dación de fe de que a su juicio los otorgantes tienen capacidad para el acto o negocio jurídico de que se trate.

Sin embargo, este juicio sobre la capacidad del testador, después de la reforma llevada a cabo por la Ley 8/2021 y por la CNY, no puede tener el mismo alcance que antes de la reforma. Como todos ustedes saben la Convención, declara que: "Los Estados Partes reconocerán que las personas con discapacidad tienen capacidad jurídica en

igualdad de condiciones con las demás en todos los aspectos de la vida". Tradicionalmente, al hablar de la capacidad se distinguía entre la capacidad jurídica o capacidad
natural para ser titular de derechos y obligaciones y capacidad civil o capacidad de
obrar. La reforma del CC, en consonancia con la Convención, suprime en las personas mayores de edad esta distinción entre capacidad jurídica y capacidad de obrar. La
modificación es profunda: se reconoce expresamente que una persona con limitaciones intelectuales, físicas o sensoriales puede ejercitar su derecho a testar, siempre que
el notario compruebe que en ese momento de testar está en condiciones de hacerlo.
Por ello, el juicio del notario sobre la capacidad ya no se refiere a la capacidad jurídica
de la persona, se limitará a la aptitud del testador para emitir la declaración de voluntad pretendida; aptitud para otorgarlo (el testamento) era la expresión del art. 665 del
CC del Proyecto, remitido al Congreso, más acertada que la adoptada en la redacción
definitiva, como luego veremos.

Basta para confirmar lo afirmado sobre el juicio del notario sobre la capacidad
del testador comparar la redacción del artículo 663 del CC anterior y la actual. En
la anterior se decía: "Están incapacitados para testar: 2.º. El que habitual o accidentalmente no se hallare en su cabal juicio". – En la actual: "No pueden testar: 2.º La
persona que en el momento de testar no pueda conformar o expresar su voluntad
ni aun con ayuda de medios o apoyos para ello". Cuando de testamento notarial se
trate se completa lo anterior con lo dispuesto en los arts. 665. "La persona con discapacidad podrá otorgar testamento cuando, a juicio del Notario, pueda comprender
y manifestar el alcance de sus disposiciones" y en el art. 695. "El testador expresará
oralmente, por escrito o mediante cualquier medio técnico, material o humano su
última voluntad al Notario. Redactado por este el testamento con arreglo a ella...
Cuando el testador tenga dificultad o imposibilidad para leer el testamento o para
oír la lectura de su contenido, el Notario se asegurará, utilizando los medios técnicos, materiales o humanos adecuados, de que el testador ha entendido la información y explicaciones necesarias y de que conoce que el testamento recoge fielmente
su voluntad".

De estos tres artículos resulta que la esencia es que la persona en ese concreto
momento de testar podía conformar y expresó su concreta voluntad (art 663), por
el medio técnico, material o humano que precisó (art. 695), que esa voluntad es
comprendida por ella, a juicio del notario (art. 665) y que es la que consta en el
testamento.

El notario no está emitiendo ningún juicio sobre la capacidad mental o intelectual
del testador, entendida en términos generales o abstractos, está afirmando un hecho:
esta persona ha emitido ante mí y comprende la declaración de voluntad que consta
en el testamento, teniendo en este acto la capacidad mental o intelectual suficiente
para ello. No está tampoco emitiendo juicios que requieren conocimientos médicos,
como lo prueba que se ha suprimido la intervención de los facultativos; ello supone
que se ha pasado de la concepción de la discapacidad como un tema vinculado a la
salud para asumirlo en un tema social; recordemos que en el Proyecto enviado al Congreso se exigía la intervención de dos expertos que no tenían que ser facultativos, exigencia que se suprimió aceptando una enmienda del Grupo Socialista; de otro lado,

cuando la persona tenga medidas de apoyo, tampoco está calificando capacidades jurídicas o de obrar, pues esta distinción ya no se puede mantener. Insistimos, el juicio de capacidad en el testamento notarial es la constatación de los hechos referidos, afirmado por la única persona que en ese momento estaba presente, el notario, o sea el funcionario con fe pública, que el Estado ha designado para proteger a la persona con discapacidad que desea otorgar testamento. Si se pretende la impugnación del testamento no puede ir por los cauces de la falta de capacidad intelectual o mental de la persona, habrá que ir por el cauce que esos hechos englobados en el juicio del notario no responden a la realidad, sin perjuicio de los vicios del consentimiento al que más tarde nos referiremos.

Pero hay algo más, la persona con discapacidad puede necesitar de medidas apoyo, sin ellos quizás no pudiera formar y expresar esa voluntad y el ese apoyo está obligado a prestarlo el notario; es el apoyo institucional en sede testamentaria. No hay otra medida de apoyo legalmente establecida; el Notario es quién garantiza el cumplimiento de la CNY; desempeña el papel de ayudante o asistente de los testadores que presentan dificultades de comprensión, debiendo tener en cuenta solo su estado en el momento de otorgar el testamento. Lo establece claramente el art. 665: "El Notario procurará que la persona otorgante desarrolle su propio proceso de toma de decisiones apoyándole en su comprensión y razonamiento y facilitando, con los ajustes que resulten necesarios, que pueda expresar su voluntad, dese os y preferencias". Párrafos redactados en forma imperativa. De aquí que quien pretenda impugnar el testamento deberá demostrar también la falta de apoyo por parte del Notario en la declaración de voluntad. Ello no significa, como luego veremos, que si el Notario lo estima necesario pueda recabar informes de expertos que le ayuden a formar su juicio.

Sería ingenuo si no reconozco la dificultad para los notarios y también para los jueces de facilitar el ejercicio de la capacidad jurídica por las personas con discapacidad. Los jueces al constituir la tutela deben hacer una relación concreta de los supuestos en que necesita la persona con discapacidad asistencia, representación o que no la necesita; incluso la LJV al regular el expediente de provisión de medidas judiciales de apoyo a personas con discapacidad, establece como uno de los requisitos del procedimiento la celebración de una entrevista entre la autoridad judicial y la persona con discapacidad y en ella, según el art. 42 bis b): "A la vista de la situación (de la persona con discapacidad), podrá informar acerca de las alternativas existentes para obtener el apoyo que precisa, bien sea mediante su entorno social o comunitario, o bien a través del otorgamiento de medidas de apoyo de naturaleza voluntaria", añadiendo: "4. Si, tras la información ofrecida por la autoridad judicial, la persona con discapacidad opta por una medida alternativa de apoyo, se pondrá fin al expediente". Por tanto, si como consecuencia de esa entrevista el Juez aprecia que, dada la situación de la persona con discapacidad, podría prescindir de las medidas judiciales de apoyo y optar por medidas de apoyo de su entorno, seguramente la guarda de hecho o, voluntarias, le informará para que, si le conviene, opte por ellas. En consecuencia, el Juez, si lo estima procedente, está invitando a la persona con discapacidad a que abandone el procedimiento y acuda a apoyos extrajudiciales.

Es fundamental detenernos en que el ejercicio de la capacidad jurídica por las personas con discapacidad y, en nuestro caso del testamento, no es solo un tema social de la mayor integración de un grupo humano en la sociedad, es un tema moral que afecta directamente a la persona. Es un tema de derechos humanos. Así lo confirma el Preámbulo de la CNY reafirmándose *en* la universalidad, indivisibilidad, interdependencia e interrelación de todos los derechos humanos y libertades fundamentales.

La responsabilidad que contrae el Notario al autorizar el testamento de una persona con discapacidad es grande, pero está haciendo realidad el derecho de esa persona y si pretendemos decir que la CNY y la Ley 8/2021 prácticamente no ha cambiado la situación anterior porque, como ocurría anteriormente, a posteriori, judicialmente, puede impugnarse sin más la capacidad de la persona, estamos dejando inservible la reforma y los derechos humanos que a las personas con discapacidad se les reconoce.

Por ello, la afirmación por el Notario que la voluntad que consta en el testamento de una persona con discapacidad es efectivamente la suya necesita de un respaldo judicial, doctrinal y social. La CNY en su art. 8 al tratar de la toma de conciencia dice: "1. Los Estados Partes se comprometen a adoptar medidas inmediatas, efectivas y pertinentes para: a) Sensibilizar a la sociedad, incluso a nivel familiar, para que tome mayor conciencia respecto de las personas con discapacidad y fomentar el respeto de los derechos y la dignidad de estas personas" y en la misma línea el Preámbulo Ley 8/2021: "La reforma normativa impulsada por esta Ley debe ir unida, por ello, a un cambio del entorno, a una transformación de la mentalidad social y, especialmente, de la de aquellos profesionales del Derecho –jueces y magistrados, personal al servicio de la Administración de Justicia, notarios, registradores– que han de prestar sus respectivas funciones, a requerimiento de las personas con discapacidad, partiendo de los nuevos principios y no de visiones paternalistas que hoy resultan periclitadas".

En este sentido nos parece importantes las afirmaciones que se está haciendo en sentencias recientes, como la de 16 de marzo de 2021, del TSJ de Cataluña, que al referirse a la CNY dice como: "2. El tratado impone un cambio en la concepción de un sistema basado en la sustitución de la toma de decisiones de estas personas por otro en el que partiendo de su capacidad jurídica prevea un sistema de apoyos para hacer efectivo su ejercicio… 11. El tratado aspira a que, partiendo de la plena capacidad jurídica de todas las personas, su ejercicio solo pueda condicionarse por razones de discapacidad mediante un sistema de apoyos, salvaguardias o ajustes razonables, personalizados según la clase, el grado de la discapacidad y su incidencia para la adopción de las decisiones con plena eficacia jurídica. Esta graduación puede ser tan diversa como variadas son en la realidad las limitaciones de las personas y el contexto en que se desarrolla su vida. 12. Como dicen las STS [S. Sala 1.ª 282/2009, de 29 de abril (RJ 2009, 2901), y 341/2014, de 1 de julio (RJ 2014, 4518)] la persona con discapacidad 'sigue siendo titular de sus derechos fundamentales y que la incapacitación es sólo una forma de protección', en la medida en que lo precise, lo que vendrá determinado por la incidencia efectiva que la limitación de sus facultades intelectivas y volitivas tenga en su autogobierno. 13. Los principios contenidos en los artículos 5 y 12.1 del Tratado deben inspirar toda resolución en esta materia".

II. LA REDACCIÓN DEFINITIVA Y LA DEL PROYECTO REMITIDO AL CONGRESO

La redacción propuesta de los arts. 663 y 665 del CC, difieren de la definitiva en algunos extremos que creemos importante destacar. Efectivamente el artículo 663 propuesto decía así: "No pueden testar: 1.º La persona menor de catorce años. 2.º La persona que en el momento de testar tenga afectadas las facultades necesarias para hacerlo".

Por su parte el artículo 665 estaba redactado de la siguiente manera: "Si el que pretende hacer testamento se encontrara en una situación que hiciera dudar fundadamente al Notario de su aptitud para otorgarlo, antes de autorizarlo, este designará dos expertos que previamente lo reconozcan y dictaminen favorablemente sobre dicha aptitud".

El art. 663 en el Proyecto se refería a las personas que en el momento de testar tuviese afectadas las facultades necesarias para hacerlo y en la redacción actual se mezclan dos cuestiones diferentes la conformación de la voluntad y la expresión, lo que no es acertado, pues un tema es la falta de capacidad natural o mental para otorgar testamento y, otra, las deficiencias físicas o sensoriales para expresar la voluntad testamentaria.

La confusión entre una y otra se ve más clara si comparamos las dos redacciones del art. 665. En la anterior, además de referirse al dictamen de dos expertos, fuesen o no médicos, lo fundamental era que el Notario dudase de la aptitud de la persona para testar; en la actual se insiste en el comprender y expresar. Pero hay algo más, la redacción anterior era más respetuosa con los principios de la CNY, pues comprendía a toda persona, tuviera o no discapacidad y en la actual se refiere a la persona con discapacidad, como si de una clase especial de personas se tratase, siendo así que la esencia del juicio que emita el Notario no es si esa persona tiene o no discapacidad, sino si efectivamente la voluntad emitida es la suya, por no estar viciada y si la comprende; es lo que el art. 695 dispone al final que el Notario se asegure que el testador entiende la información y explicaciones necesarias y que el testamento recoge fielmente su voluntad.

Esta exigencia es necesaria respecto a todo testador, encaje o no en el concepto de persona con discapacidad. Por ello, el hecho de que estemos en la actualidad muy influidos por la Ley 8/2021, no debe hacernos perder la perspectiva de que el juicio del Notario sobre la capacidad del testador es necesario ante los otorgamientos realizados por todas las personas.

III. LA VOLUNTAD TESTAMENTARIA

Al analizar D. FEDERICO DE CASTRO la declaración de voluntad negocial en general, en su tratado sobre el negocio jurídico, nos dice que esta se mueve por la vis cognoscitiva (nada se quiere si no se conoce antes) y por la vis appetitiva (es decir el deseo). Conocidas y, en su caso, pesadas posibilidades y fines se llega a la decisión, es decir a la preferencia respecto a los medios y fines posibles. Para que esta voluntad alcance significado jurídico se requiere sea exteriorizada o manifestada.

Estos elementos son los que debemos tener en cuenta para saber si la declaración de voluntad emitida por una persona, tenga o no discapacidad, es válida para producir los efectos por ella pretendidos. Ello requiere 1.º. Analizar la aptitud para formar y emitir la declaración de la voluntad negocial. 2.º Que esa voluntad no esté viciada. 3.º Su exteriorización. 4.º La concordancia entre la voluntad interna y la declarada.

El notario emitirá su juicio que se extiende a estos extremos:

– A la **manifestación ante el notario de esas concretas** disposiciones por la persona con discapacidad.

– A la **comprensión** por el testador de las disposiciones testamentarias.

– A que las disposiciones que constan en el testamento son efectivamente las suyas.

1.º. **Aptitud para formar y emitir la declaración de la voluntad testamentaria**.

Para apreciar que la persona tiene aptitud nos preguntamos: ¿Cuál será, en la mayoría de las ocasiones, la decisión de una persona con discapacidad intelectual sobre su testamento? Algo tan sencillo como que al fallecer sus bienes vayan a quienes la han querido en vida y no vayan a quiénes en vida la han olvidado y, en ocasiones, despreciada.

Estas personas, con un mínimo grado de capacidad intelectual, siguiendo las enseñanzas de DE CASTRO:

– Conocen que han de fallecer, que tienen bienes que pueden ir a unos o a otros y saben mejor que nadie quien las quiere y quién no. Es el conocere.

– Su deseo, como dice DE CASTRO y preferencias, como repiten los textos legales, es clara, que al morir sus bienes vayan a los primeros y no a los otros.

– Su decisión es manifestar lo anterior ante el notario que plasmará su voluntad.

Es de lo que se trata, no de analizar si esa persona conoce las consecuencias de la sucesión mortis causa, del derecho de transmisión, la colación, los efectos de la partición etc., aunque seguramente le interese y comprenda perfectamente las sustituciones testamentarias para que por hechos imprevistos sus bienes vayan a personas no deseadas.

Eso es lo que debe juzgar el Notario si la decisión de esa persona, en ese momento de testar es esa y no otra. El Notario no tiene que entrar a juzgar capacidades médicas, por ello se ha suprimido el dictamen de los facultativos en el 665, pues no se trata de un tema médico, ni capacidades sicológicas, simplemente si la voluntad de la persona es esa y si la misma no está viciada.

Una SAP de Badajoz de 14 de septiembre de 2020 confirma, a nuestro juicio, lo que estamos diciendo, considera que: Hay que reconocer que existen **testamentos**

muy complejos y de difícil comprensión; pero no es menos cierto que hay disposiciones mortis causa muy sencillas. No puede calificarse por igual a todos los testamentos, los hay muy básicos y elementales, al alcance de todos los públicos. Buena prueba de ello es que, desde el Derecho Romano hasta la actualidad, la capacidad legal exigida para testar es inferior a la requerida para realizar actos inter vivos. El Código Civil **permite testar con** solo tener **catorce años** (CC art. 663 –redacc L 8/2021–). Esto da idea de que no se precisa, comúnmente, una especial capacidad intelectual. Y es que la capacidad para testar está en proporción inversa a las complejidades de las disposiciones tomadas.

Si la persona tiene una enfermedad mental el tema puede ser más complicado, dada la amplia gama de afecciones que se pueden presentar y si afectan el estado de ánimo, al pensamiento, al comportamiento etc. Muchas personas manifiestan problemas de salud mental de vez en cuando y otras de forma permanente. El notario al entrar en diálogo con esa persona, recibiendo su voluntad, asistiéndola en ella, ayudándola en su formación, detectará si está o no en un intervalo lúcido o si esa enfermedad mental para nada tiene que influir en la formación de la voluntad testamentaria. Pero teniendo siempre en cuenta que la aptitud para testar solo debe tenerse en cuenta al tiempo que se pretende otorgar el testamento.

2.º. **Algunos criterios jurisprudencia sobre la aptitud de la persona para otorgar testamento.**

Notarios y jueces deben aunar criterios para que la persona con discapacidad pueda otorgar testamento. Una STS de 27 de enero de 1998, sintetiza algunos de estos criterios, considerando:

a) Que la incapacidad o afección mental que impida a la persona hacer testamento ha de ser **grave**, hasta el extremo de hacer desaparecer la personalidad psíquica en la vida de relación de quien la padece, con exclusión de la conciencia de sus propios actos.

b) Que son **circunstancias insuficientes**:

– la edad senil del testador;

– que el otorgante se encuentre aquejado de graves padecimientos físicos;

– tampoco que se aprecie una enfermedad neurasténica y tenga algunas extravagancias.

Respecto a la edad senil una antigua STS de de 25 de octubre de 1928 decía que: "ni el derecho ni la medicina consienten que por el solo hecho de llegar a la senilidad, equivalente a senectud o ancianidad, se haya de considerar demente al individuo…".

En este respeto a las decisiones jurisprudenciales creemos que al apreciar la capacidad del testador por el Notario debe tenerse presente la importante STS de 8 de septiembre del 2021. Sentencia que, aunque criticada por importantes sectores, no puede ignorarse que fue acordada por el pleno de la Sala de lo Civil, sin ningún voto particular, a los cinco días de entrada en vigor de la Ley para el apoyo a las personas con discapacidad; sentencia que lógicamente podía haberse dictado unos días antes, en base a la legislación vigente antes de la reforma y que, a nuestro juicio, con ella el Tribunal Supremo quería dejar claro cuál es su criterio en el tema que nos ocupa. Más aún, pensamos que el Tribunal Supremo, también desde un principio, también quiere dejar claro que, no obstante la Observación General 14, emanada del Comité sobre los Derechos de las Personas con Discapacidad, relativa a la interpretación del art. 12 de la CNY, en nuestro ordenamiento jurídico es a la jurisprudencia a la que corresponde complementar el ordenamiento jurídico con la doctrina que, de modo reiterado, establezca el Tribunal Supremo al interpretar y aplicar la ley, la costumbre y los principios generales del derecho, conforme dispone el art. 1 del CC.

El caso que resuelve la sentencia es el de una persona que padece un trastorno de conducta que le lleva a recoger y acumular basura de forma obsesiva, al tiempo que abandona su cuidado personal de higiene y alimentación. Tanto el Juzgado de Primera Instancia como la Audiencia Provincial, bajo la normativa anterior, acordaron, en primer lugar, la modificación de su capacidad y, en segundo lugar, una medida de apoyo consistente en la asistencia para el orden y la limpieza de su domicilio, con designación como tutora de la Comunidad Autónoma competente.

EL TS entiende que ese primer pronunciamiento, tras la reforma de la Ley 8/2021, debe suprimirse, ya que desaparece de la regulación legal cualquier declaración judicial de modificación de la capacidad. A continuación, considera que el trastorno de la personalidad que afecta al interesado incide directamente en el ejercicio de su capacidad jurídica, también en sus relaciones sociales y vecinales, y pone en evidencia la necesidad de las medidas de apoyo asistenciales acordadas.

Dice la sentencia que: "Aunque en la provisión de apoyos judiciales hay que atender en todo caso a la voluntad, deseos y preferencias del afectado, en casos como este, en que existe una clara necesidad asistencial cuya ausencia está provocando un grave deterioro personal que le impide el ejercicio de sus derechos y las necesarias relaciones con las personas de su entorno, está justificada la adopción de las medidas asistenciales, proporcionadas a las necesidades y respetando la máxima autonomía de la persona, **aun en contra de la voluntad del interesado, porque el trastorno que provoca la situación de necesidad impide que tenga una conciencia clara**".

Esta sentencia, nos viene a decir que "en realidad el art. 268 CC al disponer en la provisión de apoyos la obligación de atender en todo caso a la voluntad, deseos y preferencias del afectado, el empleo del verbo 'atender', seguido de 'en todo caso', subraya que el juzgado no puede dejar de recabar y tener en cuenta (siempre y en la medida que sea posible) la voluntad de la persona con discapacidad destinataria de los apoyos, así como sus deseos y preferencias, **pero no determina que haya que seguir siempre el dictado de la voluntad, deseos y preferencias manifestados por el afectado.** ...Si bien, ordinariamente, atender al querer y parecer del interesado supone dar cumplimiento a él, en algún caso, como ocurre en el que es objeto de recurso, puede que no sea así, si existe una causa que lo justifique. La voluntad contraria del interesado, como ocurre con frecuencia en algunos trastornos psíquicos y mentales, es consecuencia del propio trastorno que lleva asociado la falta de conciencia de enfermedad".

La sentencia ha sido objeto de críticas bastantes generalizadas, al estimar que va en contra de los principios informadores de la CNY y de la reforma llevada a cabo por la Ley 8/2021. Con independencia de que las críticas sean, o no, acertadas, creo que los notarios al autorizar las escrituras no pueden ignorar este pronunciamiento jurisprudencial. Ello, en sede testamentaria, nos hace destacar la especial prudencia que el Notario debe tener en que si una persona, a la que se la ha apreciado una enfermedad mental, pretende otorgar testamento en un intervalo aparentemente lúcido, pero por su contenido complicado parece derivarse de la enfermedad apreciada debe proceder o no al otorgamiento de ese testamento; si estima que debe hacerlo, recomendamos que lo haga con los informes de expertos adecuados.

3.º. **Aseguramiento de que la voluntad no esté viciada**.

3.º-1. Intimidación o dolo. A veces, la persona con discapacidad es vulnerable a que su voluntad esté viciada por intimidación o por dolo, especialmente en el sentido de las maquinaciones o conductas insidiosas, que pueden ser muy variadas, teniendo en cuenta que esta conducta insidiosa realizada por un tercero no busca siempre un beneficio propio, sino que considera que lo objetivamente mejor para el testador es que otorgue el testamento de una determinada manera, pero olvidando que lo esencial es el respeto a la preferencia, voluntad y deseos de las personas con discapacidad que han de ser respetados, aunque objetivamente pudiera la persona adoptar disposiciones testamentarias más acertadas.

Tengamos en cuenta que para nuestra jurisprudencia, el dolo debe ser:

– **grave**, no bastando el llamado *dolus bonus*, o lo que es lo mismo, el que con atenciones o cuidados especiales trata de dirigir a su favor la voluntad testamentaria;

– y que debe existir una **relación de causalidad** entre la maquinación y la disposición testamentaria;

El notario debe estar atento a que esta situación dolosa no se produce. De aquí que al actuar como titular de la medida de apoyo deben tener presente los principios informadores de las medidas de apoyo, como los recoge el art 249 del CC:

– Permitir el desarrollo la personalidad de la persona con discapacidad y su desenvolvimiento jurídico en condiciones de igualdad.

– Atendiendo a su voluntad, deseos y preferencias.

– Evitando los conflictos de intereses y las influencias indebidas.

– Procurando que la persona con discapacidad pueda desarrollar su propio proceso de toma de decisiones, informándola, ayudándola en su comprensión y razonamiento y facilitando que pueda expresar sus preferencias.

3.º.2. Error. Debe también el Notario, ante personas vulnerables, contrastar la causa de la disposición testamentaria y, a veces, puede proteger a la persona que exprese dicha causa o motivo en el testamento. Recordemos como el art. 767 del CC dispone que: "La expresión de una causa falsa de la institución de heredero o del nombramiento de legatario será considerada como no escrita, a no ser que del testamento resulte que el testador no habría hecho tal institución o legado si hubiese conocido la falsedad de la causa".

Por ejemplo, beneficia el testador a determinada persona por ser quien le está llevando sus asuntos económicos, resultando estar equivocado en ello; por la mala situación económica en que se encuentra, en relación a sus otros hijos, estando igualmente equivocado en esa apreciación; por igualar al beneficiado por el testamento, por las donaciones que en vida hizo la testadora a sus otros hermanos, siendo así que no existía desigualdad alguna en esas donaciones. Esta contradicción entre lo expresado y la realidad puede servir para apreciar si efectivamente existe un vicio en el consentimiento. Algunos de los casos citados están extraídos de sentencia de tribunales inferiores.

A veces el dolo y el error pueden ir unidos. Por ejemplo, una SAP de Córdoba de 1 de junio de 2018 resuelve sobre una madre que revoca el testamento anterior, en el que instituía herederos por partes iguales a sus cuatro hijos, mediante un testamento ológrafo en el que mejoraba sensiblemente a uno de ellos, expresando que le mueve a cambiar su "última voluntad", los acontecimientos vividos en la familia, acontecimientos que desconocía de un forma total y absoluta, como son en concreto, "operaciones jurídicas, mercantiles y económicas efectuadas por su esposo e hijas referentes al patrimonio conyugal, de las cuales es completamente ajeno mi hijo M". Esta causa o motivo se demuestra que era falsa, pero el hijo favorecido había inducido a su madre a creer que era verdadera, considerando la sentencia que se evidencia la utilización de palabras o maquinaciones insidiosas por parte del demandado (que es quien se beneficia del testamento ológrafo), induciendo a su madre a otorgar un testamento en un sentido diferente del que había otorgado y que lo no hubiera realizado de no mediar tales interferencias, por cuanto que consigue (informándole de tales "operaciones", de un modo doloso) que revoque el testamento anteriormente otorgado.

En los casos anteriores el error está viciando el consentimiento, pero en estas personas debe cuidarse también que no exista un error obstativo, es decir la discrepancia entre la voluntad interna y la manifestada. El art. 665 del CC, ya citado, es aquí de total aplicación: "El Notario procurará que la persona otorgante desarrolle su propio proceso de toma de decisiones apoyándole en su comprensión y razonamiento y facilitando, con los ajustes que resulten necesarios, que pueda expresar su voluntad, deseos y preferencias".

4.º. Exteriorización de la voluntad.

Es la comunicación entre la persona con discapacidad y el Notario, a la que se refiere el art. 665: El Notario procurará con los ajustes que resulten necesarios, que la persona otorgante pueda expresar su voluntad, deseos y preferencias. De ello tratará en su ponencia nuestra compañera CARMEN VELA.

5.º. Concordancia entre la voluntad interna y la declarada.

Esa concordancia es la que hará constar el notario en el testamento, como lo regula el art. 695: El testador expresará oralmente, por escrito o mediante cualquier medio técnico, material o humano su última voluntad al Notario. Redactado por este el testamento con arreglo a ella… advertido el testador del derecho que tiene a leerlo por sí, lo leerá el Notario en alta voz para que el testador manifieste si está conforme con su voluntad. Si lo estuviere, será firmado en el acto por el testador… Cuando el testador tenga dificultad o imposibilidad para leer el testamento o para oír la lectura de su contenido, el Notario se asegurará, utilizando los medios técnicos, materiales o humanos adecuados, de que el testador ha entendido la información y explicaciones necesarias y de que conoce que el testamento recoge fielmente su voluntad".

IV. CONSTANCIA DE LA ACTIVIDAD REALIZADA POR EL NOTARIO

Estamos seguros que los notarios van a actuar con gran prudencia en esta materia, pero creemos que deben hacerlo con astucia, porque por desgracia hay personas, algunas de las cuales son profesionales, más interesadas en la manera de impugnar los negocios jurídicos formalizados por las personas con discapacidad, que en ayudar a que ellas puedan ejercer su capacidad jurídica. De aquí, que para que el testamento de una persona con discapacidad no sea impugnado y, también, para salvar su responsabilidad demostrando que cumplió la lex artis nos parece interesantes las recomendaciones de la Circular Informativa 2/2021 de la Comisión Permanente del Consejo General del Notariado, de 1 de septiembre. Literalmente dice que: "Si el notario ha debido prestar su apoyo para que pueda desarrollar su propio proceso de toma de decisiones, no parece adecuado reflejar esta asistencia en el testamento ni hacer, por tanto, diferencias con las demás personas". Añadiendo que: "Esto no quita que, separadamente, en un acta previa se recoja, si se considera pertinente, el desarrollo del proceso seguido ante el notario para expresar o conformar su voluntad, así como los posibles informes sociales al respecto u otros apoyos, como la ayuda de un facilitador que le permita a la persona con discapacidad expresar su voluntad".

Creemos, que esta acta previa puede ser importante, en ella conviene, como recomienda la Circular, recoger lo que en la relación personal notario y testador, éste expresó sus deseos o preferencias, sus motivaciones o sentimientos, las experiencias o los hechos de su vida, que en el fondo reflejan la personalidad del testador y su decisión testamentaria. La persona deja constancia en esta acta que, además firma, porque quiere que los beneficiarios de su testamento sean estos y no otros; quienes le cuidan y quiénes no saben nada él, etc. Decíamos anteriormente que lo anterior puede expresarse en la propia disposición testamentaria, en los términos del art. 767, pero también podrá hacerse constar en el acta de la que tratamos.

La constancia de esa voluntad testamentaria exclusivamente en el acta referida planteara siempre el tema de la interpretación de la voluntad del testador por medios extrínsecos. Sin embargo, con la jurisprudencia más reciente, lo creemos posible en un supuesto como el que contemplamos. Así la STS de 3 de marzo de 2022 literalmente dice: "Centrado el debate en la interpretación del testamento debemos estar a la doctrina de la sala. De acuerdo con la doctrina jurisprudencial elaborada en torno al art. 675 CC, resumida por la sentencia 118/2021, de 3 de marzo, la interpretación testamentaria debe atender a la búsqueda de la efectiva voluntad del testador (sentencias 13/2003, de 21 de enero, 947/2003, de 9 de octubre, 291/2008, de 29 de abril, 133/2009, de 3 de marzo, 666/2009, de 14 de octubre, 327/2010, de 22 de junio, 160/2011, de 18 de marzo, 516/2012, de 20 de julio). Cuando a la vista del sentido gramatical de las cláusulas testamentarias surjan dudas sobre la verdadera voluntad declarada por el causante en su testamento, para ponerla de manifiesto y descubrirla, además del análisis de la literalidad del texto del testamento, puede acudirse a la prueba extrínseca, es decir a otros medios ajenos al propio testamento, en particular a los actos del testador previos o posteriores al otorgamiento (sentencias 13/2003, de 21 de enero, y 547/2009, de 28 de julio, entre otras)".

Por otra parte, sería discriminatorio que el Notario en todos los supuestos de discapacidad de una persona requiriera informes médicos, psicológicos, de asistentes sociales o análogos pero, si en algún caso lo estima necesario, conviene hacerlo constar en esta acta. Puede el Notario admitir la asistencia de personas allegadas al testador, pero actuando con enorme prudencia para evitar conflictos de intereses e influencia indebidas; deberá dejar constancia de ello en el acta. El art. 663 del CC se refiere expresamente a la posibilidad de que la persona para conformar o expresar su voluntad pueda ayudarse con medios o apoyos.

En modo alguno es necesario la consulta al Registro Civil que por lo demás no es sencilla y sobre todo por el hecho que una persona tenga medidas de apoyo, no puede deducirse su falta de capacidad natural para testar, pues sería integrar la resolución judicial no solo con lo que la misma no dice, sino con lo que la misma no puede decir y, si lo dijera, según TS, no sería válida. La capacidad mental para testar se apreciara por el Notario en el momento que pretenda otorgar testamento y teniendo en cuenta el contenido del mismo.

En conclusión:

– La reforma no supone que si una persona carece de capacidad mental para testar, en el momento de otorgarlo, pueda hacerlo.

– Pero que, cuando de testamento notarial se trate, es al Notario al que le corresponde bajo su responsabilidad, apreciar y asegurar la aptitud del testador para formar y emitir la declaración de la voluntad testamentaria.

– Que se trata de un hecho, referido a una voluntad concreta y en un momento concreto.

V. TESTAMENTO NO NOTARIAL OTORGADO POR UNA PERSONA CON DISCAPACIDAD

Como antes veíamos, el art. 665 del CC dice así: "La persona con discapacidad podrá otorgar testamento cuando, a juicio del Notario, pueda comprender y manifestar el alcance de sus disposiciones". Una interpretación literal del precepto puede hacernos dudar si ello significa que la persona con discapacidad solo puede otorgar el testamento ante Notario. Dice "podrá otorgar", por lo que podría sostenerse que fuera del supuesto contemplado no podría otorgar. Volvemos a recordar como la redacción del Proyecto era mejor que la definitiva, pues se limitaba a decir: "Si el que pretende hacer testamento se encontrara en una situación que hiciera dudar fundadamente al Notario de su aptitud para otorgarlo". Creemos que la interpretación literal del precepto, no admitiendo otra forma testamentaria para una persona con discapacidad que el testamento notarial no puede admitirse, por las razones siguientes:

- Supondría una prohibición, en contra del espíritu de la reforma y de la CNY. Sería una contradicción con la disposición transitoria primer de la Ley: "A partir de la entrada en vigor de la presente Ley las meras privaciones de derechos de las personas con discapacidad, o de su ejercicio, quedarán sin efecto".

- Iría en contra de la CNY: principio general de la no discriminación (art. 3 b y art. 5) y del igual reconocimiento como persona ante la ley (art. 12).

- El término discapacidad sabemos que es de una gran imprecisión y nada tiene que ver con el de la incapacitación en virtud de sentencia, empleado por el art. 665, en su anterior redacción.

- El art. 663, en su redacción anterior, establecía que estaban incapacitadas para testar, el que habitual o accidentalmente no se hallare en su cabal juicio (a excepción del supuesto del art. 665); sin embargo, en su redacción actual, solo impide testar a la persona que en el momento de hacerlo no puede expresar su voluntad ni aun con ayuda de medios o apoyos para ello. Esta es la regla general que creemos aplicable a toda clase de testamentos. Cosa diferente será probar que esa persona en el momento concreto de testar podía hacerlo.

VI.   TEMAS DE DERECHO TRANSITORIO

En el sistema anterior a la reforma, como hemos repetido en varios momentos a lo largo de este trabajo, si la persona incapacitada por virtud de sentencia pretendiera otorgar testamento solo podía hacerlo notarialmente y con los dos facultativos, designados por el testador, conforme al art. 665, requisito que en la actualidad no es necesario. Sin embargo, se han dado supuestos en los que bajo el sistema anterior, en el testamento de una persona incapacitada judicialmente se prescindió del art.665, por ignorar el notario la incapacitación y no manifestarlo el testador; se partía lógicamente que al otorgar el testamento el testador tenía capacidad natural. Así ocurrió en el supuesto contemplado por la AP de Lugo en S de 12 de enero de 2010.

Nos preguntamos, si se diera ese supuesto y el testador fallece después de la entrada en vigor de la L 8/2021 la **nulidad** del testamento quedaría salvada.

La contestación negativa de **no quedar convalidado** el testamento puede hacerse por ser el testamento un negocio jurídico unilateral, cuya validez depende del cumplimiento de formalidades esenciales que deben cumplirse en el momento que el negocio se perfecciona; si esas formalidades no se cumplen el negocio testamentario no es válido, desde el principio.

Nosotros nos inclinamos, sin embargo, a sostener la **validez** de los testamento así otorgados apoyándonos, en primer lugar, en el párrafo segundo del CC disp.trans.1.ª: "Pero si el derecho apareciere declarado por primera vez en el Código, tendrá efecto, desde luego, aunque el hecho que lo origine se verificara bajo la legislación anterior, siempre que no perjudique a otro derecho adquirido de igual origen".

El derecho a testar en la forma prevista actualmente en el CC art.665, prescindiendo de los facultativos, aparece recogido por primera vez en la reforma del CC; no se perjudica ningún **derecho adquirido**, pues los derechos a la sucesión nacen desde la muerte del testador y aquí estamos contemplando la validez del testamento en el momento de otorgarse, no en el de la producción de sus efectos.

Insistimos en la idea expuesta, que el CC lo que ha concedido, por primera vez, es la posibilidad de testar, en cualquiera de las formas previstas por el CC, a toda persona que en el **momento** de hacerlo tenga facultades mentales para ello; es un tema de ampliación de capacidad, no de formalidades testamentarias.

Antes, la persona discapacitada no podía testar prescindiendo de los facultativos, por tener restringida la capacidad para ello y ahora se parte de que toda persona es capaz, salvo prueba en contrario.

En segundo lugar, creemos que lo sostenido encuentra apoyo analógico en la L 30/1001 disp. trans. única de modificación del CC en materia de testamentos, al disponer: "Serán válidos los testamentos otorgados con anterioridad a la entrada en vigor de esta Ley que, no cumpliendo requisitos establecidos en la legislación anterior, se ajusten a lo previsto en la presente Ley, siempre que no hubieren sido anulados por resolución judicial firme".

Puede servir de apoyo a la tesis que sostenemos que estamos ante un problema de formalidades del testamento y no sustantivo; el art. 27.3 del Reglamento de sucesiones europeo al disponer: "27.3 A los efectos del presente artículo, las disposiciones jurídicas que limiten las formas admitidas de disposiciones mortis causa por razón de edad, nacionalidad o cualesquiera otras condiciones personales del testador o de alguna de las personas cuya sucesión sea objeto de un pacto sucesorio, tendrán la consideración de cuestiones de forma. La misma regla se aplicará a la cualificación que han de poseer los testigos requeridos para la validez de las disposiciones mortis causa".

VII. BIBLIOGRAFÍA CONSULTADA

AMUNÁTEGUI RODRÍGUEZ, C., "Comentario al 665 del CC", en GUILARTE MARTÍN-CALERO, C. (Dir.), *Comentarios a la Ley 8/2021, por la que se reforma la legislación civil y procesal en materia de discapacidad*, Aranzadi, Cizur Menor, 2021, pp. 887 y ss.

DE CASTRO y BRAVO, F., *El negocio Jurídico*, Civitas, Madrid, 2016.

FERNÁNDEZ-TRESGUERRES, A., *El ejercicio de la capacidad jurídica. Comentario práctico de la Ley 8/2021, de 2 de junio*, Aranzadi, Cizur Menor, 2021.

GUILARTE MARTÍN-CALERO, C., Comentarios a la Ley 8/2021, por la que se reforma la legislación civil y procesal en materia de discapacidad, Aranzadi, Cizur Menor, 2021, p. 552.

LORA-TAMAYO RODRÍGUEZ, ISIDORO:

– _Casos Prácticos. Derecho de familia_ (adaptados al programa de Notarías y Registros). Madrid: Francis Lefebvre, Memento Experto. Diciembre 2020.

– _Casos Prácticos. Derecho de Sucesiones_ (adaptados al programa de Notarías y Registros). Madrid: Francis Lefebvre, Memento Experto. 4.ª Edición. Diciembre 2021.

– _Reforma civil y procesal para el apoyo a personas con discapacidad._ Madrid: Francis Lefebvre, Guía Rápida. Madrid. 2021.

– _La comunicación en el otorgamiento notarial en la ley 8/2021,_ El Notario del Siglo XXI, enero-febrero 2022.

3

La aceptación y repudiación de la herencia de las personas en situación de discapacidad

ANDRÉS DOMÍNGUEZ LUELMO (*)

Catedrático de Derecho civil
Universidad de Valladolid

SUMARIO: I. PLANTEAMIENTO GENERAL. II. LA CAPACIDAD GENERAL PARA ACEPTAR O REPUDIAR UNA HERENCIA. III. LA ACEPTACIÓN DE LA HERENCIA. IV. EL EJERCICIO DE LA CURATELA REPRESENTATIVA Y LA NECESIDAD DE AUTORIZACIÓN JUDICIAL PARA REALIZAR DETERMINADOS ACTOS. 1. *Naturaleza de la autorización judicial exigida para aceptar sin beneficio de inventario o repudiar una herencia.* 2. *¿Puede el Juez o el Notario autorizante prescindir de la autorización judicial prevista en el artículo 287 del Código civil?* 3. *Consecuencias jurídicas de la aceptación pura y simple, o de la repudiación de la herencia, por el curador con facultades representativas sin la preceptiva autorización judicial.* 4. *La sanción de la aceptación sin beneficio de inventario o repudiación realizadas por el guardador de hecho sin autorización judicial.* V. POSIBILIDAD DE QUE LA AUTORIZACIÓN JUDICIAL SE PRODUZCA CON POSTERIORIDAD A LA ACEPTACIÓN O REPUDIACIÓN. 1. *Supuestos en que aprobación judicial posterior de la partición permite considerar válida la aceptación de la herencia realizada sin autorización judicial.* 2. *Elevación a escritura pública por los herederos de un contrato privado otorgado por el causante.* VI. LA REPUDIACIÓN DE LA HERENCIA. 1. *El problema de las renuncias traslativas.* 2. *Las renuncias abdicativa y traslativa desde la perspectiva tributaria.* VII. POSIBILIDAD DE IMPUGNAR LA ACEPTACIÓN Y REPUDIACIÓN DE LA HERENCIA. VIII. ACEPTACIÓN Y REPUDIACIÓN DE LA HERENCIA COMO POSIBLE CONTENIDO DE LOS PODERES Y MANDATOS PREVENTIVOS. IX. PROBLEMAS DE DERECHO TRANSITORIO Y VALORACIÓN GENERAL. X. BIBLIOGRAFÍA.

(*) Este trabajo ha sido realizado en el marco del Proyecto de Investigación "Derecho transitorio, retroactividad y aplicación en el tiempo de las normas jurídicas" (Ref.: PID2019-107296GB-I00/AEI/10.13039/501100011033) financiado por el Ministerio de Ciencia, Innovación y Universidades y del GIR de la Universidad de Valladolid "Nuevo derecho de la persona, de los contratos y de daños".

I. PLANTEAMIENTO GENERAL

La aprobación de la Ley 8/2021 ha supuesto la modificación de numerosos preceptos relativos al Derecho de Sucesiones, de manera particular en el CC. La adaptación del Derecho español a la Convención de Nueva York de 13 de diciembre de 2006, de derechos de las personas con discapacidad (en adelante CDPD) exigía realizar varios ajustes en la materia. Ello se ha traducido en un cambio radical en el sistema hasta ahora vigente en España, en el que predominaba la *sustitución* en la toma de las decisiones que afectaban a las personas con discapacidad. Con la Ley 8/2021 se ha pasado a otro sistema basado en el respeto a la voluntad y las preferencias de la persona. Es la persona la que, como regla general, será la encargada de tomar sus propias decisiones[1]. Todo gira en torno a los principios de necesidad y proporcionalidad de las medidas de apoyo que, en su caso, pueda necesitar esa persona para el ejercicio de su capacidad jurídica, en igualdad de condiciones con los demás. Es además necesario destacar que el nuevo concepto de "capacidad jurídica" abarca tanto la titularidad de los derechos como la legitimación para ejercitarlos. Con ello desaparece la vieja distinción entre *capacidad jurídica* y *capacidad de* obrar[2].

En todo lo que gira en torno al Derecho de Sucesiones hay que tener muy en cuenta que, al igual que sucede en otros ámbitos, la CDPD no busca la protección de las personas con discapacidad, sobre la base de lo que otros entienden que redunda en su beneficio, sino que pretende el reconocimiento pleno y total de los derechos que asisten a estas personas, atendiendo a su plenitud de ejercicio en igualdad de condiciones que cualquier otro sujeto[3].

Por ello, el artículo 12.5 CDPD impone a los Estados partes la necesidad de que adopten "todas las medidas que sean pertinentes y efectivas para garantizar el derecho de las personas con discapacidad, en igualdad de condiciones con las demás, a ser propietarias y *heredar bienes, controlar sus propios asuntos económicos…*". Ello implica tomar en consideración la libertad del sujeto para tomar sus propias decisiones, atendiendo igualmente a la valoración de sus deseos y voluntad, en caso de que precise medidas de

---

1.   GARCÍA RUBIO, María Paz, "La necesaria y urgente adaptación del Código civil español al artículo 12 de la Convención de Nueva York sobre los derechos de las personas con discapacidad", *AAMN*, núm. 58, 2018, pp. 143 y ss.; GUILARTE MARTÍN-CALERO, Cristina, *El derecho a la vida familiar de las personas con discapacidad (El Derecho español a la luz del artículo 234 de la Convención de Nueva York)*, Reus, Madrid, 2019, pp. 17 y ss.

2.   La cuestión se contempla en la Observación General n.º 1 (2014) del Comité sobre los Derechos de las personas con discapacidad, que desarrolla el artículo 12 de la Convención. Vid. ampliamente, BARBA, Vincenzo, "El art. 12 de la Convención sobre los derechos de las personas con discapacidad de Nueva York, de 13 de diciembre de 2006", en de VERDA Y BEAMONTE, José Ramón (Dir.), *La discapacidad: una visión integral y práctica de la Ley 8/2021, de 2 de junio*, Tirant lo Blanch, Valencia, 2022, pp. 23 y ss.; LÓPEZ AZCONA, Aurora, "Capacidad jurídica y discapacidad intelectual y psicosocial: a vueltas sobre el art. 12 de la Convención de Naciones Unidas de 2006 y su interpretación por el Comité sobre los derechos de las personas con discapacidad", en CERDEIRA BRAVO DE MANSILLA, G. – PÉREZ GALLARDO, L. B. (Dir.) *Un nuevo Derecho para las personas con discapacidad*, Ed. Olejnik, Santiago de Chile, 2021, pp. 128 y ss.; TORRES COSTAS, María Eugenia, *La capacidad jurídica a la luz del artículo 12 de la Convención de Naciones Unidas sobre los derechos de las personas con discapacidad*, Agencia Estatal Boletín Oficial del Estado, Madrid, 2020, pp. 83 y ss.

3.   AMUNÁTEGUI RODRÍGUEZ, Cristina, *Derecho de Sucesiones y discapacidad: retos y cuestiones problemáticas*, Fundación Coloquio Jurídica Europeo, Madrid, 2020, pp. 19, 24 y 32.

apoyo. Este es el principio que inspira la modificación del artículo 996 CC, que puede considerarse el paradigma de las normas sobre Derecho de Sucesiones, al regular precisamente la aceptación de la herencia. Tras establecer el artículo 992 CC que pueden aceptar o repudiar una herencia todos lo que tienen la libre disposición de sus bienes, el artículo 996 dispone: "La aceptación de la herencia por la persona con discapacidad se prestará por esta, salvo que otra cosa resulte de las medidas de apoyo establecidas".

La regla es clara: la persona con discapacidad tiene plena capacidad jurídica, y ésta abarca tanto la titularidad como el ejercicio de sus derechos hereditarios. Dicha regla sólo se podrá matizar cuando otra cosa se derive de las medidas de apoyo adoptadas, teniendo en cuenta lo dispuesto en el artículo 249 CC. Así, el auto o sentencia de adopción de medidas podrá prever la intervención del curador en estos casos, y el alcance de dicha intervención. No obstante, debe recordarse que cuando se haya nombrado un curador con facultades representativas, éste precisa autorización judicial para aceptar sin beneficio de inventario cualquier herencia o legado, o repudiar estos [artículo 287.5.º CC y artículo 93.2.b) de la Ley 15/2015, de Jurisdicción Voluntaria (en adelante LJV)][4].

II. LA CAPACIDAD GENERAL PARA ACEPTAR O REPUDIAR UNA HERENCIA

Por lo que se refiere a la capacidad para la aceptación y repudiación de la herencia, nos dice el artículo 988 CC que "son actos enteramente voluntarios y libres". A ello hay que añadir que, según el artículo 992 CC, "pueden aceptar o repudiar una herencia todos los que tienen la libre disposición de sus bienes". Ninguno de estos preceptos han sido modificados. La referencia a la necesidad de tener la "libre disposición de los bienes" es poco clara. La doctrina tradicional venía identificándola con la capacidad de obrar, por lo que se negaba a menores e incapacitados al carecer de esta[5]. DÍEZ-PICAZO califica la expresión como "sumamente confusa" y considera no puede entenderse que la aceptación de una herencia tenga el carácter de un acto de disposición sobre los propios bienes, sino que, por el contrario supone adquisición de bienes de otro y asunción de derechos. Además entiende que la "libre disposición" no puede tampoco asemejarse al poder de disposición en sentido técnico, pues carecería de sentido impedir a aquellos que tienen limitado el poder de disposición sobre sus propios bienes aceptar la herencia, acto que no guarda ninguna relación con el poder de disposición, entendido en sentido técnico[6]. Tales afirmaciones deben ser matizadas.

Ciertamente, la aceptación de una herencia supone adquisición de los bienes de otro. El problema es que a través de la aceptación también se pueden asumir deudas

---

4. DOMÍNGUEZ LUELMO, Andrés, "La reforma del Derecho de sucesiones en la Ley 8/2021: Derecho sustantivo y Derecho Transitorio", en LLAMAS POMBO, E. – MARTÍNEZ RODRÍGUEZ, N. – TORAL LARA, E., *El nuevo Derecho de las capacidades: de la incapacitación al pleno reconocimiento*, Wolters Kluwer – La Ley, Madrid, 2021, pp. 371 y ss.; ALVENTOSA DEL RÍO, Josefina, "La reforma del Derecho de Sucesiones", en DE VERDA Y BEAMONTE (Dir.), *La discapacidad...*cit., pp. 453 y ss.

5. DÍEZ-PICAZO, Luis, *Lecciones de Derecho civil. IV. Derecho de Sucesiones*, Valencia, 1967, p. 337; DE LA CÁMARA ÁLVAREZ, Manuel, "Comentario al artículo 992", en VV.AA., *Comentario del Código civil*, I, 2.ª ed., Ministerio de Justicia, Madrid, 1993, p. 2361; ESPEJO LERDO DE TEJADA, Manuel, "Comentario a los artículos 988-1009", en DOMÍNGUEZ LUELMO, A. (Dir.), *Comentarios al Código civil*, Lex Nova, Valladolid, 2010, pp. 1080 y ss.

6. DÍEZ-PICAZO, *Lecciones...*, cit., p. 460.

que suponen empobrecer patrimonialmente a la persona[7]. Esta cuestión es en el fondo la que gira en torno a las cautelas a adoptar para reconocer a determinadas personas la capacidad para aceptar una herencia. Por ello, como vamos a ver, en el artículo 287 CC se exige al curador representativo de la persona con discapacidad autorización judicial únicamente para aceptar "sin beneficio de inventario": porque de acuerdo con el artículo 1023.1.º CC cuando se acepta con beneficio de inventario "el heredero no queda obligado a pagar las deudas y demás cargas de la herencia sino hasta donde alcancen los bienes de la misma".

Partiendo de las modificaciones introducidas por la Ley 8/2021, se puede afirmar que la expresión que utiliza el artículo 992 CC equivale a plena capacidad jurídica, que abarca tanto la titularidad como el ejercicio de los derechos hereditarios. Por ello en la actualidad no se puede negar con carácter general la posibilidad de aceptar o repudiar herencias a las personas con discapacidad. Pero sí se puede afirmar que no tienen capacidad para tales actos los menores de edad, siendo los titulares de la patria potestad o sus tutores los que puede aceptar o repudiar una herencia deferida a favor de aquellos, con o sin autorización judicial, según lo casos (artículos 166 y 224 CC).

Igualmente, en la medida en que no tienen la libre administración y disposición de sus bienes, y ya que la aceptación y repudiación pueden suponer asumir deudas o renunciar a recibir bienes y derechos en nuestro patrimonio, tampoco pueden libremente aceptar o repudiar herencias los concursados. De acuerdo con los artículos 106 y 109.1 del Real Decreto Legislativo 1/2020, de 5 de mayo, por el que se aprueba el texto refundido de la Ley Concursal (en adelante, LC), es preciso distinguir en estos casos entre concurso voluntario y necesario. Si el concurso es voluntario, el concursado conserva las facultades de administración y disposición sobre la masa activa, pero el ejercicio de estas facultades estará sometido a la *intervención* de la administración concursal. Cuando el concurso es necesario el concursado, tiene *suspendido* el ejercicio de las facultades de administración y disposición sobre la masa activa, y es la administración concursal la que *sustituye* al deudor en el ejercicio de esas facultades.

Finalmente, cabe destacar que las modalidades de aceptación no son actos neutros, que únicamente afecten a la eventual responsabilidad del heredero por las deudas de la herencia. También inciden en la posibilidad de solicitar y declarar el concurso de la herencia. El artículo 567 LC es muy claro: "El concurso de la herencia podrá declararse en tanto no haya sido aceptada pura y simplemente". La aceptación pura y simple imposibilita, pues, la declaración del concurso de herencia, por lo que los casos en que éste es posible son fundamentalmente los de herencia aceptada a beneficio de inventario y herencia yacente[8]. De acuerdo con el artículo 568 LC están legitimados para solicitar la declaración de concurso de la herencia no aceptada pura y simplemente los herederos, el administrador de la herencia yacente, y los acreedores del deudor fallecido. En su caso, la solicitud formulada por un heredero producirá los efectos de la aceptación de la herencia a beneficio de inventario.

---

7. Destaca esta cuestión, desde la perspectiva de la capacidad para aceptar y repudiar, GARCÍA GOLDAR, Mónica, *La liquidación de la herencia en el Código civil español. Especial referencia a las deudas sucesorias desconocidas o sobrevenidas,* Agencia Estatal Boletín Oficial del Estado, Madrid, 2019, *passim,* especialmente pp. 226 y ss.

8. GARCÍA GOLDAR, *La liquidación…*, cit., pp. 202 y ss.

Como se ha destacado, de ello se desprende que la declaración de concurso de herencia no se produce en los casos en los que la herencia se haya adquirido bajo un sistema de responsabilidad *ultra vires*. La explicación habitual es que en este caso se produce una confusión de patrimonios, de manera que, de concurrir una situación de insolvencia, en la masa activa y pasiva se integrarían tanto el activo y pasivo de la herencia como los del heredero. Sin embargo, la razón de que no se proceda el concurso de herencia no ha de buscarse en la confusión de patrimonios, sino en la necesidad de tener en cuenta la situación patrimonial del heredero de cara a determinar si concurre el presupuesto objetivo del concurso y que su patrimonio se verá afectado por el este[9].

III.   LA ACEPTACIÓN DE LA HERENCIA

El artículo 996 CC consagra, como hemos visto la posibilidad de aceptar una herencia por la persona con discapacidad. Teniendo en cuenta que no se hace ninguna distinción, puede directamente aceptar pura y simplemente o a beneficio de inventario. Cuestión diferente es que otra cosa se haya previsto al establecer las medidas de apoyo, si es que se refieren expresamente a ello. En el Proyecto de Ley la excepción decía: "salvo que otra cosa resulte de la resolución judicial que haya establecido las medidas de apoyo". La redacción definitiva del artículo 996 CC habla de medidas de apoyo en general, por lo que caben tanto las judiciales como las voluntarias establecidas notarialmente.

En este sentido, y por lo que se refiere a las medidas judiciales, el ap. 2.º del artículo 269 CC dispone que la autoridad judicial determinará los actos para los que la persona requiere asistencia del curador en el ejercicio de su capacidad jurídica atendiendo a sus concretas necesidades de apoyo. Lo que no parece de recibo, como hace la SAP de Valencia (Sección 10.ª) de 20 de octubre de 2021 (JUR 2022, 24387), es acordar una curatela no representativa para asistir a la persona en todos los actos de naturaleza patrimonial que se enumeran en el artículo 287 CC, cuyo núm. 5.º se refiere expresamente a aceptar sin beneficio de inventario cualquier herencia o repudiar esta o las liberalidades. Se deben evitar estar remisiones genéricas, pues el curador no representativo solo debería actuar si la resolución judicial ha indicado de manera precisa la necesidad de su intervención que, en nuestro caso, se puede referir a la aceptación en general o a la aceptación pura y simple.

Como destaca REPRESA POLO, los dispuesto en el artículo 996 CC encuentra pleno acomodo en el artículo 992 Código Civil, que señala que pueden aceptar la herencia quienes tengan la libre disposición de sus bienes. Así, interpretando ambos preceptos de acuerdo con los principios inspiradores de la reforma, debe concluirse que las personas con discapacidad pueden aceptar o repudiar la herencia por sí solas, salvo que al establecerse las medidas de apoyo se haya señalado otra cosa. Por ello, aunque la resolución judicial haya establecido medidas de apoyo del llamado a la herencia, si no ha señalado nada respecto a la aceptación y repudiación, hay que entender que

---

9.   ASÚA GONZÁLEZ, Clara I., "Concurso de herencia", en ESPEJO LERDO DE TEJADA, M. – MURGA FERNÁNDEZ, J. P. (Dir.), *Las deudas de la herencia*, Thomson Reuters – Aranzadi, 2022, pp. 188 y ss.

la persona puede aceptar pura y simplemente o a beneficio de inventario, así como renunciar a la herencia[10].

En los casos en que la aceptación se documente notarialmente, el Notario debe valorar la capacidad de discernimiento de la persona para aceptar por sí misma. Pero el hecho de que tenga algún tipo de discapacidad no impone ningún requisito formal adicional. No obstante, puede apreciar que necesita de algún tipo de apoyo. Si la medida no está constituida formalmente (o lo está, pero no se refiere al supuesto de aceptación de la herencia), el apoyo puede prestarlo el propio Notario. Esta posibilidad se prevé expresamente en el artículo 665 CC (con ocasión de otorgar testamento) y en la Disposición Transitoria tercera de la Ley 8/2021 (para modificar o complementar los poderes y mandatos preventivos otorgados con anterioridad a la entrada en vigor de dicha Ley). Ello no significa que fuera de estos supuestos no quepa la misma posibilidad. Creo, por tanto, que en los casos en que la aceptación se documente notarialmente, también el Notario debe procurar que la persona desarrolle su propio proceso de toma de decisiones apoyándole en su comprensión y razonamiento y facilitando, con los ajustes que resulten necesarios, que pueda expresar su voluntad, deseos y preferencias. A ello se refiere expresamente la Circular informativa 3/2021 de la Comisión permanente del Consejo General del Notariado, de 27 de septiembre, sobre el ejercicio de su capacidad jurídica por las personas con discapacidad. En concreto se afirma que la previsión relativa al testamento en el artículo 665 CC es aplicable con carácter general a todo otorgamiento, y que no es tanto una obligación como una función impuesta por la condición notarial de apoyo institucional: el Notario "no es ni puede ser un mero espectador".

En relación con este ejercicio de la función notarial de apoyo, en esta misma Circular se contemplan dos posibles situaciones que se pueden producir: que la persona no tenga ningún apoyo, y que exista guarda de hecho.

a) Cuando la persona no tiene ningún apoyo, lo procedente es aplicar lo dispuesto en el artículo 25 de la Ley del Notariado, que se refiere a la posibilidad de "utilizar los apoyos, instrumentos y ajustes razonables". Los apoyos instrumentales que se enumeran en este precepto constituyen una lista abierta, por ello la Circular se refiere también a aquellas personas que tengan una relación con la persona con discapacidad que incrementen su confianza o que le ayuden a superar las dificultades de comunicación que pudiera tener. Así, debe entenderse que existe esa relación con su cónyuge, ascendientes o descendientes o con aquellas personas con la que conviva, aunque su intervención habrá de quedar excluida cuando exista un conflicto de intereses. Se considera además conveniente levantar acta, con carácter previo al otorgamiento de que se trate, de la ayuda de las personas que presten su apoyo para que la persona con discapacidad pueda entender y ser entendida; y de su propia colaboración o apoyo para que la persona con discapacidad desarrolle su propio proceso de toma de decisiones.

---

10.   REPRESA POLO, Patricia, "Comentario al artículo 996 CC", en GUILARTE MARTÍN-CALERO, C. (Dir.), *Comentarios a la Ley 8/2021, por la que se reforma la legislación civil y procesal en materia de discapacidad* (Serie "Derecho y discapacidad", vol. III), Thomson Reuters – Aranzadi, Cizur Menor, 2021, p. 961.

b) Cuando exista un guardador de hecho, que es un apoyo informal, no tiene que acreditar esta condición ante el Notario, ni su existencia representa un condicionante para la actuación de la persona con discapacidad. El guardador puede comparecer para prestar su apoyo instrumental, en el sentido a que se refiere el artículo 25 LN, y ayudar a la persona con discapacidad a entender y ser entendida; pero sin que su intervención suponga una confirmación o aprobación de la decisión adoptada por el interesado. En este sentido, debe destacarse que, a diferencia de lo que se prevé para la curatela en el artículo 269 CC, no existe en la práctica una determinación de los actos para los que se precise el apoyo del guardador de hecho.

La excepción aparece recogida en el artículo 264 CC, conforme al cual: "*En todo caso*, quien ejerza la guarda de hecho deberá recabar autorización judicial conforme a lo indicado en el párrafo anterior para prestar consentimiento en los actos enumerados en el artículo 287". Y precisamente el núm. 5.º de este precepto se refiere a la aceptación sin beneficio de inventario de cualquier herencia o a la repudiación de esta. El problema que plantea la aplicación literal del artículo 264 CC es que las situaciones de las personas con discapacidad puedes ser muy diferentes. Así pues, no tiene sentido que, por el hecho de existir un guardador de hecho, se necesite en todo caso autorización judicial para aceptar pura y simplemente o repudiar una herencia; de manera especial si consideramos que, cuando no existe ningún apoyo, la propia persona puede aceptar o repudiar utilizando los apoyos, instrumentos y ajustes razonables que resulten precisos. En este sentido destaca acertadamente la Circular citada: "conviene aclarar, que la autorización judicial del artículo 287 del Código civil no es aplicable en aquellos casos en los que la persona con discapacidad actúa en propio nombre sin ser sustituida por el guardador o su curador representativo. Por tanto, tratándose de guarda de hecho voluntaria, será aplicable la recomendación anteriormente realizada en el sentido de reflejar la prestación del apoyo en acta notarial". Cabe, pues, concluir solo las actuaciones representativas están sujetas a autorización judicial, y no las meramente asistenciales. El problema, como vamos a ver, es determinar en qué supuestos se requiere la actuación representativa del guardador de hecho, y qué consecuencias puede tener que no se obtenga la autorización judicial previa.

IV. EL EJERCICIO DE LA CURATELA REPRESENTATIVA Y LA NECESIDAD DE AUTORIZACIÓN JUDICIAL PARA REALIZAR DETERMINADOS ACTOS

El legislador permite excluir determinados actos de la intervención de la persona que ejerce el apoyo. Así, de acuerdo con el artículo 252 CC, la persona que haya dispuesto de bienes a título gratuito en favor de una persona necesitada de apoyo puede establecer las reglas de administración y disposición de aquellos, así como designar la persona o personas a las que se encomienden dichas facultades. Las facultades no conferidas al administrador corresponderán al favorecido por la disposición de los bienes, que las ejercitará, en su caso, con el apoyo que proceda. También puede establecer los órganos de control o supervisión que se estimen convenientes para el ejercicio de las facultades conferidas (permite, pues, prescindir de la autorización judicial si así lo prevé el disponente). Lo mismo se establece en el artículo 205 CC respecto a la persona que disponga de bienes a título gratuito en favor de un menor, aunque en este caso se especifica que las funciones no conferidas al administrador corresponden al tutor. Es más, mediante la autocuratela, regulada en el artículo 271 CC, también es posible eludir incluso la necesidad de autorización judicial, porque la persona que realiza la propuesta puede establecer reglas específicas de administración y disposición de sus bienes. Según el artículo 272 CC este tipo de disposiciones "vincularán a la autoridad judicial al constituir la curatela", salvo que por resolución motivada se prescinda de algunas o de todas estas disposiciones voluntarias, si existen circunstancias graves desconocidas por la persona que las estableció o alteración de las causas expresadas por ella o que presumiblemente tuvo en cuenta en sus disposiciones.

Fuera de estas reglas especiales, cuando excepcionalmente se constituye una curatela representativa, hay determinados actos y contratos que, por su trascendencia, el legislador mantiene al margen del nuevo modelo general de apoyos, que son precisamente los enumerados en el artículo 287 CC (precepto igualmente aplicable a la tutela de menores en virtud del artículo 224 CC). En estos casos, como salvaguarda legal, el juez debe autorizar previamente cada acto concreto que pretenda realizar el curador con facultades representativas.

El artículo 287 CC puede ser criticable por incluir en la necesidad de autorización judicial prácticamente la totalidad de los negocios de una cierta importancia. Lo cierto es que se entremezclan negocios de gran trascendencia patrimonial, con otros de menor interés, en los que la obtención de la previa autorización judicial va a suponer un retraso inexplicable en el ejercicio eficiente de las funciones del curador[11]. En cualquiera de los casos se trata de una salvaguarda legal prevista cuando las personas con discapacidad o los menores no pueden actuar por sí solos o puedan encontrarse en una situación de desprotección, como ocurre cuando alguien contrata en su nombre, o cuando se acepta una herencia en su nombre, ya que en ambos casos se asumen deudas, que pueden comprometer el patrimonio de la persona.

1. NATURALEZA DE LA AUTORIZACIÓN JUDICIAL EXIGIDA PARA ACEPTAR SIN BENEFICIO DE INVENTARIO O REPUDIAR UNA HERENCIA

Por lo que se refiere a los actos de naturaleza patrimonial incluidos en la necesidad de autorización judicial en el artículo 287 CC, aquí me voy a ocupar del previsto en su núm. 5.º: "Aceptar sin beneficio de inventario cualquier herencia o repudiar esta o las liberalidades". En los demás casos se trata en general de actos de enajenación o gravamen de bienes, que el legislador considera de especial trascendencia. No estamos, pues, ante meros actos de administración, generalmente dirigidos a obtener de un bien o un patrimonio los rendimientos de que es susceptible, sino ante actos de naturaleza dispositiva, que tienen una mayor trascendencia, porque la facultad de disposición constituye un elemento integrante del derecho subjetivo que corresponde a su titular.

---

11. En este sentido, con anterioridad a la reforma, en relación con el derogado artículo 271 CC, AMUNÁTEGUI RODRÍGUEZ, Cristina, *Incapacitación y mandato*, La Ley, Madrid, 2008, p. 144; y SÁNCHEZ-CALERO ARRIBAS, B., *La intervención judicial en la gestión del patrimonio de menores e incapacitados*, Tirant lo Blanch, Valencia, 2006, pp. 194 y ss., y 235 y ss. Con posterioridad a la Ley 8/2021, en el mismo sentido, GUILARTE MARTÍN-CALERO, Cristina, "Comentario a los artículos 287 a 290", en GUILARTE MARTÍN-CALERO, (Dir.), *Comentarios a la Ley 8/2021…*, cit., pp. 787 y ss.

El curador con facultades representativas no es titular del derecho, por lo que sólo puede disponer válidamente del derecho ajeno si la ley, en función de las circunstancias concurrentes, admite que se pueda producir este efecto dispositivo.

No obstante, en tales casos no se puede hablar de legitimación de quien no es titular: el curador con facultades representativas tiene la posibilidad aceptar una herencia o de transmitir un bien porque así se lo reconoce la ley, lo mismo que el representante voluntario recibe del titular del derecho dicha posibilidad. En este sentido, el acto de disposición del titular se justifica por encontrarse éste en relación directa con el derecho, que presupone la existencia del derecho subjetivo. En cambio, para admitir el acto dispositivo de quien no es titular, es necesario justificar que el auténtico titular ha establecido una relación entre aquél y el derecho, o que la ley ha dispuesto este efecto dispositivo (que es lo que ocurre en los casos de curatela representativa)[12]. En este sentido, como se ha destacado, puede considerarse que la exigencia de autorización judicial no es una norma imperativa en el sentido del artículo 6.3 CC, porque no es una norma de prohibición, sino uno de los requisitos de la norma que habilita al representante a realizar actos y negocios eficaces en la esfera patrimonial del representado. Por ello, si prescinde de la autorización judicial, mas que infringir una prohibición, lo que hace el representante es omitir uno de los requisitos para la eficacia representativa de sus actos[13].

2. ¿PUEDE EL JUEZ O EL NOTARIO AUTORIZANTE PRESCINDIR DE LA AUTORIZACIÓN JUDICIAL PREVISTA EN EL ARTÍCULO 287 DEL CÓDIGO CIVIL?

La respuesta a esta pregunta debe ser negativa. Los términos que se utilizan en el artículo 287 CC son bastante claros: "El curador que ejerza funciones de representación de la persona que precisa el apoyo necesita autorización judicial para los actos que determine la resolución y, *en todo caso*, para los siguientes (…)". No obstante en función de lo que se establezca en la resolución judicial por la que se establecen las medidas de apoyo puede surgir algunas dudas, ya que el artículo 249 CC dispone que en casos excepcionales "las medidas de apoyo *podrán incluir* funciones representativa" y que la autoridad judicial puede establecer las salvaguardas que considere oportunas para asegurar que el ejercicio de las medidas de apoyo se ajuste a los criterios resultantes de este precepto y, en particular, atienda a la voluntad, deseos y preferencias de la persona que las requiera.

El problema se planteó en el supuesto resuelto por la RDGRN de 28 de octubre de 2014 (BOE núm. 285, de 25 de noviembre de 2014, pp. 96381-96397) por los términos

---

12.   AGUILERA DE LA CIERVA, T., *Actos de administración, de disposición y de conservación*, Montecorvo, Madrid, 1973, pp. 111 y ss., y 136 y ss.; RIVERO HERNÁNDEZ, F., *Representación sin poder y ratificación*, Civitas – Thomson Reuters, Cizur Menor, 2013, pp. 103 y ss.

13.   DELGADO ECHEVERRÍA, Jesús, "Venta por representante sin autorización judicial", en CARRASCO PERERA, A. (Dir.), *Tratado de la compraventa. Homenaje al Profesor Rodrigo Bercovitz*, Tomo I, Thomson Reuters – Aranzadi, Cizur Menor, 2013, p. 289. En contra, con numerosos argumentos, CASTILLA BAREA, Margarita, "La ineficacia de los actos de enajenación de inmuebles otorgados por el tutor sin previa autorización judicial: notas a propósito de la Sentencia del Pleno de la Sala 1.ª del Tribunal Supremo de 10 de enero de 2018", en MARÍN VELARDE, A. – CABEZUELO ARENAS, A. L. – MORENO MOZO, F. (Dir.), *Familia y Derecho en el siglo XXI. Libro homenaje al Profesor Luis Humberto Clavería Gosálbez*, Reus, Madrid, 2021, pp. 923 y ss.

en que aparecía redactada la sentencia en la que se modificaba la capacidad de obrar de una persona y se la sometía a tutela. En ella se disponía que la persona no tenía capacidad suficiente para prestar consentimiento válido dirigido a realizar actuaciones complejas o de administración de su patrimonio, así como en contratos o negocios jurídicos que afectaran a su persona o a su patrimonio. Pero al adoptar como medida el nombramiento de tutor se establece que éste *"deberá completar y, excepcionalmente suplir, la capacidad de obrar de (…) para aquellas actividades ya mencionadas"*. Más adelante, en una escritura de venta de un bien inmueble, se prescindió de la previa autorización judicial, haciendo constar que la persona comparecía en su propio nombre y derecho y, para *complementar su capacidad*, también comparecía su tutora. El Notario autorizante juzgaba suficientes las facultades representativas. Entendía además que, sobre la base de lo establecido en los artículos 267 CC y 760 LEC, en este caso había que estar a la sentencia de incapacitación para conocer cuál era el régimen de guarda a que estaba sometido el incapacitado y los actos que podía realizar por sí solo. Y de la redacción de la sentencia, concluye el Notario que, para "los contratos o negocios jurídicos que afecten a su persona o a su patrimonio", *necesita el incapacitado el concurso del tutor, pero no la previa autorización judicial*. Es decir, a su juicio, no estábamos ante un problema de interpretación de la legislación vigente, sino de interpretación de la sentencia concreta en la que se modificaba la capacidad de la persona. En este sentido, entendía que, de la misma manera que la sentencia de incapacitación puede optar por el régimen de guarda que tenga por conveniente, también puede excluir explícita o implícitamente la aplicación del artículo 271 CC y determinar los actos que el incapacitado puede realizar por sí sólo, o con el complemento de otra persona sea el tutor o el curador. Y para ello utiliza como argumento, entre otros, la CDPD de Nueva York de 2006, que se cita en la propia sentencia, para defender que la guarda puede acomodarse individualmente a cada persona. En concreto en el recurso contra la calificación, el Notario argumenta de la siguiente manera:

> "Es pues la esencia de la cuestión el interpretar la propia sentencia de incapacitación, la cual, a mi juicio, es clara, tanto en el sentido propio de sus palabras, como en su contexto como en su finalidad: en el presente caso, el propio incapacitado, con el complemento del tutor, y con los juicios notariales de capacidad y de suficiencia de facultades representativas puede realizar el negocio jurídico de referencia. La interpretación de la sentencia, de conformidad con la hermenéutica general, conduce a entender que se llame tutela, curatela o de otro modo el régimen de actuación es el definido por la propia sentencia: con carácter general, el incapacitado, con el complemento del tutor, puede realizar los negocios jurídicos citados (…). Entender lo contrario abocaría a entender que nos hallamos ante una sentencia de incapacitación absoluta y ante una tutela ordinaria sin particularidad alguna, lo que contradice la propia sentencia. Y en la escritura, y en la línea interpretativa de la sentencia, se contiene un juicio de capacidad natural de todos los otorgantes, incluido el propio incapacitado (el cual, por supuesto, ha comparecido ante mí, y ha sido informado con el máximo rigor, habiéndome manifestado entender y querer el negocio jurídico), y un juicio de suficiencia, el cual ni subsana ni pretende subsanar la falta de inscripción en el Registro Civil ni la falta de autorización judicial, sino

que pretende constatar que, a mi juicio, son innecesarias ambas cosas. La sentencia dice expresamente: 'haciendo saber que... el incapacitado... no puede salir del territorio nacional sin consentimiento de... la tutora... o en su defecto autorización judicial'. Obsérvese que nos hallamos ante una grave restricción de derechos, y obsérvese, en la línea de todo lo argumentado, que el que toma la decisión es el incapacitado con el consentimiento de la tutora, y que únicamente se necesita autorización judicial si la tutora no lo consiente".

Teniendo en cuenta los principios generales que inspiran la Ley 8/2021 que, en cuanto a las medidas de apoyo en general se explicitan en el artículo 249 CC, podemos plantearnos si esta interpretación tiene cabida en la actualidad. En mi opinión, no pueden compartirse esta manera de enfocar las cosas, que en el fondo viene a mantener que, sobre la base de lo establecido en la sentencia, el Notario puede prescindir de la autorización judicial del artículo 287 CC, emitiendo un juicio notarial de capacidad y de suficiencia de facultades representativas para realizar el negocio jurídico de referencia. La propia DGRN rechaza esta posibilidad cuando afirma:

"El legislador ha optado por someter a control judicial únicamente una serie de actos o contratos (...) por ser actos de singular relevancia que pueden tener una especial incidencia, actual o futura, en la vertiente personal o patrimonial del tutelado; y es que la exigencia de la autorización judicial tiene como finalidad la defensa del patrimonio del tutelado frente a actos que pudieran ponerlo en peligro por su especial importancia. El fin de protección de la norma contenida en el artículo 271 es la salvaguarda del interés de los menores o incapacitados que no pueden actuar por sí solos y que pueden encontrarse en situaciones de desprotección cuando alguien contrata en su nombre y obliga a sus patrimonios sin el preceptivo control, ya que deberán asumir las correspondientes deudas. A tal efecto, la actuación de los tutores siempre debe tener como finalidad el interés de los menores o incapacitados sujetos a tutela tal y como dispone el artículo 216. La representación legal no es un derecho del tutor sino de los sujetos a tutela que les permite exigir que se actúe en beneficio de sus intereses".

Así pues, la falta de autorización judicial no es un simple complemento de capacidad, sino un elemento del acto de disposición, que el curador representativo por sí solo no puede efectuar, como dice expresamente en cuanto al tutor la STS de 22 de abril de 2010 (RJ 2010, 2380). Parece claro que el Juez puede fijar las medidas de apoyo de la persona con discapacidad que permitan el desarrollo pleno de su personalidad y su desenvolvimiento jurídico en condiciones de igualdad. Pero cuando, excepcionalmente, el curador ejerza funciones de representación de la persona que precisa el apoyo, resulta insoslayable la aplicación del artículo 287 CC, que expresamente prevé la necesidad de autorización judicial *en todo caso*, para los actos que enumera, entre los que se encuentra "aceptar sin beneficio de inventario cualquier herencia o repudiar esta o las liberalidades"[14].

_____

14. No obstante, como destaca CARRASCO PERERA, Ángel, "Contratación por discapacitados con y sin apoyos", *Revista CESCO de Derecho de Consumo*, núm. 42, 2022, p. 210, nota 40, si fuera del ámbito de la curatela representativa se defiende que la prestación efectiva de los apoyos requeridos no es condición imprescindible de validez del negocio, entonces tampoco lo debería ser

En el supuesto resuelto por la RDGRN de 28 de octubre de 2014 (BOE núm. 285, de 25 de noviembre de 2014, pp. 96381-96397), el Notario llega a mantener, erróneamente, que únicamente se necesita autorización judicial si el tutor no consiente el acto que pretende realizar el incapacitado. Pero como afirma el Registrador en la nota de calificación: "Ni el tutor, ni el notario, ni mucho menos el tutelado pueden renunciar a la aplicación de este artículo. Nada hay en la legislación, ni en la Sentencia previa de incapacitación, que permita apoyar en lo más mínimo tal posibilidad, por lo que habrá de deducirse la imperiosa necesidad de aquella autorización judicial. Siendo toda la regulación sobre la capacidad indisponible, aun lo es más la norma del 271 CC, convertida por deseo expreso del legislador en una norma excepcional dentro del régimen general de la tutela".

Se puede ir más allá en esta argumentación y destacar que ni siquiera el Juez puede prescindir en la sentencia de la aplicación del artículo 287 CC, especificando que determinados actos y contratos incluidos en este precepto, no necesitan autorización judicial. Y ello porque el legislador considera que la autorización judicial en cada uno de los supuestos que regula es un requisito que habilita al representante para realizar eficazmente esos actos y negocios jurídicos. La cuestión no deja de ser paradójica tras la reforma, ya que las circunstancias de las personas, aunque estén sometidas a curatela representativa, pueden ser muy diferentes. Por ello la expresión "en todo caso" que se utiliza en el artículo 287 no se corresponde con esa idea del "traje a medida", ni con los principios que inspiran la Ley 8/2021, especialmente en el sentido en que se recogen en el ap. 3.º del artículo 249 CC. Hubiera sido preferible dotar de cierto margen de maniobra al juez para matizar los casos en que se precisa autorización judicial, en atención a las circunstancias de la persona que necesita de los apoyos y de su patrimonio, permitiendo una expresa dispensa para concretos supuestos, reforzando en su caso las medidas de control y salvaguardas[15]. No obstante, como se ha destacado, en los supuestos contemplados en el artículo 287 CC, "la función de la autoridad judicial ya no será la de calibrar el mayor o menor beneficio del acto para el representado, sino la de valorar si, en efecto, se ha respetado la voluntad de este en la toma de la decisión, por lo que, una vez más, su presencia y protagonismo en el procedimiento correspondiente resulta de la máxima importancia"[16]. Lo que desde luego no tiene ningún

---

la autorización judicial del artículo 287 CC. De esta manera el discapacitado podría concurrir con su curador y aseverar que se encuentra en disposición de "ratificar" su actuación no autorizada; o incluso el Notario podría aseverar que a la persona discapacitada no necesita más apoyos que el del propio Notario, y que se puede prescindir del curador representativo, y, evitar una intervención judicial. Desde luego, la comparación con la posibilidad de eludir la autorización judicial a través de la autocuratela (artículo 271 CC) permite criticar la solución que "en todo caso" impone el artículo 287 CC. Vid. en este sentido, GÓMEZ LINACERO, Adrián, "Régimen de ineficacia contractual en materia de discapacidad: actos realizados sin autorización judicial (287 CC) y contratos celebrados sin medidas de apoyo (1302.3)", *Diario La Ley*, núm. 10064, de 9 de mayo de 2022, pp. 5 y ss.

15. MUNAR BERNAT, Pedro, "Comentario al artículo 287 CC", en GARCÍA RUBIO, M. P. – MORO ALMARAZ, M. J. (Dir.), *Comentario articulado a la reforma civil y procesal en materia de discapacidad*, Thomson Reuters – Civitas, Cizur Menor, 2022, p. 436.

16. GARCÍA RUBIO, María Paz, "Contenido y significado general de la reforma civil y procesal en materia de discapacidad", *SEPIN*, artículo monográfico, junio 2021 (SP/DOCT/114070), p. 14. En este mismo sentido, REPRESA POLO, Patricia, "Carácter subsidiario de la curatela. Contenidos posibles de la curatela. Variabilidad de contenidos. El control judicial de la curatela. El ejercicio de la curatela. Actos para los que se precisa autorización judicial. Extinción de la curatela

sentido, como se hace en la SAP de Valencia (Sección 10.ª) de 20 de octubre de 2021 (JUR 2022, 24387), es acordar una curatela no representativa para asistir a la persona en todos los actos de naturaleza patrimonial que se enumeran en el artículo 287 CC.

Cabría discutir, finalmente, para qué otro tipo de actos (además de los que enumera el artículo 287 CC) puede la resolución judicial considerar necesaria la autorización judicial. Creo que, en cuanto a los que tienen naturaleza patrimonial, son exclusivamente los que tienen una regulación específica en el propio artículo 287 CC, y únicamente estos. No cabría, al amparo de la remisión genérica que hace el primer párrafo a la necesidad de autorización judicial "para los actos que determine la resolución", que ésta fuera más restrictiva. Así, no sería posible que la resolución judicial estableciera la necesidad de dicha autorización para aceptar la herencia a beneficio de inventario. No obstante en la SAP de Madrid (Sección 24.ª) de 20 diciembre 2021 (RJ 2022, 65517) se establece un sistema mixto de curatela: se nombra como curador asistencial al padre de la persona con discapacidad y se instituye una curatela representativa a ejercer por una persona jurídica para intervenir, entre otros supuestos, en los de la "aceptación y repudiación de herencia", con carácter general.

3. CONSECUENCIAS JURÍDICAS DE LA ACEPTACIÓN PURA Y SIMPLE, O DE LA REPUDIACIÓN DE LA HERENCIA, POR EL CURADOR CON FACULTADES REPRESENTATIVAS SIN LA PRECEPTIVA AUTORIZACIÓN JUDICIAL

El artículo 287 CC enumera los actos para los que el curador con facultades representativas requiere autorización judicial, pero, al igual que ocurría con el derogado artículo 271 CC, no establece cuál sea la consecuencia de la realización de cualquiera de estos actos sin aquella autorización judicial. Los actos y negocios jurídicos que aparecen enumerados en el precepto son de naturaleza muy heterogénea y las soluciones generales aplicables a todos los supuestos no siempre tienen fácil encaje en cada caso. Es lo que ocurre con la aceptación y repudiación de la herencia, que son actos unilaterales, frente a los contratos que son negocios bilaterales. La mayor parte de los estudios y decisiones jurisprudenciales que han recaído sobre la materia se refieren precisamente a contratos y actos de disposición celebrados por el tutor o curador representativo sin autorización judicial, que desde luego tienen unos perfiles propios que no son trasladables a otros supuestos, tanto desde la perspectiva de la sanción aplicable, como de las personas legitimadas para solicitarla. Hay acuerdo en que la sanción no puede ser la rescisión del contrato, pues el artículo 1291.1.º CC solo contempla esta posibilidad cuando exista lesión en más de la cuarta parte del valor de las cosas objeto del contrato. Y además, se refiere a los contratos que los tutores pueden válidamente celebrar sin necesidad de autorización judicial, es decir, precisamente aquellos que están excluidos del artículo 287 (y, con anterioridad a la reforma, del artículo 271 CC)[17]. A efectos

_____

y rendición de cuentas", en DE LUCCHI LÓPEZ-TAPIA, Y. – QUESADA SÁNCHEZ, A.J. (Dir.), *La reforma civil y procesal en materia de discapacidad. Estudio sistemático de la Ley 8/2021, de 2 de junio,* Atelier, Barcelona, 2022, pp. 328.

17. AMORÓS GUARDIOLA, Manuel, "Comentario a los artículos 271 y 272 CC", en AMORÓS GUARDIOLA, M. – BERCOVITZ RODRÍGUEZ-CANO, R. (Coord.), *Comentarios a las reformas de nacionalidad y tutela,* Tecnos, Madrid, 1986, pp., pp. 545 y ss.; CUENA CASAS, Matilde, "Comentario

de los actos de derecho sucesorio a que se refieren los artículos 287.5.°, 289 y 1060 CC no tiene tampoco ningún sentido plantear una posible sanción de rescisión: ni de la aceptación y repudiación de la herencia realizadas sin autorización judicial, ni mucho menos de la partición hereditaria, que sólo tiene sentido en los casos de rescisión por lesión en más de la cuarta parte.

Como luego vamos a ver, el Tribunal Supremo, en la Sentencia del Pleno de 10 de enero de 2018 (RJ 2018, 156) se inclina por aplicar la doctrina de la anulabilidad. No obstante, para la adecuada comprensión de esta sentencia es preciso hacer un breve recorrido por las posiciones mantenidas por la doctrina y en la jurisprudencia sobre las consecuencias que debe tener la ausencia de autorización judicial cuando ésta es preceptiva. Las posturas son básicamente tres[18]:

A) *Nulidad de pleno derecho.* Mantener esta postura supone entender que la autorización judicial, hoy del artículo 287 CC, constituye un elemento esencial del acto o negocio que impide la perfección del contrato, y además, considerar que este precepto es una norma imperativa por lo que debe tener la sanción prevista en el artículo 6.3 CC. Ello implica que la impugnación del acto o negocio no está sometida a plazo[19].

B) *Anulabilidad.* Esta solución es la que recoge el CCCat en sus artículos 236-31 (para la potestad parental) y 222-46.1 (para la tutela). Según este último: "Los actos hechos por el tutor, o por el administrador patrimonial, sin autorización judicial, cuando sea necesaria, son anulables a instancia del nuevo tutor o, en su defecto, de las personas legalmente obligadas a constituir la tutela y del propio tutelado, en este último caso en el plazo de cuatro años a partir del momento en que salga de la tutela". La misma solución se adopta en los artículos 19 y 139 del Código de Derecho Foral de Aragón. Los argumentos a favor de la tesis de la anulabilidad se justifican por considerar que con esta sanción se protegen mejor los intereses del tutelado, al ser los actos susceptibles de confirmación, y no poder ser ejercitada por la otra parte contratante. Se considera además que es preferible acudir a la anulabilidad como modelo de ineficacia en aquellos supuestos en que no se prevé una sanción específica, y se persigue la

a los artículos 259-275", en RAMS ALBESA, J. y MORENO FLÓREZ, R. (Coord.), *Comentarios al Código civil,* II-2.°, Bosch, Barcelona, 2000, p. 1983; MORENO QUESADA, Bernardo, "Comentario al artículo 1291", en VV.AA., *Comentario del Código civil,* II, 2.ª ed., Ministerio de Justicia, Madrid, 1993, p. 524; RUIZ-RICO RUIZ, José Manuel – GARCÍA ALGUACIL, María José, *La representación legal de menores e incapaces,* Thomson Reuters – Aranzadi, Cizur Menor, 2004, p. 130, nota 19; AMUNÁTEGUI RODRÍGUEZ, *Incapacitación...,* cit., p. 145. En contra, entiendo que con argumentos que no se sustentan, LINACERO DE LA FUENTE, María, *Régimen patrimonial de la patria potestad,* Montecorvo, Madrid, 1990, p. 294.

18.   Vid. la completa exposición de GUILARTE ZAPATERO, Vicente, "De nuevo sobre la ineficacia de los actos dispositivos de bienes de menores e incapaces realizados por sus representantes legales (I)", *Act. Civ.,* núm. 29, 1992, pp. 445 y ss.; y SÁNCHEZ-CALERO ARRIBAS, *La intervención judicial...,* cit., pp. 334 y ss.

19.   En la doctrina, ALONSO PÉREZ, M., "El patrimonio de los hijos sometidos a la patria potestad", *RDP,* 1973, pp. 24 y ss.; LLAMAS POMBO, E., *El patrimonio de los hijos sometidos a la patria potestad,* Trivium, Madrid, 1993, pp. 119 y ss.; GIL RODRÍGUEZ, Jacinto, "Comentario al artículo 271", en VV.AA., *Comentario del Código civil,* I, 2.ª ed., Ministerio de Justicia, Madrid, 1993, p. 798; GUILARTE ZAPATERO, "De nuevo...", pp. 443 y ss., y 467 y ss.

En la jurisprudencia, vid. las SSTS de 9 de diciembre de 1953 (RJ 1954, 284), 25 de junio de 1959 (RJ 1959, 2933), 14 de marzo de 1983 (RJ 1983, 1475), 17 de febrero de 1995 (RJ 1995, 1105), y 21 de enero de 2000 (RJ 2000, 113).

defensa de un interés privado. Se mantiene también que concurren todos los elementos esenciales del acto o contrato, de manera que la autorización judicial vendría a ser una formalidad externa, prevista por la ley para complementar una limitación de la facultad representativa[20].

C) Considerar que *existe una extralimitación de poderes, o una ausencia de representación, a la que sería aplicable la solución del artículo 1259 CC.* Según este precepto: "Ninguno puede contratar a nombre de otro sin estar por éste autorizado o sin que tenga por la ley su representación legal. El contrato celebrado a nombre de otro por quien no tenga su autorización o representación legal será nulo, a no ser que lo ratifique la persona a cuyo nombre se otorgue antes de ser revocado por la otra parte contratante". La aplicación de este precepto en nuestro caso supone entender que estamos ante un supuesto de extralimitación de poderes de representación, que produciría las mismas consecuencias que la falta absoluta de poder, es decir, al actuar el representante legal sin autorización judicial, cuando ésta es preceptiva, se estaría excediendo o extralimitando en sus facultades representativas[21]. La doctrina ha debatido acerca del sentido y alcance de esa declaración del contrato como "nulo"[22], aunque existe consenso en cuanto a que no produce efectos respecto al representado, salvo que dicho acto o contrato sea ratificado por el afectado "antes de ser revocado por la otra parte contratante".

---

20. En la doctrina, CLAVERÍA GOSÁLBEZ, Luis Humberto, "Notas para una revisión general de la denominada ineficacia del contrato", en DELGADO ECHEVERRÍA, J., (Coord,), *Las nulidades de los contratos,* Thomson Reuters – Aranzadi, Cizur Menor, 2007, pp. 73 y ss., RAMS ALBESA, Joaquín, "Comentario a los artículos 164-168", en RAMS ALBESA – MORENO FLÓREZ (Coord.), *Comentarios al Código civil,* II-2.º, cit., pp. 1521 y ss.; DÍEZ-PICAZO, Luis – GULLÓN BALLESTERO, Antonio, *Sistema de Derecho Civil,* IV, 10.ª ed., Tecnos, Madrid, 2006, p. 268; DELGADO ECHEVERRÍA, Jesús – PARRA LUCÁN, María Ángeles, *Las nulidades de los contratos,* Dykinson, Madrid, 2005, pp. 35, 73 y ss. y 284; AMUNÁTEGUI RODRÍGUEZ, *Incapacitación...,* cit., pp. 146 y ss.; DELGADO ECHEVERRÍA, "Venta por representante...", cit., pp. 290 y ss.
     En la jurisprudencia, las SSTS de 29 de noviembre de 1958 (RJ 1958, 3811), 30 de marzo de 1987 (RJ 1987, 1839), 9 de mayo de 1994 (RJ 1994, 3894), 23 de diciembre de 1997 (RJ 1997, 8902) y 3 de marzo de 2006 (RJ 2006, 5772). En concreto en esta última se afirma: "No se ha producido infracción porque del artículo 164, hoy 166, no se deriva la nulidad radical que preveía el artículo 4, hoy 6.3 CC. Tal como se ha dicho en el fundamento anterior, la actuación del representante legal sin la autorización judicial no implica que falte el consentimiento como se dice en este motivo del recurso, sino que se ha dado éste, es decir, la concurrencia de las declaraciones de voluntad de vendedor y comprador, aunque aquél actuaba en nombre y representación de sus hijos menores de edad, como titular de la patria potestad, sin la preceptiva autorización judicial. Pero sí hubo consentimiento contractual, presupuesto esencial del contrato conforme al artículo 1261.1.º CC aunque el de la parte vendedora adolecía de la falta de autorización judicial. Esta falta, como se ha dicho, no da lugar a la nulidad radical del contrato sino a que éste es anulable y si los contratantes representados (por representación legal) no han accionado interesando la anulación en el plazo de cuatro años que establece el artículo 1301 CC, se produce la confirmación por disposición de la Ley, llamada prescripción sanatoria, por el transcurso del plazo de caducidad en que podría ejercitarse aquella acción de anulación".
21. RAGEL SÁNCHEZ, L. F., *Estudio legislativo y jurisprudencial del Derecho civil: Familia,* Dykinson, Madrid, 2001, p. 563; PALOMINO DÍEZ, I., *El tutor: obligaciones y responsabilidad,* Tirant lo Blanch, Valencia, 2006, p. 451; SÁNCHEZ-CALERO ARRIBAS, *La intervención judicial...,* cit., 390 y ss.
22. Vid. ampliamente SÁNCHEZ-CALERO ARRIBAS, *La intervención judicial...,* cit., 360 y ss.; AMUNÁTEGUI RODRÍGUEZ, *Incapacitación...,* cit., pp. 164 y ss.; y BERROCAL LANZAROT, Ana Isabel, "Los actos realizados por los representantes legales sin autorización judicial. A propósito de las sentencias del Tribunal Supremo de 22 de abril y 8 de julio de 2010", *Aranzadi Doctrinal,* 9, 2012, pp. 115 y ss.

De esta manera, el representado no queda vinculado por el negocio celebrado por el representante que actuó sin poder, por faltarle precisamente la autorización judicial.

Esta última postura es la que mantuvo la STS de 22 de abril de 2010 (RJ 2010, 2380), dictada por el Pleno de la Sala, que vino en aquel momento a unificar doctrina sobre la materia, en un supuesto de disposición de bienes de sus hijos menores por un progenitor sin la autorización judicial que exige el artículo 166 CC. En esta sentencia, en la que se pretendía aclarar la cuestión objeto de una jurisprudencia no uniforme se afirma:

> "El acto realizado con falta de poder, es decir, sin los requisitos exigidos en el artículo 166 CC constituye un contrato o un negocio jurídico incompleto, que mantiene una eficacia provisional, estando pendiente de la eficacia definitiva que se produzca con la ratificación del afectado, que puede ser expresa o tácita. Por tanto, no se trata de un supuesto de nulidad absoluta, que no podría ser objeto de convalidación, sino de un contrato que aun no ha logrado su carácter definitivo al faltarle la condición de la autorización judicial exigida legalmente, que deberá ser suplida por la ratificación del propio interesado, de acuerdo con lo dispuesto en el artículo 1259.2 CC, de modo que no siendo ratificado, el acto será inexistente"[23].

Se volvió a insistir en esta misma doctrina, en el caso de contrato celebrado por un tutor sin la preceptiva autorización judicial que exigía el derogado artículo 271 CC, en la STS de 8 de julio de 2010 (RJ 2010, 6030):

> "Esta doctrina debe aplicarse también a los casos de actuación del tutor sin autorización judicial, porque obedece a la misma finalidad que la ya explicada en

---

23. La argumentación que se utiliza para llegar a esta conclusión es la siguiente: "La falta de concreción del art. 166 CC acerca del tipo de ineficacia que debe atribuirse a los actos realizados por el representante legal sin la autorización judicial exigida en el propio artículo, obliga a plantear cuál es el fin de protección que busca el ordenamiento jurídico cuando exige dicha autorización. En definitiva, se trata de integrar el art. 166 CC, con lo que dispone el art. 1259.1 CC, cuando dice que "ninguno puede contratar a nombre de otro […] sin que tenga por la ley su representación legal". De donde surgen los siguientes argumentos favorables a la ineficacia del acto en el sentido que luego se explicitará: a) el art. 166 CC es una norma imperativa, que coincide con lo dispuesto en el artículo 1259 CC y a salvo la ratificación, su incumplimiento lleva a la aplicación del art. 6.3 CC, es decir, la nulidad del acto; b) el fin de protección de la norma contenida en el art. 166 CC es la salvaguarda del interés de los menores, que no pueden actuar por sí mismos y que pueden encontrarse en situaciones de desprotección cuando alguien contrata en su nombre y obliga sus patrimonios sin el preceptivo control, ya que deberán asumir las correspondientes deudas; c) la actuación de los padres siempre debe tener como finalidad el interés del menor, tal como dispone el art. 154.2 CC. La representación legal no es un derecho de los padres, sino de los hijos, que les permite exigir que se actúe en beneficio de sus intereses. A favor, la Convención de los derechos del niño, aunque no contemple directamente este supuesto; d) el propio art. 1259 CC se añade a esta argumentación según la doctrina y alguna jurisprudencia, ya citada, porque va a permitir que el contrato pueda ser objeto de ratificación por el propio interesado cuando sea favorable a sus intereses. De aquí que deba aplicarse lo dispuesto en el art. 1259 CC, porque la autorización judicial para la realización del acto por el representante legal cuando la ley lo requiera tiene naturaleza imperativa en el Código civil y no es un simple complemento del acto a realizar. De acuerdo con el art. 166 CC, la representación de los padres como representantes legales, no alcanza los actos enumerados en el art. 166 CC. Los actos de disposición deben tener causas de utilidad justificadas y se deben realizar previa autorización judicial con audiencia del Ministerio Fiscal. La autorización judicial no es un complemento de capacidad como ocurre en la emancipación o en la curatela, sino que es un elemento del acto de disposición, puesto que los padres solos no pueden efectuarlo. Y todo ello, para obtener la protección de los intereses del menor".

relación a los padres titulares de la patria potestad. En efecto, el artículo 271 CC enuncia los actos que el tutor no puede llevar a cabo sin autorización judicial y el artículo 272 CC permite obtenerla a posteriori únicamente en el caso de la partición hereditaria. La jurisprudencia y la doctrina se han planteado para los actos no autorizados del tutor las mismas dudas que ya se han señalado respecto del tipo de ineficacia que afecta a los actos de disposición del titular de la potestad efectuados sin autorización judicial, y por ello debe aplicarse la doctrina de la sentencia de 22 abril 2010 también a este caso".

Entendía, pues, el Tribunal Supremo que el acto realizado sin autorización constituye un contrato o un negocio jurídico incompleto, cuya eficacia es provisional. Como puso de relieve AMUNÁTEGUI RODRÍGUEZ[24], el negocio en estos casos se encuentra en una situación anómala y no puede considerarse plenamente eficaz, al permitirse a una parte desvincularse unilateralmente del mismo, mientras que la otra no queda obligada a no ser que lo ratifique. Esta última circunstancia es la que impide que el negocio pueda considerarse nulo o inexistente: si así fuera, esta calificación no permitiría que su eficacia dependiera de la posible ratificación. La situación se asemeja más al concepto de anulabilidad, pero difiere de esta figura en que el negocio anulable nace con un vicio o defecto, lo que no sucede con el negocio llevado a cabo por el representante sin autorización judicial, que no funciona como un complemento de capacidad, sino que se configura como un elemento del acto de disposición, puesto que ni los padres ni el tutor pueden efectuarlo por sí solos, precisamente para mejor proteger los intereses de la persona. Su función no es otra que la de ejercitar un control de aquellos actos de mayor trascendencia para la persona sometida a patria potestad o tutela, valorando para ello la conveniencia o beneficio del acto sobre el patrimonio del menor o de la persona con capacidad modificada judicialmente. La no configuración como anulabilidad evita además que, con el transcurso del plazo para ejercitar la acción, se mantengan los efectos producidos por el acto o contrato.

La solución del TS en estas dos sentencias de 2010 implicaba que, ante la ausencia de autorización judicial, estaríamos ante un negocio irregular, que no puede producir todos sus efectos: concretamente, respecto a la esfera patrimonial de la persona sometida entonces a patria potestad o tutela. Pero el TS consideraba esa ausencia de autorización judicial podía ser suplida por la ratificación del propio interesado, de acuerdo con lo dispuesto en el artículo 1259.2 CC. Como se afirma en las SSTS de 23 de octubre de 1980 (RJ 1980, 3635), 22 de octubre de 1999 (RJ 1999, 7621) y 3 de diciembre de 2001 (RJ 2002, 2198), esa posibilidad de ratificación imprime un carácter especial al negocio en que la representación interviene, haciendo de él no un acto propiamente inexistente, sino un negocio jurídico en estado de suspensión subordinado a una *conditio iuris*, de tal modo que, en definitiva, si la ratificación se produce se considera el negocio como válido y eficaz desde el principio.

Era aquí donde la argumentación del TS encontraba algunas fisuras pues la situación de los menores de edad y de los incapacitados judicialmente no se podía equiparar, en la medida en que aquéllos salen automáticamente de la patria potestad o de la tutela al cumplir dieciocho años (o antes, a través de la emancipación o de la

_____

24.   *Incapacitación...*, cit., p. 166

obtención del beneficio de la mayor edad), y las personas con capacidad modificada judicialmente pueden no llegar a recuperar nunca su capacidad de obrar.

Aparte de lo anterior estaba el problema de la legitimación para impugnar el acto realizado sin la preceptiva autorización judicial. La STS 17 de febrero de 1995 (RJ 1995, 1105) negó la legitimación del representante legal para impugnar el acto realizado sin autorización judicial, sobre la base de la doctrina de los actos propios y del principio de la buena fe. Y la STS de 30 de marzo de 1987 (RJ 1987, 839) sólo considera legitimado al propio hijo o a quienes del mismo traigan causa. Parece claro que la posibilidad de ratificación no plantea problemas en el caso de los menores de edad, una vez salgan de la patria potestad, pero puede resultar imposible en los casos de personas con capacidad modificada judicialmente de manera irreversible, en cuyo caso el acto devendrá ineficaz de manera definitiva[25]. No tendrían aquí sentido hablar de una "eficacia provisional, estando pendiente de la eficacia definitiva que se produzca con la ratificación del afectado", porque ésta nunca va a tener lugar. Aparte de lo anterior, debe destacarse que la posible revocación por parte de la otra parte contratante del artículo 1259.2 CC se compadece mal con la finalidad de protección de los intereses de menores e incapacitados, que se predicaba con anterioridad a la reforma de 2021[26]. Finalmente era criticable que las SSTS de 22 de abril de 2010 (RJ 2010, 2380) y 8 de julio de 2010 (RJ 2010, 6030) calificaran los actos de los representantes sin la preceptiva autorización judicial como "inexistentes" o como nulos radicalmente en función del artículo 6.3 CC, lo que no tiene sentido si se admite la ratificación[27].

---

25. LEGERÉN MOLINA, Antonio, "Régimen jurídico de los actos realizados por un tutor sin la preceptiva autorización judicial. Comparativa del modelo español e italiano", *ADC*, 2014, p. 1355.
26. AMUNÁTEGUI RODRÍGUEZ, *Incapacitación...*, cit., pp. 172 y ss.; DELGADO ECHEVERRÍA, "Venta por representante...", cit., p. 291.
   En cuanto a la guarda de hecho antes de la reforma de la Ley 8/2021, el artículo 304 CC disponía: "Los actos realizados por el guardador de hecho en interés de menor o presunto incapaz no podrán ser impugnados si redundan en su utilidad". Por ello algunos autores habían planteado asimilar la actuación del representante sin autorización judicial a la de un guardador de hecho. En este sentido, BUSTOS PARDO, Íñigo, "El sistema jurídico de la tutela después de la Ley de 24 de octubre de 1983", en YZQUIERDO TOLSADA, Mariano (et al.), *Estudios sobre incapacitación e instituciones tutelares*, ICA, Madrid, 1984, p. 134. Este enfoque me parece equivocado. Como se destaca en la STS de 19 de marzo de 1994 (RJ 1994, 1731): "Cuando es el propio menor el que al llegar a la mayoría de edad no sólo no ratifica el contrato celebrado en su representación por su representante legal sobre bienes suyos sin autorización judicial sino que lo impugna expresamente, no hay la más mínima base para sostener su validez y eficacia, ni en pensar en una hipotética autorización judicial 'a posteriori' con olvido de que es improcedente entonces el procedimiento legal para ello por la mayoría de edad alcanzada por el hasta entonces sometido a patria potestad. Por otra parte, *no puede extrapolarse la solución que el artículo 304 CC da a los contratos celebrados por los representantes legales de los menores sobre bienes suyos, que se rigen por normas específicas que exigen la previa autorización judicial cuando son compraventas*, entre otros casos. Que haya mayor o menor coherencia en el tratamiento legislativo de ambas situaciones es cuestión en la que esta Sala no puede entrar, ni mucho menos, como es obvio, dejar sin efecto todas las normas que contradigan al artículo 304 citado, que es un precepto excepcional por violentar el artículo 1259 CC, que es la norma general para los contratos celebrados sin autorización o representación, seguramente justificada por la especial naturaleza de la figura de la guarda de hecho". En el mismo sentido la STS 17 de marzo de 2016 (*RJ* 2016, 845), y la crítica de AMUNÁTEGUI, *Incapacitación...*, cit., pp. 151 y ss.
27. RAGEL SÁNCHEZ, Luis Felipe, "Sentencia del TS de 22 abril 2010. Venta de vivienda perteneciente a comunidad postganancial, efectuada por el viudo sin autorización judicial supletoria del consentimiento de los hijos menores partícipes", en YZQUIERDO TOLSADA, Mariano (Dir.), *Comentarios a las Sentencias de unificación de doctrina (Civil y Mercantil)*, Vol. 41 (2010), Dykinson,

Como ya he destacado, la STS (Pleno) de 10 de enero de 2018 (RJ 2018, 156) corrige la doctrina contenida en las dos Sentencias de 2010 y se inclina por aplicar la doctrina de la anulabilidad, volviendo a la doctrina que con anterioridad había sostenido la Sala 1.ª, solución criticada con diversos argumentos por una parte de la doctrina[28]. Lo que ocurre es que se está pensando en contratos, en negocios jurídicos bilaterales, de manera que algunos de sus razonamientos tienen difícil encaje en actos jurídicos unilaterales como son la aceptación y repudiación de la herencia (aunque se refieren al derogado artículo 271 CC, sus argumentos son trasladables al actual artículo 287 CC).

La sentencia destaca con claridad que la finalidad de la exigencia de autorización judicial para los actos realizados por el tutor no es la de complementar la capacidad de quien no la tiene plenamente reconocida por el ordenamiento. Por el contrario, se dirige a "garantizar que los actos realizados por el tutor y que pueden comprometer de manera importante la entidad del patrimonio del tutelado se realicen en su interés. Más allá del control genérico de los informes periódicos o de la rendición de cuentas, se trata de que el juez pueda ponderar la necesidad, la conveniencia o la oportunidad de celebrar actos de transcendencia económica y de que los mismos se celebran en beneficio del tutelado, atendiendo a sus circunstancias personales pero también a criterios objetivos, de lo que con arreglo a un criterio razonable de una persona media puede considerarse útil o no, atendiendo además al momento en el que se realiza el acto". Desde luego en la actualidad el juez debe decidir, como se recoge en el artículo 249, en función de la trayectoria vital de la persona con discapacidad, sus creencias y valores, así como los factores que ella hubiera tomado en consideración, con el fin de tomar la decisión que habría adoptado la persona en caso de no requerir representación. En esta idea incide el artículo 288 CC que permite al juez autorizar al curador la realización de una pluralidad de actos de la misma naturaleza "cuando lo considere adecuado para garantizar la voluntad, deseos y preferencias de la persona con discapacidad".

Se destaca, por otro lado que la solución de la anulabilidad viene hoy respaldada por el artículo 61 LJV, que se refiere literalmente a la tramitación del expediente en los casos en que el representante legal "necesite autorización o aprobación judicial para la validez de actos de disposición". Se trate de una norma de procedimiento con pretensión de aplicarse en todos los Derechos civiles españoles (Disposición final vigésima), entre los que se encuentran –como hemos visto– el aragonés y el catalán, que expresamente establecen como consecuencia de la falta de autorización necesaria la anulabilidad. En este sentido el texto del referido artículo 61 refuerza la calificación del acto realizado por el tutor como inválido.

Madrid, 2011, pp. 724 y ss.; FAJARDO FERNÁNDEZ, Javier, "Venta de bienes de hijos menores por sus padres sin autorización judicial. Venta de bienes comunes por comunero. Venta por usufructuario. Renuncia en perjuicio de terceros. Comentario a la STS de 22 de abril de 2010 (RJ 2010, 2380)", en *CCJC*, núm. 85, 2011, pp. 401 y ss.; RIVERO HERNÁNDEZ, *Representación sin poder...*, cit., p. 107 DELGADO ECHEVERRÍA, "Venta por representante...", cit., p. 291.

28. GOMÁ LANZÓN, Ignacio, "Comentario a la STS de 10 de enero de 2018 (2/2018). Acto dispositivo realizado por el tutor sin la previa autorización judicial", en YZQUIERDO TOLSADA, M., *Comentarios a las Sentencias de unificación de doctrina* (civil y mercantil), Vol. 10 (2018), Dykinson, Madrid, 2019, pp. 507 y ss.; CASTILLA BAREA, "La ineficacia...", cit., pp. 914 y ss.; GÓMEZ LINACERO, "Régimen de ineficacia...", cit., pp. 4 y ss.

La sentencia parte de la categoría de la "invalidez" que late en el artículo 271 CC y descartada la nulidad absoluta por su falta de adecuación a la protección de los intereses de los menores y personas con la capacidad modificada judicialmente, para dar solución a los actos celebrados por el representante legal sin autorización judicial. Los argumentos para acudir, con las adaptaciones precisas, a la anulabilidad son básicamente los siguientes: 1) Es el régimen de invalidez que tiene una regulación más completa en el CC. 2) Los criterios aplicables a los contratos celebrados por los propios menores (posibilidad de confirmación y existencia de plazo de impugnación) son los que mejor concilian el interés del menor y del incapacitado y la seguridad jurídica. 3) El supuesto se puede incluir en la literalidad del artículo 1301 CC (en su anterior redacción), que se refiere a los "contratos celebrados por los menores o incapacitados", ya que el representante legal del menor o de la persona con la capacidad modificada judicialmente otorga el acto "por" ellos, en su lugar, en sustitución de los representados.

En la sentencia se hacen otras consideraciones que únicamente sirven para los contratos celebrados sin autorización judicial, como las referidas a la compatibilidad entre la doctrina de la anulabilidad y el papel que juegan en nuestro ordenamiento el título y el modo en la transmisión de derechos reales. Hay que volver a insistir en que la regulación de la anulabilidad del CC se refiere a los contratos, pero no está pensada para los casos en que se prescinda de la autorización judicial para aceptar sin beneficio de inventario cualquier herencia o repudiar esta o las liberalidades. En este y otros casos, recogidos en el artículo 287 CC, no estamos ante la anulabilidad de los artículos 1301 y ss., sino ante una especie de anulabilidad común implícita en el resto de sistema[29].

Según la STS de 10 de enero de 2018 (RJ 2018, 156) optar por la anulabilidad permite al menor o persona con la capacidad modificada judicialmente confirmar el contrato si le interesa (cuando ello sea posible), impide al cocontratante revocar el contrato y somete el ejercicio de la acción de impugnación a plazo, proporcionado una mayor seguridad jurídica. Sin embargo, las limitaciones que aparecen en el artículo 1302.3 CC no tienen en nuestro caso ningún sentido, porque no estamos ante un acto o contrato celebrado por la persona con discapacidad, sino por quien la representa, que excluye un hipotético aprovechamiento de la situación de discapacidad de uno de los contratantes por el otro. En cuanto a la legitimación para solicitar la anulabilidad, lo dispuesto en el artículo 1302 CC no resulta aquí aplicable porque, como ya he destacado, la aceptación y repudiación son actos unilaterales.

Así pues, considero que la aceptación sin beneficio de inventario y la repudiación de la herencia realizadas sin autorización judicial, no pueden ser impugnadas por la persona con discapacidad mientras subsista la curatela representativa, precisamente porque estamos ante una medida "representativa". La persona con discapacidad tampoco puede confirmar tales actos, realizados por su curador, mientras siga representada por él. Si la medida representativa de apoyo se extinguiera transcurridos cuatro

---

29.   En este sentido, CARRASCO PERERA, Ángel, "Brújula para navegar la nueva contratación con personas con discapacidad, sus guardadores y curadores", Centro de Estudios de Consumo, 30 de junio de 2021, p. 12, aunque no se refiere a los supuestos de aceptación y repudiación de la herencia.

años desde aceptación o repudiación de la herencia por el curador, la caducidad de la acción de anulabilidad haría innecesaria la confirmación. Pero si se extinguiera antes podría la persona con discapacidad confirmar la aceptación o repudiación con el apoyo (no representativo) que precisara o, si la discapacidad hubiera cesado, sin ningún apoyo[30].

Sí debe admitirse, en cambio, la legitimación del propio curador representativo. Frente al criterio de las SSTS de 30 de marzo de 1987 (RJ 1987, 839), 9 mayo 1994 (RJ 1994, 3894) y 17 de febrero de 1995 (RJ 1995, 1105) negando la legitimación del representante legal para impugnar el acto realizado sin autorización judicial, sobre la base de la doctrina de los actos propios y del principio de la buena fe, en la STS de 10 de enero de 2018 (RJ 2018, 156) se afirma: "aun cuando es innegable que el ejercicio de los derechos y acciones debe llevarse a cabo conforme al principio de la buena fe, el reproche que en su caso pudiera efectuarse a la tutora que intervino en el contrato nunca podría perjudicar los intereses del tutelado, que no puede quedar privado de la protección que dispensa el ordenamiento cuando establece la exigencia de un control judicial"[31]. La doctrina se muestra conforme con este planteamiento, destacando que el reproche que pudiera hacerse a la conducta de un representante legal en la defensa de los intereses del representado no puede servir de pretexto para privar a este último de la protección que el ordenamiento le concede, sin perjuicio de la responsabilidad en la que haya podido incurrir el representante legal[32].

Finalmente, el plazo para la impugnación será el de caducidad de cuatro años, computados desde la aceptación sin beneficio de inventario o la repudiación, salvo que antes de que transcurran tenga lugar una aprobación judicial *posterior* (que, como vamos a ver, es posible).

Esta doctrina se reitera, para el supuesto regulado en el derogado artículo 271.4.º CC (equivalente al actual artículo 287.5.º CC) en la STS de 10 de mayo de 2019 (RJ 2019, 2043), en la que se afirma: "la exigencia de que el tutor obtenga autorización judicial para aceptar sin beneficio de inventario la herencia (artículo 271.4 CC) es una cautela dirigida a proteger los intereses del tutelado; en consecuencia, como hemos dicho en la sentencia de pleno 2/2018, de 10 enero, para dar solución a los actos celebrados por el representante legal sin autorización judicial resulta necesario acudir, con las adaptaciones precisas, al régimen de la anulabilidad. Ello comporta

---

30. Vid. referido a los contratos realizados son autorización judicial GÓMEZ CALLE, Esther, "En torno a la anulabilidad de los contratos de las personas con discapacidad", *Almacén de Derecho*, 3 de diciembre de 2021 (https://almacendederecho.org/en-torno-a-la-anulabilidad-de-los-contratos-de-las-personas-con-discapacidad) [consulta el 11.7.2022].

31. Se sigue con ello el criterio que ya había establecido la STS de 20 de abril de 2016 (RJ 2016, 1687). Vid. DOMÍNGUEZ LUELMO, Andrés, "Enajenación de bienes gananciales realizada por el incapacitado y su cónyuge tutor sin autorización judicial. Anulabilidad: plazo para su ejercicio y legitimación. Protección del tercero que adquiere el bien en un procedimiento de ejecución hipotecaria. Comentario a la STS de 20 de abril de 2016 (RJ 2016, 1687)", *CCJC*, núm. 103, 2017, pp. 181 y ss.

32. BERCOVITZ, RODRÍGUEZ-CANO, Rodrigo, "Transmisión de inmueble por tutor y autorización judicial. Comentario a la STS de 10 de enero de 2018 (RJ 2018, 156)", *CCJC*, núm. 107, 2018, p. 220; GÓMEZ CALLE, Esther, "En torno a la anulabilidad...", cit.

no solo que los terceros carecen de legitimación para hacer valer la ineficacia de la aceptación pura realizada por el tutor sin autorización judicial (artículo 1302 CC), sino también que sería posible un control judicial posterior al otorgamiento del acto de aceptación. En cualquier caso, como muestra el actual artículo 1015 CC, el heredero que no tenga en su poder la herencia, puede usar el beneficio de inventario aun después de haber aceptado. Finalmente, y por lo demás (…), es preciso tener en cuenta que el artículo 166 CC se limita a exigir a los padres autorización judicial para repudiar la herencia –también el artículo 92.2.a) de la Ley 15/2015, de 2 de julio, de jurisdicción voluntaria– y si el juez deniega la autorización solo puede ser aceptada a beneficio de inventario".

4. LA SANCIÓN DE LA ACEPTACIÓN SIN BENEFICIO DE INVENTARIO O REPUDIACIÓN REALIZADAS POR EL GUARDADOR DE HECHO SIN AUTORIZACIÓN JUDICIAL

Nada establece la Ley 8/2021 en cuanto a la sanción aplicable a los actos realizados por el guardador de hecho sin la preceptiva autorización judicial cuando esta sea necesaria. Desde un punto de vista práctico parece conveniente seguir el criterio de la STS 10 de enero de 2018 (RJ 2018, 156) y aplicar la sanción de anulabilidad. En la doctrina considera LECIÑENA IBARRA que los argumentos que llevaron al Pleno del Tribunal Supremo a decidirse por la anulabilidad no son extrapolables a la situación que recoge el artículo 264 CC pues, a diferencia del curador nombrado con facultades representativas, no existe certeza de los casos en que la persona con discapacidad necesita la actuación representativa del guardador de hecho, cuya intervención siempre se prevé legalmente como excepcional[33].

El problema en todos estos casos es la manera de acreditar la situación de guarda de hecho, lo que ha sido puesto de relieve por la doctrina desde diferentes puntos de vista[34]. Siendo una situación de hecho no está claro, en función del artículo 264 CC, en qué casos el guardador ejerce funciones representativas y, por tanto, debe pedir autorización judicial para aceptar sin beneficio de inventario o repudiar una herencia. Dada la remisión que se efectúa en este precepto al artículo 287 CC, la autorización judicial solo debería exigirse cuanto conste la prueba de la guarda de hecho en acta

---

33. LECIÑENA IBARRA, Ascensión, "Comentario a los artículos 263-269 CC", en GUILARTE MARTÍN-CALERO, C. (Dir.), *Comentarios a la Ley 8/2021, por la que se reforma la legislación civil y procesal en materia de discapacidad* (Serie "Derecho y discapacidad", vol. III), Thomson Reuters – Aranzadi, Cizur Menor, 2021, pp. 665 y ss.

34. PALACIOS GONZÁLEZ, Dolores, "Guarda de hecho, curatela y defensor judicial: buscando el mejor apoyo para las personas con discapacidad psíquica", en CERDEIRA BRAVO DE MANSILLA, G. – GARCÍA MAYO, M, (Dir.), *Un nuevo orden para las personas con discapacidad*, Bosch – Wolters Kluwer, Madrid, 2021, pp. 417-430; DÍAZ PARDO, Gloria, "Nuevo horizonte de la guarda de hecho como institución jurídica de apoyo introducida por la Ley 8/2021, de 2 de junio", en PEREÑA VICENTE, M. – HERAS HERNÁNDEZ, M. M. (Dir.), *El ejercicio de la capacidad jurídica de las personas con discapacidad tras la Ley 8/2021 de 2 de junio*, Tirant lo Blanch, Valencia, 2022, pp. 318 y ss.; NIETO ALONSO, Antonia, "Comentario al artículo 263 CC", en GARCÍA RUBIO – MORO ALMARAZ (Dir.), *Comentario…*, cit., p. 296; BERROCAL LANZAROT, Ana Isabel, "La guarda de hecho de las personas con discapacidad", en DE VERDA Y BEAMONTE (Dir.), *La discapacidad…*cit., pp. 273 y ss.

de notoriedad[35] o en un auto de declaración de la condición de guardador de hecho a través de un proceso de jurisdicción voluntaria[36].

En los casos en que se derive la necesidad de una actuación representativa del guardador de hecho, según el ap. 1.º del artículo 264 CC, este habrá de obtener la autorización para realizarla a través del correspondiente expediente de jurisdicción voluntaria, en el que se oirá a la persona con discapacidad. De acuerdo con el artículo 52.3 LJV, en los casos en que el guardador de hecho de una persona con discapacidad deba solicitar autorización judicial, "antes de tomar una decisión, la autoridad judicial entrevistará por sí misma a la persona con discapacidad y podrá solicitar un informe pericial para acreditar la situación de esta. También podrá citar a la comparecencia a cuantas personas considere necesario oír en función del acto cuya autorización se solicite". El expediente se tramita con arreglo a las reglas establecidas en los artículos 93 a 95 LJV. El artículo 93.2.b) nos dice que, en todo caso, precisarán autorización judicial "los tutores, los curadores representativos y, en su caso, los defensores judiciales, para aceptar sin beneficio de inventario cualquier herencia o legado o para repudiar los mismos". No se cita en este precepto a los guardadores de hecho, pero cuando éstos realizan funciones representativas, dada la remisión del artículo 264 al artículo 287 CC, se aplicará los trámites de este mismo expediente.

En cualquier caso, como destaca Toral Lara, sorprende la cautela con la que se confieren facultades representativas a los curadores, mientras que en el ámbito de la guarda de hecho se permite que, a través de un expediente de jurisdicción voluntaria, se pueda conceder la representación no solo para un acto, sino para una pluralidad de ellos si es necesario para el ejercicio de la función de apoyo. Sostiene por ello que es posible que la exigencia de autorización judicial en todo caso cuando el guardador de hecho pretenda consentir alguno de los actos contemplados en el artículo 287 CC radique en el interés de sujetar a autorización judicial estas actuaciones, incluso aunque pudiera llegar a realizarlas la persona sin representación[37].

V. POSIBILIDAD DE QUE LA AUTORIZACIÓN JUDICIAL SE PRODUZCA CON POSTERIORIDAD A LA ACEPTACIÓN O REPUDIACIÓN

En la jurisprudencia recaída sobre la materia tradicionalmente se había venido manteniendo que la autorización judicial debía ser en todo caso previa a la realización del acto, sin que pudiera admitirse que se produjera con posterioridad[38] Como se

---

35.   En general la doctrina considera que es posible acudir al acta de notoriedad para acreditar la condición de guardador de hecho. Vid. TORAL LARA, Estrella, "Las medidas de apoyo judiciales a informales en el nuevo sistema de provisión de apoyos del Código civil", en LLAMAS POMBO – MARTÍNEZ RODRÍGUEZ – TORAL LARA (Dir.), *El nuevo Derecho...*, cit., pp. 173 y ss.; LECI-ÑENA IBARRA, Comentario a los artículos 263-269 CC", cit., p. 659; NIETO ALONSO, "Comentario al artículo 263", cit., p. 296; PALACIOS GONZÁLEZ, "Guarda de hecho...", cit. p. 421.
36.   Ampliamente, DE VERDA Y BEAMONTE, José Ramón, "Principios generales inspiradores de la reforma en materia de discapacidad, interpretados por la reciente jurisprudencia", en DE VERDA Y BEAMONTE (Dir.), *La discapacidad...*, cit., p. 70 y ss.
37.   TORAL LARA, "Las medidas de apoyo...", cit., p. 175
38.   SSTS de 9 de diciembre de 1953 (RJ 1954, 284) y 30 de marzo de 1987 (*RJ* 1987, 839); y RDGRN de 10 de marzo de 1944 y 26 de octubre de 1964).

afirma en la STS de 8 de julio de 2010 (RJ 2010, 6030): "no es posible obligar al tutor a pedir una autorización *a posteriori* para convalidar un contrato nulo, como pretende la recurrente, ya que constituye un acto inútil, por no poder garantizarse en ningún caso la obtención de dicha autorización, ya que puede ser posible que el juez, a la vista de los intereses de los sometidos a tutela, no acceda a ella"[39]. En la doctrina algunos autores han llegado a calificar como una corruptela el hecho de que la autorización se otorgue *a posteriori*[40]. No obstante también se había defendido que debía admitirse una autorización judicial posterior, con el efecto de convalidad la venta *ex post facto* con efectos retroactivos[41].

La STS de 10 de enero de 2018 (RJ 2018, 156) mantiene con claridad la posibilidad de una aprobación judicial posterior, al considerarla compatible con la figura de la anulabilidad y la posibilidad de confirmación, lo que excluiría la ulterior acción de impugnación. En este sentido, se afirma: "Es cierto que el compromiso previo del tutor no garantiza que el juez conceda la autorización o la aprobación pero, en cualquier caso, una vez obtenida, es evidente que se cumple la finalidad perseguida por la norma de que judicialmente se controle la conveniencia del acto de disposición para el interés del menor o persona con la capacidad modificada judicialmente". Se pronuncia en el mismo sentido la STS de 10 de mayo de 2019 (RJ 2019, 2043), si bien se refiere sólo a la posibilidad de un control judicial posterior al otorgamiento del acto de aceptación. Como destaca CASTILLA BAREA existen razones de peso para considerar que la autorización otorgada por el juez después de que el tutor haya contratado con el tercero sobre los bienes del tutelado supone una garantía suficiente de la conveniencia, oportunidad y necesidad del acto que merece producir la convalidación del contrato[42].

El problema que plantea la aceptación de la herencia sin beneficio de inventario y la repudiación es la posibilidad de que el juez considere que no debe autorizarlas con posterioridad a su realización. Especialmente en el caso de la repudiación, los bienes habrán pasado a terceros, por lo que la recuperación de los mismos puede resultar especialmente problemática, en función de la buena fe de los adquirentes[43].

No obstante, desde el punto de vista registral, cabe destacar algunos supuestos que se han planteado en la práctica, en los que de una u otra manera se admite un control judicial posterior como vía para convalidar la ausencia de una autorización judicial previa cuando esta es legalmente exigible.

---

39. Vid. LLAMAS POMBO, Eugenio, "Comentario al artículo 166 CC", en CAÑIZARES LASO, A. – DE PLABLO CONTRERAS, P. – ORDUÑA MORENO, J. – VALPUESTA FERNÁNDEZ, R. (Dir.), *Código civil comentado*, I, 2.ª ed., Civitas – Thomson Reuters, Cizur Menor, 2016, p. 849.

40. ORDÁS ALONSO, Marta, "Comentario al artículo 271 CC", en BERCOVITZ, RODRÍGUEZ-CANO, Rodrigo (Coord.), *Comentarios al Código civil*, 4.ª ed., Thomson Reuters – Aranzadi, Cizur Menor, 2013, p. 493.

41. FAJARDO FERNÁNDEZ, "Venta de bienes…", cit., p. 403, argumentando que la RDGRN de 10 de marzo de 1944, que suele citarse en contra de esta postura, exige que se haya producido la autorización judicial como requisito para la inscripción de la venta, pero no para su validez. Vid. en este sentido también, AMUNÁTEGUI RODRÍGUEZ, "¿Crisis de la incapacitación? La autonomía de la voluntad como posible alternativa para la protección de los mayores", *RDP*, núm. 1, 2006, p. 25; LEGERÉN MOLINA, "Régimen jurídico…", cit., pp. 1349 y 1366.

42. CASTILLA BAREA, "La ineficacia de los actos…", cit., p. 923.

43. Más adelante desarrollaré esta cuestión al tratar de la posibilidad de impugnar la aceptación o repudiación de la herencia.

1. SUPUESTOS EN QUE APROBACIÓN JUDICIAL POSTERIOR DE LA PARTI-
    CIÓN PERMITE CONSIDERAR VÁLIDA LA ACEPTACIÓN DE LA HERENCIA
    REALIZADA SIN AUTORIZACIÓN JUDICIAL

A pesar de la claridad de los términos en que se expresa el artículo 287.5.º CC, debe tenerse presente que el fenómeno sucesorio puede estar conformado por varios actos que permiten hacer algunas matizaciones, cuando no ha existido un acto previo de aceptación. Destaco lo anterior porque en las herencia deferidas a favor de familiares cercanos, generalmente bien avenidos (caso típico de los hijos del causante, en concurrencia o no con el cónyuge viudo) no es habitual que se produzca un acto específico de aceptación previa de la herencia, sino que ésta queda reflejada en el documento particional. De esta manera cabe plantear si puede considerarse válida una aceptación de la herencia realizada sin autorización judicial cuando la partición de la herencia es objeto de la aprobación judicial a que se refiere el artículo 289 CC. Según este precepto: "No necesitarán autorización judicial la partición de herencia o la división de cosa común realizada por el curador representativo, pero una vez practicadas requerirán aprobación judicial". En el mismo sentido, según el ap. 2.º del artículo 1060 CC: "Tampoco será necesaria autorización ni intervención judicial en la partición realizada por el curador con facultades de representación. La partición una vez practicada requerirá aprobación judicial". Antes de la reforma, *mutatis mutandis*, idéntico contenido aparecía en los artículos 272 y 1060, en relación con el artículo 271.4 CC.

La cuestión ha sido objeto de varios pronunciamientos por parte de la DGRN. En el caso resuelto por la RDGRN de 25 de abril de 2001 (BOE núm. 135, de 6 de junio de 2001, pp. 19833-19836), aparte de otras cuestiones, en el testamento se había instituido por partes iguales a los cinco hijos, pero se habían legado los tercios de mejora y de libre disposición a una de las hijas sometida a tutela. El Juzgado de primera instancia había aprobado la intervención del tutor, pero en el momento de presentar en el Registro de la Propiedad la escritura de liquidación de la sociedad conyugal y de partición, la inscripción se deniega por considerar el Registrador que el tutor había aceptado pura y simplemente la herencia, lo que exigiría autorización judicial previa, por aplicación del artículo 271.4.º CC. Se estima además, expresamente, que el auto de aprobación judicial posterior de la partición de a herencia "a los efectos del artículo 272 del Código Civil", no entraba a contemplar y por tanto no resolvía el anterior defecto, que se considera insubsanable. En opinión del Notario autorizante, el antiguo artículo 272 CC (en la actualidad, artículo 289 CC), remite a la autoridad judicial la definitiva determinación de legalidad de lo hecho por el tutor sin admitir excepción alguna. Según la DGRN, el distinto tratamiento legal de la aceptación de herencia y la partición de bienes hereditarios es coherente con la diversa naturaleza y alcance de ambos actos. Pero se considera que en este caso, atendidas las concretas circunstancias concurrentes, así como la intervención judicial posterior aprobando la actuación del tutor en orden a la forma en que se ha aceptado la herencia, "conduce a considerar válida la aceptación realizada y producidos los efectos del beneficio de inventario a favor del tutelado, de suerte que las consecuencias de la inobservancia por el tutor del requisito legal debatido han de quedar limitadas al ámbito de la responsabilidad de dicho representante legal por incumplimiento de los deberes inherentes al ejercicio de su cargo (así resulta de la interpretación finalista y sistemática de los artículos 233, 271.4.°, 272 y 279 del Código Civil)"[44].

La cuestión ha vuelto a plantearse en la RDGSJyFP de 31 de mayo de 2022 (BOE núm. 149, de 23 de junio de 2022, pp. 86994-86999), en la que paralelamente se plantea también un conflicto sobre el derecho aplicable, dado que concurren el Derecho civil vasco (con aplicación supletoria del CC), en cuanto a la capacidad y las medidas de apoyo de las personas con discapacidad, y el Derecho civil catalán, en cuanto a los supuestos en que se aplica el beneficio de inventario. El supuesto es el siguiente: la causante había fallecido el 15 de noviembre de 2020. Entre los herederos hay uno, vecino de Bermeo (Vizcaya) que había sido declarado incapaz en virtud de sentencia de fecha 22 de mayo de 2013, habiendo quedado sometido a tutela. Mediante escritura notarial autorizada el 22 de noviembre de 2021 se otorgaron las operaciones de partición de la herencia. Consta en la escritura que la herencia había sido aceptada por el tutor de conformidad con el artículo 461-16 CCCat y que no se había instado ni se habían iniciado trámites para la modificación de la sentencia de incapacidad que afectaba al referido heredero. La Registradora suspende la inscripción de la escritura de partición por entender que "falta presentar la autorización judicial para aceptar en favor del tutelado la herencia sin beneficio de inventario".

No se discute que la vecindad civil y el último domicilio de la causante fue Cataluña, por lo que su herencia se rige por el Derecho Civil catalán y, por tanto, la condición de heredero está sujeta al mismo. Como consecuencia de ello, el reparto del caudal hereditario entre los herederos debe practicarse según la ley catalana, pero es necesario implementar medidas de apoyo a uno de los ellos, y éstas son las que determine la ley de su residencia habitual. Por tanto, la ley aplicable al tutelado en materia de capacidad, es la ley personal, y, al ser vecino de Bermeo, es la ley de Derecho civil vasco, y en materia de capacidad jurídica con carácter subsidiario, el Código Civil. Así se desprende de la aplicación del artículo 9.6 CC en relación con el artículo 16 CC que, antes de su reforma por la Ley 8/2021, decía: "La ley aplicable a la protección de las personas mayores de edad se determinará por la ley de su residencia habitual"; y que tras su modificación por la citada ley dispone ahora: "La ley aplicable a las medidas de apoyo para personas con discapacidad será la de su residencia habitual".

El problema se plantea en cuanto a esa remisión genérica a la ley de la residencia habitual de las personas con discapacidad como ley aplicable a las medidas de apoyo. En concreto si esta ley aplicable abarca o no preceptos como el artículo 287.5.° CC, que exige autorización judicial para aceptar sin beneficio de inventario cualquier herencia o repudiar la misma[45] (al igual que hacía el antiguo artículo

---

44.	Esta misma doctrina se reitera en un supuesto similar resuelto por la RDGRN de 4 de junio de 2009 (BOE núm. 155, de 27 de junio de 2009, pp. 53355-53356), con cita de la anterior.

45.	La autorización judicial a que se refiere el artículo 287 CC es aplicable en los supuestos de curador que ejerza funciones de representación de la persona que precisa el apoyo; pero también en

271.4 CC, antes de la citada reforma). Y ello porque el Derecho civil catalán contiene una regulación del beneficio de inventario específica, en la que concretamente el artículo 461-16 CCCat dispone: "*Disfrutan de pleno derecho del beneficio de inventario, aunque no lo hayan tomado,* los herederos menores de edad, tanto si están emancipados como si no lo están, *las personas puestas en tutela o curaduría,* los herederos de confianza (...)*".

El Notario recurrente consideraba que se aplicaba directamente el beneficio de inventario, teniendo en cuenta que el artículo 461-16 CCCat dispone clara y expresamente que disfrutan de pleno derecho del beneficio de inventario, aunque no lo hayan tomado, las personas puestas en tutela o curaduría. Partiendo de esta idea, al haber beneficio de inventario, no tendría sentido aplicar el artículo 287.5.º CC, que solo se refiere a los supuestos de aceptación sin tal beneficio, de modo que no procedería solicitar autorización judicial al no ser necesarias las medidas de apoyo, puesto que el patrimonio de la persona con discapacidad se encuentra plenamente protegido. Así pues, el debate se centra en la aplicación o no de lo dispuesto en el artículo 287.5.º CC, es decir, dado que el ejercicio de la tutela o curatela se someten al CC, si debe aplicarse también la norma de ese mismo Código que exige autorización judicial para aceptar la herencia sin beneficio de inventario (artículo 287.5.º CC), o, por el contrario, si debe aplicarse el CCCat, según el cual las personas puestas en tutela o curaduría disfrutan de pleno derecho del beneficio de inventario.

La DGSJyFP reitera nuevamente la doctrina de las Resoluciones que acabo de citar interpretando las normas del CC sobre aceptación de la herencia por el tutor en los casos en que posteriormente hubo aprobación judicial. Entiende así que se debe considerar válida la aceptación de herencia realizada sin autorización judicial y producidos los efectos del beneficio de inventario en favor del tutelado, de suerte que las consecuencias de la inobservancia por el tutor del requisito legal debatido han de quedar limitadas al ámbito de la responsabilidad del respectivo representante legal por incumplimiento de los deberes inherentes al ejercicio de su cargo. Sin embargo, en este concreto caso no considera necesario aplicar dicha doctrina por entender que, aun cuando las medidas de apoyo al discapacitado se rijan por el CC (como supletorio del Derecho vasco propio de la vecindad del sujeto a tutela), "es indudable que la aceptación de la herencia pertenece al ámbito de la ley reguladora de la sucesión, que es la catalana; y según ésta 'las personas puestas en tutela o curaduría' disfrutan *ope legis* del beneficio de inventario, de suerte que, al quedar así protegido el patrimonio de la persona con discapacidad, es innecesaria la autorización judicial".

El problema que plantea esta interpretación del artículo 287.5.º CC en relación con los artículos 289 y 1060 CC es que resuelve el problema del acceso al Registro de la Propiedad de la titularidad de los bienes que componen la herencia, pero no puede imponerse a los acreedores del heredero persona con discapacidad. A efectos registrales la Dirección General considera válida la aceptación de herencia realizada sin autorización judicial, y *producidos los efectos del beneficio de inventario en favor del tutelado,* cuando

_____

los casos de tutela de menores de edad, por la remisión que realiza el artículo 224 CC: "Serán aplicables a la tutela, con carácter supletorio, las normas de la curatela".

posteriormente se produce la aprobación judicial de la partición. Pero para que se produzcan los efectos del beneficio de inventario (y, en particular, la limitación de la responsabilidad por las deudas de la herencia) existe una regulación legal minuciosa, de la que no se puede prescindir. De alguna manera estas Resoluciones son conscientes de ello cuando destacan que la inobservancia del artículo 287.5.º CC por el curador representativo o el tutor deben quedar limitadas al ámbito de la responsabilidad del respectivo representante legal por incumplimiento de los deberes inherentes al ejercicio de su cargo.

2. ELEVACIÓN A ESCRITURA PÚBLICA POR LOS HEREDEROS DE UN CONTRATO PRIVADO OTORGADO POR EL CAUSANTE

En ciertos casos, con ocasión de la sucesión, los herederos precisan elevar a escritura pública algún contrato privado (generalmente de compraventa) otorgado en vida por el causante. La aplicación en estos supuestos de la necesidad de la autorización judicial del artículo 287 CC, cuando entre los coherederos hay una persona con discapacidad, presenta algunas peculiaridades por cuanto no está claro si ese acto supone o no una aceptación tácita de la herencia.

La cuestión se planteó en la RDGRN de 1 de junio de 2012 (BOE núm. 155, de 29 de junio de 2012, pp. 46243-46247) en la que se discutía precisamente si era necesaria la autorización judicial para la elevación a escritura pública de contrato sobre la base de los núm. 2.º y 4.º del artículo 271 CC (en la actualidad, núm. 2.º y 5.º del artículo 287 CC). Se trataba en concreto de un contrato privado de compraventa suscrito en su día por los cónyuges vendedores (uno de ellos fallecido) y el comprador. A la escritura comparecieron, además del comprador, la esposa del causante y los hijos herederos del fallecido, con la particularidad de que una de las hijas intervino en su propio nombre y en representación de su hermano incapacitado, del que era tutora.

En cuanto al artículo 271.2.º CC (hoy artículo 287.2.º CC), consideró la DGRN que no era aplicable al caso, ya que se debe diferenciar el acto de enajenación de lo que se consideran "actos debidos". En este sentido, entiende que deben diferenciarse los supuestos de enajenación de bienes del incapacitado, una vez integrados los bienes en la herencia, y los de elevación a público de un contrato privado de venta que conste por escrito y firmado por el causante junto con el comprador, en cuya elevación a público intervienen todos los interesados, y entre ellos la tutora del incapacitado en su propio nombre y en representación del mismo. Para la DGRN la autorización judicial del artículo 271.2.º CC está prevista para el supuesto en que el tutor pretenda enajenar bienes inmuebles que pertenezcan al incapacitado, pero no cuando la enajenación tuvo lugar antes del fallecimiento del causante, en virtud de contrato privado escrito y firmado por el mismo y su esposa, conforme establece el artículo 20.4.º LH. En definitiva, la autorización judicial del artículo 271.2.º CC no es necesaria en este caso, pues no se trata de un acto de enajenación de inmuebles que pertenezcan al incapacitado, sino de la ratificación de un contrato privado otorgado por escrito por el causante y firmado por él, que excluye precisamente la integración del bien en la herencia y permite que se inscriba directamente a favor del comprador.

En cuanto a la aplicación a éste caso del artículo 271.4.º CC (hoy artículo 287.5.º CC) entiende la DGRN que la elevación a público del contrato privado suscrito por el causante sólo puede ser realizado por quienes acrediten su carácter de herederos, conforme a lo que establece el artículo 20 LH, por lo que la actuación de la tutora en representación del tutelado, al ratificar un contrato privado realizado por el causante, implica aceptación tácita conforme a lo dispuesto en el ap. 3.º del artículo 999 CC, que considera aceptación tácita, entre otros casos, la que se hace por medio de actos "que no habría derecho a ejecutar sino con la cualidad de herederos", que es precisamente lo que exige el citado artículo 20 LH para la ratificación del contrato privado firmado por el causante. En este sentido, sí entiende aplicable al caso el artículo 271.4.º CC, si bien considera subsanable el defecto mediante la correspondiente declaración de la tutora en documento público, en el sentido de realizar la aceptación a beneficio de inventario en nombre del incapacitado, teniendo en cuenta que ello es posible dadas las especialidades de una aceptación tácita y de tratarse de un acto debido, sin necesidad, si se subsanase de ese modo, de la autorización judicial.

Supuesto parcialmente diferente es el resuelto por la RDGSJyFP de 30 de marzo de 2022 (BOE núm. 93, de 19 de abril de 2023, pp. 53513-53519). Se trataba también en este caso de la elevación a escritura pública por los herederos de unos contratos privados de compraventa otorgados por el causante, estando uno de los coherederos sometido a tutela. El Registrador deniega la inscripción por considerar que la elevación a escritura pública supone un acto de aceptación tácita de la herencia (artículo 999 CC), que como tal, necesita de la autorización judicial a que se refiere hoy el artículo 287.5.º CC (artículo 271.4.º CC, antes de la reforma). Se basa para ello, matizándola, en la doctrina contenida en la anteriormente citada RDGRN de 1 de junio de 2012 (BOE núm. 155, de 29 de junio de 2012, pp. 46243-46247), partiendo de la idea de que en los casos de elevación a público de contratos privados celebrados por el causante, al ser un acto debido de los herederos, no es necesaria la autorización judicial, aunque sí sea precisa ésta para aceptar pura y simplemente la herencia. Pero en este caso se viene a concluir que, una vez que se ha acreditado la autorización judicial para que la tutora pueda comparecer a elevar a público en nombre propio y en nombre del discapaz, junto con sus hermanos y su madre, un contrato de compraventa, propiamente existe una intervención judicial aprobando un acto posterior que conlleva necesariamente la aceptación de la herencia (como es el acto debido de la elevación a público del contrato privado de compraventa realizado por el causante). Por ello debe entenderse que, por la misma resolución judicial, el juez también ha autorizado implícitamente la aceptación de la herencia que ese acto debido lleva necesariamente consigo.

En definitiva, lo que se hace es retomar la misma argumentación, ya analizada, en cuanto al valor de la aprobación judicial posterior de la partición realizada. Lo que sí hace la Dirección General es destacar las diferencias entre los supuestos de que se ocupan ambas Resoluciones (la de 2012 y la de 2022), primero, al considerar que no se trata ahora de un caso de aceptación tácita de la herencia, sino que la tutora, como acto necesario para la elevación a público que se formaliza, acepta *expresamente* la herencia deferida en favor del tutelado; y, segundo, porque en este caso hay un pronunciamiento judicial por el que se autoriza dicha elevación a público de la compraventa. Con esta argumentación se concluye: "Por ello, si se atiende a las especiales circunstancias concurrentes, que sin duda han sido suficientemente valoradas por la jueza al autorizar dicho acto jurídico, debe considerarse válida la aceptación de herencia realizada y producidos los efectos del beneficio de inventario en favor del tutelado, de suerte que –como entendió este Centro en Resoluciones de 25 de abril de 2001 y 4 de junio de 2009 a las que se refiere la recurrente– las consecuencias de la inobservancia por el tutor del requisito legal debatido han de quedar limitadas al ámbito de la responsabilidad de dicho representante legal por incumplimiento de los deberes inherentes al ejercicio de su cargo (así resulta de la interpretación finalista y sistemática de los artículos 233, 271.4.°, 272 y 279 del Código Civil en su redacción entonces vigente; actuales 210, 224, 270, 287.5.°, 289 y 292)".

VI. LA REPUDIACIÓN DE LA HERENCIA

La repudiación es el acto formal en virtud del cual el titular del *ius delationis* manifiesta su voluntad de rechazar el llamamiento ofrecido a su favor. La trascendencia de la repudiación radica en el rechazo a la posibilidad de convertirse en heredero y, consecuentemente, de adquirir los bienes y derechos hereditarios correspondiente, aunque también la de asumir las eventuales deudas de la herencia[46].

Como ya he destacado, de toda Sección dedicada a la aceptación y repudiación (artículos 988 a 1034 CC), la Ley 8/2021 únicamente ha modificado directamente el artículo 996 CC, que solo contempla la aceptación de la herencia de la persona con discapacidad, que "se prestará por esta, salvo que otra cosa resulte de las medidas de apoyo establecidas". Nada se dice en cuanto a la repudiación de la herencia. A pesar de que no se hayan alterado las normas existentes sobre la materia creo que la solución debe ser la misma: la persona con discapacidad podrá repudiar la herencia, salvo que otra cosa se haya previsto en las medidas de apoyo establecidas. No existe ninguna excepción por lo que se aplica la regla general del artículo 246: "El mayor de edad puede realizar todos los actos de la vida civil, salvo las excepciones establecidas en casos especiales por este Código". Además, no tendría ningún sentido que se exigiera una capacidad diferente para aceptar y para repudiar una herencia[47].

---

46. Sobre estos efectos de la repudiación, ampliamente, GARCÍA GOLDAR, *La liquidación...*, cit., pp. 257 y ss.; SÁNCHEZ CID, Ignacio, *La repudiación de la herencia*, Tirant lo Blanch, Valencia, 2016, pp. 211 y ss.

47. LORA-TAMAYO RODRÍGUEZ, Isidoro, *Reforma civil y procesal para el apoyo a personas con discapacidad*, Francis Lefebvre, Madrid, 2021, p. 182; BESCANSA MIRANDA, Rafael, *Protección jurídica de la persona*, Aferré Ed., Barcelona, 2021, p. 283; TORRES PEREA, José Manuel, "La discapacidad y la reforma de las normas sucesorias", en DE CASTRO LÓPEZ-TAPIA – QUESADA SÁNCHEZ (Dir.), *La reforma civil...*, cit., p. 486. Desde una perspectiva parcialmente diferente, GÓMEZ GÁLLIGO, Francisco Javier, *Discapacidad y Registro de la Propiedad*, en CERDEIRA BRAVO DE MANSILLA – GARCÍA MAYO (Dir.), *Un nuevo orden...*, cit., p. 508, mantiene que el ap. 1.° del artículo 992 CC debe ser objeto de interpretación restrictiva.

Cabría, no obstante, interpretar que el artículo 992 CC no ha sido modificado y que sigue diciendo que pueden aceptar o repudiar una herencia "todos los que tienen la *libre disposición* de sus bienes"; y que si el CC ha reformado la regla general en cuanto a la aceptación, el hecho de que no lo haga con referencia a la renuncia, implica que sigue manteniendo la necesidad de tener la libre disposición de los bienes para realizar la misma[48]. Sin embargo, como ya he destacado, creo que la referencia a libre disposición de los bienes debe ser interpretada de acuerdo con los principios que inspiran la Ley 8/2021 y la propia CDPD.

El artículo 12.5 CDPD impone a los Estados partes la necesidad de que adopten "todas las medidas que sean pertinentes y efectivas para garantizar el derecho de las personas con discapacidad, en igualdad de condiciones con las demás, a ser propietarias y *heredar bienes, controlar sus propios asuntos económicos...*". Ello implica tomar en consideración la libertad del sujeto para tomar sus propias decisiones, incluida la posibilidad de repudiar una herencia atendiendo igualmente a la valoración de sus deseos y voluntad, en caso de que precise medidas de apoyo.

Cabe mantener, siguiendo la opinión de GARCÍA RUBIO, que las personas con discapacidad no puede soportar limitaciones a su capacidad para contratar, o para heredar bienes, ni las medidas de apoyo pueden ser contempladas nunca como limitación para celebrar un determinado acto jurídico, como puede ser la repudiación de la herencia. El silencio del artículo 1263 CC es muy significativo en este punto. El problema de las particulares características de las personas con discapacidad de tipo cognitivo o volitivo o de expresión puede derivar en que en los actos celebrados por éstas no exista un verdadero consentimiento. De ser así, el acto puede estar lastrado por un defecto estructural básico que impide su reconocimiento como plenamente válido y eficaz: la falta de consentimiento. Pero el defecto está en esa falta de consentimiento, y no en la discapacidad, ni en la ausencia de apoyo, ni en el apoyo inadecuado[49]. Fuera de esta supuesto, en que una eventual repudiación de le herencia sería nula de pleno de derecho, la persona con discapacidad tiene capacidad para repudiar por sí misma, siempre que el Notario considere que tiene capacidad natural, o, en su caso, de conformidad con lo que se haya previsto en las medidas de apoyo establecidas[50].

Desde luego, sin comparamos la repudiación de la herencia con los problemas analizados que plantea la aceptación, con la repudiación vamos a tener una ventaja: que en la declaración de voluntad siempre interviene un Notario. Según el artículo 1008 CC "la repudiación de la herencia deberá hacerse ante Notario en instrumento público". No cabe, pues, una repudiación en documento privado, ni tampoco es posible una repudiación tácita. El silencio, en el caso del artículo 1005, CC para que en el plazo de treinta días naturales manifieste el llamado si acepta pura o simplemente, o a beneficio de inventario, o si repudia la herencia, se entiende como aceptación pura y

48. Plantea esta posibilidad, BESCANSA MIRANDA, *Protección jurídica...*, cit. p. 282.
49. GARCÍA RUBIO, María Paz, "La capacidad para contratar de las personas con discapacidad", en MORALES MORENO, A.M. (Dir.) y BLANCO MARTÍNEZ, E. V. (Coord.), *Estudios de Derecho de Contratos*, I, Agencia del Boletín Oficial del Estado, Madrid, 2022, p. 339.
50. LORA-TAMAYO, *Reforma civil...*, cit., p. 182.

simple. Paralelamente, se puede perder la facultad de repudiar en el caso del artículo 1002 CC cuando los herederos hayan sustraído u ocultado algunos efectos de la herencia. Y en este supuesto "pierden la facultad de renunciarla y quedan con el carácter de herederos puros y simples".

1. EL PROBLEMA DE LAS RENUNCIAS TRASLATIVAS

Cuando el llamado a una herencia repudia en favor de otras personas se plantea el problema de las denominadas renuncias traslativas. No estamos aquí ante una genuina repudiación de le herencia, cuyos efectos en cuanto al destino de los bienes vienen fijados por la ley, sino que el renunciante determina quienes son los beneficiarios de la renuncia. En este sentido, no procede aplicar las reglas de la repudiación de la herencia, que es un acto unilateral, sino las de los negocios jurídicos bilaterales, por lo que en caso de que sea realizada por una persona con discapacidad las soluciones no pueden ser las previstas en el CC para la aceptación y repudiación de la herencia.

Como destaca la STS de 20 de julio de 2012 (RJ 2012, 9001): "Nuestro Derecho patrimonial admite como principio general la renunciabilidad de los derechos subjetivos, siempre que la renuncia no sea contraria al interés o al orden público o se realice en perjuicio de tercero. Pero como sucede en el ámbito de las relaciones jurídico-reales, en donde las renuncias traslativas no constituyen, en rigor, auténticas renuncias, pues carecen del efecto extintivo, también su aplicación a este supuesto de aceptación especial de la herencia resulta equívoca y debe matizarse. En este sentido, debe señalarse que la renuncia traslativa, entendida en términos de aceptación de la herencia, no comporta, en ningún caso, la transmisión directa del *ius delationis* al beneficiario de la misma; por tanto, el adquirente lo será siempre del heredero y no del causante cuya herencia es aceptada con esta fórmula. Sentada esta precisión, el marco interpretativo del artículo 1000 debe realizarse en atención al artículo 990 CC, en donde, *a sensu contrario*, y a diferencia de la repudiación en sentido estricto, que es siempre pura o neutra, se infiere la admisión de la renuncia traslativa, como aceptación de la herencia, en beneficio ya de coherederos (codelados), o bien de extraños (terceros u otros vocados)".

La cuestión es clara, la renuncia traslativa supone una aceptación *ex lege*, por lo que el adquirente lo será del heredero renunciante y no del causante. Según los ap. 2.º y 3.º del artículo 1000 CC, se entiende aceptada la herencia cuando el heredero la renuncia, aunque sea gratuitamente, a beneficio de uno o más de sus coherederos; y cuando la renuncia por precio a favor de todos sus coherederos indistintamente. No obstante, si esta renuncia es gratuita y los coherederos a cuyo favor se haga son aquellos a quienes debe acrecer la porción renunciada (artículos 982 y 984 CC), no se entiende aceptada la herencia.

Así, pues, la renuncia traslativa no es en sentido propio una renuncia sino una cesión de derechos, porque adquieren los bienes personas diferentes de aquellas a quienes se deferiría la herencia en los casos de verdadera renuncia. En este sentido, como se afirma en la RDGSJyFP de 30 de diciembre de 2021 (BOE núm. 28, de 2 de febrero de 2022, pp. 14696-14700), "la denominada renuncia traslativa no implica propiamente una renuncia, sino una cesión de derechos que, precisamente para ser cedidos, han de ser previamente adquiridos". Lo cuestión es objeto de un estudio más extenso en la RDGRN de 27 de febrero de 2013 (BOE núm. 69, de 21 de marzo de 2013, pp. 22564-22572), en la que se destaca que la ley no permite que quien vende o dona sus derechos hereditarios ceda el derecho a aceptar, despojándose de la cualidad de heredero. El cedente por el hecho de ceder es precisamente, aceptante de la herencia, y el cesionario adquiere los bienes del cedente a título singular, y no del causante.

Esto debe tenerse presente cuando quien efectúa una renuncia traslativa es una persona con discapacidad pues ésta, o quien ejerce el apoyo, puede desconocer que sigue conservando la cualidad de heredero y que es, por tanto, responsable de las deudas hereditarias. En tales casos, y dado que estamos ante un contrato (generalmente gratuito, pero también oneroso), sí que habrá que aplicar el régimen de los artículos 1301, 1302, 1304 y 1314 CC. Ello nos lleva a la discusión sobre si estos contratos son anulables por el mero hecho de la omisión del apoyo (cuando se prescinde del apoyo de forma voluntaria), o si es preciso no solo la omisión del apoyo, sino además, el conocimiento de la existencia de las medidas de apoyo y, en su caso, el aprovechamiento de la situación de discapacidad por el otro contratante[51] (en este caso, el beneficiario de la renuncia).

2. LAS RENUNCIAS ABDICATIVA Y TRASLATIVA DESDE LA PERSPECTIVA TRIBUTARIA

Desde la perspectiva tributaria conviene hacer algunas precisiones relativas a la renuncia abdicativa (genuina repudiación) y a la renuncia traslativa, ya que puede es importante a la hora de determinar cuando se deben utilizar, y en qué medida, las medidas de apoyo establecidas. La cuestión ha sido objeto de la Consulta vinculante de la Dirección General de Tributos núm. V1498-10, de 2 de julio de 2010 (JUR 2010, 366610). Procede aplicar el artículo de la Ley 29/1987, de 18 de diciembre, del Impuesto sobre Sucesiones y Donaciones, conforme al cual: "1. En la repudiación o renuncia pura, simple y gratuita de la herencia o legado, los beneficiarios de la misma tributarán por la adquisición de la parte repudiada o renunciada, aplicando siempre el coeficiente que corresponda a la cuantía de su patrimonio preexistente. En cuanto al parentesco con el causante, se tendrá en cuenta el del renunciante o el del que repudia cuando tenga señalado uno superior al que correspondería al beneficiario. 2. En los demás casos de renuncia en

---

51. GARCÍA RUBIO, "La capacidad para contratar...", cit., pp. 342 y ss.; GÓMEZ CALLE, "En torno a la anulabilidad", cit.; VÁZQUEZ DE CASTRO, Eduardo – ESTANCONA PÉREZ, Araya Alicia, "Los retos a afrontar en el Derecho de obligaciones y contratos" en LLAMAS POMBO – MARTÍNEZ RODRÍGUEZ – TORAL LARA (Dir.), *El nuevo Derecho...*, cit. pp. 193 y ss.; ALBIEZ DOHRMANN, Klaus Jochen, "La capacidad jurídica para contratar de las personas con discapacidad, tras la Ley 8/2021, de 2 de junio", en DE LUCCHI LÓPEZ-TAPIA –QUESADA SÁNCHEZ (Dir.), *La reforma civil...*, cit., pp. 513 y ss., y 542 y ss.; VÁZQUEZ DE CASTRO, Eduardo, "Reformas en derecho de obligaciones y contratos", en DE VERDA Y BEAMONTE (Dir.), *La discapacidad...*, cit., pp. 528 y ss.; CARRASCO PERERA, "Contratación por discapacitados...", cit., pp. 201 y ss.

favor de persona determinada, se exigirá el impuesto al renunciante, sin perjuicio de lo que deba liquidarse, además, por la cesión o donación de la parte renunciada".

Así pues, en la renuncia abdicativa, tributan por el impuesto de sucesiones quienes adquieren la herencia, mientras que en la renuncia traslativa, se tributa por dos impuesto: el renunciante (como aceptante) tributa por el impuesto de sucesiones, mientras que el beneficiario lo hará por el impuesto de donaciones, si la renuncia es gratuita, o por el impuesto de transmisiones patrimoniales, si la renuncia es onerosa. Desde esta perspectiva, la situación de la persona con discapacidad en la renuncia traslativa no supone ningún compromiso a su patrimonio: podrá repudiar por sí misma, o, en su caso, de acuerdo con lo que se haya previsto en las medidas de apoyo establecidas.

VII. POSIBILIDAD DE IMPUGNAR LA ACEPTACIÓN Y REPUDIACIÓN DE LA HERENCIA

Según el artículo 997 CC, "la aceptación y la repudiación de la herencia, una vez hechas, son irrevocables, y no podrán ser impugnadas sino cuando adoleciesen de algunos de los vicios que anulan el consentimiento, o apareciese un testamento desconocido". Parece claro que se habla de irrevocabilidad cuando la aceptación y repudiación son válidas y eficaces. No hay posibilidad de desistimiento. Cuestión diferente es que se puedan impugnar por vicios del consentimiento.

No obstante, en ocasiones se han planteado si es posible una rectificación, referida a la repudiación de una herencia. Es el caso de la RDGRN de 21 de abril de 2017 (BOE núm. 113, de 12 de mayo de 2017, pp. 39513-39518), que analiza la posibilidad de rectificación de la repudiación de una herencia por error en el consentimiento de su otorgante. Excepcionalmente se admite por considerar que no es incompatible el principio de irrevocabilidad de la aceptación y renuncia de la herencia con la posibilidad de subsanación de una manifestación hecha en ese sentido, siempre y cuando la segunda no encubra una revocación de la renuncia. En este caso concreto se considera que es clara la apreciación de que se trata de un error en el consentimiento, a lo que coadyuvan los siguientes argumentos: la rectificación se había hecho el mismo día por diligencia en la misma escritura de renuncia, sin que se hubiese hecho una presentación de la errónea en oficina pública ni Registro, y más aún, sin haberse expedido copia autorizada sin la rectificación, por lo que no hubo posibilidad de generar expectativa alguna del derecho a suceder por parte de los sustitutos.

Pero fuera de estas circunstancias excepcionales parece que debe rechazarse una posible rectificación, que debería ser consentida no ya sólo por los otorgantes, sino por todos los afectados por la misma (expectativas que puedan tener los descendientes, los posibles sustitutos, etc.).

En el caso resuelto por la RDGRN de 18 de mayo de 2017 (BOE núm. 137, de 9 de junio de 2017, pp. 47881-47887), la rectificación tiene lugar veinte meses después de la renuncia inicial. Por ello, para reconocer plena eficacia a la rectificación, se exige la concurrencia de quienes tenían una expectativa fundada en la renuncia inicial, que en este supuesto eran los sustitutos vulgares. La propia Resolución se encarga de diferenciar este supuesto del contemplado en la anterior:

"(…) a través de las manifestaciones de los otorgantes se deduce que se trata de un error en el consentimiento, pero no es clara tal apreciación ya que la declaración de voluntad inicial se había producido previamente informada por el notario autorizante. También es cierto que en este expediente, la rectificación se ha producido con una dilación en el tiempo más que suficiente –veinte meses– para producir expectativas a los llamados como sustitutos del renunciante, máxime cuando el primer documento accedió al Registro, donde se advirtió del error en la manifestación de la renuncia. En consecuencia, no pueden quedar desprotegidas esas expectativas de derechos de quienes serían llamados como sustitutos a la sucesión por la renuncia del heredero.

En el supuesto contemplado por la Resolución de 21 de abril de 2017, la rectificación se hizo el mismo día por diligencia en la misma escritura de renuncia, sin que se hubiese hecho una presentación de la errónea en oficina pública ni Registro, y más aún, sin haberse expedido copia autorizada sin la rectificación, por lo que no hubo posibilidad de generar expectativa alguna del derecho a suceder por parte de los sustitutos. En el supuesto de este expediente, nada de esto ocurre, y la expectativa es evidente, por lo que deben concitarse los consentimientos de aquellos a favor de los cuales se hubiere podido generar esa expectativa de derechos. En consecuencia sólo la concurrencia de los mismos en la escritura complementaria, habilitaría la subsanación de la renuncia".

En este mismo sentido cabe destacar la RDGRN de 17 de octubre de 2017 (BOE núm. 274, de 11 de noviembre de 2017, pp. 108624-198629). En este caso se trataba de una escritura de partición en la que una de las herederas renunciaba a la herencia de su causante, adjudicándose su parte, por acrecimiento, a los demás herederos. En el testamento del causante se habían sustituido vulgarmente a los herederos por sus descendientes. En una escritura posterior, unos seis meses más tarde, se formaliza una escritura de rectificación de la anterior, con la intervención de todos los comparecientes anteriores, y en ella se dice que hubo un error en la renuncia de la heredera, ya que la misma aceptaba la herencia del causante. Frente a la calificación de la Registradora, la recurrente alega el error de consentimiento, siendo la voluntad real, como legitimaria, la de aceptar la herencia del padre, habiendo acontecido cuando se firmó la herencia, un vicio de consentimiento; que es una excepción a la irrevocabilidad de la aceptación y repudiación de la herencia (artículo 997 CC). De acuerdo con esta Resolución:

"(…) aun admitiendo la eficacia esa clase de error en esta materia, es claro que para producir efectos en el ámbito notarial y registral la rectificación siempre deberá ser consentida por todos los posibles afectados por la misma, y es cierto que en este expediente, la rectificación se ha producido con una dilación en el tiempo más que suficiente –seis meses– para producir expectativas a los llamados como sustitutos del renunciante, máxime cuando el primer documento accedió al Registro, donde se causó calificación negativa y la renunciante advirtió del error en la manifestación de la renuncia. En consecuencia, no pueden quedar desprotegidas esas expectativas de derechos de quienes serían llamados como sustitutos a la sucesión por la renuncia del heredero".

Aparte de estos supuestos, y sin entrar en el estudio del artículo 997 CC, es necesario destacar la doctrina contenida en la STS de 25 de marzo de 2021 (RJ 2021, 1186), en la que se plantea como cuestión jurídica la impugnación por error de la aceptación tácita de una herencia tras el descubrimiento de una obligación de importe superior a los bienes de la misma. Según el TS, el artículo 997 CC admite que, a pesar del plazo previsto para informarse y reflexionar antes de aceptar o repudiar la herencia, el llamado puede emitir un consentimiento viciado. La remisión que hace el precepto a los vicios del consentimiento comprende todos los supuestos de irregularidad en la formación del consentimiento y, puesto que la aceptación es un acto *inter vivos*, hay que estar a la regulación que resulta de los artículos 1265 y ss. del CC, con las adaptaciones necesarias para su aplicación a un acto jurídico unilateral".

La singularidad de este caso radica en el origen de la deuda, reconocida por la causante en un documento que debía surtir efecto después de su fallecimiento y en cuya virtud el contenido de la herencia se vio alterado de manera sustancial. La deuda era de tal magnitud que, de haberla conocido el heredero, al tener que responder con sus propios bienes de la misma, no hubiera aceptado la herencia[52]. El TS considera que el error que llevó al heredero a realizar los actos de los que resulta la aceptación de la herencia debe ser calificado de determinante, esencial y, además, excusable. Por ello estima el recurso de casación, apreciando que el error padecido sí fue invalidante de su aceptación de la herencia.

No obstante, a la hora de aplicar la sanción de anulabilidad, y en cuanto al cómputo del plazo de cuatro años del artículo 1301 CC, el TS destaca que es preciso adaptar su aplicación a la impugnación de un acto unilateral en el que, a diferencia de los contratos a que se refiere el precepto, no hay consumación entendida como cumplimiento de las prestaciones de las partes. En este sentido, entiende que el plazo de cuatro años únicamente puede empezar a correr a partir del momento en que quedó determinada la composición del caudal, lo que solo tuvo lugar en el momento en que adquirió firmeza la sentencia dictada en el proceso en el que se hizo valer por los favorecidos el reconocimiento de la causante. La Audiencia había considerado que el plazo debía computarse desde la contestación a la demanda, lo que suscitaba el problema de considerar la misma como una aceptación tácita (artículo 999 CC). Este parece ser el motivo por el que el TS considera que el plazo no empezaba a correr hasta la firmeza de la sentencia dictada en este procedimiento, pues sería paradójico al mismo tiempo considerar que, al oponerse al reconocimiento de la obligación reclamada por los beneficiarios, se estaba realizando un acto contrario a la impugnación por error de la aceptación, cuando el error padecido consiste precisamente en la exigibilidad de la deuda que se discutía en aquel procedimiento.

---

52. Sobre la posibilidad y consecuencias de que los herederos se encuentren con deudas desconocidas o sobrevenidas tras la aceptación, resulta esencial la aportación de GARCÍA GOLDAR, *La liquidación…*, cit., pp. 433 y ss.

Por lo que se refiere a la legitimación activa para interponer esta acción, en el caso de que se trate de personas con discapacidad, hay que tener en cuenta las medidas de apoyo establecidas. Si la aceptación se ha realizado por el curador con facultades representativas, aunque que haya existido autorización judicial, debe admitirse la legitimación del propio curador. Como ya he destacado, de acuerdo con el criterio de las SSTS de 20 de abril de 2016 (RJ 2016, 1687) y de 10 de enero de 2018 (RJ 2018, 156), el reproche que pudiera efectuarse al curador nunca podría perjudicar los intereses del sometido a este tipo de curatela, que no puede quedar privado de la protección que le dispensa el ordenamiento. En el resto de los casos, se deben tener en cuenta los núm. 1 y 2 del artículo 7 LEC, modificados por la Ley 8/2021, conforme a los cuales pueden comparecer en juicio todas las personas, y en el caso de las personas con medidas de apoyo para el ejercicio de su capacidad jurídica, se debe estar al alcance y contenido de estas. Es decir, en cuanto a la capacidad procesal, la persona con discapacidad tiene capacidad para comparecer en juicio y poder realizar, dentro de él, actos procesales válidos. No obstante cuando se hayan establecido medidas de apoyo habrá que estar a lo establecido en estas. Así, para a curatela, el artículo 269 CC dispone que los actos en los que el curador deba prestar el apoyo deben fijarse de manera precisa, indicando, en su caso, cuáles son aquellos donde debe ejercer la representación. Ello supone que el Juez puede acotar los procedimientos que la persona precisada de apoyos puede promover y los que no puede hacerlo, así como las cautelas adicionales que considere convenientes para su promoción[53].

Teniendo en cuenta que, de prosperar la acción, lo que se está declarando es la nulidad de la aceptación de la herencia, o de su repudiación, se coloca al titular del *ius delationis* en la posición inmediatamente anterior a dicha aceptación o renuncia. Recupera, pues, el *ius delationis* que no ejercitó válidamente, y tiene por consiguiente la opción de repudiar o aceptar la herencia, ahora ya sin vicios de la voluntad, tanto pura y simplemente como a beneficio de inventario; e igualmente puede ejercer el derecho de deliberar[54]. Al igual que sucede en todos los casos en que se vuelve a la situación que existía en un momento anterior, es preciso determinar el régimen aplicable a los actos realizados por el heredero aceptante antes de la anulación de la aceptación.

Como destaca DÍAZ ALABART, los artículos 1303 y 1307 CC regulan las consecuencias de la declaración de nulidad para los contratos, y por ello no son adecuados para impugnación de la aceptación de la herencia. Considera por ello que no es aplicable totalmente la obligación de los contratantes "de restituirse recíprocamente las cosas que hubiesen sido materia del contrato, con sus frutos, y el precio con los intereses..." (artículo 1303 CC), porque en la aceptación o repudiación de la herencia impugnada, no ha habido un intercambio de prestaciones. La persona que impugna con éxito su aceptación, solo debe restituir a quien pase a ser heredero de todos los bienes hereditarios que poseyó con los frutos o intereses que correspondan; y cuando se impugne

---

53. TORIBIOS FUENTES, Fernando, "Modificación de la Ley 1/2000, de 7 de enero, de Enjuiciamiento Civil", en GUILARTE MARTÍN-CALERO (Dir.), *Comentarios a la Ley 8/2021...*, cit., pp. 1123 y ss.
54. DÍAZ ALABART, Silvia, "El error en la aceptación o repudiación de la herencia: la STS 142/2021, de 15 de marzo. La responsabilidad del heredero por las deudas de su causante", *Cuadernos de Derecho Privado*, 1, 2021, p. 58.

la repudiación de una herencia, como el impugnante nada había llegado a poseer, no tendrá que restituir ningún bien. Además, estas reglas se complementan con la prevista en el artículo 1307 CC, cuando el obligado a la restitución de una cosa no pueda devolverla por haberse perdido. En tal caso se le impone el deber de restituir los frutos percibidos y el valor de la cosa cuando se perdió, con los intereses desde la misma fecha en que exista la obligación de restituir. La misma regla se aplicará cuando el heredero impugnante haya enajenado alguno de los bienes de la herencia a título oneroso a tercero de buena fe. En definitiva, como defiende esta autora, la idea es que, al anular la aceptación, las cosas vuelvan en la misma situación que existía en el momento inmediatamente anterior, de manera que los actos realizados por el heredero también serán nulos, si bien respetando los derechos de los terceros adquirentes de buena fe[55].

VIII. ACEPTACIÓN Y REPUDIACIÓN DE LA HERENCIA COMO POSIBLE CONTENIDO DE LOS PODERES Y MANDATOS PREVENTIVOS

La Ley 8/2021 incorpora la regulación de los poderes y mandatos preventivos en los artículos 256 a 262 CC, unificando la regulación que se había introducido en la Ley 41/2003. No corresponde aquí entrar en su estudio, sino únicamente analizar los problemas que pueden plantear la incorporación a su contenido de la posibilidad de aceptar o repudiar una herencia. En principio, cualquier poder confiere al apoderado legitimación para actuar en nombre y por cuenta del poderdante en todos aquellos asuntos que hayan sido objeto del poder, de manera que los actos concluidos por el apoderado surten efectos en el patrimonio del poderdante. Así lo destaca RIBOT IGUALADA, quien pone de relieve que los poderes preventivos persiguen esa misma finalidad, con la particularidad de que su entrada en vigor se produce desde que el poderdante precisa apoyo en el ejercicio de su capacidad jurídica según lo dispuesto por él mismo[56]. La ley regula los poderes *ad cautelam*, con cláusula de subsistencia o continuidad (artículo 256 CC), y los poderes preventivos puros, solo para el supuesto de que en el futuro el poderdante precise apoyo en el ejercicio de su capacidad (artículo 257 CC).

En cualquiera de los casos, el problema de fondo es la extensión y el contenido del poder, ya que el margen de maniobra del poderdante es mucho más amplio que el que tiene el juez llamado a constituir una curatela Así se desprende del artículo 269 CC, que somete a la autoridad judicial a los principios de proporcionalidad y mínima intervención: "Los actos en los que el curador deba prestar el apoyo deberán fijarse de manera precisa, indicando, en su caso, cuáles son aquellos donde debe

---

55. DÍAZ ALABART, "El error…", cit., pp. 58-59 y nota 36.
56. RIBOT IGUALADA, Jordi, "Comentario a los artículos 256 a 262 CC", en GUILARTE MARTÍN-CALERO (Dir.), *Comentarios a la Ley 8/2021…*, cit., p. 588. Vid. además, TORAL LARA, Estrella, "Las medidas de apoyo voluntarias en el nuevo sistema de provisión de apoyos del Código civil", en LLAMAS POMBO – MARTÍNEZ RODRÍGUEZ – TORAL LARA (Dir.), *El nuevo Derecho…*, cit., pp. 98 y ss.; LÓPEZ AZCONA, Aurora, "Medidas voluntarias de apoyo", en CERDEIRA BRAVO DE MANSILLA – GARCÍA MAYO (Dir.), *Un nuevo orden…*, cit., pp. 370 y ss.; FERNÁNDEZ-TRESGUERRES, Ana, *El ejercicio de la capacidad jurídica. Comentario de la Ley 8/2021, de 2 de junio*, Thomson Reuters – Aranzadi, Cizur Menor, 2021, pp. 94 y ss.; AMUNÁTEGUI RODRÍGUEZ, "Las medidas voluntarias de apoyo", en DE VERDA Y BEAMONTE (Dir.), *La discapacidad…*, cit., pp. 130 y ss.

ejercer la representación". En cambio, el otorgante de un poder preventivo no tiene estas limitaciones: el poder tendrá el contenido que haya previsto aquel, hasta el punto de que el artículo 259 CC admite que pueda comprender "todos los negocios del otorgante"[57].

Esta posibilidad de que el poder pueda referirse a todos los negocios del otorgante debe ponerse en relación con la distinción entre poder general y poder especial, que se recoge dentro de la regulación del mandato en el artículo 1712 CC. El poder general comprende todos los negocios del poderdante, mientras que el especial se refiere a uno o más negocios determinados. Desde luego es posible un poder general para todos los asuntos del otorgante que incluya no sólo actos de administración sino también de riguroso dominio. Según el artículo 259 CC, "salvo que el poderdante haya determinado otra cosa", el apoderado queda "sujeto a las reglas aplicables a la curatela en todo aquello no previsto en el poder", lo que nos conduce a la necesidad de autorización judicial del artículo 287 CC, cuyo régimen ya hemos analizado. Pero siempre cabe la posibilidad de que el otorgante haya previsto un régimen diferente.

Lo que corresponde analizar aquí es si, en la esfera patrimonial (que es a la que afecta la aceptación y repudiación de la herencia), existe algún límite en cuanto al alcance del poder o mandato preventivo. En principio, legalmente no hay ningún tipo de negocio que esté excluido del ámbito del apoyo representativo del apoderado o mandatario preventivo[58]. Incluso, sobre la base de la normativa anterior a la reforma. Amunátegui Rodríguez había mantenido que, en la duda, la regla debería ser que el poder preventivo se otorgaba como un mandato general o relativo a todos los asuntos del poderdante, ya que, en caso contrario, se correría el riesgo de entorpecer la gestión del mandatario o apoderado desde la incapacidad del otorgante[59].

La aceptación y repudiación de la herencia son actos unilaterales, pero no personalísimos, por lo que pueden realizarse a través de representante legal o voluntario[60]. El poder para aceptar una herencia es, pues, admisible, pudiendo establecer el otorgante la modalidad de aceptación, y las cautelas y medidas de control que considere oportunas. Lo mismo ocurre con la repudiación, pero en ambos casos el poder debe ser específico y referirse a la posibilidad de aceptar y repudiar herencias, no siendo suficiente un poder general[61]. Sin embargo, aunque hay acuerdo en que el poder debe

---

57. La misma idea aparece para los acuerdos de apoyos en el ap. 2.º del artículo 255.II CC cuando destaca que el otorgante "podrá también establecer el régimen de actuación, el alcance de las facultades de la persona o personas que le hayan de prestar apoyo, o la forma de ejercicio del apoyo". Destaca esta amplitud, AMUNÁTEGUI RODRÍGUEZ, "Comentario al artículo 255", en GUILARTE MARTÍN-CALERO (Dir.), *Comentarios a la Ley 8/2021...*, cit., p. 575.
58. RIBOT IGUALADA, "Comentario...", cit., p. 613.
59. AMUNÁTEGUI RODRÍGUEZ, *Incapacitación y mandato*, cit., p. 265.
60. En contra, AMENGUAL VILLALONGA, Miguel, "La aceptación y adjudicación de la herencia: aspectos prácticos de interés. Especial atención a la aceptación por los acreedores del heredero", en LLEDÓ YAGÜE, F. – FERRER VANRELL, M. P. – TORRES LANA, J. A. (Dirs.), *El patrimonio sucesorio: reflexiones para un debate reformista*, II, Dykinson, Madrid, 2014, p. 1158, considera que la repudiación de la herencia es un acto personalísimo, sin que su ejercicio pueda dejarse al albedrío de terceros ni coartarse la libertad y voluntariedad de la aceptación o repudiación de una herencia.
61. DÍEZ-PICAZO, *Lecciones...*, cit., p. 464; GARCÍA GOLDAR, *La liquidación...*, cit., p. 230.

ser expreso, se discute si basta que el poder se refiera a la posibilidad de aceptar o repudiar cualquier herencia, o es preciso un poder específico para aceptar o repudiar una herencia concreta. Algunos autores mantienen que el poder no puede ser expedido para aceptar o repudiar herencias, sino que debe referirse específicamente a una determinada sucesión, ya que, en caso contario, el otorgante no tendría posibilidad alguna de valorar la consistencia de cualquier herencia puesta al alcance del apoderado, evaluando si puede serle útil o nocivo el actuar del representante[62]. Otros, en cambio, consideran que no siendo la aceptación y repudiación actos personalísimos, el poder se puede conferir para aceptar o repudiar herencias en general[63].

En mi opinión, el poder puede referirse a la posibilidad de aceptar o repudiar cualquier herencia. Si el poderdante tuviera que valorar la conveniencia de aceptar o repudiar cada herencia concreta a él deferida se restaría toda virtualidad a los poderes generales, que comprenden todos los negocios del otorgante. De seguirse la opinión contraria nos encontraríamos con que no sería posible que una eventual aceptación o repudiación pudiera integrar el contenido de los poderes preventivos ya que, por hipótesis, sería imposible especificar con antelación de qué herencia se trata y, aunque así fuera (por ejemplo, por referencia a la que posibilidad de heredar a un determinado causante), se desconocería la composición de esa herencia. Cabe añadir otro argumento: nadie dudaría de que en un poder preventivo puede contener la facultad de aceptar herencias a beneficio de inventario, al quedar limitada la responsabilidad por deudas del otorgante. Pero si ello es así, también se estaría atribuyendo la facultad de repudiar herencias en general, porque con ello no se esta obligando al representante a aceptar todas las herencias que le sean deferidas al representado.

En función de la literalidad del artículo 259 CC, creo que no hay ningún negocio que deba quedar excluido del ámbito del apoyo representativo del apoderado o mandatario preventivo. No hay ninguna justificación para dar a la aceptación y repudiación de la herencia un tratamiento diferente al que tienen los demás actos que pueden integrar un poder general. Solo es exigible que el poder sea expreso, en el sentido de que debe referirse expresamente a la posibilidad de aceptar y repudiar herencias. Es doctrina reiterada de la DGRN que ello no significa que haya que indicar todas y cada una de las circunstancias del acto concreto, en cuanto a personas y bienes. Así, en cuanto a la posibilidad de atribuir al apoderado facultades para la realización de actos a título gratuito, la RDGRN de 25 de octubre de 2016 (BOE núm. 279, de 18 de noviembre de 2016, pp. 81255-81263) destaca que "en nuestro Derecho debe concluirse en

---

62. GITRAMA GONZÁLEZ, Manuel, "Comentario a los artículos 988 a 1034", en ALBALADEJO GARCÍA, M. (Dir.), *Comentarios al Código civil y Compilaciones Forales*, XIV-1.º, Edersa, Madrid, 1989, pp. 50-60; GALVÁN GALLEGOS, Ángela, *La herencia: contenido y adquisición. La aceptación y repudiación de la herencia*, La Ley, Madrid, 2000, p. 75; VICANDI MARTÍNEZ, Arantzazu "La repudiación de la herencia: una visión de conjunto", en LLEDÓ YAGÜE y otros, (Dirs.), *El patrimonio sucesorio...*, cit., pp. 1205 y ss.; COSTAS RODAL, Lucía, "Comentario al artículo 988 CC", en BERCOVITZ RODRÍGUEZ-CANO, R. (Dir.), *Comentarios al Código civil*, V, Tirant lo Blanch, Valencia, 2013, pp. 7137 y ss.

63. LACRUZ BERDEJO, José Luis – SANCHO REBULLIDA, Francisco, *Derecho de Sucesiones, I, Parte general, Sucesión voluntaria*, Librería Bosch, Barcelona, 1971, p. 118; COLINA GAREA, Rafael, "Comentario al artículo 988 CC", en BERCOVITZ RODRÍGUEZ-CANO, R. (Coord.), *Comentarios al Código civil*, 5.ª ed., Thomson Reuters – Aranzadi, Cizur Menor, 2021, p. 1257.

la admisibilidad del apoderamiento para donar sin necesidad de que especifique la persona del donatario o el bien que se dona, sin perjuicio de una posible valoración judicial de la existencia de eventual abuso o extralimitación respecto de un mandato representativo no reflejado en los términos de la escritura de poder"[64]. La RDGRN de 1 de febrero de 2018 (BOE núm. 40 de 14 de febrero de 2018, pp. 17973-17990), admite que el poder pueda referirse a la posibilidad de constituir garantías por deudas ajenas (en concreto, de hipotecas): "el poder para hipotecar puede ser general (no el conferido en términos generales), pero debe estar referido a este concreto negocio jurídico por su género, sin que sea necesario que también se trate de un poder específico o referido a unas concretas hipotecas por razón de la finca gravada o de las operaciones garantizadas". Finalmente, de la RDGRN de 9 de marzo de 2017 (BOE núm. 70, de 23 de marzo de 2017, pp. 20617-20629) se deduce claridad la posibilidad de admitir un poder general para repudiar herencias.

No es de recibo el criterio de la desafortunada STS de 6 de noviembre de 2013 (RJ 2013, 7261) que considera que el artículo 1713 CC exige mandato "específico". Y no lo es porque el precepto sólo haba de mandato "expreso". Según esta Sentencia, el ap. 2.º del referido precepto "exige mandato expreso (o específico) para actos de disposición (acto de riguroso dominio, expresa esta norma). Lo que, además, exige la jurisprudencia es que para la validez (o existencia) de un concreto acto dispositivo, es preciso que se concrete en el mandato con poder de representación, el acto y el objeto con sus esenciales detalles. En este sentido, la STS de 26 de noviembre de 2010 (RJ 2010, 1315) dice: "El grado de concreción necesario en la designación del objeto del mandato depende del carácter y circunstancias de aquél. Así, la jurisprudencia tiene declarado que cuando el mandato tiene por objeto actos de disposición es menester que se designen específicamente los bienes sobre los cuales el mandatario puede ejercitar dichas facultades, y no es suficiente con referirse genéricamente al patrimonio o a los bienes del mandante. Es decir, conforme a la doctrina jurisprudencial que ahora se reitera, que el mandato representativo cuyo poder viene a referirse a un acto o actos de disposición, sólo alcanza a un acto concreto cuando éste ha sido especificado en el sujeto y el objeto, en forma bien determinada".

Lo cierto es que para "transigir, enajenar, hipotecar o ejecutar cualquier acto de riguroso dominio" el artículo 1713 CC solo exige mandato *expreso*, no que sea específico, ni se refiere a la necesidad de que sea conjuntamente expreso y específico. La partición de una herencia es un acto de riguroso dominio, y de seguir el criterio de esta sentencia haría falta otorgar un poder específico indicando los bienes hereditarios, o al menos, de qué sucesión se trata, lo que no tiene sentido. Con posterioridad este criterio ha sido rectificado y corregido expresamente por la STS de 27 de noviembre de 2019 (RJ 2019, 4811) en la que se afirma:

"(…) si en el poder se especifica la facultad de realizar actos de 'riguroso dominio' no es necesario que se especifiquen los bienes. En particular, si

---

64. En esta Resolución se cita una STS de 6 de marzo de 2001 (RJ 2011, 3973), de la que se infiere que la exigencia de mandato expreso conforme al artículo 1713 CC puede quedar cumplida con un poder redactado en términos de generalidad siempre que mencione los actos dispositivos a título gratuito a que se refiere.

se documenta el poder de representación y se hace constar, entre otras, la facultad de ejecutar actos de enajenación no es preciso que, además, se especifiquen los bienes concretos a los que tal facultad se refiere. No hay ningún precepto que imponga tal exigencia que, por lo demás, no sería adecuada a la función que puede desempeñar la representación. Es suficiente que las facultades conferidas se refieran genéricamente a los bienes del poderdante (…).

En consecuencia, no procede mantener el criterio de la sentencia 687/2013, de 6 de noviembre, según la cual, 'el mandato representativo cuyo poder viene a referirse a un acto o actos de disposición, sólo alcanza a un acto concreto cuando éste ha sido especificado en el sujeto y el objeto, en forma bien determinada'. Por el contrario, la interpretación más adecuada del artículo 1713 CC es que en un poder general en el que se especifican actos de riguroso dominio no es preciso que se designen los bienes concretos sobre los que el apoderado puede realizar las facultades conferidas".

Cuestión diferente que se plantea en esta sentencia es que, en atención a las circunstancias del caso, quepa considerar que se puede hacer un ejercicio abusivo del poder. En este sentido, en opinión de RIBOT IGUALADA una buena práctica notarial debería sujetar este tipo de actos a salvaguardas específicas o incluso promover que sean excluidos del alcance de los poderes preventivos otorgados[65].

IX. PROBLEMAS DE DERECHO TRANSITORIO Y VALORACIÓN GENERAL

La aplicación de la Ley 8/2021 en cuanto a la aceptación y repudiación de la herencia de las personas con discapacidad pueden plantear algunos problemas de Derecho transitorio. Con la entrada en vigor de la nueva regulación, se deben barrer todas aquellas manifestaciones que limiten la capacidad de actuar en el mundo jurídico de esas personas, a través de una perpetuación de los mecanismos representativos, que en realidad implican seguir negándoles su participación en las relaciones jurídicas que les afectan, incluidas las sucesorias. El criterio general que se consagra en la Disposición Transitoria 1.ª de la Ley 8/2021 es que a partir su entrada en vigor "las meras prohibiciones de derechos de las personas con discapacidad, o de su ejercicio, quedarán sin efecto". Esta disposición no se refiere en abstracto a las posibles limitaciones, en cuanto al ejercicio de determinados derechos, que puedan derivarse de la sentencia de incapacitación, sino a la privación de derechos, que es absolutamente incompatible con el texto de la Convención. Por ello, si una sentencia contuviera una prohibición absoluta y específica de acepar y repudiar herencias, dicha prohibición queda sin efecto.

De acuerdo con la Disposición Transitoria 2.ª de la Ley 8/2021 los tutores nombrados bajo el régimen de la legislación anterior deben ejercer su cargo conforme a las disposiciones de la Ley 8/2021. En el caso de que una persona hubiera quedado sometida a tutela por haberlo establecido así la sentencia, el tutor continúa en el cargo,

---

65. RIBOT IGUALADA, "Comentario…", cit., p. 614.

pero se le aplican "las normas establecidas para los curadores representativos". El legislador ha tenido en cuenta que, frente al curador, el tutor es un representante legal de la persona con capacidad modificada judicialmente. De ahí esa equiparación entre la antigua tutela y la actual curatela con facultades representativas, sobre todo a efectos de la aplicación del nuevo art. 287 CC que, de una manera similar a la del derogado art. 271 CC, recoge los actos para los que se precisa autorización judicial. Nada a ha cambiado, pues, en cuanto a la necesidad de autorización judicial para aceptar sin beneficio de inventario cualquier herencia o repudiar esta.

Cuando la sentencia de incapacitación o de modificación judicial de la capacidad, dictada conforme a la legislación anterior, haya sometido a la persona a curatela en atención a su grado de discernimiento, el art. 289 CC derogado disponía que la misma tenía por objeto la asistencia del curador para aquellos actos que expresamente hubiera impuesto la sentencia que la hubiera establecido. En caso de que la sentencia no hubiera especificado los actos en que era necesaria la intervención del curador, el art. 290 CC derogado disponía que se extendía a los mismos actos en que los tutores necesitaban autorización judicial. Esta situación no se puede mantener, y tales curadores necesariamente deben acomodar su actuación al nuevo sistema previsto en los arts. 249, 268 y ss., y especialmente 282 y ss. del CC, excluyendo la aplicación de normas reguladoras de la curatela con facultades representativas. Cuando la sentencia haya especificado los actos en que es necesaria la intervención del curador, su actuación debe limitarse a asistir a la persona a la que preste apoyo en el ejercicio de su capacidad jurídica, respetando su voluntad, deseos y preferencias, procurando en todo caso que pueda desarrollar su propio proceso de toma de decisiones. Así ocurrirá si existe en la sentencia un pronunciamiento específico sobre la aceptación y repudiación de eventuales herencia deferidas a la personas con discapacidad. Cuando la sentencia no haya especificado tales actos, entiendo que procede aplicar la misma regla en cuanto a los actos a los que se remitía el derogado art. 290 CC, imponiéndose desde luego una interpretación que permita en todos esos casos la aplicación de los principios que recoge el art. 249 CC. Estas previsiones serán aplicables en tanto no se proceda a la revisión judicial de tales medidas, de conformidad con la Disposición Transitoria 5.ª[66].

Finalmente, conforme a la Disposición Transitoria 4.ª, y por lo que se refiere a los poderes y mandatos preventivos otorgados con anterioridad a la entrada en vigor de la Ley 8/2021, la regla general es que quedan sujetos a esta. Sin embargo, cuando, en virtud del artículo 259 CC, se apliquen al apoderado las reglas establecidas para la curatela, quedan excluidas las correspondientes a los artículos 284 a 290 CC. Como hemos visto, el artículo 259 CC se refiere al supuesto de que el poder contenga cláusula de subsistencia para el caso de que el poderdante precise apoyo en el ejercicio de su capacidad o se conceda solo para ese supuesto y, en ambos casos, comprenda "todos los negocios del otorgante". Lo que hace esta Disposición transitoria es directamente excluir en este caso la aplicación de los arts. 284 a 290 CC. No cabe, pues, que la autoridad judicial exija al apoderado la constitución de fianza (art. 284 CC), ni la formación de inventario (arts. 285 y

66. DOMÍNGUEZ LUELMO, Andrés, "Comentario a las Disposiciones transitorias", en GUILARTE MARTÍN-CALERO (Dir.), *Comentarios a la Ley 8/2021...*, cit., pp. 1490 y ss.

286 CC), ni es necesaria la autorización judicial ni la aprobación posterior de la partición de herencia o la división de cosa común (art. 289 CC). Pero sobre todo, se prescinde de la necesidad de autorización judicial para los actos enumerados en el art. 287 CC: no se precisa, por tanto, para aceptar sin beneficio de inventario o para repudiar herencias.

Como valoración final, cuando excepcionalmente se haya establecido una curatela representativa, a efectos de la aceptación pura y simple y de la repudiación de la herencia, la situación del curador en similar a la anterior a la reforma, exigiendo el artículo 287.5.º CC autorización judicial previa, con las matizaciones que hemos puesto de relieve. No obstante la función del juez ya no es la de ponderar el mayor o menor beneficio del acto para el representado, sino valorar si se ha respetado su voluntad en la toma de la decisión.

Fuera de este supuesto excepcional, de acuerdo con lo establecido en el artículo 996 CC, las personas con discapacidad pueden aceptar o repudiar la herencia por sí solas, salvo que al establecerse las medidas de apoyo se haya señalado otra cosa. En definitiva, aunque una resolución judicial haya establecido medidas de apoyo del llamado a la herencia, si no ha señalado nada respecto a la aceptación y repudiación, parece claro que la persona puede aceptar pura y simplemente o a beneficio de inventario, así como renunciar a la herencia.

X. BIBLIOGRAFÍA

AGUILERA DE LA CIERVA, Tomás, *Actos de administración, de disposición y de conservación*, Montecorvo, Madrid, 1973.

ALBIEZ DOHRMANN, Klaus Jochen, "La capacidad jurídica para contratar de las personas con discapacidad, tras la Ley 8/2021, de 2 de junio", en DE LUCCHI LÓPEZ-TAPIA, Yolanda – QUESADA SÁNCHEZ, Antonio José (Dir.), *La reforma civil y procesal en materia de discapacidad. Estudio sistemático de la Ley 8/2021, de 2 de junio*, Atelier, Barcelona, 2022, pp. 493-559.

ALONSO PÉREZ, Mariano, "El patrimonio de los hijos sometidos a la patria potestad", *RDP*, 1973, pp. 7-39.

ALVENTOSA DEL RÍO, Josefina, "La reforma del Derecho de Sucesiones", en DE VERDA Y BEAMONTE, José Ramón (Dir.), *La discapacidad: una visión integral y práctica de la Ley 8/2021, de 2 de junio*, Tirant lo Blanch, Valencia, 2022, pp. 451-502.

AMENGUAL VILLALONGA, Miguel, "La aceptación y adjudicación de la herencia: aspectos prácticos de interés. Especial atención a la aceptación por los acreedores del heredero", en LLEDÓ YAGÜE, Francisco – FERRER VANRELL, María Pilar – TORRES LANA, José Ángel (Dirs.), *El patrimonio sucesorio: reflexiones para un debate reformista*, II, Dykinson, Madrid, 2014, pp. 1143-1166.

AMORÓS GUARDIOLA, Manuel, "Comentario a los artículos 271 y 272 CC", en AMORÓS GUARDIOLA, Manuel – BERCOVITZ RODRÍGUEZ-CANO, Rodrigo

(Coord.), *Comentarios a las reformas de nacionalidad y tutela*, Tecnos, Madrid, 1986, pp. 537-585.

AMUNÁTEGUI RODRÍGUEZ, Cristina, *Incapacitación y mandato*, La Ley – Wolters Kluwer, Madrid, 2008.

– "¿Crisis de la incapacitación? La autonomía de la voluntad como posible alternativa para la protección de los mayores", *Revista de Derecho Privado*, núm. 1, 2006, pp. 9-68.

– *Derecho de Sucesiones y discapacidad: retos y cuestiones problemáticas*, Fundación Coloquio Jurídica Europeo, Madrid, 2020.

– "Comentario al artículo 255", en GUILARTE MARTÍN-CALERO, Cristina (Dir.), *Comentarios a la Ley 8/2021, por la que se reforma la legislación civil y procesal en materia de discapacidad* (Serie "Derecho y discapacidad", vol. III), Thomson Reuters – Aranzadi, Cizur Menor, 2021, pp. 571-577.

– "Las medidas voluntarias de apoyo", en DE VERDA Y BEAMONTE, José Ramón (Dir.), *La discapacidad: una visión integral y práctica de la Ley 8/2021, de 2 de junio*, Tirant lo Blanch, Valencia, 2022, pp. 107-144.

ASÚA GONZÁLEZ, Clara Isabel, "Concurso de herencia", en ESPEJO LERDO DE TEJADA, Manuel – MURGA FERNÁNDEZ, Juan Pablo (Dir.), *Las deudas de la herencia*, Thomson Reuters – Aranzadi, 2022, pp. 185-217.

BARBA, Vincenzo, "El art. 12 de la Convención sobre los derechos de las personas con discapacidad de Nueva York, de 13 de diciembre de 2006", en DE VERDA Y BEAMONTE, José Ramón (Dir.), *La discapacidad: una visión integral y práctica de la Ley 8/2021, de 2 de junio*, Tirant lo Blanch, Valencia, 2022, pp. 23-55.

BERROCAL LANZAROT, Ana Isabel, "Los actos realizados por los representantes legales sin autorización judicial. A propósito de las sentencias del Tribunal Supremo de 22 de abril y 8 de julio de 2010", *Aranzadi Doctrinal*, 9, 2012, pp. 95-124.

– "La guarda de hecho de las personas con discapacidad", en DE VERDA Y BEAMONTE, José Ramón (Dir.), *La discapacidad: una visión integral y práctica de la Ley 8/2021, de 2 de junio*, Tirant lo Blanch, Valencia, 2022, pp. 227-298.

BERCOVITZ, RODRÍGUEZ-CANO, Rodrigo, "Transmisión de inmueble por tutor y autorización judicial. Comentario a la STS de 10 de enero de 2018 (RJ 2018, 156)", *CCJC*, núm. 107, 2018, pp. 203-220.

BESCANSA MIRANDA, Rafael, *Protección jurídica de la persona. Estudio práctico de los negocios jurídicos intervivos y mortis causa tras la reforma de la Ley 8/2021, de 2 de junio, por la que se reforma la legislación civil y procesal para el apoyo a las personas con discapacidad en el ejercicio de su capacidad jurídica*, Aferré Ed., Barcelona, 2021.

BUSTOS PARDO, Íñigo, "El sistema jurídico de la tutela después de la Ley de 24 de octubre de 1983", en YZQUIERDO TOLSADA, Mariano (et al.), *Estudios sobre incapacitación e instituciones tutelares*, ICA, Madrid, 1984, pp. 134 y ss.

CARRASCO PERERA, Ángel, "Brújula para navegar la nueva contratación con personas con discapacidad, sus guardadores y curadores", Centro de Estudios de Consumo, 30 de junio de 2021, pp. 1-16.

– "Contratación por discapacitados con y sin apoyos", *Revista CESCO de Derecho de Consumo*, núm. 42, 2022, pp. 196-233.

CASTILLA BAREA, Margarita, "La ineficacia de los actos de enajenación de inmuebles otorgados por el tutor sin previa autorización judicial: notas a propósito de la Sentencia del Pleno de la Sala 1.ª del Tribunal Supremo de 10 de enero de 2018", en MARÍN VELARDE, Asunción – CABEZUELO ARENAS, Ana Laura – MORENO MOZO, Fernando (Dir.), *Familia y Derecho en el siglo XXI. Libro homenaje al Profesor Luis Humberto Clavería Gosálbez*, Reus, Madrid, 2021, pp. 905-926.

CLAVERÍA GOSÁLBEZ, Luis Humberto, "Notas para una revisión general de la denominada ineficacia del contrato", en DELGADO ECHEVERRÍA, Jesús, (Coord.), *Las nulidades de los contratos,* Thomson Reuters – Aranzadi, Cizur Menor, 2007, pp. 59-88.

COLINA GAREA, Rafael, "Comentario al artículo 988 CC", en BERCOVITZ RODRÍGUEZ-CANO, Rodrigo (Coord.), *Comentarios al Código civil*, 5.ª ed., Thomson Reuters – Aranzadi, Cizur Menor, 2021, pp. 1256-1257.

COSTAS RODAL, Lucía, "Comentario al artículo 988 CC", en BERCOVITZ RODRÍGUEZ-CANO, Rodrigo (Dir.), *Comentarios al Código civil*, V, Tirant lo Blanch, Valencia, 2013, pp. 7132-7139.

CUENA CASAS, Matilde, "Comentario a los artículos 259-275", en RAMS ALBESA, Joaquín – MORENO FLÓREZ, Rosa María (Coord.), *Comentarios al Código civil*, II-2.º, Bosch, Barcelona, 2000, pp. 1937-2000.

DE LA CÁMARA ÁLVAREZ, Manuel, "Comentario al artículo 992", en VV.AA., *Comentario del Código civil*, I, 2.ª ed., Ministerio de Justicia, Madrid, 1993, pp. 2361-2363.

DE VERDA Y BEAMONTE, José Ramón, "Principios generales inspiradores de la reforma en materia de discapacidad, interpretados por la reciente jurisprudencia", en DE VERDA Y BEAMONTE, José Ramón (Dir.), *La discapacidad: una visión integral y práctica de la Ley 8/2021, de 2 de junio*, Tirant lo Blanch, Valencia, 2022, pp. 56-106.

DELGADO ECHEVERRÍA, Jesús, "Venta por representante sin autorización judicial", en CARRASCO PERERA, A. (Dir.), *Tratado de la compraventa. Homenaje al Profesor Rodrigo Bercovitz*, Tomo I, Thomson Reuters – Aranzadi, Cizur Menor, 2013, pp. 287-299.

DELGADO ECHEVERRÍA, Jesús – PARRA LUCÁN, María Ángeles, *Las nulidades de los contratos*, Dykinson, Madrid, 2005.

DÍAZ ALABART, Silvia, "El error en la aceptación o repudiación de la herencia: la STS 142/2021, de 15 de marzo. La responsabilidad del heredero por las deudas de su causante", *Cuadernos de Derecho Privado*, 1, 2021, pp. 47-78.

DÍAZ PARDO, Gloria, "Nuevo horizonte de la guarda de hecho como institución jurídica de apoyo introducida por la Ley 8/2021, de 2 de junio", en PEREÑA VICENTE,

Montserrat – HERAS HERNÁNDEZ, María del Mar (Dir.), *El ejercicio de la capacidad jurídica de las personas con discapacidad tras la Ley 8/2021 de 2 de junio*, Tirant lo Blanch, Valencia, 2022, pp. 307-340.

DÍEZ-PICAZO, Luis, *Lecciones de Derecho civil. IV. Derecho de Sucesiones*, Valencia, 1967.

DÍEZ-PICAZO, Luis – GULLÓN BALLESTERO, Antonio, *Sistema de Derecho Civil*, IV, 10.ª ed., Tecnos, Madrid, 2006.

DOMÍNGUEZ LUELMO, Andrés, "Enajenación de bienes gananciales realizada por el incapacitado y su cónyuge tutor sin autorización judicial. Anulabilidad: plazo para su ejercicio y legitimación. Protección del tercero que adquiere el bien en un procedimiento de ejecución hipotecaria. Comentario a la STS de 20 de abril de 2016 (RJ 2016, 1687)", *CCJC*, núm. 103, 2017, pp. 181-222.

– "Comentario a las Disposiciones transitorias", en GUILARTE MARTÍN-CALERO, Cristina (Dir.), *Comentarios a la Ley 8/2021, por la que se reforma la legislación civil y procesal en materia de discapacidad* (Serie "Derecho y discapacidad", vol. III), Thomson Reuters – Aranzadi, Cizur Menor, 2021, pp. 1483-1516.

– "La reforma del Derecho de sucesiones en la Ley 8/2021: Derecho sustantivo y Derecho Transitorio", en LLAMAS POMBO, Eugenio – MARTÍNEZ RODRÍGUEZ, Nieves – TORAL LARA, Estrella (Dir.), *El nuevo Derecho de las capacidades: de la incapacitación al pleno reconocimiento*, Wolters Kluwer – La Ley, Madrid, 2021, pp. 369-420.

ESPEJO LERDO DE TEJADA, Manuel, "Comentario a los artículos 988-1009", en DOMÍNGUEZ LUELMO, Andrés (Dir.), *Comentarios al Código civil*, Lex Nova, Valladolid, 2010, pp. 1074-1103.

FAJARDO FERNÁNDEZ, Javier, "Venta de bienes de hijos menores por sus padres sin autorización judicial. Venta de bienes comunes por comunero. Venta por usufructuario. Renuncia en perjuicio de terceros. Comentario a la STS de 22 de abril de 2010 (RJ 2010, 2380)", en *CCJC*, núm. 85, 2011, pp. 393-410.

FERNÁNDEZ-TRESGUERRES, Ana, *El ejercicio de la capacidad jurídica. Comentario de la Ley 8/2021, de 2 de junio*, Thomson Reuters – Aranzadi, Cizur Menor, 2021.

GALVÁN GALLEGOS, Ángela, *La herencia: contenido y adquisición. La aceptación y repudiación de la herencia*, La Ley, Madrid, 2000.

GARCÍA GOLDAR, Mónica, *La liquidación de la herencia en el Código civil español. Especial referencia a las deudas sucesorias desconocidas o sobrevenidas*, Agencia Estatal Boletín Oficial del Estado, Madrid, 2019.

GARCÍA RUBIO, María Paz, "La necesaria y urgente adaptación del Código civil español al artículo 12 de la Convención de Nueva York sobre los derechos de las personas con discapacidad", *Anales de la Academia Matritense del Notariado*, n.º 58, 2018, pp. 143-192.

– "Contenido y significado general de la reforma civil y procesal en materia de discapacidad", *SEPIN*, artículo monográfico, junio 2021 (SP/DOCT/114070), pp. 1-17.

– "La capacidad para contratar de las personas con discapacidad", en MORALES MORENO, Antonio Manuel (Dir.) y BLANCO MARTÍNEZ, Emilio V. (Coord.), *Estudios de Derecho de Contratos*, I, Agencia del Boletín Oficial del Estado, Madrid, 2022, pp. 333-357.

GIL RODRÍGUEZ, Jacinto, "Comentario al artículo 271", en VV.AA., *Comentario del Código civil*, I, 2.ª ed., Ministerio de Justicia, Madrid, 1993, pp. 798-803.

GITRAMA GONZÁLEZ, Manuel, "Comentario a los artículos 988 a 1034", en ALBA-LADEJO GARCÍA, Manuel (Dir.), *Comentarios al Código civil y Compilaciones Forales*, XIV-1.º, Edersa, Madrid, 1989.

GOMÁ LANZÓN, Ignacio, "Comentario a la STS de 10 de enero de 2018 (2/2018). Acto dispositivo realizado por el tutor sin la previa autorización judicial", en YZQUIERDO TOLSADA, Mariano, *Comentarios a las Sentencias de unificación de doctrina* (civil y mercantil), Vol. 10 (2018), Dykinson, Madrid, 2019, pp. 499-512.

GÓMEZ CALLE, Esther, "En torno a la anulabilidad de los contratos de las personas con discapacidad", *Almacén de Derecho*, 3 de diciembre de 2021 (https://almacendederecho.org/en-torno-a-la-anulabilidad-de-los-contratos-de-las-personas-con-discapacidad).

GÓMEZ GÁLLIGO, Francisco Javier, *Discapacidad y Registro de la Propiedad*, en CERDEIRA BRAVO DE MANSILLA, Guillermo – GARCÍA MAYO, Manuel (Dir.), *Un nuevo orden para las personas con discapacidad*, Bosch – Wolters Kluwer, Madrid, 2021, pp. 494-511.

GÓMEZ LINACERO, Adrián, "Régimen de ineficacia contractual en materia de discapacidad: actos realizados sin autorización judicial (287 CC) y contratos celebrados sin medidas de apoyo (1302.3)", *Diario La Ley*, núm. 10064, de 9 de mayo de 2022, pp. 1-19

GUILARTE MARTÍN-CALERO, Cristina, *El derecho a la vida familiar de las personas con discapacidad (El Derecho español a la luz del artículo 234 de la Convención de Nueva York)*, Reus, Madrid, 2019.

– "Comentario a los artículos 287 a 290", en GUILARTE MARTÍN-CALERO, Cristina (Dir.), *Comentarios a la Ley 8/2021, por la que se reforma la legislación civil y procesal en materia de discapacidad* (Serie "Derecho y discapacidad", vol. III), Thomson Reuters – Aranzadi, Cizur Menor, 2021, pp. 786-815.

GUILARTE ZAPATERO, Vicente, "De nuevo sobre la ineficacia de los actos dispositivos de bienes de menores e incapaces realizados por sus representantes legales (I)", *Act. Civ.*, núm. 29, 1992, pp. 443-479.

LACRUZ BERDEJO, José Luis – SANCHO REBULLIDA, Francisco, *Derecho de Sucesiones, I, Parte general, Sucesión voluntaria*, Librería Bosch, Barcelona, 1971.

LECIÑENA IBARRA, Ascensión, "Comentario a los artículos 263-267 CC", en GUILARTE MARTÍN-CALERO, Cristina (Dir.), *Comentarios a la Ley 8/2021, por la que se reforma la legislación civil y procesal en materia de discapacidad* (Serie "Derecho y discapacidad", vol. III), Thomson Reuters – Aranzadi, Cizur Menor, 2021, pp. 647-679.

LEGERÉN MOLINA, Antonio, "Régimen jurídico de los actos realizados por un tutor sin la preceptiva autorización judicial. Comparativa del modelo español e italiano", *ADC*, 2014, pp. 1339-1366.

LINACERO DE LA FUENTE, María, *Régimen patrimonial de la patria potestad*, Montecorvo, Madrid, 1990.

LLAMAS POMBO, Eugenio, *El patrimonio de los hijos sometidos a la patria potestad*, Trivium, Madrid, 1993.

– "Comentario al artículo 166 CC", en CAÑIZARES LASO, A. – DE PLABLO CONTRERAS, P. – ORDUÑA MORENO, J. – VALPUESTA FERNÁNDEZ, R. (Dir.), *Código civil comentado*, I, 2.ª ed., Civitas – Thomson Reuters, Cizur Menor, 2016, pp. 842-851.

LÓPEZ AZCONA, Aurora, "Capacidad jurídica y discapacidad intelectual y psicosocial: a vueltas sobre el art. 12 de la Convención de Naciones Unidas de 2006 y su interpretación por el Comité sobre los derechos de las personas con discapacidad", en CERDEIRA BRAVO DE MANSILLA, Guillermo – PÉREZ GALLARDO, Leonardo B. (Dir.), y GARCÍA MAYO, Manuel (Coord.), *Un nuevo Derecho para las personas con discapacidad*, Ediciones Olejnik, Santiago de Chile, 2021, pp. 113-142.

– "Medidas voluntarias de apoyo", en CERDEIRA BRAVO DE MANSILLA, Guillermo – GARCÍA MAYO, Manuel (Dir.), *Un nuevo orden para las personas con discapacidad*, Bosch – Wolters Kluwer, Madrid, 2021, pp. 365-382.

LORA-TAMAYO RODRÍGUEZ, Isidoro, *Reforma civil y procesal para el apoyo a personas con discapacidad*, Francis Lefebvre, Madrid, 2021.

MORENO QUESADA, Bernardo, "Comentario al artículo 1291", en VV.AA., *Comentario del Código civil*, II, 2.ª ed., Ministerio de Justicia, Madrid, 1993, pp. 523-526.

MUNAR BERNAT, Pedro, "Comentario al artículo 287 CC", en GARCÍA RUBIO, María Paz – MORO ALMARAZ, María Jesús (Dir.), *Comentario articulado a la reforma civil y procesal en materia de discapacidad*, Thomson Reuters – Civitas, Cizur Menor, 2022, pp. 433-442.

NIETO ALONSO, Antonia, "Comentario al artículo 263 CC", en GARCÍA RUBIO, María Paz – MORO ALMARAZ, María Jesús (Dir.), *Comentario articulado a la reforma civil y procesal en materia de discapacidad*, Thomson Reuters – Civitas, Cizur Menor, 2022, pp. 295-301.

ORDÁS ALONSO, Marta, "Comentario al artículo 271 CC", en BERCOVITZ, RODRÍGUEZ-CANO, Rodrigo (Coord.), *Comentarios al Código civil*, 4.ª ed., Thomson Reuters – Aranzadi, Cizur Menor, 2013, pp. 492-502.

PALACIOS GONZÁLEZ, Dolores, "Guarda de hecho, curatela y defensor judicial: buscando el mejor apoyo para las personas con discapacidad psíquica", en CERDEIRA BRAVO DE MANSILLA, Guillermo – GARCÍA MAYO, Manuel (Dir.), *Un nuevo orden para las personas con discapacidad*, Bosch – Wolters Kluwer, Madrid, 2021, pp. 417-430.

PALOMINO DÍEZ, Isabel, *El tutor: obligaciones y responsabilidad*, Tirant lo Blanch, Valencia, 2006.

RAGEL SÁNCHEZ, Luis Felipe, *Estudio legislativo y jurisprudencial del Derecho civil: Familia*, Dykinson, Madrid, 2001.

– "Sentencia del TS de 22 abril 2010. Venta de vivienda perteneciente a comunidad postganancial, efectuada por el viudo sin autorización judicial supletoria del consentimiento de los hijos menores partícipes", en YZQUIERDO TOLSADA, Mariano (Dir.), *Comentarios a las Sentencias de unificación de doctrina (Civil y Mercantil)*, Vol. 41 (2010), Dykinson, Madrid, 2011, pp. 703-733.

RAMS ALBESA, Joaquín, "Comentario a los artículos 164-168", en RAMS ALBESA, Joaquín – MORENO FLÓREZ, Rosa María (Coord.), *Comentarios al Código civil*, II-2.°, Bosch, Barcelona, 2000, pp. 1507-1523.

REPRESA POLO, Patricia, "Comentario al artículo 996 CC", en GUILARTE MARTÍN-CALERO, Cristina (Dir.), *Comentarios a la Ley 8/2021, por la que se reforma la legislación civil y procesal en materia de discapacidad* (Serie "Derecho y discapacidad", vol. III), Thomson Reuters – Aranzadi, Cizur Menor, 2021, pp. 958-965.

– "Carácter subsidiario de la curatela. Contenidos posibles de la curatela. Variabilidad de contenidos. El control judicial de la curatela. El ejercicio de la curatela. Actos para los que se precisa autorización judicial. Extinción de la curatela y rendición de cuentas", en DE LUCCHI LÓPEZ-TAPIA, Yolanda – QUESADA SÁNCHEZ, Antonio José (Dir.), *La reforma civil y procesal en materia de discapacidad. Estudio sistemático de la Ley 8/2021, de 2 de junio*, Atelier, Barcelona, 2022, pp. 309-332.

RIBOT IGUALADA, Jordi, "Comentario a los artículos 256 a 262 CC", en GUILARTE MARTÍN-CALERO, Cristina (Dir.), *Comentarios a la Ley 8/2021, por la que se reforma la legislación civil y procesal en materia de discapacidad* (Serie "Derecho y discapacidad", vol. III), Thomson Reuters – Aranzadi, Cizur Menor, 2021, pp. 577-647.

RIVERO HERNÁNDEZ, Francisco, *Representación sin poder y ratificación*, Civitas – Thomson Reuters, Cizur Menor.

RUIZ-RICO RUIZ, José Manuel, – GARCÍA ALGUACIL, María José, *La representación legal de menores e incapaces*, Thomson Reuters – Aranzadi, Cizur Menor, 2004.

SÁNCHEZ CID, Ignacio, *La repudiación de la herencia*, Tirant lo Blanch, Valencia, 2016.

SÁNCHEZ-CALERO ARRIBAS, Blanca, *La intervención judicial en la gestión del patrimonio de menores e incapacitados*, Tirant lo Blanch, Valencia, 2006.

TORAL LARA, Estrella, "Las medidas de apoyo voluntarias en el nuevo sistema de provisión de apoyos del Código civil", en LLAMAS POMBO, Eugenio – MARTÍNEZ RODRÍGUEZ, Nieves – TORAL LARA, Estrella (Dir.), *El nuevo Derecho de las capacidades: de la incapacitación al pleno reconocimiento*, Wolters Kluwer – La Ley, Madrid, 2021, pp. 79-132.

– "Las medidas de apoyo judiciales a informales en el nuevo sistema de provisión de apoyos del Código civil", en LLAMAS POMBO, Eugenio – MARTÍNEZ

RODRÍGUEZ, Nieves – TORAL LARA, Estrella (Dir.), *El nuevo Derecho de las capacidades: de la incapacitación al pleno reconocimiento*, Wolters Kluwer – La Ley, Madrid, 2021, pp. 133-178.

TORIBIOS FUENTES, Fernando, "Modificación de la Ley 1/2000, de 7 de enero, de Enjuiciamiento Civil", en GUILARTE MARTÍN-CALERO, Cristina (Dir.), *Comentarios a la Ley 8/2021, por la que se reforma la legislación civil y procesal en materia de discapacidad* (Serie "Derecho y discapacidad", vol. III), Thomson Reuters – Aranzadi, Cizur Menor, 2021, pp. 1119-1260.

TORRES COSTAS, María Eugenia, *La capacidad jurídica a la luz del artículo 12 de la Convención de Naciones Unidas sobre los derechos de las personas con discapacidad*, Agencia Estatal Boletín Oficial del Estado, Madrid, 2020.

TORRES PEREA, José Manuel, "La discapacidad y la reforma de las normas sucesorias", en DE LUCCHI LÓPEZ-TAPIA, Yolanda – QUESADA SÁNCHEZ, Antonio José (Dir.), *La reforma civil y procesal en materia de discapacidad. Estudio sistemático de la Ley 8/2021, de 2 de junio*, Atelier, Barcelona, 2022, pp. 461-492.

VÁZQUEZ DE CASTRO, Eduardo, "Reformas en derecho de obligaciones y contratos", en DE VERDA Y BEAMONTE, José Ramón (Dir.), *La discapacidad: una visión integral y práctica de la Ley 8/2021, de 2 de junio*, Tirant lo Blanch, Valencia, 2022, pp. 502-570.

VÁZQUEZ DE CASTRO, Eduardo – ESTANCONA PÉREZ, Araya Alicia, "Los retos a afrontar en el Derecho de obligaciones y contratos" en LLAMAS POMBO, Eugenio – MARTÍNEZ RODRÍGUEZ, Nieves – TORAL LARA, Estrella (Dir.), *El nuevo Derecho de las capacidades: de la incapacitación al pleno reconocimiento*, Wolters Kluwer – La Ley, Madrid, 2021, pp. 179-270.

VICANDI MARTÍNEZ, Arantzazu "La repudiación de la herencia: una visión de conjunto", en LLEDÓ YAGÜE, Francisco – FERRER VANRELL, María Pilar – TORRES LANA, José Ángel (Dirs.), *El patrimonio sucesorio: reflexiones para un debate reformista*, II, Dykinson, Madrid, 2014, pp. 1201-1221.

Modificaciones introducidas por la Ley 8/2021, de 2 de junio en materia de colación y división de herencia

TOMÁS RUBIO GARRIDO

Catedrático de Derecho Civil
Universidad de Sevilla

SUMARIO: I. PREMISAS. II. COLACIÓN. III. DIVISIÓN HEREDITARIA (PARTICIÓN).

I. PREMISAS

Siendo el encargo recibido muy delimitado en su objeto, considero no conveniente exponer en esta sede cualquier tipo de consideración general sobre esta ley de reforma. Me remito, a tal efecto, a otros lugares en que manifestaré públicamente mi opinión, reseñando tan sólo que, en su conjunto, no hago una valoración positiva, y remitiéndome a esos otros lugares para quien quisiera conocer las razones que me llevan a tener tal opinión.

II. COLACIÓN

Los cambios introducidos por la ley de reforma en lo tocante a la colación se han sustanciado en varios retoques introducidos al art. 1041 del Código civil. Son los siguientes:

1) En primer lugar, se ha eliminado como concepto no sujeto a colación el que en la redacción anterior del precepto era denotado por la locución *"equipo ordinario"*.

Se trata de una alteración que, a mi juicio, poco o nada tiene que ver con la materia y finalidad de la reforma, y confieso no atisbar con certeza su razón.

La locución *"equipo ordinario"* tiene larga tradición y se vinculaba a las clásicas nociones por las que se considera que los padres tienen el deber, moral y jurídico, de proveer a las necesidades de sus hijos. Incluyendo entre ellas a las exigidas para dar equipamiento preciso para que logren su emancipación económica y personal. Aquí sin duda históricamente entraban, por ejemplo, el proporcionar ajuar o cantidades de dinero para pasar a tener vida independiente del domicilio familiar[1].

Ninguna de tales aportaciones, en la medida en que no desbordaran las magnitudes morigeradas aludidas por el adjetivo "ordinario", quedaban sujetas a colación (ni en el sentido contable de reunión ficticia de liberalidades ordenado por el art. 818.II CC, ni en el sentido puramente particional de la colación en sentido estricto).

Puede, además, señalarse que, frente a la orientación romanista clásica, que optaba por primar la posición y facultades del *pater familias*, reduciendo a los hijos de familia a una posición de suma limitación en su capacidad de obrar, la aportación del cristianismo y de las circunstancias sociales y políticas que se sucedieron posteriormente en el tiempo, llevaron al legislador a fomentar en amplia medida la independencia de los hijos de familia, en su caso a través de las distintas figuras de emancipación o asimiladas (el beneficio de mayor edad, por ejemplo), particularmente en los varones o, para todos los hijos de familia, por matrimonio o por entrar en religión[2].

Acaso el legislador actual ha optado por suprimir tal concepto, sencillamente por entender que, en el lenguaje presente, el "equipo", "equipamiento" o "equipación" ha sufrido mutaciones semánticas en el uso corriente empleado por la generalidad de la población, que hacen muy imprecisa la significación históricamente denotada. Si ésa fuera la razón, no hay nada que objetar, salvo la dificultad de englobar, ahora, algunas de las ayudas que tradicionalmente se compendiaban bajo la noción de "equipo ordinario" en la locución *"alimentos"*, tal como queda ahora en el art. 1041 CC, o, desde luego, en la de *"aprendizaje"* (art. 1041 CC) o en la de *"gastos que el padre hubiera hecho para dar a sus hijos una carrera profesional o artística"* (art. 1042 CC).

Si, por el contrario, la voluntad del legislador ha sido la de reducir el alcance de los deberes de los padres, entendiendo que todo lo relativo al "equipamiento" ya no es debido para ellos, y que, por tanto, si se presta, ha de ser un concepto sujeto a colación (en línea con lo dispuesto por el art. 1043 CC), me parece enormemente cuestionable.

En primer lugar, porque no alcanzo yo a comprender por qué, en un texto que tiene por objeto regular la situación de las personas afectas de discapacidad, se ha metido el legislador a considerar que los deberes paternos habrían de ser ya menores en la actualidad, y, además, sin indicarnos por qué razones considera tal reducción una exigencia de interés general[3].

---

1. Todo ello con clara conexión, aunque con nítido deslinde, con la dote –que llegaba a ser obligatoria en relación con las hijas y considerada, históricamente, siempre institución de utilidad pública, merecedora por ello de *favor iuris*– o, en general, con las donaciones *propter nuptias* en todas sus modalidades, que también resultaban legalmente fomentadas. De hecho, cierta comunidad de *ratio* presentaba lo que establecía el tradicional art. 1041 CC en cuanto al equipo ordinario con la norma que aún hoy aparece mencionada específicamente en el art. 793, II CC.
2. Lo que también solía comportar dote (en particular, para las hijas).
3. ¿Acaso porque se sobreentiende que los mismos ya no han de corresponder a los padres sino al gran padre de todos, que sería el Estado?

Y, en segundo lugar, porque si ése es el objetivo perseguido por esta reforma, se abre el portillo a que puedan generarse muy desagradables cuestiones sobre colación en las muy complejas particiones hereditarias. Lo cual no merece aplauso.

Cunde la sospecha de que, aquí, no sólo se ha tratado de una más de las numerosas cuestiones meramente lingüísticas acometidas por la ley[4]. De hecho, en la propia Exposición de Motivos comparece la siguiente perla: *"las nuevas concepciones sobre la autonomía de las personas con discapacidad ponen en duda que los progenitores sean siempre las personas más adecuadas"*. Que, si bien no es incierta, llama la atención en lugar tan importante de una Ley.

Son varios los lugares de la ley de reforma en los que se detecta un regusto de, en su papel confesado de "conformar las mentalidades sociales", intentar minimizar el papel de la patria potestad y los deberes o responsabilidades paternas, acaso con contento de algunas de las múltiples asociaciones, fundaciones y entidades, privadas, públicas y parapúblicas, que medran hoy –así hay que constatarlo– en el área de la asistencia a personas con discapacidad y, en general, en armonía con tantos que preconizan el progresivo aumento de facultades y obligaciones del Estado y de todas las Administraciones también en todo lo relativo a los hijos de familia aunque se encuentren sujetos a patria potestad[5].

2) En el párrafo segundo del nuevo art. 1041 CC, se cambia la palabra *"padres"* por *"los progenitores"*. Se trata de un cambio que no parece tener alcance jurídico sustancial y sí sólo de ésos que se enderezan a eso que la Exposición de motivos denomina *"transformación de las mentalidades"*, que –se concederá– es otra de las pulsiones poderosas que comparece en los objetivos que presenta la moderna actividad política[6].

Parece el legislador secundar la idea de que emplear la palabra "padre" es oprobioso, por el sesgo heteropatriarcal que –se aduce– supone y opta por la locución "progenitores" que no supone acepción de sexo (aunque en puridad semántica, mal se adecua a la paternidad adoptiva o por técnicas de reproducción asistidas con material heterólogo)[7].

---

4. Digna muestra legislativa de una cierta obsesión contemporánea por incluso el lenguaje que espontáneamente es manejado por la población.
5. Añádase la derogación, como sí de una institución odiosa y abusiva se tratara, de la sustitución ejemplar y la pulverización de la patria potestad prorrogada o rehabilitada (a ambas modificaciones se les ha dado, además, un sorprendente alcance retroactivo).
6. Con ciertos resabios totalitarios. Véase OPOCHER, voz "Totalitarismo" EdD, XLIV, Varese, 1992, p. 765 y ss, cuando trata de la necesidad que parecen sentir los nuevos poderes políticos, de transmitir continuamente a la ciudadanía el objetivo primordial de lograr hondas "transformaciones" de la "mentalidad social" y la preocupación sobresaliente por incidir en y controlar la llamada "opinión pública". Va de la mano con un legislador que se autopresenta, cada vez más, asumiendo tareas educadoras y transformadoras de la conciencia y convicciones justas que han de tener todos los miembros de la sociedad. Por todos, con una vibrante *laudatio* de este Estado, gran padre de todos, VALPUESTA "Diversidad y ciudadanía: una aproximación desde el pensamiento feminista", ADC, 2010, pp. 1053 y ss.
7. Ya desde instancias oficiales, se ha escuchado la propuesta de sustituir el término "patria" por "matria", lo que quizá llegue a alcanzar a la patria potestad y términos conexos. Sobre este fenómeno quedan interpelados los sociólogos, filólogos, lingüistas y académicos de la RAE, y no tanto los juristas.

3) Se da un retoque adicional en el art. 1041 CC que parece, de nuevo, reducir los deberes legales de padres y ascendientes, en relación con hijos y descendientes en situación de discapacidad, por cuanto en la redacción anterior parecían exponerse como no colacionables cualesquiera gastos para cubrir necesidades especiales sentidas por hijos en situación de discapacidad, aunque no fueran los requeridos por las resoluciones judiciales que fueran dictadas, y sí sólo voluntariamente acordados.

Ahora parece que tal no colacionabilidad sólo puede apreciarse en relación con aquellos gastos efectivamente realizados y que sean **requeridos, de manera estricta,** por su situación de discapacidad.

No puede decirse que sea un matiz ilógico, aunque puede subrayarse que también aquí se avizoran posibles litigios o disensiones, realmente poco edificantes, en cuanto a discernir si los gastos asumidos en relación con hijos o descendientes en situación de discapacidad son o no los estrictamente requeridos, o si han conllevado algún ingrediente de voluntariedad, *confort* excesivo o superfluidad en relación con los estándares ordinarios, que nos llevaría a aplicar, en ese montante superfluo o voluptuario, lo dispuesto por el art. 1043 CC.

Puede mantenerse la interpretación tradicional de que, en relación con tales gastos requeridos por la situación de discapacidad, no cabe disposición contraria del causante respecto de su exención de colacionabilidad. Pues, en verdad, en el mismo plano que los alimentos respecto de todos los hijos, asumir tales gastos es una obligación de los padres, conforme al ordenamiento jurídico vigente.

Este trato ha de darse tanto a los gastos que se han hecho en favor del hijo en situación de discapacidad que aún está sometido a la patria potestad, como si ya está emancipado, o es mayor de edad, viviendo o no en el hogar familiar, puesto que el deber no proviene de la patria potestad, sino de la paternidad.

Igualmente entiendo que están exentos de colación todos los gastos causados por alguna enfermedad adicional que pudiera sufrir un hijo en situación de discapacidad. Y entiendo también que debe afirmarse la no colación de las primas de los seguros de enfermedad concertadas por el padre en beneficio de sus hijos discapacitados[8].

Aun en relación con hijos discapacitados (y quizá *a fortiori* en tal caso) sigue siendo íntegramente aplicable lo dispuesto por el art. 1042 CC[9]. Asimismo, formalmente, también en relación con hijos con discapacidad, es aplicable lo dispuesto por el art. 1044 CC, aunque su mandato no puede obviarse que ha caído hoy virtualmente en *desuetudo*[10].

4) El precepto cambia la locución "*hijos o descendientes con discapacidad*" por hijos o descendientes "*en situación de discapacidad*". Se trata, de nuevo, de un cambio que acaso

---

8.   Puesto que es principio general para todos los hijos (es decir, también en relación con aquellos que no tengan discapacidad alguna).

9.   En general, aplicable a todos los gastos muy convenientes para asegurar un futuro al hijo con discapacidad, conforme a una interpretación sociológica de la norma *ex* art. 3,1 CC. Debe modularse con sumo cuidado, en atención a las circunstancias concurrentes entre las que no es de poco relieve la propia discapacidad, una posible colacionabilidad por gastos adicionales generados por la ineptitud o o mala aplicación del hijo.

10.   Sobre el origen histórico de la norma, de la que hay trazas en las Leyes de Toro, y razones de su *desuetudo* actual, hago omisión en esta sede, por exceder de la economía de esta reflexión.

deba requerir alguna intervención de un filólogo o lingüísta que nos explique la diferencia entre "*persona con discapacidad*" y "*persona en situación de discapacidad*"[11].

Creo que, en cuanto al resto de extremos del régimen jurídico de la colación, no se ha introducido cambio alguno, manteniéndose por tanto el conjunto de su explicación tradicional y, por tanto, subsistiendo también íntegramente sus conocidos problemas interpretativos y aplicativos[12].

III. DIVISIÓN HEREDITARIA (PARTICIÓN)

Los cambios, en lo relativo a esta materia, se han reflejado en tres preceptos del Código civil:

1) En lo relativo al art. 1052 CC, se ha aprovechado para cambiar "*representante legítimo de un ausente*" por "*representante legal de un ausente*", para acaso recalcar que no hay trascendencia, en cuanto a lo aquí regulado, en hallarnos ante un representante "*voluntario*" del ausente (en virtud de escritura pública), "*dativo*" (esto es, designado judicialmente al margen de la secuencia marcada por la ley) y "*legítimo*" (que, según la clasificación tradicional, alude a aquellas personas previstas en la ley según una secuencia prestablecida.informada por el parentesco).

A su vez, el legislador ha eliminado el participio "*incapacitado*", y lo ha sustituido por la locución "*persona con medidas de apoyo por razón de discapacidad*", buscando disipar cualquier resto del supuesto "prejuicio" de considerar a la persona con discapacidad incursa en un estado civil específico de capacidad jurídica degradada o capitisdisminuida[13].

---

11. En el plano político, de la propaganda o conformación de la mentalidad social, parece haberse propalado, en el ámbito de los medios de comunicación social, el latiguillo de que España, gracias a esta Ley de reforma, es el primer país del mundo sin personas discapacitadas.

12. FUENMAYOR "Acumulación en favor del cónyuge viudo de un legado y de su cuota de legítima", RGLJ, 1946, pp. 55 y ss dice que la colación es una de las instituciones de régimen más desdichado dentro de nuestro sistema vigente, lo que virtualmente se ha convertido en un lugar común de nuestra doctrina actual. Cabe plantearse si más que una regulación codicial desafortunada acaso haya una exégesis doctrinal y jurisprudencia actual de baja calidad. La institución de la colación tiene un origen romanista atormentado, que se acrecentó al refluir en unos materiales normativos y praxis en los distintos países muy diferentes en los periodos previos a la codificación. Posiblemente, el régimen del Código no sea tan calamitoso, reflejando lo que era la *communis opinio* del *usus modernus partitarum* a final del S. XIX, siendo peor la inteligencia doctrinal, posiblemente no demasiado atenta a los precedentes históricos relevantes y a los preciosos materiales que brindan los distintos Derechos territoriales españoles.

13. Lo que, a mi juicio, no es cierto que fuera la concepción dominante previa a la entrada en vigor de esta ley de reforma. Que una persona incapacitada judicialmente tenía intacta su capacidad jurídica y titulaba todos los derechos fundamentales, siendo acreedora de dignidad, era un principio normativo inconcuso desde hace muchas décadas, y seguido unánimemente por la doctrina y tribunales. Lo único que ocurría era que veía modalizada su capacidad de obrar (aptitud para ejercer eficazmente los derechos e intereses legítimos). Lo que, por cierto, dígase lo que se quiera en un plano nominal, va a seguir ocurriendo, del mismo modo sustancial, tras la entrada en vigor de la presente Ley.

El ardid de motejar la normativa y praxis anteriores como infaustas, para así aparecer el legislador presente como "campeón del progreso", no es nuevo. Me parece demasiado acusado en esta Ley de reforma el anhelo de transitar por ese registro ideológico (aun a fuerza de deformar de manera grosera el pensamiento jurídico, normativa y praxis previas).

Nada, pues, sustantivo del régimen tradicionalmente explicado para pedir la partición hereditaria queda alterado, ni aclaradas ninguna de las dudas que suscitaba, bien identificadas en cualquier tratamiento manualístico de la materia[14].

2) En lo relativo al art. 1057 CC, se añade un párrafo cuarto, para recordar que, en relación con personas que tengan medidas de apoyo, no impone el legislador un modelo rígido en cuanto al régimen que ha de ser aplicable a la partición hereditaria en que estuvieran interesadas, sino que habrá de estarse a lo que se haya establecido o venga funcionando en cada caso.

En principio, esto plantea, de manera descarnada, graves problemas de inseguridad jurídica, aunque, a buen seguro, quedará pronto paliado por el empleo en la praxis de modelos cuyo empleo se generalizará entre los jueces e incluso por directrices generales que serán elaboradas mediante circulares que elaborarán los centros directivos del Ministerio fiscal, así como por el buen sentido que hay que esperar desplegarán jueces y notarios. Intuimos que, en la mayoría de las ocasiones, al menos en los supuestos en que la medida de apoyo sea una curatela y, en particular, si es representativa, también se preverá en todas las resoluciones judiciales que la instauren que el curador ha de ser citado por el contador-partidor para proceder correctamente al trámite de formalizar el inventario, debidamente valorado.

De hecho, dada la *ratio* tradicional que se observaba en la norma contenida en el art. 1057 CC, y por el hecho de que no creo que la Ley 8/2021 pueda decirse que haya buscado de manera sistemática la reducción de las medidas de protección para cualquier persona en situación de discapacidad, creo que, de no existir exclusión expresa de la pertinencia del art. 1057 CC (en la resolución judicial, o en una escritura de autocuratela o de mandato preventivo o reguladora en general de los aspectos de apoyo)[15], hay que concluir siempre en que es necesario observar lo previsto en el art. 1057.III CC.

En todos los casos en que, de este modo, sea aplicable el art. 1057.III CC (comuneros sujetos a patria potestad, tutela y personas con medidas de apoyo para las que no se haya expresamente excluido la aplicabilidad del precepto), se ha de mantener, a mi

---

14.   Ello se inserta en un reproche con carácter general que cabe hacer a esta Ley 8/2021, de 2 de junio. En ella prevalece el objetivo político primario que deviene el aparentar que se avanza, que "se hace", que se secunda el anhelo del progreso, y con el que deviene clave, como la propia Exposición de motivos confiesa, la "conformación de la opinión social". En un segundo plano parece haber quedado en esta Ley una reflexión profunda que parta de las realidades concretas que se dan en la praxis, de cómo se gestan de verdad las distintas actas y escrituras notariales y de cómo han de operar fedatarios y registradores en su realidad cotidiana. Por ello, la reforma no se ha preocupado por resolver, aclarando, numerosos puntos oscuros en la interpretación y aplicación de las normas que estaban muy identificados en la praxis anterior o que sea pródiga en lagunas, contradicciones (algunas supinas), formulaciones carentes de sentido técnico o cambios técnicos que parecen no suficientemente meditados (véase un amplio catálogo en BERCOVITZ, *op. cit.*, pp. 56, 57, 64, 65 y 70; otro, en el estricto plano contractual, en CARRASCO "Brújula para navegar la nueva contratación con personas con discapacidad, sus guardadores y curadores", publicaciones jurídicas del Centro de estudios de consumo, junio 2021, pp. 1 y ss, consultado en http://centrodeestudiosdeconsumo.com/index.php?start=136).

15.   Y, en cuanto a exclusiones de índole "voluntaria", véanse los reparos que formularé a continuación.

juicio, íntegramente el régimen jurídico aplicable a esa exigencia clásica. A grandes trazos:

• Hay que observar la exigencia también cuando el miembro de la comunidad hereditaria en tal condición es legatario de parte alícuota [SSTS 18 de febrero de 1969 (RJ 1969, 926), 8 de marzo de 1999 (RJ 1999, 1855)].

• No es necesaria la citación cuando es sólo legatario de cosa específica y determinada –aunque fuese imputable a mejora– [RDGRN 25 de marzo de 1952 (RJ 1952, 1623) y STS 6 de noviembre de 1934 (RJ 1934, 1781)].

• Tampoco se aplica el precepto cuando lo ocurrido es que uno de los comuneros se encuentra declarado en concurso de acreedores, pues la situación a que alude el precepto se refiere, estrictamente, a problemas de autogobierno (SSTS 21 de noviembre de 1939 [RJ 1939, 82] y 26 de noviembre de 1955 [RJ 1955, 3588]) y no a otros tipos de discapacidad o de inhabilitaciones o prevenciones puntuales de índole patrimonial[16].

• Tampoco en casos en que lo ocurrido es que el representante legal de los menores o, en su caso, el curador que actúe representativamente suscribe acuerdo o contrato para encargar a un tercero que efectúe la partición, de común acuerdo con el resto de comuneros hereditarios [STS 30 de diciembre de 1939 (RJ 1939, 107)][17].

• No es válida una disposición de un causante que dispensara de cumplir esta exigencia[18].

• En sí, el art. 1057.III CC no es aplicable a la previa liquidación de gananciales, pero se ha de ser cuidadosos por si la liquidación que llevara a cabo un cónyuge viudo y el contador-partidor encubre un conflicto de interés, o supone actos de disposición que superan, sin amparo legal o de un testamento, los confines estrictos de lo que es una mera actuación especificativa o divisoria (reconocimientos de deuda, daciones en pago o para pago, etc.).

• Seguirá discutiéndose si el régimen jurídico a predicar en caso de inobservancia de lo previsto en el art. 1057.I II CC es el de nulidad absoluta[19] o si, por el contrario, ha de aplicarse el de la anulabilidad[20] y, por tanto, hay posibilidad de convalidación por confirmación de todos los interesados y de sanación por prescripción o caducidad de

---

16. Lo cual, a mi juicio, confirma que, pese a la cuestionable equiparación radical que la nueva Ley hace de todas las personas que padezcan alguna situación de discapacidad (incluso administrativamente reconocida en algún grado), en verdad en la realidad habrá siempre de mantenerse la distinción tradicional entre problemas atinentes al autogobierno y otros (los que plantean sordos, ciegos, en su caso funcionales, mancos, amputados, etc.).

17. Sin perjuicio de haberse de someter ulteriormente la partición resultante a aprobación judicial.

18. ALBALADEJO, *Derecho civil. Derecho de sucesiones*, V-1, *Parte General*, Barcelona, 1979, p. 348.
    En el Derecho común ello sólo podría ocurrir en testamento; para los restantes Derechos civiles españoles, creo lógico que las prevenciones que sus regulaciones sustantivas introduzcan para los supuestos de discapacidad en el plano de autogobierno tampoco puedan ser dispensadas en contratos sucesorios, aunque sé que rozamos materia delicada.

19. SSTS 16 de mayo de 1955, 14 de diciembre de 1957 (RJ 1958, 534), 18 de febrero de 1969 (RJ 1969, 926), 15 de octubre de 1973 (RJ 1973, 3557), 16 de mayo de 1984 (RJ 1984, 2415).

20. SSTS 23 de diciembre de 1976 (RJ 1976, 5578), 16 de mayo de 1984 (RJ 1984, 2415), 17 de diciembre de 1988 (RJ 1988, 9475), 8 de marzo de 1999 (RJ 1999, 1855) y 8 de junio de 2011 (RJ 2011, 4400).

la acción de impugnación, lo que acaso puede ser más acorde con la naturaleza de los intereses en juego[21].

• Por supuesto, los representantes o personas de apoyo indebidamente preteridos tienen legitimación activa para instar la ineficacia que corresponda de las operaciones particionales [SSTS 23 de diciembre de 1976 (RJ 1976, 5578) y 8 de marzo de 1999 (RJ 1999, 1855)] (art. 1301,4 CC)[22], así como los propios menores y personas con medidas de apoyo.

Con la nueva redacción que se ha dado al art. 1301,4.° CC, parecería poderse defender, por analogía, que el plazo de cuatro años para instar la ineficacia que proceda de la partición por esta causa, en relación con las personas con medidas de apoyo, se cuenta de manera objetiva desde la formalización de la partición[23]. En todo caso, hay que tener en cuenta lo previsto en el art. 1302,3 CC, que prevé la posibilidad de que las propias personas sujetas a las medidas de apoyo puedan impugnar la partición, en su caso con el apoyo que precisen al efecto, así como también podrán promover la impugnación los herederos de tal persona (legales o voluntarios), durante el tiempo que faltare para completar el plazo, si la persona con discapacidad hubiera fallecido antes del transcurso del tiempo en que pudo ejercitar la acción (art. 1302,3.*In fine* CC).

• No cabe aplicar el principio de conservación de la partición mediante la aplicación de la adición del art. 1079 CC, porque esta norma sólo puede aplicarse a los supuestos de omisión de bienes, pero no a los de omisión de observancia del requisito del art. 1057.III y IV CC, cuyo carácter protector es de naturaleza distinta [STS 8 de marzo de 1999 (RJ 1999, 1855)].

• El art. 1057.III CC no será aplicable a menores ya emancipados [SSTS 16 de mayo de 1984 (RJ 1984, 2415) y 4 de julio de 1957][24].

---

21. Nos sumamos a DOMÍNGUEZ LUELMO, CCJC, 19, p. 63 y CCJC, 89, pp. 149-150 quien considera excesiva la nulidad radical. Hay que tener en cuenta no sólo que en esta materia rige el principio del *favor partitionis*, sino también, como ya se ha indicado, que la finalidad de lo previsto en el art. 1057 CC es única y exclusivamente la protección de los menores y personas con discapacidad.

22. La limitación que introduce el art. 1301,4 *in fine* CC, como se dirá en la nota que sigue, puede generar, a mi juicio, graves problemas en la práctica.

23. Se trata de una medida que, por tanto, busca seguridad jurídica, que quedaba algo afectada con la explicación tradicional de que el plazo de cuatro años, para la persona con discapacidad, pudiera reabrirse en su cómputo desde el día en que hubieran quedado sin efecto las medidas de apoyo. No es irrazonable, pero algo sorprende tras palabras tan enfáticas de la ley en cuanto a su anhelo de reforzar la protección de los discapacitados (algo similar ocurre con la reforma introducida en los arts.10.8, 1301,4 *in fine* y 1304 CC, a mi juicio posiblemente desafortunadas).

24. La reforma que la Ley de Jurisdicción Voluntaria introdujo en el art. 1057, III CC dio base a alguno para sustentar una opinión diferente (así lo exponía fundadamente ESPEJO LERDO DE TEJADA, *Las modificaciones al Código civil del año 2015*, dirigido por R. Bercovitz, Valencia, 2016, pp. 997 y 998), al cambiarse la previsión de que se citara al curador de personas con enfermedades o deficiencias físicas o psíquicas, por persona sujeta a "curatela" a secas. Sin embargo, creemos que no es suficiente razón, porque aquella reforma obedeció ya a un cambio meramente estilístico (evitar aludir a enfermos y deficientes), motivado por lo políticamente correcto, sin que sea verosímil que en esa ley se hubiera querido restringir la capacidad de obrar de los emancipados. Antes de esta última reforma, con la opinión del texto DOMÍNGUEL LUELMO, CCJC, 89, p. 146, pues los emancipados no están bajo la potestad de los padres. Creo que ahora

• La citación puede hacerse en cualquier modo, siempre que contenga la indicación del objeto, lugar y fecha y pueda ser probada [SSTS 26 de noviembre de 1955 (RJ 1955, 3588), 11 de abril de 1967 (RJ 1967, 2207) y 16 de mayo de 1984 (RJ 1984, 2415)], y cualquier defecto de la citación se tiene por subsanado cuando, de todos modos, comparecen de hecho a la diligencia los citados a ella (STS 26 de noviembre de 1955 [RJ 1955, 3558)]. Parafraseando a ALBALADEJO[25], lo que invalida o puede invalidar la partición es la no citación, no la no comparecencia del correctamente citado al acto de inventariar [así también la STS 11 de abril de 1967 (RJ 1967, 2207)].

• Ha de citarse al tutor de los menores o padres con patria potestad o curador o persona que hubiera de dar algún apoyo, de modo por así decir "titular", pero si cualquiera de estos "titulares" tiene interés contrapuesto con el representado o apoyado, se habría de nombrar defensor judicial (STS 26 de noviembre de 1955 [RJ 1955, 3588], para lo que se entiende que tiene legitimación activa el propio contador partidor –SSTS 14 de diciembre de 1957 (RJ 1958, 534), 15 de Octubre de 1973 (RJ 1973, 3557), 23 de diciembre de 1976 (RJ 1976, 5578)–[26].

• El requisito ha de observarse también en el caso de que los menores de edad o personas con discapacidad fueran representantes de un padre premuerto, o fuesen transmisarios que titulasen el *ius delationis* en la herencia del primer causante por el juego del art. 1006 CC [STS 17 de diciembre de 1988 (RJ 1988, 9475)] o fuesen herederos por sustitución de cualquier tipo [STS 17 de diciembre de 1988 (RJ 1988, 9475)].

• El inventario, tras la citación en la forma legalmente exigida, lo hace el contador-partidor, y no es preciso que lo elabore de consuno con el representante legal o persona designada para las medidas de apoyo [RRDGRN 15 de septiembre de 2003 (RJ 2003, 6277) y 18 de junio de 2013 (RJ 2013, 6663)].

• No se ha de aplicar el art. 1057.III CC en los casos en que estemos ante verdaderas particiones por el testador (RDGRN 10 de enero de 2012: BOE n.º 25, de 30 de enero de 2012, pp. 8507 y ss).

• Para el caso de tener que llevarse la escritura de partición al Registro de la Propiedad, deberá acompañarse o incorporar los documentos acreditativos de la citación de las personas enumeradas por el art. 1057.III y, en su caso, del IV, sin que pueda valer una mera afirmación del contador-partidor de que se ha cumplido dicho trámite [RDGRN 13 de noviembre de 1998 (RJ 1998, 8495)[27]].

Hay que entender, por supuesto, que la correcta observancia del art. 1057.III y, en su caso.IV CC, en absoluto impide a los menores o personas necesitadas de medidas de apoyo, o a sus representantes legales o a personas que dispensan un apoyo impugnar las operaciones particionales por cualesquiera otras causas hábiles al efecto, conforme a los requisitos que en cada caso sean de aplicación.

---

es mucho más nítido porque la curatela no es ya técnicamente viable para emancipados (sin discapacidad).

25. *Op. cit.*, p. 154.
26. ALBALADEJO, *op. cit.*, p. 348.
27. Véase exposición completa en DOMÍNGUEZ LUELMO, CCJC, 19, p. 62 y CCJC, 89, pp. 146-147.

Seguirá siendo cuestión abierta si es o no de observancia el art. 1057.III y, en su caso.IV CC, cuando los menores de edad o personas precisadas de medidas de apoyo son fideicomisarios de residuo, antes de que haya fallecido el fiduciario. Por la negativa habrían de optar los que, siguiendo una conocida doctrina jurisprudencial, les atribuirían la cualidad de herederos bajo condición suspensiva, sin que, por tanto, aún tuvieran derechos firmes sobre la herencia (que se consolidarán sólo al fallecimiento del fiduciario, y si, y sólo si, quedan bienes que repartir en su herencia) (todo ello, *ex* arts. 758.III, 759 y 991 CC[28]). Y por la positiva, aquellos que, siguiendo la exégesis de ALBALADEJO, defiendan que una sustitución fideicomisaria de residuo no supone propiamente un llamamiento bajo condición suspensiva al fideicomisario[29], que es seguro, *ex* arts. 784 y 799 –en la interpretación correctora que le da con virtual unanimidad la doctrina, en pos de sus precedentes históricos–, siendo sólo eventual o incierto el *quid* sobre el que operará la sustitución[30]. Lo que me parece mejor, y, además, en este caso conferirá más protección a las personas precisadas de medidas de apoyo y a los menores de edad.

Intuyo que va a plantear arduos problemas el supuesto en que la medida de apoyo operativa sea una mera guarda de hecho. En la medida en que el guardador de hecho actuase con carácter representativo, entiendo que el contador habrá de citarlo conforme a lo prevenido en el art. 1057.III CC, con plena sujeción al régimen jurídico expuesto[31].

En relación con un autocurador o apoderado preventivo, también se avizoran algunos problemas. Puesto que, dada la laxitud excesiva conferida a la autonomía privada (hablo por supuesto desde el sesgo personal con que leo con preocupación la ley de reforma), acaso pudiera la escritura pública originaria dispensar a tal persona que proporciona el apoyo de cumplir determinados requisitos legales, entre los que se encuentre el régimen del art. 1057 CC, o le dispense de manera expresa de todo conflicto de interés o de sus obligaciones de rendir cuentas. Si a ello se le diera eficacia incondicional desde una premisa demasiado simplista de honrar la voluntad expresada de la persona con discapacidad, podría ser portillo adicional para abusos. Por ello, me parece prudente entender que lo dispuesto en el párrafo III del art. 1057 CC ha de ser observado en todo caso por el contador, no pareciéndome válida ninguna exoneración que de manera hipotética hubiera hecho al respecto la persona

---

28. Que, en cualquier caso, admite disposición en contrario de un testador, según la interpretación más extendida. Véase el minucioso tratamiento que de la cuestión da JORDANO FRAGA, *La sucesión en el ius delationis*, Madrid, 1990.
29. A salvo que el fideicomitente hubiera de manera clara apuesto también una verdadera condición suspensiva al llamamiento hecho al fideicomisario, cosa que es siempre posible.
30. Véase, con lujo de detalles, DÍAZ ALABART, *El fideicomiso de residuo. Su condicionalidad y límites*, Barcelona, 1981.
31. Advirtiéndose de inmediato los problemas que podrán surgir cuando dos o más personas digan que sean los guardadores de hecho de manera no compatible o de que cualquiera cuestione que el citado sea realmente quien esté llevando a cabo la mera guarda de hecho. Hará bien el contador, en tales casos ante cualquier situación delicada, en llevar a cognición judicial el asunto. En todo lo relativo a la guarda de hecho, la regulación que presenta la nueva ley ofrece, a mi juicio, múltiples facetas muy preocupantes para la praxis. A los notarios, como ya he indicado en otra sede, se les abren delicadísimas situaciones, que me temo habrán de sobrellevar con resignación y –espero– con pulcritud y sensibilidad (la de verdad, esto es, atendiendo a todos los intereses que puedan estar en juego, más allá de los esquemas demasiado tributarios de lo ideológico que ha plasmado la ley de reforma).

que ahora tiene discapacidad, ni siquiera aunque conste de manera paladina en el instrumento público de referencia (y ni siquiera aunque hubiera duda alguna de que tal instrumento público fue otorgado en cabal juicio).

3) En cuanto al art. 1060 CC, creo que los cambios vuelven a ser de importancia menor.

En el precepto se introduce una redacción que es recordatorio de que en materia de personas con discapacidad no van a existir reglas generales dictadas por la ley, por lo que será siempre perentorio acudir a la escritura concreta que haya predispuesto las medidas de apoyo voluntarias o a la resolución judicial concreta que haya reconocido la situación y haya ordenado específicas medidas de apoyo, o al modo usual en que se esté desarrollando una guarda de hecho.

Por tanto, se hace posible la existencia de persona con alguna discapacidad cuyas medidas de apoyo sean estrictamente dar soporte a conformar su voluntad o comprensión (lectura, facilitación de la visión, por ejemplo), en cuyo caso, como ocurría hasta hoy, no hay propiamente ninguna actuación representativa en sentido propio, por lo que ninguna desviación sustantiva hay que aplicar a la doctrina tradicional sobre la capacidad para otorgar o consentir la partición (y sí sólo recibir la articulación del apoyo en la exteriorización de la voluntad de tal persona, dejando en su caso suficientemente pormenorizado cómo se ha efectuado ese "auxilio" y, claro está, por quién).

A su vez, el precepto efectúa un recordatorio de que podríamos encontrarnos ante un defensor judicial al que el Letrado de la Administración de justicia dispensara ya de someter a aprobación judicial la partición a la que concurriera (cfr. art. 289 CC), lo cual puede ser plausible en casos en que, con carácter previo a tal designación, ya se haya acompañado un borrador ultimado de tal partición, y se le haya indicado a tal defensor que, precisamente, ese borrador y no otro es el que debe rubricar[32].

Para otros supuestos, es difícil aceptar que el LAJ vaya a arriesgarse a dar esa aprobación preventiva, siendo mucho más probable que requiera siempre, cuanto menos, la aprobación judicial *a posteriori* para la partición para la que haya sido designado el defensor judicial.

A fortiori, creo que, igualmente, será muy improbable que un LAJ vaya a designar a un curador representativo dispensándole de someter a aprobación judicial *a posteriori* cualquier partición en que hubiera intervenido en nombre y por cuenta del curatelado. Como igualmente veo improbable que el LAJ se arriesgue a dispensar de lo legalmente prevenido para supuestos de conflicto de interés.

Entiendo que, por tanto, el régimen jurídico que ha sido clásico en esta materia ha de seguir rigiendo *in toto*.

Por lo antes indicado, a mi juicio, aunque no lo haya explicitado el nuevo art. 1060 CC, entiendo que será exigible también la aprobación judicial de una partición cuando haya en ella actuado un guardador de hecho con carácter representativo.

---

32. Siendo prudente, en cualquier caso, que se ordene que copia fehaciente de lo que resulte a la postre firmado sea aportado al juzgado a los efectos de constancia y/o cotejo.

A mi juicio, como he dejado consignado con anterioridad, aun cuando nos encontráramos ante casos en que a un apoderado preventivo o a un curador representativo se le hubiera dispensado por el poderdante o por el Juez de todo control judicial para las particiones en que interviniera (eventualidad esta última, realmente inverosímil, en mi opinión), creo saludable no tener por puesta tal indicación, por infringir principios tuitivos que atienen al orden público[33].

---

33. Por lo que cualquier persona con interés legítimo podría impugnar la partición, por carecer de aprobación judicial y, por supuesto, por cualquier otra causa legal hábil.

5

Prohibición legal de testar para las personas con discapacidad: justificación e interpretación del "nuevo" artículo 753 del Código Civil[1]

GUILLERMO CERDEIRA BRAVO DE MANSILLA

Catedrático de Derecho Civil
Universidad de Sevilla

SUMARIO: I. UN NUEVO ORDEN JURÍDICO PARA LAS PERSONAS CON DISCAPACI-
DAD. 1. *Como punto de partida, el "favor libertatis", o la plena igualación en capacidad de toda persona, con o sin discapacidad, según el art. 12 de la Convención de
Naciones Unidas (de 2006) y la Observación general n.º 1 (de 2014), que la interpreta.*
2. *Criterios de interpretación de las normas sobre capacidad de las personas con discapacidad: "favorabilia amplianda, odiosa restringenda", y, subsidiariamente, "in dubio pro
capacitate".* II. EL "NUEVO" ART. 753 CC, ¿ES CONFORME A LA CONVEN-
CIÓN DE NACIONES UNIDAS SOBRE LOS DERECHOS DE LAS PERSONAS
CON DISCAPACIDAD? EN JUEGO, SU PROPIA CONSTITUCIONALIDAD.
1. *La doctrina mayoritaria, crítica con el art. 753 CC por vulnerar el art. 12 de la Convención de Naciones Unidas. En realidad, una "vexata quaestio".* 2. *Nuestra defensa
en favor del "nuevo" art. 753 CC y de su conformidad con la Convención de Naciones
Unidas.* III. CRITERIOS PARA INTERPRETAR EL "NUEVO" ART. 753 CC.
1. *El art. 753 CC, y el tópico de su necesaria interpretación restrictiva por ser una norma*

---

1. Esta publicación es parte del proyecto de I+D+i PID2020-118111GB-I00, "Sujetos e Instru-
    mentos del Tráfico Privado VIII: Reforma del Derecho de sucesiones", financiado por MCIN/
    AEI/10.13039/501100011033.
    Se trata, así mismo, de un trabajo ya publicado con igual título en la *Revista Jurídica del Notariado*,
    2021, n.º 113, pp. 731-758, y que aquí íntegramente se reproduce. Con posterioridad al mismo
    se han publicado otros trabajos, algunos favorables a tal norma, como el de PÉREZ GALLARDO:
    "El testador vulnerable y las influencias indebidas. Los antídotos que dispensa el artículo 753 del
    Código civil (A propósito de la reforma sobre la capacidad jurídica en el Derecho español", den-
    tro de la obra colectiva *El ejercicio de la capacidad jurídica por las personas con discapacidad tras la Ley
    8/2021 de 2 de junio*, M. Pereña Vicente y M.ª M. Heras Hernández (dirs.), Valencia, 2022, pp. 555-
    585; otros en una posición intermedia, como el de REPRESA POLO: "La prohibición de suceder
    del curador y del cuidador habitual. La reforma del artículo 753 CC", en *Modificaciones sucesorias,
    discapacidad y otras cuestiones*, que tal autora coordina, Madrid, 2022, pp. 41-86; o absolutamente
    contrario al "nuevo" art. 753 CC, como el de DE SALAS MURILLO, que ya se mantuvo crítica en
    un trabajo anterior (que este nuestro cita), y que así se mantiene en otro capítulo dentro de esta
    misma obra colectiva. Con todo, y como suele decirse, la polémica está servida.

excepcional y odiosa. 2. Contra el tópico, la posible interpretación extensiva de las prohibiciones legales conforme al "favorabilia amplianda" si ello es conforme a su "ratio"; y, una vez más, "in dubio pro capacitate". IV. RESOLUCIÓN, EN PARTICULAR, DE ALGUNAS DE LAS DUDAS QUE SUSCITA EL ART. 753 CC. 1. *Sobre el ámbito subjetivo de la prohibición legal testamentaria.* 1.1. Sujetos incluidos y excluidos de la prohibición legal de testar. 1.2. Sujetos incluidos y excluidos de la prohibición legal de suceder por testamento. 2. *Sobre el alcance objetivo de la prohibición legal testamentaria.* 2.1. El alcance estrictamente patrimonial de la prohibición legal de testar, y posibles excepciones. 2.2. Testamentos a los que afecta la prohibición de testar, y sus excepciones. V. BIBLIOGRAFÍA.

I.   UN NUEVO ORDEN JURÍDICO PARA LAS PERSONAS CON DISCAPACIDAD

1.   COMO PUNTO DE PARTIDA, EL "FAVOR LIBERTATIS", O LA PLENA IGUA-LACIÓN EN CAPACIDAD DE TODA PERSONA, CON O SIN DISCAPACIDAD, SEGÚN EL ART. 12 DE LA CONVENCIÓN DE NACIONES UNIDAS (DE 2006) Y LA OBSERVACIÓN GENERAL N.º 1 (DE 2014), QUE LA INTERPRETA

Consabida la reciente reforma legislativa civil y procesal "tan profunda" y "ambiciosa"[2] sobre personas con discapacidad habida recientemente en España[3], sabido es también que, aunque con retraso, con ella no se ha pretendido más que dar efectivo cumplimiento a un cambio radical, revolucionario sin duda, que se produjo –no tan recientemente ya– con la Convención de la ONU celebrada en Nueva York el 13 de diciembre de 2006, sobre los derechos de las personas con discapacidad (ratificado por España en 2007 y publicada en el BOE de 21 abril 2008). En ella se vendría a imponer la plena igualación en capacidad –entendida esta *in sensu lato*[4]– de todas las personas con discapacidad, cualquiera que ésta fuese (mental o física, cfr., sus arts. 1.II y 5)[5], con el resto de las personas, fundando tal equiparación, prohibitiva de cualquier discriminación, en la propia dignidad y en el desarrollo libre, pleno e igual de la personalidad de tales personas como expresión de su autonomía. Quedaban, así, proscritas cualesquiera formas discriminatorias, establecidas por la sola razón de la discapacidad, entre las que se incluía cualquier medida representativa o sustitutiva en la toma de decisiones por la persona con discapacidad (como la tradicional tutela), si no se trataba de simples medidas de apoyo asistencial (no sustitutivo, ni representativo), que no reemplazasen la libre y plena voluntad de la persona con discapacidad, decidiendo por ella, sino que la ayudasen a tomar una decisión por sí sola (que se tratara, en fin,

---

2.   Según dice ella misma en su Preámbulo.

3.   Es la Ley 8/2021, de 2 de junio, por la que se reforma la legislación civil y procesal para el apoyo a las personas con discapacidad en el ejercicio de su capacidad jurídica, publicada en el BOE de 3 de junio de 2021, y en vigor desde el 3 de septiembre, tras un período de *vacatio legis* de tres meses (según su Disposición Final 3.ª).

4.   Aunando las tradicionales capacidad jurídica y capacidad de obrar, como es consabido. Véanse, al respecto, el art. 12.2 de la Convención y su aclaración contenida luego en los apartados 12 a 14 de la Observación n.º 1 (2014), del Comité de la ONU sobre los derechos de las personas con discapacidad.

5.   Así mismo, de la Observación n.º 1 (2014), del Comité de la ONU sobre los derechos de las personas con discapacidad, véase el punto 9 de su Introducción.

como dice Vivas Tesón[6], de "un compañero de camino, un *'ángel de la guarda'*, que no tome decisiones 'por' la persona [con discapacidad] sino 'con' ella"). Consagraba, así, la Convención lo que la doctrina ha venido a denominar el principio de "mínima intervención"[7], conforme a los principios de necesidad y proporcionalidad.

Todo ello era reiteradamente dicho, hasta el hartazgo, en aquella Convención[8], sobresaliendo a tal respecto lo dispuesto en su art. 12 (la norma que, sin duda, ha dado más de que hablar). Y si alguna duda tal cambio suscitó, como en efecto sucedió, fue tajantemente resuelta en la Observación n.º 1 (2014), del Comité de la ONU sobre los derechos de las personas con discapacidad[9], en la dirección y sentido antes expuestos en síntesis, y que nuestra reciente reforma legislativa civil y procesal acoge (según puede verse justificado a lo largo y ancho de todo su Preámbulo, y dispuesto en los nuevos arts. 249 y 250 CC, fundamentalmente, o, como la más simbólica, en la nueva redacción dada al art. 1263 CC, donde las personas con discapacidad no ven ya proscrita, ni limitada siquiera, su capacidad para negociar, lo que también se observa a la hora de reconocerle capacidad para testar, según la nueva redacción dada, entre otros, a los arts. 663.2.º, 665, 695, 706.III CC[10], así como la propia supresión de la sustitución ejemplar que –según parece– presuponía en tales personas la falta de capacidad para testar[11]).

Con todo, se finge la igualación de lo desigual, la consideración de la persona con discapacidad como persona plena e igual en su capacidad, al margen de cualquiera que sea la naturaleza y alcance de su discapacidad, sin que, por tanto, exista ya hoy justificación para una especial protección o tutela –*stricto sensu*– de su persona y bienes. Como ya se advirtiera en la propia Convención de Nueva York de 2006 y luego se "aclarara" en aquella Observación n.º 1 (de 2014), no hay para la persona con discapacidad ningún interés superior que proteger, equiparable al que, en cambio, sí hay para los menores (salvo, naturalmente, que se trate de menores con discapacidad, cuyo interés

---

6. VIVAS TESÓN, entre otros de sus muchos y reiterados trabajos sobre la materia, en "El nuevo marco constitucional de los derechos de las personas con discapacidad a la luz de la Convención de la ONU de 13 de diciembre de 2006", en *Derecho Civil Constitucional*, dir. Villagrasa Armengol y Pérez Gallardo, Méjico, 2014, p. 182.

7. Por todos, reiteradamente, VIVAS TESÓN, "El nuevo marco constitucional de los derechos de las personas con discapacidad a la luz de la Convención de la ONU de 13 de diciembre de 2006", en *Derecho Civil Constitucional*, dir. Villagrasa Armengol y Pérez Gallardo, Méjico, 2014, pp. 175, 183, y también en otros de sus trabajos, como en *Más allá de la capacidad de entender y querer...*, Olivenza, 2012, p. 30, o en "La Convención de la ONU de 13 diciembre 2006: impulsando los derechos de las personas con discapacidad", en *Comunitaria: Revista internacional de trabajo social y ciencias sociales*, 2011, p. 126.

8. Desde su mismo Preámbulo, hasta su articulado (cfr., de su art. 3 las letras a y b, el art. 4.1, así como los apartados 1 y 4 de su art. 5).

9. De la que conviene observar el punto 7 de su misma Introducción, así como sus apartados 8, 9, 13 a 15, 17 y 18, 26 a 28, 32 y 50, a cuya lectura nos remitimos.

10. Y para cuyo estudio, pueden verse los recientes trabajo de PLANAS BALLVÉ, "La capacidad para otorgar testamento", en *Un nuevo orden jurídico para las personas con discapacidad*, G. Cerdeira Bravo de Mansilla y M. García Mayo (dirs.), Madrid, 2021, pp. 655 ss; y de LORA-TA-MAYO RODRÍGUEZ: *Reforma civil y procesal para el apoyo a personas con discapacidad*, Madrid, 2021, pp. 155 ss.

11. Para una visión crítica de tal supresión, por todos, ESPEJO LERDO DE TEJADA, "Un epitafio y algunas dudas sobre la sustitución ejemplar", en *Un nuevo orden jurídico para las personas con discapacidad*, G. Cerdeira Bravo de Mansilla y M. García Mayo (dirs.), Madrid, 2021, pp. 669 ss.

superior a proteger, que reitera la Convención en sus arts. 7.2 y 23.2, les vendría exigido, sin embargo, por su minoridad, no por su discapacidad)[12].

Ningún rastro, pues, debe ya haber actualmente del tradicional paternalismo habido para las personas con discapacidad[13], que aquella Convención observa –con cierto anacronismo, según creo– como reflejo histórico de un trato discriminatorio. Puede decirse, en fin, que la salud –mental o física– de las personas ha dejado de ser una circunstancia que afecte a su capacidad, como desde hace no mucho dejó de serlo el sexo.

Así las cosas, en el tradicional –y difícil– equilibrio entre la protección de la persona con discapacidad como persona más débil –o más vulnerable, según suele decirse ahora– (cfr., art. 49 CE), y su dignidad y libre desarrollo de la personalidad (arts. 10 y 14 CE), debe hoy, sin duda, prevalecer este último principio, por cuanto aquel art. 49 de nuestra Constitución, dirigido a la protección e integración de las personas con discapacidad, debe ser hoy reinterpretado, actualizado, como permite –o exige, mejor dicho– el art. 10.2 CE, desde aquella Convención de Nueva York y desde su Observación n.º 1 (2014), que la interpreta (auténticamente, además –aunque haya quien le niegue tal valor[14], obviando, entre otras cosas, que aquella

---

12. Lo dice, en efecto, la Observación n.º 1 (2014), en un pasaje (contenido en su ap. 27), donde critica los tradicionales modelos de sustitución en la adopción de decisiones (como la tutela).

13. Con expresivo título lo afirma GETE-ALONSO Y CALERA: "Conceptuación de la capacidad: del paternalismo a la autonomía", en *Un nuevo Derecho para las personas con discapacidad*, LB. Pérez Gallardo y G. Cerdeira Bravo de Mansilla (dirs.), M. García Mayo (coord.), Chile-Argentina, 2021, pp. 25-48.

14. Por ejemplo, y entre otros, MARTÍNEZ DE AGUIRRE Y ALDAZ: "La Observación General Primera del Comité de derechos de las personas con discapacidad: ¿interpretar o corregir?", en *Un nuevo orden jurídico para las personas con discapacidad*, G. Cerdeira Bravo de Mansilla y M. García Mayo (dirs.), Madrid, 2021, pp. 97-120. Ante todo, advierte (en pp. 88-92), que en el art. 34 de la Convención, que crea el Comité de derechos de las personas con discapacidad, no se le atribuye a esta expresamente ninguna competencia interpretativa, aunque tal atribución sea práctica habitual en la ONU, lo que, según creo, hace que tal vez conforme a esta tradición, uso o costumbre (con el papel de fuente jurídica que tiene en el ámbito del Derecho Internacional), pueda integrarse aquella omisión. Añade MARTÍNEZ DE AGUIRRE que, por tal omisión, tan solo cabría concederle a aquella Observación General 1.ª un valor interpretativo cualificado o –más bien– autorizado, pero en ningún caso estrictamente vinculante, mucho menos aún, añade luego (en pp. 99-105), si no respeta el contenido ni el espíritu de la Convención, que más que interpretar lo que hace aquella Observación General es corregir (como sucede, en su opinión, al prohibir el sistema de sustitución y representación, permitiendo tan solo el de apoyo a las personas con discapacidad). Como se ve, en juego está una vieja cuestión, que va más allá del presente supuesto en particular: la de la interpretación auténtica, que, en mi opinión, jamás tiene alcance vinculante (pues ello supondría casi vetar cualquier interpretación), ni ha de tener un resultado meramente declarativo de la norma interpretada (cuando ni siquiera tal veto es predicable de la interpretación forense o judicial). A tal respecto, permítaseme remitirme a mi trabajo "Situaciones excepcionales, normas singulares e interpretación auténtica", incluido en el libro colectivo *Coronavirus y Derecho en estado de alarma*, Madrid, 2020, pp. 63-86. En cualquier caso, sin la necesidad de entrar en tal cuestión de fondo, que excede con mucho del objeto y de la extensión del presente trabajo, hay un dato innegable entre nosotros que otorga un valor interpretativo a aquella Observación general 1.ª: que en la reciente reforma habida sobre la materia, y afectante a normas tan importantes (como el Código Civil, la LEC, …), nuestro legislador la asume y acata en varias ocasiones a lo largo de su Preámbulo (incluido el nuevo sentido del sistema de apoyo, antes referido), con cuyo valor –a su vez– interpretativo de la norma que antecede, le confiere, con tal inclusión, aquel valor interpretativo a la Observación General 1.ª (sobre tal valor interpretativo –tampoco

Observación ha sido expresamente acatada y atendida en nuestra reciente reforma legislativa, según ella misma dice varias veces en su propio Preámbulo–). No en vano, es pretensión de nuestro Gobierno que el art. 49 CE sea reformado en tal sentido igualitario[15].

2. CRITERIOS DE INTERPRETACIÓN DE LAS NORMAS SOBRE CAPACIDAD DE LAS PERSONAS CON DISCAPACIDAD: "FAVORABILIA AMPLIANDA, ODIOSA RESTRINGENDA", Y, SUBSIDIARIAMENTE, "IN DUBIO PRO CAPACITATE"

Equiparada, así, toda persona, con o sin discapacidad, en su plena capacidad jurídica, no habrá más remedio que valorar cualquier restricción o limitación sustitutiva de la voluntad de la persona con discapacidad como un disfavor injustificado, contrario al natural y común *favor libertatis*, que como materia no solo excepcional, sino, sin duda, también odiosa (al menos en esta ocasión), debe interpretarse siempre restrictivamente, conforme al adagio *favorabilia amplianda, odiosa restringenda*, que bien puede estimarse como auténtico principio general del Derecho, imbuido en aquella Convención de 2006 (cfr., sobre todo, su art. 3, precisamente, dedicado a sus "principios generales"[16], incluido ya en nuestro Derecho vigente, tanto por vía directa, *ex* arts. 96.1 CE y 1.5 CC, como por vía interpretativa, *ex* art. 10.2 CE).

De este modo, solo cuando la medida de ayuda prevista en la norma sea, en efecto, de apoyo, no sustitutiva, esta habrá de ser expresa y clara: a falta de explicitud habrá que interpretar que no hay medida alguna asistencial, y a falta de claridad, aun siendo expresa, en principio, habrá que interpretarla *super casum* conforme a la particular *ratio legis*, de la norma que en concreto la contemple, y –solo– en caso de duda en su resultado interpretativo, el intérprete deberá inclinarse por el menor alcance de tal medida asistencial o condicionante, incluso por su falta de necesidad, y por el mayor alcance en la capacidad y autonomía propias de la persona con discapacidad[17]. Así lo exige el otro gran principio que, según la común opinión, se contiene en aquella Convención de Nueva York, de 2006, junto al citado de "intervención mínima": *in dubio pro capacitas*, suele decirse[18] (correctamente, *in dubio pro capacitate*).

---

vinculante– de los Preámbulos, permítaseme remitirme también a mi monografía *Principio, realidad y norma: el valor de las exposiciones de motivos [y de los preámbulos]*, Méjico-Madrid, 2015).

15. Así puede verse en el Anteproyecto de reforma presentado por el Gobierno, que puede verse, expuesto y justificada su reforma, en https://www.mpr.gob.es/prencom/notas/Documents/071218_Art49Consti.pdf, y donde se justifica reiteradamente dicha reforma en que "su contenido [dado en 1978] se basa en una concepción médico-rehabilitadora de la discapacidad, coherente en el momento de su redacción, pero hoy completamente superada por un modelo social de corte igualitario".

16. Entre los que se reconocen "El respeto de la dignidad inherente, la autonomía individual, incluida la libertad de tomar las propias decisiones, y la independencia de las personas" y el de "la no discriminación" (letras a y b, respectivamente).

17. Como ejemplo de interpretación restrictiva, puede verse como destacado el que sobre el art. 56 CC y el derecho a contraer matrimonio, reconocido en plena igualdad y libertad en el art. 23.1.a) de la Convención de 2006, hizo recientemente GUILARTE MARTÍN-CALERO, "Matrimonio y discapacidad", en *Derecho privado y Constitución*, 2018, pp. 55-94.

18. Por todos, y reiteradamente, VIVAS TESÓN, "El nuevo marco constitucional de los derechos de las personas con discapacidad a la luz de la Convención de la ONU de 13 de diciembre de 2006", en *Derecho Civil Constitucional*, dir. Villagrasa Armengol y Pérez Gallardo, Méjico, 2014, pp. 175,

Tal es la fuerza de tan necesaria interpretación restrictiva en dicho ámbito sustitutivo o limitativo de la libre voluntad de la persona con discapacidad, que su resultado interpretativo final bien pudiera ser la estimación de la derogación de la norma que establezca aquel tipo de limitación indiscriminada en su capacidad, o que prevea un sistema sustitutivo en la capacidad y autonomía de las personas con discapacidad atendida su sola discapacidad. La propia reforma legal habida en España así lo prevé en el ap. 1 de su genérica Disposición derogatoria única, cuando dice: "Quedan derogadas cuantas disposiciones de igual o inferior rango contradigan, se opongan o resulten incompatibles con lo dispuesto en la presente Ley"; piénsese entre otros muchos posibles casos en aquellos donde la capacidad de la persona con discapacidad aún hoy queda limitada o, sin más, vetada, atendida su sola discapacidad (*vgr.*, en materia de testamento vital –no así en materia de eutanasia–, de transexualidad, ... según la normativa estatal –de momento– vigente).

Mas no se piense solo en la derogación expresa de normas anteriores a la actual reforma por su incompatibilidad con ella, sino que lo sean también por su incompatibilidad con la Convención y la Observación General n.º 1.º de Naciones Unidas, y que incluso podrían afectar a la reforma misma recientemente aprobada en España, quedando, así, en entredicho su propia constitucionalidad (*ex* art. 10.2 CE, según lo antes advertido): esto último, entre otros posibles casos, es lo que, precisamente, sucede según una buena parte de la doctrina con el "nuevo" art. 753 CC, donde si bien no hay medida sustitutiva prevista (por tratarse del testamento, un acto que es personalísimo), sí se prohíbe a la persona con discapacidad testar en favor de determinadas personas y en determinadas circunstancias. *Quid iuris?*

II. EL "NUEVO" ART. 753 CC, ¿ES CONFORME A LA CONVENCIÓN DE NACIONES UNIDAS SOBRE LOS DERECHOS DE LAS PERSONAS CON DISCAPACIDAD? EN JUEGO, SU PROPIA CONSTITUCIONALIDAD

1. LA DOCTRINA MAYORITARIA, CRÍTICA CON EL ART. 753 CC POR VULNERAR EL ART. 12 DE LA CONVENCIÓN DE NACIONES UNIDAS. EN REALIDAD, UNA "VEXATA QUAESTIO"

Aunque el art. 753 CC estaba ya presente desde la redacción originaria del Código civil, allá por 1889, ha sido, en efecto, reformado, para ser además ampliado, en su redacción, prohibiendo que las personas con discapacidad, entre otras, testen en

---

183, y también en otros de sus trabajos, como en *Más allá de la capacidad de entender y querer...*, Olivenza, 2012, p. 30, o en "La Convención de la ONU de 13 diciembre 2006: impulsando los derechos de las personas con discapacidad", en *Comunitaria: Revista internacional de trabajo social y ciencias sociales*, 2011, p. 126. Resulta curioso que en tiempos tan denostados como los actuales para las lenguas clásicas, estimadas como lenguas –supuestamente– "muertas", sigan empleándose latinajos en el mundo científico (y no solo en el jurídico), aunque no tengan antecedentes históricos, ni medievales, ni romanos (piénsese, por ejemplo, en el *bonum filii*), lo que, a veces, provoca estas imprecisiones: correctamente, el prefijo latino *pro* va seguido de ablativo, y tratándose del sustantivo *capacitas capacitatis* (de la 3.ª declinación), su forma ablativa singular es *capacitate*.

favor de determinadas personas bajo determinadas circunstancias, cuando íntegramente dice:

> "Tampoco surtirá efecto la disposición testamentaria en favor de quien sea tutor o curador representativo del testador, salvo cuando se haya hecho después de la extinción de la tutela o curatela.
>
> Será nula la disposición hecha por las personas que se encuentran internadas por razones de salud o asistencia, a favor de sus cuidadores que sean titulares, administradores o empleados del establecimiento público o privado en el que aquellas estuvieran internadas. También será nula la disposición realizada a favor de los citados establecimientos.
>
> Las demás personas físicas que presten servicios de cuidado, asistenciales o de naturaleza análoga al causante, solo podrán ser favorecidas en la sucesión de este si es ordenada en testamento notarial abierto.
>
> Serán, sin embargo, válidas las disposiciones hechas en favor del tutor, curador o cuidador que sea pariente con derecho a suceder ab intestato".

A su vista, no son pocos en nuestra doctrina quienes estiman tal norma como un contrasentido, como una excepción contraria a la capacidad y a la libertad para testar hoy reconocida para toda persona con discapacidad (según la nueva redacción dada, entre otros, a los arts. 663.2.º, 665, 695, 706.III CC), y, por ello, contraria al art. 12 de la propia Convención de la ONU sobre los derechos de tales personas por fundarse aquella prohibición tan solo en la discapacidad de la persona impidiéndole, así mismo, cualquier muestra de gratitud –*post mortem*– hacía aquella persona –muchas de las veces un familiar suyo– que en vida le proporcionó apoyo y cuidados[19] (todo lo cual, lógicamente, según venimos diciendo *ex* arts. 10.2 y 49 CE, concluiría en considerar aquel art. 753 CC como inconstitucional).

Así incluso lo advirtieron algunos grupos parlamentarios durante la tramitación de la reforma, que, fundados en aquella misma razón (de considerar el nuevo art. 753 CC propuesto contrario a la Convención de Naciones Unidas), presentaron algunas

---

19. Lo sospechaba así, hace algún tiempo, DÍAZ ALABART, en su monografía *El testamento ológrafo de las personas mayores dependientes, problemas y posibles soluciones*, Madrid, 2018, p. 52, nota 59, aunque se mostraba muy partidaria de la novedad de incluir en la prohibición a las personas mayores de edad y demás personas vulnerables residentes en centros y otros establecimientos a tal respecto (como, en efecto, hace ahora el art. 753 CC en su nuevo párrafo segundo). Más claras en su objeción contra el nuevo art. 753 CC, son DE AMUNÁTEGUI RODRÍGUEZ: *Apoyo a los mayores en el ejercicio de su discapacidad. Reflexiones a la vista del Anteproyecto de reforma de la legislación en materia de discapacidad*, Madrid, 2019, p. 70; LORA-TAMAYO RODRÍGUEZ: *op. cit.*, pp. 167 y 168; y, con mayor vehemencia (por la pasión con que expone tan agudamente sus argumentos), DE SALAS MURILLO: "Reconsideración de la prohibición de suceder: el caso del tutor o curador", en *Derecho Privado y Constitución*, n.º 35, 2019, pp. 60 ss, al considerar (en p. 62), que se trata de una "cortapisa a la libertad de testar de una persona por el solo hecho de que tenga discapacidad", y que impide cualquier muestra de gratitud del testador en favor de quien en vida le prestó apoyo, asistencia y cuidados (pudiendo, incluso, tratarse de los propios familiares), insistiendo (en p. 74), en que "si se reconoce la posible *testamentifactio* activa, se ha de reconocer sin cortapisas distintas de las que tendría una persona sin discapacidad. Naturalmente, tendrá los mismos límites que el resto, señaladamente en tema de legítimas, pero ni más ni menos".

enmiendas proponiendo que lo que la norma en su nuevo párrafo tercero admite como excepcional frente a la prohibición de testar fuese la solución general, permitiendo, así, que la persona con discapacidad pudiera testar en favor de cualquier cuidador o sistema de apoyo siempre que así lo hiciera en testamento notarial abierto, al entenderse en aquellas enmiendas que la intervención del notario sería garantía suficiente como para asegurar en todo caso la capacidad y la libre voluntad de testar manifestada por la persona con discapacidad[20]. Con todo, tal propuesta, sin embargo, no sería finalmente aceptada (conservando, así, el art. 753 CC su redacción originariamente propuesta, y que hoy la norma presenta).

Admitida la crítica, adviértase –pues nada nuevo hay bajo el sol– que tanto el art. 753, como los que le rodean (el art. 752 CC, que prohíbe testar en favor del sacerdote confesor, o de la institución eclesiástica a que pertenezca, o el art. 754 CC, que hace lo propio en contra del Notario autorizante del testamento, así como de sus parientes o de los testigos), han sido tradicionalmente muy criticados por nuestra doctrina; también por estimarlos exagerados e infundados en sus sospechas por parte del legislador de que el testador sea engañado por tales personas (sacerdote, tutor, notario, …), tan cercanas a aquel en un momento tan íntimo y vulnerable, entendiendo que para asegurar esa libertad testamentaria bastaría, en su caso, con impugnar el testamento por dolo o intimidación (*ex* art. 673 CC) o por haberse dispuesto testamentariamente en favor de una persona interpuesta (según prevé el art. 755 CC)[21]. No en vano, el

---

20. En efecto, durante la tramitación parlamentaria de la reciente reforma, en el Senado los Grupos Parlamentarios Mixto y de Ciudadanos propusieron (en sus enmiendas n.º 1 y 78, respectivamente), suprimir la prohibición legal testamentaria y permitir el testamento siempre que fuera en su modalidad de testamento notarial abierto, justificándolo el GP Mixto por entender que "La adopción de las medidas de apoyo resulta eje esencial de esta reforma, y constituyen un marco muy amplio que incluye tanto las establecidas de forma voluntaria como aquellas que requieran de formalización judicial, pero, en todo caso, pueden ser dispuestas por personas que dispongan de autonomía suficiente para adoptar decisiones en favor de quienes les presten tales apoyos. Prohibir que se puedan adoptar ninguna disposición que suponga beneficio a quien presta el apoyo supone establecer una limitación en la autonomía de la voluntad improcedente e incluso contraria al principio de capacidad y de respeto a la voluntad y preferencias que el Proyecto de Ley consagra y que representa núcleo sustancial del artículo 12 de la Convención Internacional sobre los Derechos de las Personas con Discapacidad. (…) En ese sentido, el condicionante de que la disposición sea establecida en un testamento abierto, comporta suficiente garantía porque lleva consigo la necesidad de que el Notario autorizante haya valorado que la persona dispone de la capacidad suficiente para adoptar esa disposición testamentaria, en los propios términos que el Proyecto de Ley regula para tales voluntades en el artículo 665". Algo parecido propuso, también en el Senado, el Grupo Vasco (en su enmienda n.º 118), justificándolo del siguiente modo: "No está justificada la limitación de la capacidad de obrar de las personas que viven en un centro residencial (personas con discapacidad y cuantitativamente, sobre todo, personas mayores) prohibiéndoles que favorezcan en su testamento, a través de legado o herencia, a la residencia en la que reciben atención. Para proteger su patrimonio y las expectativas patrimoniales de los familiares de los residentes, resulta mucho más respetuoso con libertad personal de las personas mayores o con discapacidad permitir estas disposiciones testamentarias, aunque exigiendo la intervención garantista del Notario". Es también de tal opinión en la doctrina, mostrándose por ello crítico con el actual art. 753 CC, LORA-TAMAYO RODRÍGUEZ: *op. cit.*, pp. 167 y 168.
21. Así, entre otros, MANRESA Y NAVARRO: *Comentarios al Código Civil español*, Tomo VI, Madrid, 1906, pp. 38 y 39; VALVERDE Y VALVERDE: *Tratado de Derecho Civil español, Tomo V: Parte especial. Derecho de sucesión*, Valladolid, 1939, p. 441; ROYO MARTÍNEZ: *Derecho sucesorio "mortis causa"*, Sevilla, 1951, p. 132, quien solo veía justificado el art. 754 CC; CASTÁN TOBEÑAS: *Derecho civil español, común y foral, Tomo VI: Derecho de sucesiones, vol. 1.º: la sucesión en general. La sucesión*

actual art. 753 CC, propuesto en su redacción originaria en el Anteproyecto de CC de 1888[22], fue, precisamente, omitido en el Proyecto de CC de 1851, apartándose en ello del CC francés, tan influyente en el nuestro, que sí preveía tal prohibición, por entender García Goyena que en tal posible prohibición había un exceso de celo o de desconfianza hacia el tutor[23]. Sin embargo, curiosamente, García Goyena sí incluiría en su Proyecto de CC una prohibición que no pasaría al definitivo Código de 1889: es el caso –inspirado, este sí, en el art. 909 del _Code_– de la prohibición de testar en favor del médico, del cirujano o de cuantos otros asistieran al testador durante su última voluntad[24]; caso, por lo demás, que en cierta medida parece haberse resucitado en el nuevo segundo párrafo del vigente art. 753 CC, sin negar, naturalmente, que su más inmediato o cercano precedente haya sido el art. 412-5 del CC catalán[25] (no en vano, también inspirado en aquel precepto francés[26]), con el que tanta similitud redaccional aquel guarda (salvo algunos cambios que, como se verá, no son casuales), y que, a diferencia del resto de la norma, ha sido también aplaudida, o bien recibida, por una parte de la doctrina más reciente[27], a la par que rechazada por otro nutrido grupo de

---

testamentaria, Madrid, 2010, p. 488; ROCA-SASTRE MUNCUNILL: _Derecho de sucesiones, Tomo I_, 2.ª ed., Barcelona, 1995, p. 393; RIVAS MARTÍNEZ: _Derecho de sucesiones, común y foral, Tomo I_, 4.ª ed., Madrid, 2009, p. 987; FERNÁNDEZ HIERRO: _Los testamentos_, Granada, 2000, p. 106; …

22. Acerca de los antecedentes, lejanos y más cercanos de los arts. 752 a 754 CC, me remito a la exposición detallada de VALLET DE GOYTISOLO: _Panorama del Derecho de sucesiones, Tomo I: Fundamentos_, Madrid, 1982, pp. 440-443.

23. En efecto, comentando el art. 614 del Proyecto de CC de 1851 (antecedente del actual art. 754 CC), decía GARCÍA GOYENA: _Concordancias, motivos y comentarios del Código Civil español_, Tomo I, Madrid, 1852, p. 61: "No se ha admitido el artículo 607 Francés, copiado en el 713 Sardo, y otros Códigos, inhabilitando al tutor para percibir nada del testamento de su menor…; los motivos que se dan para esta prohibición no convencen, y se prefirió, por lo tanto, mantener lo vigente… ¿Y por haber merecido mayor confianza para ser nombrados [como tutores], se desconfía luego de ellos hasta el punto de no poder recibir una muestra de gratitud por su celo y oficios semipaternales?". Como se ve, las razones que ahora se alegan contra el nuevo art. 753 CC, antes referidas, son muy similares.

24. Era la prohibición contenida en el art. 612 del Proyecto, que, inspirado en el art. 909 del CC francés y conservado en el art. 749 del Proyecto de CC de 1882, decía: "Los médicos y cirujanos que hayan asistido al testador en su última voluntad y sus esposas, no podrán percibir cosa alguna á virtud del testamento que haya hecho durante la misma; esceptúanse de esta prohibición los médicos y cirujanos pacientes parientes del testador dentro del cuarto grado", y que GARCÍA GOYENA: _op. cit._, p. 59, justificaba "porque los honorarios de los médicos y cirujanos son hoy día tan exorbitantes, que hacen innecesaria toda otra remuneración", y "porque en estos hay los mismos recelos de influjo ó ascendente sobre el enfermo".

25. Cuyo ap. 2 dice: "Las personas físicas o jurídicas y los cuidadores que dependen de las mismas que hayan prestado servicios asistenciales, residenciales o de naturaleza análoga al causante, en virtud de una relación contractual, solo pueden ser favorecidos en la sucesión de este si es ordenada en testamento notarial abierto o en pacto sucesorio".

26. Que tras ser reformado en dos ocasiones (muy cercanas entre sí, en 2007 y en 2009), dispone hoy en su primer párrafo: "Les membres des professions médicales et de la pharmacie, ainsi que les auxiliaires médicaux qui ont prodigué des soins à une personne pendant la maladie dont elle meurt ne peuvent profiter des dispositions entre vifs ou testamentaires qu'elle aurait faites en leur faveur pendant le cours de celle-ci"; en su versión originaria decía: "Les docteurs en médecine ou en chirurgie, les officiers de santé et les pharmaciens qui auront traité une personne pendant la maladie dont elle meurt, ne pourront profiter des dispositions entre vifs ou testamentaires qu'elle aurait faites en leur faveur pendant le cours de cette maladie".

27. Anhelaban tal cambio, antes de la reforma, VAQUER ALOY: _Libertad de testar y libertad para testar_, Santiago de Chile-Buenos Aires, 2018, pp. 142-144 y 147-156, DÍAZ ALABART: tanto en sus _Comentarios al CC y a las Compilaciones Forales: arts. 752 a 755_, dir. M. Albaladejo García, de Edersa, aquí tomados de vlex, pp. 2 y 18, comentando el art. 752 CC, así como luego en su monografía,

autores, como en su momento lo fue también aquel otro supuesto propuesto en el Proyecto de CC de 1851 referido a médicos y cirujanos[28]. Una vez más, *nihil novum sub sole*.

Al margen de que no siempre llueva a gusto de todos, en mi opinión, aunque quepa admitir aquel exceso de celo o de desconfianza, y que por ello sea criticable la medida prohibitiva mantenida y ampliada en el art. 753 CC, no parece que ello obedezca más que a una simple cuestión –u opción– de política legislativa que, guste o no, no parece que llegue a vulnerar el espíritu, ni la letra de aquella Convención de Naciones Unidas, ni, por tanto, pueda poner en entredicho la constitucionalidad misma de aquel art. 753 CC. Veámoslo:

2. NUESTRA DEFENSA EN FAVOR DEL "NUEVO" ART. 753 CC Y DE SU CONFORMIDAD CON LA CONVENCIÓN DE NACIONES UNIDAS

Ante todo, en contra de algunas razones –las menores– que se oponen al art. 753 CC, adviértase que la gratitud hacia la persona de apoyo puede mostrarse de otras formas diversas al testamento (mediante su retribución, o a través de donaciones conforme a los límites que establece la norma en cada caso, según el cargo tutelar o asistencial de que se trate: cfr., entre otros, el art. 251.1.º CC, que permite recibir liberalidades en favor de la persona de apoyo cuando finalice su gestión o antes si se trata de regalos de costumbre o módicos; o el art. 281 CC, sobre el curador representativo, con una opción similar; ...[29]); tampoco impide el art. 753 CC, permitiéndolo incluso, que la persona con discapacidad pueda mostrar cierta gratitud en el propio testamento una vez extinguido el cargo de apoyo, o en todo caso y momento si tal cuidador o cargo protector es pariente heredero *ab intestato* (según permite también el art. 753 CC en su último párrafo); o que en favor de otro tipo de cuidadores, curadores y guardadores[30] se le permita a la persona con discapacidad testar (mediante testamento notarial abierto, según prevé el propio art. 753 CC en su tercer párrafo); ...

p. 50 ss.; GARCÍA RUBIO: "Algunas propuestas de reforma del CC como consecuencia del nuevo modelo de discapacidad. En especial en materia de sucesiones, contratos y responsabilidad civil", en *Revista de Derecho Civil*, Vol. V, n.º 3, julio-septiembre 2018, p. 179, y con CRESPO OTERO: "Capacidad, incapacidad e indignidad para suceder", en *Tratado de Derecho de sucesiones*, Tomo I, dir. M.ª C. Gete-Alonso y Calera, 2.ª ed. 2016, pp. 242 ss y 250-252; CABEZUELO ARENAS: "El problema de la validez del legado ordenado por la testadora en favor de institución religiosa de la que formaba parte su confesor", en *Revista Aranzadi Doctrinal*, n.º 11, 2015, pp. 81-89; ZURITA MARTÍN: "La protección de la libertad de testar de las personas vulnerables", en *La libertad de testar y sus límites*, dirs. A. Vaquer Aloy, M.ªP. Sánchez González y E. Bosch Capdevila, Madrid-Barcelona, 2018; CORVO LÓPEZ: "La capacidad para testar de las personas con discapacidad intelectual", en *Revista de Derecho Civil*, vol. VI, n.º 4, octubre-diciembre 2019, p. 163 ss; ..., proponiendo algunos de ellos, incluso, por aquel entonces, la aplicación analógica o, cuando menos, extensiva del art. 753 CC a los casos que hoy, finalmente, en su nuevo segundo párrafo ya cubre (lo que veremos al tratar la interpretación de dicha norma, una vez admitida su actual justificación).

28. Curioso, incluso, resulta que aun no habiendo sobrevivido en el CC definitivo, dedicara unas críticas a tal caso inicialmente propuesto MANRESA Y NAVARRO: *op. cit.*, pp. 38 y 39, aunque, rectamente, con la intención de que mediante interpretativa extensiva se intentara aquellos incluir entre los casos prohibitivos de testar finalmente contemplados en el Código.

29. O incluso a través de legados de escaso valor, según veremos al interpretar, al aclarar algunas de las dudas que suscita el art. 753 CC.

30. Y que tantos son, según veremos al interpretar el ámbito subjetivo del art. 753 CC (guardadores de hecho, curadores asistenciales, el defensor judicial, ...).

Pero al margen de tales opciones, no vetadas o permitidas expresamente por el art. 753 CC, existe una razón mayor, que justifica, no solo el contenido estrictamente prohibitivo del art. 753 CC, sino también el de aquellas otras prohibiciones legales testamentarias que lo circundan (los arts. 752 y 754 CC), demostrándose, además, con ello, que en ninguno de tales casos se atiende a una posible discapacidad de la persona testadora, cuya posible vulnerabilidad tales normas protegen imponiendo la prohibición de testar. Creer lo contrario se explica, en parte y tal vez, porque tradicionalmente la mayoría de nuestra doctrina ha calificado tales supuestos, contenidos en aquellos arts. 752 a 754 CC, como casos de incapacidad relativa para suceder (frente a las incapacidades absolutas para suceder del art. 745 CC, referidas a personas abortivas y a personas jurídicas ilegales), por entender que en aquellos casos sí hay persona (lo que no sucede en los casos de incapacidad absoluta[31]), que, como tales, sí tienen capacidad para suceder en general, pero que por determinadas circunstancias (las exigidas como presupuestos de hecho en aquellos arts. 752 a 754 CC), carecen de ella (lo que justificaría que su incapacidad para suceder sea –según suele denominarse– "relativa")[32].

Craso error nominativo, sin embargo, aquel, de indudables consecuencias prácticas (según veremos a la hora de interpretar el art. 753 CC). En su contra, por supuesto, no se trataría de trasladar el mismo calificativo a la incapacidad para testar que, como así observan otros autores, en aquellos casos se contempla, ni de justificar por ello aquella incapacidad relativa para suceder por esta primera, que lo es para testar[33]. Intentar justificar una incapacidad por otra (la de suceder de unas personas porque otras no puedan testar a su favor, o a la inversa), sería tan inconducente como preguntarse si fue antes el huevo o la gallina. El error, según creo, de ambas formas de calificar la misma realidad contenida en aquellos arts. 752 a 754 CC ha sido hablar de "incapacidad", cuando rectamente estamos, como cree también buena parte de la doctrina, ante estrictas y genuinas prohibiciones legales[34], lo que es institución bien diversa de

---

31. En los que, por ello, es más correcto decir en el sentir común que no existe sucesor (más que un sucesor incapaz).

32. Así, entre otros muchos, MANRESA NAVARRO: _op. cit._, pp. 35 y 36; SÁNCHEZ ROMÁN: _Estudios de Derecho Civil, Tomo VI, vol. 1.°: Derecho de sucesión ("mortis causa")_, Madrid, 1910, p. 261; VALVERDE Y VALVERDE: _op. cit._, p. 439; OSSORIO MORALES: _Manual de Sucesión testada_, reimp., Granada, 2001, p. 152; CASTÁN TOBEÑAS: _op. cit._, pp. 486 y 487; LACRUZ BERDEJO: _Derecho de sucesiones_, 5.ª ed., Barcelona, 1993, pp. 64 y 65; PUIG PEÑA: _Tratado de Derecho civil español, Tomo V: Sucesiones, vol. 1.°: Teoría general de las sucesiones_, 2.ª ed., Madrid, 1974, p. 50; LASARTE ÁLVAREZ: _Principios de Derecho Civil, Tomo VII_, 2.ª ed., 2001, p. 69; MARTÍNEZ DE AGUIRRE: _Curso de Derecho Civil, vol. V: Derecho de sucesiones_, 2013, p. 82; ...

33. Como hacen, entre otros, DÍEZ-PICAZO: _Sistema de Derecho Civil, vol. IV: Derecho de familia. Derecho de sucesiones_, 9.ª ed., Madrid, p. 313; o RIVAS MARTÍNEZ: _op. cit._, p. 979, hablando indistintamente de incapacidades y de prohibiciones.

34. Probablemente el primero en así decirlo fue ROYO MARTÍNEZ: _op. cit._, p. 131 ss, al hablar de "prohibiciones específicas"; y así luego, HERNÁNDEZ GIL (que aquí tomamos de CASTÁN TOBEÑAS: _op. cit._, p. 487, nota 985); VALLET DE GOYTISOLO: _op. cit._, pp. 439, 440 y 445, advirtiendo que ello explica el efecto invalidante, como radicalmente nulo, de la particular disposición testamentaria contraria a tales normas; con idéntica advertencia, ROCA-SASTRE MUNCUNILL: _op. cit._, pp. 390 y 391, siguiéndole, FERNÁNDEZ HIERRO: _op. cit._, p. 99; PUIG BRUTAU: _Fundamentos de Derecho Civil, V-1.°_, 2.ª ed., Barcelona, 1975, p. 130; así como, más recientemente, MENA-BERNAL ESCOBAR: _La indignidad para suceder como figura de exclusión de herencia en el Código Civil español_, Valencia, 1995, pp. 47 ss; ESPEJO LERDO DE TEJADA: en _Comentarios al CC_, dir. A. Domínguez Luelmo, p. 864; o DE SALAS MURILLO: _op. cit._, p. 59. Por lo que a la jurisprudencia

la incapacidad o de cualquier limitación a la capacidad (como sucede, entre otras prohibiciones, que también afectan a la materia que nos ocupa, con las contenidas en los arts. 251 y 287 –antiguos 221 y 271– o con el art. 1459.1.° CC): porque mientras que las restricciones a la capacidad obedecen a razones subjetivas e inherentes a cada persona (por su edad, madurez, salud, … –cfr., de nuevo, el art. 663 CC sobre capacidad para testar–), o –si se sigue una explicación objetiva de aquellas, como defendía De Castro– a su estado civil (de menor, de persona con la capacidad judicialmente modificada en el caso tradicional, …)[35], las prohibiciones legales, en cambio, obedecen a razones objetivas –no subjetivas– de moralidad o de contraposición de intereses, a fin de evitar el abuso o el fraude que una persona (la de asistencia y apoyo) pueda cometer en perjuicio de otra (precisamente, de quien aquella debería asistir y apoyar)[36].

Y es esto último, precisamente, lo que subyace como razón que justifica lo prohibido en aquellos arts. 752 a 753 CC, donde no se impide testar, ni tampoco suceder por vía testamentaria atendidas algunas razones subjetivas de cada uno de los sujetos en lid, al tratarse de personas con plena capacidad –para testar y para heredar–, sino la de evitar el abuso o el engaño, la captación o sugestión de la voluntad –de la libre voluntad– del testador por parte de quienes pueden indebidamente influir en dicha voluntad testamentaria en su propio beneficio e interés, cuando, muy al contrario,

---

se refiere, según nos parece no la hay que esta cuestión aclare: prueba de una suerte de *totum revolutum* se observa en la STS de 19 mayo 2015 (RJ 2015, 2451), que habla indistintamente de incapacidad y prohibición (cuando dice: "Con carácter general, puede indicarse que el artículo del Código Civil, bien en el marco de las prohibiciones de disponer testamentarias, o bien como causa de indignidad, responde a las denominadas incapacidades relativas para suceder que en sede testamentaria pueden afectar a unas determinadas personas que, por su peculiar o especial relación con el testador, han podido influir en su concreta declaración de voluntad contenida en el testamento que es objeto de impugnación"); de aquella confusión doctrinal se hace eco la STS de 8 abril 2016 (RJ 2016, 3659), cuando, aunque comentando el art. 442-5 CC Catalán, advierte: "Conocido es el debate doctrinal sobre el Código Civil en el que se entiende por algún sector como más exacto hablar de 'prohibiciones' en vez de usar el término 'incapacidades relativas'"; y le sigue en tal advertencia, la STS de 19 febrero 2019 (RJ 2019, 497).

35.   Como prefería decirlo PEÑA BERNALDO DE QUIRÓS: *Derechos reales. Derecho hipotecario. Tomo I: Propiedad. Derechos reales*, 3.ª ed., Madrid, 1999, p. 313, para quien "las limitaciones de la capacidad afectan a una cualidad de la persona, la aptitud para realizar actos con eficacia jurídica, y se determinan en relación con su estado civil… En cambio, las prohibiciones afectan al contenido del derecho subjetivo, precisamente, a una de sus facultades".

36.   Uno de los primeros en advertir tal diferencia, en general (sin referirla en particular al caso que nos ocupa), fue GONZÁLEZ Y MARTÍNEZ: "Prohibiciones de disponer", *RCDI*, 1925, pp. 671 y 672, al destacar "la separación de dos conceptos afines: capacidad y facultad dispositiva, el primero de los cuales hace referencia a potencias espirituales y el segundo a poderes patrimoniales… Las faltas de capacidad y las limitaciones de disponer se distinguen …: las primeras descansan en el derecho de la personalidad y tienden a la protección del incapacitado; las segundas se imponen en interés general, o de un grupo o de una determinada persona" (como es, este último, nuestro caso). Insistirá en ello el común de la posterior doctrina hipotecarista; así, por ejemplo, SANZ FERNÁNDEZ: *Instituciones de Derecho hipotecario, Tomo II*, Madrid, 1955, p. 458, cuando afirma que "la incapacidad se impone a las personas por razones puramente subjetivas del propio interesado, independientes de su posición como titular de derechos patrimoniales y limita su capacidad de obrar. (…) La prohibición de disponer [en cambio] se impone al sujeto, por razones subjetivas, pero derivadas siempre de su posición como titular de los derechos patrimoniales, y es siempre ajena al problema de la capacidad de obrar". En definitiva, como sintetizaba CAMY SÁNCHEZ-CAÑETE, en sus *Comentarios a la legislación hipotecaria, Tomo IV*, Barcelona, 1971, p. 777, "las incapacidades nacen dentro del sujeto mismo y las prohibiciones fuera de él".

deberían velar por el del propio testador[37]. Esta es la razón fundamental de todas aquellas prohibiciones legales para testar y para suceder en testamento –al margen de que se quieran añadir otras, algunas de ellas más que discutibles[38]–.

Y no parece necesario, ni acertado siquiera, ahondar en tal razón creyendo que en tales normas se presume –para unos *iuris tantum,* para la mayoría *iuris et de iure*[39]– tal actitud captatoria de la voluntad del testador. No es necesario pensar que en la mente del legislador se tenga en tan baja estima la honorabilidad de tales personas (sacerdotes, notarios, y cargos tutelares o cuidadores) a las que prohíbe suceder de aquellas personas. De creerlo así, los supuestos contenidos en aquellos arts. 752 a 754 CC serían hasta de peor condición que los casos de indignidad sucesoria contenidos en los arts. 756 y ss CC, donde la causa que hace a la persona indigna para suceder, aunque

---

37. Limitando la referencia de tal razón al art. 753 CC, así lo advierte el común de la doctrina: MANRESA Y NAVARRO: *op. cit.,* p. 39, quien habla de "sugestión" y de "fraude"; VALVERDE Y VALVERDE: *op. cit.,* p. 441; SÁNCHEZ ROMÁN: *op. cit.,* p. 268; OSSORIO MORALES: *op. cit.,* p. 154; PUIG PEÑA: *op. cit.,* p. 52; ... En cuanto a la jurisprudencia, ya la STS de 16 noviembre 1918 (Roj STS 83/1918), refiriéndose a los arts. 753 y 1459.1.º CC, decía: "encamínalos a evitar toda ocasión de posible fraude o engaño"; más recientemente, la SAP de Asturias (Sección 5.ª), de 23 abril 2007 (JUR 2007, 211485), dirá que su razón es "evitar que el tutor pueda captar en su favor la voluntad del testador al tiempo de otorgar su última voluntad".

38. Como la propia protección de los legitimarios, según ya señalara la STS de 22 diciembre 1884 (Roj STS 1182/1884); lo que no se comprende bien cómo puede perjudicarles el testamento que prohíben hacer los arts. 752 a 754 CC si no es mediante la oportuna desheredación (o, en su caso, alegándose en su momento la indignidad sucesoria). En la doctrina, DÍAZ ALABART, en sus Comentarios de Edersa, tomados de vlex, p. 2, a quien sigue RIVAS MARTÍNEZ: *op. cit.,* pp. 980 y 986, añade otras razones: para justificar el art. 752 CC el derecho del testador a morir en paz, así como la propia intachabilidad del sacerdote confesor (según añade la Prof.ª Alabart en su monografía, p. 47); para el art. 753 CC, en su anterior redacción, asegurar una correcta rendición de cuentas por parte del tutor; y para el art. 754 CC la propia honorabilidad del notariado.

39. En tanto se acrediten los presupuestos fácticos de cada caso, entiende la doctrina mayoritaria que la norma presume *iuris et de iure* la voluntad captatoria del sacerdote, del tutor o del notario en cada caso, evitándose así el problema de tener que probar en cada caso tal captación de la voluntad del testador; así, entre otros muchos, SÁNCHEZ ROMÁN: *op. cit.,* pp. 263 y 264; ROCA-SASTRE MUNCUNILL: *op. cit.,* pp. 390 y 391; siguiéndole, FERNÁNDEZ HIERRO: *op. cit.,* p. 99. Todo lo cual sirve, a mayor abundamiento, para criticar por injustificado y anacrónico lo que hoy dispone el nuevo art. 753 CC: por todos, DE SALAS MURILLO: *op. cit.,* pp. 59 y 60, cuando dice: "En un afán de superprotección, se presume *iuris et de iure* –aunque no se diga así expresamente– la captación de voluntad del testador [lo que] para mí es una de las cuestiones de más flagrante anacronismo–, en la persona que, en muchos de los casos, abnegadamente y sin recibir contraprestación suficiente a cambio, asume su guarda legal. Los tiempos han cambiado y la figura del oscuro tutor que se aprovecha de la situación del pupilo, propia de algunas novelas decimonónicas, es mucho menos frecuente que el problema real actual, que es justamente el antagónico: muy difícilmente se encuentra quien quiera asumir la tutela". Adviértase, con todo, que aquella posición mayoritaria proclive a una presunción *iuris et de iure* no es unánime, siendo DÍAZ ALABART: en sus Comentarios de Edersa, tomados de vlex, pp. 3 y 4, quien más la ha criticado, creyendo que, al menos en el caso del art. 752 CC, aquella presunción debía estimarse como *iuris tantum;* en la doctrina le sigue RIVAS MARTÍNEZ: *op. cit.,* p. 981, y así parece haberlo afirmado la STS de 19 mayo 2015 (RJ 2015, 2451), aunque, según creo, en *obiter dictum,* cuando entiende que "habida cuenta de que la finalidad de la norma no es otra que la preservación de la libre voluntad querida por el testador, debe descartarse la interpretación que, de un modo absoluto, aplica automáticamente el precepto sin posibilidad de prueba en contrario". En contra de tal explicación, y de aquella otra mayoritaria, razón tienen GARCÍA RUBIO y OTERO CRESPO: *op. cit.,* pp. 247 a 249, cuando entienden que en ninguno de los casos hay estricta presunción, sino prohibición absoluta de testar y suceder al margen de la efectiva voluntad de las personas en lid.

resultante de su consciente conducta reprobable, ni se presume –pues ha de ser probada– y puede ser redimida por el propio testador a pesar del carácter punitivo de las normas que la regulan, lo que, sin embargo, no sucede con aquellos arts. 752 a 754 CC, donde la idea de sanción y su posible redención brillan por su ausencia[40].

Para ellos basta con la simple sospecha del abuso o del engaño para proteger en aquellos casos al testador –que podría tildarse de "vulnerable"[41]–, y que si lo es, no obedece tal vulnerabilidad a su posible discapacidad (solo presupuesta en el art. 753 CC cuando se aplica a la persona con discapacidad, enferma o de la tercera edad, que testa[42], y solo latente en cierto modo en el caso del art. 752 CC por encontrarse el testador en su "última enfermedad", pero ausente por completo en el propio art. 753 CC cuando se entienda aplicado a los menores –con más de 14 años, *ex* art. 663.1.º CC– sometidos a tutela, así como tampoco en el supuesto del art. 754 CC, cuando se prohíbe testar en favor del notario autorizante del testamento); muy al contrario, la idea de vulnerabilidad responde en todos esos casos a la posible indebida influencia que en un acto tan íntimo y trascendente, como es el testamento, pueden ejercer aquellas personas, a quienes la ley prohíbe heredar por tal testamento.

Y es esto, precisamente, lo que permite –y exige, incluso– la propia Convención de la ONU sobre los derechos de las personas con discapacidad en su propio art. 12 –supuestamente vulnerado por el art. 753 CC según muchos– cuando expresamente en su ap. 4 habla de "impedir los abusos" y de "que no haya conflicto de intereses ni influencia indebida". Y si hubiera duda de que tales riesgos son predicables, sobre todo, de la misma persona que asiste y apoya a la persona con discapacidad, y no ya de terceros, queda aquella despejada en la Observación n.º 1.º (2014), del Comité

---

40. Ya lo advertían, como diferencia, LACRUZ BERDEJO: *op. cit.*, p. 65; RIVAS MARTÍNEZ: *op. cit.*, p. 995; … De entre todos, a nuestro propósito merecen recordarse las palabras de PUIG PEÑA: *op. cit.*, p. 50 (y que recordará en p. 63), referidas a los arts. 752 a 754 CC, cuando afirma que "no se trata del establecimiento de una sanción civil por un acto ilícito realizado, sino de formular una tacha de carácter preventivo por ciertas razones de sospecha por virtud de las cuales se pone en guardia el legislador reforzando la libertad de testar".

41. Una "vulnerabilidad" que, según ZURITA MARTÍN (*ul.loc.cit.*), a falta de un concepto legal preciso cabe entender como cualquier "posición de fragilidad por razones económicas, de edad, enfermedad, minoría o maltrato", de tal modo que "cualquier persona puede ser considerada vulnerable en un momento determinado, dependiendo de las circunstancias en que se encuentre".

42. Cáigase en la cuenta de que cuando el art. 753 CC prohíbe testar en favor de determinados sujetos a "las personas que se encuentran internadas por razón de salud o asistencia" en determinados establecimientos –sanitarios o asistenciales–, va más allá de la persona con discapacidad que tenga o no para su asistencia un cargo de apoyo nombrado *ad hoc* para así incluir también a cualquier persona que, ocasional, temporal o indefinidamente, se encuentre asistida en aquellos establecimientos por razón de su salud o asistencia, lo que de suyo, en la mente de la norma, hace pensar en su potencial vulnerabilidad a la hora de hacer testamento ante el riesgo de que su voluntad sea sugestionada por sus propios cuidadores adscritos a aquel centro o establecimiento; todo lo cual puede sucederle a cualquier persona en cualquier momento de su vida, aunque, en la estructura más profunda de aquella norma, muchos piensen, especialmente, en las personas de la tercera edad internadas en residencias. Todo lo cual, según creo, demuestra una vez más que la norma no es discriminatoria para con las personas con discapacidad por su sola discapacidad, pues con tan amplio ámbito subjetivo de aplicación del nuevo párrafo segundo introducido en el art. 753 CC, de nuevo, se pretende evitar el engaño, el abuso, la captación sugestiva de la voluntad del testador.

de la ONU sobre los derechos de las personas con discapacidad, cuando dice (en su punto 22):

"Aunque todas las personas pueden ser objeto de "influencia indebida", este riesgo puede verse exacerbado en el caso de aquellas que dependen del apoyo de otros para adoptar decisiones. Se considera que hay influencia indebida cuando la calidad de la interacción entre la persona que presta el apoyo y la que lo recibe presenta señales de miedo, agresión, amenaza, engaño o manipulación. Las salvaguardias para el ejercicio de la capacidad jurídica deben incluir la protección contra la influencia indebida; sin embargo, la protección debe respetar los derechos, la voluntad y las preferencias de la persona, incluido el derecho a asumir riesgos y a cometer errores" (lo que ha dado en denominarse el "derecho a equivocarse"[43]).

Ciertamente, en el art. 753 CC nuestro legislador ha decidido proteger a la persona con discapacidad prohibiéndole testar en favor de determinadas personas y en determinadas circunstancias[44], pero limitando su libertad de testar consigue –precisamente– asegurar dicha libertad de testar, no por desconfianza hacia ella misma, por su sola discapacidad impidiéndole que asuma sus propios riesgos y posibles errores (lo que, de ser así, en efecto vulneraría la letra y el espíritu de la Convención de Naciones Unidas), sino por desconfianza o sospecha hacia la persona que debe cuidarla, protegerla y ayudarle –precisamente– a que forme libremente su voluntad –en su caso, también la testamentaria (cfr., el art. 706 CC, en su nuevo tercer párrafo, precisamente introducido con la reforma sobre personas con discapacidad, aplicable a cualquier persona que, aun sin ostentar ningún cargo de apoyo, ayude a la persona con discapacidad a fin de otorgar su testamento)–. Que frente al riesgo del abuso o engaño la Convención quiera salvaguardar el derecho a equivocarse no incluye en tal salvedad el derecho a ser engañado (del mismo modo en que el error propio es diverso del causado por dolo); lo que pretende la Convención es que la persona con discapacidad asuma sus propios riesgos y sus propios errores (riesgos y errores siempre propios), pero no cuando tales riesgos y errores puedan ser causados por engaño de otra persona, mucho menos, de manos de su propio guardador o apoyo. Pues si bien el testamento es, ciertamente, personalísimo, y la prohibición del art. 753 CC alcanza, entre otros, –solo– al curador representativo, pudiendo por ello extrañar que una discapacidad de tal entidad no afecte a la voluntad para testar (cfr., art. 249 CC), nada impide que no sea así[45], siempre que en el momento de testar tal voluntad se forme y exprese libre y conscientemente (conforme a las garantías, ya mencionadas arriba, que actualmente la ley dispone a tal efecto, entre otros, en sus arts. 663.2.º, 665, 695, 706. III CC; unas garantías que de suyo no impiden que en dicho otorgamiento pueda aquel curador de muchos modos captar la voluntad del testador). Lo difícil no es imposible, ni siquiera improbable, y a tal hipótesis cautelarmente responde el art. 753 CC.

---

43. Por todos, para una visión sintética, pero contundente, de tal derecho, PASQUAU LIAÑO: "La reforma de la incapacitación: dignidad personal y 'derecho a equivocarse'", en https://ctxt. es/es/20200701/Politica/32820/incapacitacion-ley-apoyo-estado-civil-regulacion-dignidad-miguel-pasquau.htm.

44. Lo dice con tono crítico, e irónico, DE SALAS MURILLO: *op. cit.*, p. 61, cuando tras recordar aquel fragmento del art. 12.4 de la Convención, refiriéndose a nuestro legislador, y a su art. 753 CC, dice: "Parece que el modo de salvaguardar no es otro, en este punto, que prohibir".

45. En lo dicho y en lo que sigue –solo– en este párrafo, LORA-TAMAYO RODRÍGUEZ: *op. cit.*, p. 166, y con él PÉREZ RAMOS: *op. cit.*, p. 118 y 119.

Por eso mismo, tampoco en la evitación del engaño, del abuso en obtener el tutor o el curador parte de la herencia de su pupilo, o el del cuidador y asistente parte de la herencia de quien cuida, hay discriminación para la persona con discapacidad que testa, sino idéntica protección que se contiene en las otras normas, ubicadas alrededor de aquella, que también pretenden evitar la captación de la voluntad del testador –y así asegurar su libertad de testar– en provecho del notario que, precisamente, redacta el testamento (art. 754 CC), o del sacerdote que confiesa al testador en su última enfermedad (art. 752 CC). Todo ello, según creo, acorde con lo que ya la Observación n.º 1.º (2014) del Comité de la ONU sobre derechos de las personas con discapacidad aclaraba (en su punto 32), interpretando el art. 5 de la Convención de Nueva York (dedicado, precisamente, a la igualdad y no discriminación); cuando, en particular, dice:

"Los Estados pueden limitar la capacidad jurídica de una persona en determinadas circunstancias, como la quiebra o una condena penal. Sin embargo, el derecho al igual reconocimiento como persona ante la ley y a no sufrir discriminación exige que cuando el Estado niegue la capacidad jurídica, lo haga aplicando los mismos motivos a todas las personas. La negación de la capacidad jurídica no debe basarse en un rasgo personal como el género, la raza o la discapacidad, ni tener el propósito o el efecto de tratar a esas personas de manera diferente".

Cierto que tal vez el legislador pudiera haber tomado otra medida (por ejemplo, la propuesta durante su tramitación parlamentaria, de permitir como regla en tales casos el testamento notarial abierto, o la tradicionalmente defendida, contra los arts. 752 a 754 CC en general, de dejar la cuestión resuelta a su posible impugnación si se acredita, en efecto, la captación de voluntad *ex* arts. 673 y 755 CC); pero si finalmente no lo ha hecho, ello, a lo más, podría ser objeto de crítica –pero, como dije al inicio de esta cuestión que ahora concluyo– como simple cuestión u opción de política legislativa, mas sin llegar a tildar tal decisión finalmente adoptada por nuestro legislador como contraria a la Convención, o a nuestra propia Constitución.

III. CRITERIOS PARA INTERPRETAR EL "NUEVO" ART. 753 CC

1. EL ART. 753 CC, Y EL TÓPICO DE SU NECESARIA INTERPRETACIÓN RESTRICTIVA POR SER UNA NORMA EXCEPCIONAL Y ODIOSA

Consabido es que tradicionalmente en materia de capacidad rige la regla de que sus limitaciones han de ser interpretadas restrictivamente. Es una enseñanza, según creo, ya tomada desde el magisterio de D. Federico De Castro, quien, en su *Derecho Civil de España*[46], tomaba como referencia la regla *"favorabilia amplianda, odiosa restringenda"*, para desde ella "señalar directrices para la interpretación. Así, las disposiciones de carácter penal o sancionador se interpretarán de modo restrictivo, para excluir su "odiosa extensión"; las leyes especiales, excepcionales, concesión de privilegios, reglas ocasionales y transitorias serán de aplicación preferente, pero de interpretación restrictiva; las normas procesales se consideran de orden público y de interpretación

---

46. Cuya reedición que aquí tomo es la de 1984.

rígidamente ajustada al texto legal; los preceptos limitativos de la capacidad [decía] son de interpretación restrictiva, y del mismo modo los que restringen el ejercicio o ámbito de la propiedad; las disposiciones de carácter social, dictadas para proteger a los económicamente más débiles, se entiende que son de carácter imperativo, irrenunciable y de interpretación extensiva".

Como se ve, "los preceptos limitativos de la capacidad son de interpretación restrictiva", decía, afirmación que hacía con fundamento en una jurisprudencia que así lo decía (refiriéndose a la STS 6 mayo 1944[47]; aunque bien pudieran añadirse otras, anteriores incluso[48], como la STS 7 febrero 1927[49], cuando, sobre incapacidades laborales, decía, apoyándose en una jurisprudencia ya formada en la cuestión, que su régimen "es de carácter limitativo y, por lo tanto, de interpretación rigurosa y restringida, sin que sea lícito, por lo tanto, aplicarlo a otros casos que a los en él previstos expresamente").

Puede, incluso, observarse que tal regla interpretativa, de origen jurisprudencial y doctrinal, es hoy también legal (a modo de interpretación auténtica). En el caso español, por ejemplo, así lo proclama, aunque para la capacidad de los menores, el art. 2.1.II de la LO 1/1996, cuando dice: "Las limitaciones a la capacidad de obrar de los menores se interpretarán de forma restrictiva y, en todo caso, siempre en el interés superior del menor"; así también, aunque sin ese inciso final, el art. 7.2 del Código de Derecho Civil Foral de Aragón: "Las limitaciones a la capacidad de obrar del menor se interpretarán de forma restrictiva"; o, en general para la capacidad de toda persona, el CC Catalán cuando en el ap. 3 de su art. 211-3 dispone que "Las limitaciones a la capacidad de obrar deben interpretarse de forma restrictiva, atendiendo a la capacidad natural".

Idéntica doctrina ha sido predicada de las prohibiciones legales, por ser obstáculos o impedimentos que a veces la ley impone a determinadas personas para la realización de determinados actos y negocios jurídicos a fin de evitar el abuso o el fraude, establecidos todos ellos bien por razones de moralidad bien por la contraposición de intereses[50]. De entre todas las diversas prohibiciones establecidas en el propio Código Civil interesan, a nuestra materia, la de los actuales arts. 251 y 287 –paralelos a los anteriores 221 y 271– (sobre curatela y otras instituciones de apoyo), la del art. 1459.1.º CC (también ligera aunque intencionadamente reformado, en materia de compraventa, para alcanzar a cualquier cargo protector[51]), o, precisamente, la del art. 753 CC que venimos tratando. Y de todas ellas siempre se ha entendido que tales prohibiciones no se presumen y que han de establecerse expresa y claramente; de lo contrario, ha de imperar una interpretación restrictiva de las mismas, proclive a su menor alcance o,

---

47. Roj STS 94/1944; donde se afirma que "el tema de incapacidad es de interpretación restrictiva".
48. Siendo probablemente la primera en afirmarlo la STS 22 diciembre 1863 (Roj STS 567/1863), aunque en _obiter dicta_, al hablar de "el principio general de que debe ampliarse lo favorable y restringirse lo odioso".
49. Roj STS 52/1927.
50. Que, como decía GARCÍA GOYENA: _op. cit._, p. 236, comentando el art. 236 del Proyecto de CC-1851 (similar al vigente art. 1459.1.º CC), "alejan toda posibilidad de confabulación".
51. A pesar de que termine hablando de quienes "representen" a las personas, pareciendo omitir a quienes simplemente los "asistan"; aunque tal hipótesis quede incluida en su inicio al hablar de quienes "desempeñen el cargo de tutor o funciones de apoyo".

incluso, a su misma inexistencia, por tratarse de normas prohibitivas, de limitaciones excepcionales *contra naturam*, contrarias a la natural capacidad de la que goza toda persona, que es la regla general, lo que, además, las convierte en normas odiosas, haciendo, una vez más, aplicable el conocido adagio: *favorabilia amplianda, odiosa restringenda*[52]. Estimadas, así, aquellas normas prohibitivas como odiosas y excepcionales, con mayor razón también se les niega su aplicación analógica *ex* art. 4.2 CC[53].

Por lo que respecta a los arts. 752 a 754 CC, que son los que aquí nos ocupan más rectamente, son muchos, en efecto, los pronunciamientos jurisprudenciales que así lo afirman, siendo en ello secundados por el sentir común de la doctrina[54]:

---

52. Siendo probablemente la primera en afirmarlo la STS de 22 diciembre 1863 (Roj STS 567/1863), aunque en *obiter dicta*, al hablar de "el principio general de que debe ampliarse lo favorable y restringirse lo odioso". Dirá, también, la STS de 2 junio 1932 (Roj STS 516/1932): "La prohibición establecida por Ley para adquirir por compra ... se refiere a las personas y con relación a bienes expresamente comprendidos en alguno de los casos señalados en el art. 1459, mas en modo alguno puede afectar a la validez de los contratos en cuyos otorgantes no concurren las aludidas circunstancias, ya que por tratarse de disposiciones prohibitivas han de interpretarse restrictivamente". Acerca del art. 1459.2.° CC, dirá la STS de 3 junio 1949 (Roj STS 85/1949) "que tal precepto, por su carácter de prohibitivo ha de aplicarse de manera restrictiva"; así también la STS de 27 mayo 1959 (RJ 1959, 2469): "Distintas de las incapacidades son las prohibiciones especiales impuestas por la ley para realizar determinados actos o negocios jurídicos, respondiendo principalmente a razones de moralidad, que restringen siempre la capacidad de derecho, ... pudiendo solo ser objeto de interpretación estricta y nunca extensiva, por aplicación del principio de Derecho "odiosa sunt restringenda", ... y la prohibición, como de interpretación estricta, no puede extenderse". Negando que el art. 1459 CC se aplique al comisionista, recordará la STS de 14 octubre 1966 (Roj STS 899/1966) que "es doctrina constante de esta Sala al proclamar que el contenido del art. 1459 del CC como prohibitivo que es, debe interpretarse restrictivamente". También la STS de 2 febrero 1973 (Roj 1892/1973), al decir: "El art. 1459, número 4.°, del CC, sólo puede ser objeto de interpretación estricta y nunca extensiva, por aplicación del principio odiosa sunt restringenda, como ya tiene declarado la jurisprudencia con anterioridad". Así también nuestra jurisprudencia registral, sobre prohibiciones legales de disponer, dirá, por ejemplo, la RDGRyN de 17 junio 1950 (RJ 1950, 1240) que las mismas "deben ser interpretadas con criterio restrictivo".

53. Así lo dirá, refiriéndose al art. 1459.2.° CC, la STS 7 diciembre 1983 (RJ 1983, 6922), que "nunca podría aplicarse subjetivamente por vía analógica la prohibición que regula, al no concurrir identidad de razón entre la prohibición establecida para el mandatario y la pretendida para familiares...". Antes, la STS de 13 febrero 1967 (Roj STS 1655/1967) había rechazado la aplicación del art. 1459 CC, entre otras razones, porque "aunque ofrece grandes semejanzas con aquél [el contrato de compraventa], especialmente en su modalidad de contrato oneroso estando a veces embebida dentro del mismo la relación de renta que figura como uno de sus efectos, no es menos cierto que esto no puede implicar identidad por el específico carácter aleatorio de la renta vitalicia y por su discutida naturaleza científica que ha hecho considerarla por parte de la doctrina científica como un contrato real y no puramente consensual, lo que repercute en su tratamiento legal, donde ningún precepto se remite para al complemento de su regulación, a las normas propias de la compraventa".

54. Que suele limitarse a subrayar lo que ya la jurisprudencia afirma, aplicando así la máxima de la necesaria interpretación restrictiva de tales prohibiciones a casi cualesquiera problemas interpretativos que se susciten; así, entre otros muchos, VALVERDE Y VALVERDE: *op. cit.*, pp. 440 y 441; ROYO MARTÍNEZ: *op. cit.*, p. 132, justificando aquella máxima interpretativa de aquellas prohibiciones legales para testar "por su carácter excepcional y prohibitivo"; OSSORIO MORALES: *op. cit.*, pp. 154 y 155; VALLET DE GOYTISOLO: *op. cit.*, p. 444; ROCA-SASTRE MUNCUNILL: *op. cit.*, pp. 391-393; CASTÁN TOBEÑAS: *op. cit.*, pp. 487 y 488, con nota 987; PUIG PEÑA: *op. cit.*, p. 51; RIVAS MARTÍNEZ: *op. cit.*, p. 987; ALBÁCAR LÓPEZ y DE CASTRO GARCÍA: en *Código Civil. Doctrina y jurisprudencia, Tomo III: arts. 609-1087*, Trivium, 1991, p. 453; ESPEJO LERDO DE TEJADA: *op. cit.*, p. 861; y tantos otros.

Siguiendo un orden cronológico, aunque referidos a uno u otro precepto, acerca del precedente del actual art. 752 CC diría por primera vez el TS en sentencia de 18 junio 1864[55] que había de entenderse "en su tenor literal", siendo más explícita, sobre idéntico precedente, la STS de 8 enero 1896[56] al afirmar que "no admite interpretación extensiva según repetidamente [*sic*?] ha declarado este Tribunal". Refiriéndose al art. 752 CC, por entonces ya en vigor, parecida a aquella primera de 1864, volverá a señalarse, en la STS de 25 abril 1899[57], la necesidad de interpretar dicha norma en su "sentido... y los términos literales". Con el tiempo vendrán a insistir en la misma idea otras dos sentencias, referidas ya al art. 753 CC que nos ocupa: una, la STS de 11 marzo 1911[58], para decir que "las disposiciones de carácter restrictivo no pueden extenderse ni ampliarse á otros casos y personas que á los comprendidos en ellas", y la otra, la STS de 16 noviembre 1918[59], cuando refiriéndose, aunque –según creo– en *obiter dictum,* a los arts. 753 y 1459 CC, afirma que tales normas "no tienen aplicación [al caso concreto] porque no pueden reconocerse más incapacidades que las que la ley expresamente determina, sin que puedan extenderse a otros supuestos que no permite la naturaleza prohibitiva de aquellos preceptos". Volviendo a referirse al art. 752 CC, dirá la STS 25 octubre 1928[60]: "como todas las incapacidades que disminuyen la eficacia del arbitrio libérrimo del que, en ejercicio de sus derechos de propiedad, dispone de los bienes para después de la muerte, ha de ser interpretada con criterio restrictivo y únicamente cuando concurren todas las condiciones o circunstancias", insistiendo de nuevo en ello la STS de 6 abril 1954[61] al afirmar que "el art. 752 CC es de interpretación restrictiva por contener una disposición que limita la libertad de testar", así como más recientemente la STS de 20 mayo 1995 para decir que "su aplicación es eminentemente restrictiva y la interpretación de la norma ha de ser estricta". En medio de todas ellas, la STS de 11 febrero 1946[62], aunque referida al art. 756 CC sobre indignidad sucesoria, llegará a decir que, igual que sucede también con las incapacidades, como "se traduce en una sanción o pena civil, se ha de interpretar restrictivamente".

Mi posición, sin embargo, no puede ser más que discrepante con la expuesta, y en la discrepancia no estoy solo. Veámoslo.

2. CONTRA EL TÓPICO, LA POSIBLE INTERPRETACIÓN EXTENSIVA DE LAS PROHIBICIONES LEGALES CONFORME AL "FAVORABILIA AMPLIANDA" SI ELLO ES CONFORME A SU "RATIO"; Y, UNA VEZ MÁS, "IN DUBIO PRO CAPACITATE"

Tan extenso y casuístico elenco de prohibiciones que la ley establece (no solo en aquellos arts. 752 a 754 CC, sino en otros muchos casos –indicados antes–), lo son, precisa y ciertamente, por estar tasados, por contener listas exhaustivas, cerradas de actos

55. Roj STS 1591/1864.
56. Roj STS 89/1896.
57. Roj STS 153/1899.
58. Roj STS 610/1911.
59. Roj STS 83/1918.
60. Roj STS 688/1928.
61. (RJ 1954, 1551).
62. Roj STS 401/1946.

y negocios que quienes asisten a las personas con discapacidad no pueden hacer, sin más o sin autorización previa (como los de los arts. 251, 287, 1459.1.° CC), o que ni la propia persona con discapacidad puede realizar (el caso del art. 753 CC). Conforman, pues, todos aquellos supuestos un sistema de *numerus clausus*[63], de casos cerrados y tasados –insisto– que por eso mismo no se presumen, pues han de ser claros y expresos en la concurrencia en cada caso de todos y cada uno de los presupuestos fácticos exigidos para su aplicación[64] (lo que, según creo, muchas veces se confunde con su necesaria interpretación restrictiva[65]).

Todo ello impide, en efecto –pues en esto tampoco discrepo del sentir común–, que por interpretación extensiva, mucho menos analógica, ni siquiera mediante pacto, se puedan incluir otros supuestos, otras prohibiciones diversas de las previstas taxativamente en la ley (como tampoco que tales prohibiciones se apliquen si no concurren todos y cada uno de sus presupuestos fácticos). Pero ¿acaso no cabría interpretar amplia, extensivamente cada caso ya previsto conforme a su *ratio*, e incluso aplicarlo por analogía[66]?

Aun siendo consciente de la dificultad, y peligrosidad, de distinguir entre analogía e interpretación extensiva[67], creo que no resultará difícil su precisión para el objeto particular presente. En síntesis, siguiendo la opinión originaria de Federico De Castro[68] y la posterior de su discípulo, Díez-Picazo, este sin mutar de opinión en posteriores reediciones de su obra[69], creo que la analogía sirve como mecanismo para integrar

---

63. Curiosamente, aunque refiriéndose a las causas de indignidad del art. 756 CC, MENA-BERNAL ESCOBAR: *op. cit.*, pp. 62-65, con ALBALADEJO, considera que aun siendo de interpretación restrictiva no constituyen un listado de *numerus clausus*, lo que, en nuestra opinión, sorprende por admitir lo más rechazando lo menos.

64. Así, por ejemplo, la STS de 21 octubre 1915, cuando entiende que la prohibición del art. 752 CC no lo es para ser testigo en el testamento, "pues para ello se requeriría la existencia de prohibición expresa, que no contiene ese precepto legal ni ningún otro". O la STS de 25 octubre 1928 (Roj STS 688/1928), también sobre el art. 752 CC, que estima aplicable "únicamente cuando concurren todas las condiciones o circunstancias".

65. Es, por ejemplo, según creo, lo que sucede con el sentido de la "última enfermedad" y a la "confesión" a que se refiere el art. 752 CC, cuya prueba en la praxis forense ha sido siempre muy polémica y problemática. Igual ha sucedido con el art. 753 CC acerca de si la condición de tutor ha de ser previa, coetánea o posterior al otorgamiento de testamento (a lo que luego nos referiremos, cuando resolvamos cada una de las dudas que en particular la norma plantea); ...

66. Del modo tradicional en nuestra jurisprudencia de interpretar restrictivamente el art. 752 CC se preguntaba MONTÉS PENADÉS, comentando –precisamente– el art. 4.2 CC, en *Comentarios a las reformas del CC. El nuevo Título preliminar*, Madrid, 1977, p. 221, nota 43: "¿Esta es una norma odiosa? ¿No es una norma que protege la libertad de testar –principio general– y que por ende se debería poder aplicar a otras causas de sugestión o captación de la voluntad?".

67. Personalmente ya me enfrenté a ello en un trabajo mío publicado en el *Anuario de Derecho Civil* (en el n.° 3 de 2012), con el título "Analogía e interpretación extensiva: una reflexión (empírica) sobre sus confines".

68. Parecida a la evolución de Bobbio, aunque tal vez más moderada, fue, entre nosotros, la de don Federico De Castro: de un inicial escepticismo (en la 1.ª edición, de 1942, según data su prólogo, de su *Derecho civil de España*, p. 402), pasó a defender la diferencia (en la 3.ª edición de su *Derecho civil de España*, de 1955, p. 539), para terminar de nuevo concluyendo, con Castán –¡ecléctico por excelencia!–, que entre ambas sólo hay una diferencia de grado, de cantidad, e incluso más teórica que práctica (en la reedición de 1984).

69. En *Experiencias jurídicas y teoría del Derecho*, 3.ª ed. (la que he manejado), Barcelona, 1993, pp. 280 y 281.

lagunas legales institucionales, es decir, para materias o instituciones que carecen de un reconocimiento o amparo legal completo y cuyos problemas pueden ser resueltos por otras normas que resuelvan parecidos problemas para materias o instituciones que presenten una identidad de razón con aquellas otras instituciones o materias. En tal caso, mediante la analogía se extendería la _ratio_ de unas normas, previstas para una determinada materia o institución, para ser aplicadas _ad extra_, fuera de su ámbito institucional, a otra materia o institución diversa, pero semejante a la regulada.

En cambio, en la interpretación extensiva, no hay una laguna institucional que integrar, sino solo una laguna casuística, es decir, la imprevisión de un caso concreto dentro de una materia, o institución, que sí tiene respaldo normativo. En tal hipótesis, si aquel caso puede resolverse ampliando una de las normas que ya regulan dicha materia, o institución, aunque refiriéndose a otro caso, estaríamos ante un claro supuesto de interpretación extensiva: sin salirse de su ámbito normativo, la norma se extiende en su aplicación directa, no analógica, a un caso similar, pero en ella no expresamente contemplado. Como se ve, el salto en la integración por analogía es mayor que en la interpretación extensiva, por ser de mayor entidad, o calado, la propia laguna a colmar: la norma, o el conjunto normativo, a aplicar por analogía sale de su ámbito normativo propio, o natural, para regular otra materia, otra institución, o el caso particular de una materia, o institución, no contemplada directamente por aquella norma, o por aquel conjunto normativo. Es, por tanto, un salto lógico _ad extra_, frente al interno o _ad intra_ que supone la interpretación puramente extensiva.

Piénsese, como ejemplo emblemático para esta distinción, en el art. 752 CC[70], que prohíbe testar en favor del sacerdote que confiesa al testador en su lecho de muerte: si se pretendiera aplicar a otras instituciones o materias (en este caso, a otro tipo de negocios jurídicos, _vgr._, a una donación hecha en favor del sacerdote –problema, por lo demás, que, como veremos, también sigue planteando hoy la difícil coordinación entre los arts. 251.1.º, 287.3.º y 753 CC–), estaríamos en el terreno de la analogía; en cambio, si se intentara aplicar a otros actos diversos de la confesión (_vgr._, como la extremaunción), o a cualquier otra autoridad de culto que en la última enfermedad del testador le hubiese confesado o asistido espiritualmente de cualquier otro modo, estaríamos en el terreno de la interpretación extensiva (del mismo modo, aunque _a contrario sensu_, si se pretendiera su sola aplicación al sacerdote católico –y solo– confesor, estaríamos ante una interpretación restrictiva o, cuando menos, estricta); y, así, piénsese en otros posibles casos, …

Por eso, si es común –y aceptable– entender que en la interpretación extensiva la ley dijo menos de lo que quiso –o pudo– decir (como en la restrictiva se entiende que la ley dijo más de lo que quiso –o pudo– decir), cuando se recurre a la analogía es porque la ley no dijo –expresa y directamente– nada. Mientras en la interpretación extensiva hay –podría decirse– una dilatación lógica de la norma, para ser ella misma, en su letra y no sólo en su espíritu, aplicada a un caso no previsto en ella pero similar por su inclusión en la materia, o institución, que regula, en la analogía, en cambio, se produce –podría decirse– el salto lógico de una norma, o de un conjunto de normas,

---

70.   Al que, precisamente, volveremos luego, con cita de doctrina y de otros argumentos, por estar muy relacionado con el caso del art. 753 CC, que nos afecta directamente a nuestra materia.

que se extiende aplicándose a una materia, o institución, diversa, pero semejante, de la que en ella expresamente se regula.

Aun admitida tal distinción, tratándose de prohibiciones legales, hemos visto que a ello se oponen la jurisprudencia y la doctrina mayoritarias –antes referidas– por entender que aquellas prohibiciones legales son normas odiosas y excepcionales, lo que, sin embargo, estimo equivocado:

Radicalmente, en el fondo de tal doctrina el error, según creo, estriba de nuevo en confundir prohibiciones e incapacidades: porque, recuérdese, mientras que las restricciones a la capacidad obedecen a razones subjetivas e inherentes a cada persona (por su edad, madurez, salud, … –cfr., de nuevo, el art. 663 CC sobre capacidad para testar–)[71], o –si se sigue una explicación objetiva de aquellas, como defendía De Castro– a su estado civil (de menor, de persona con la capacidad judicialmente modificada, …), las prohibiciones legales, en cambio, obedecen a razones –objetivas– de moralidad o de contraposición de intereses, a fin de evitar el abuso o el fraude que una persona (la de asistencia y apoyo) pueda cometer en perjuicio de otra (precisamente, de quien aquella debería asistir y apoyar). Por eso, mientras que cualquier limitación a la capacidad afecta a la capacidad propia de una persona, las prohibiciones legales, en cambio, afectan a la legitimación para disponer o para administrar, pero no a la capacidad de la persona que en absoluto se ve afectada por aquella prohibición, sino una limitación, un veto a tal legitimación y al poder de asistencia[72], a fin de evitar cualquier abuso o fraude (y entiéndanse tales expresiones en sentido técnico: el abuso de derecho a que se refiere el art. 7.2 CC, y el fraude de ley a que se refiere el art. 6.4 CC).

Siendo, pues, tal el fundamento de todas aquellas prohibiciones legales impuestas tanto a la propia persona que negocia (que, en nuestro caso, testa), como a sus tutores y curadores (en nuestro caso, para suceder *mortis causa*), no cabe entender que las normas que las imponen sean excepcionales cuando, muy al contrario, son consecuencia y manifestación de aquellos principios, en evitación del abuso y del fraude legal. Que su contenido sea imperativo y prohibitivo y que la consecuencia de su vulneración sea la invalidez[73] del acto o negocio hecho abusiva e ilegalmente no las convierte en normas excepcionales, ni genuinamente sancionadoras o punitivas (acaso como si toda norma imperativa y prohibitiva también lo fuera), e ineptas, por tanto, para su aplicación

---

71. Y no se diga ya de las incapacidades absolutas por no haber siquiera persona, como, en nuestra materia, ocurre para suceder (art. 745 CC).

72. Como decía, aunque de pasada y refiriéndose en general a las prohibiciones de disponer, la RDGRyN de 22 junio 1943 (pdf en BOE-A-1943-6511), "sin implicar propiamente una falta de capacidad jurídica, oponen un veto", siendo más precisa la de 23 octubre 1980, al decir: "… sin que esta prohibición de disponer suponga falta de capacidad jurídica del afectado, sino tan solo un veto al desenvolvimiento de las facultades".

73. Empleamos tal expresión por no entrar en tan encendido debate habido, del que espero se me excuse, acerca de si la invalidez de la disposición testamentaria hecha en contra de los arts. 752 a 754 CC es nulidad de pleno derecho o simple anulabilidad (así como en otras cuestiones conexas a tal calificación –como el tema del plazo de la acción de impugnación, la determinación del inicio y de la posible retroacción de la invalidez, …; cuestiones todas de indudable importancia práctica, pero que, según creo, exceden de la recta interpretación del art. 753 CC que nos ocupa).

por analogía[74], sino en protectoras de la persona cuyo engaño o abuso la ley pretende evitar con aquellas prohibiciones[75]. Con el común sentir de la doctrina –aquí sí–, y sin la necesidad de entrar ahora en su –tan debatida– *natura iuris*, es, precisamente, el alcance punitivo o sancionador propio de las causas de indignidad sucesoria del art. 756 CC lo que las diferencia de las prohibiciones de los arts. 752 a 754 CC, donde tal alcance sancionador, tan excepcional –este sí– en Derecho civil, brilla en estos otros por su ausencia[76].

Siendo, además, aquella la razón –protectora con el testador– y esa la naturaleza –general– de tales normas prohibitivas, tampoco cabe ver en ellas materia odiosa que deba necesariamente interpretarse con alcance –solo– restrictivo. Tal vez sea odiosa para la persona de apoyo cuya legitimación –para suceder *mortis causa*, en nuestro caso– queda vetada, proscrita o limitada, pero en absoluto lo será para la persona –que testa, en nuestro caso– que la ley protege con aquella proscripción, resultándole, al contrario, beneficiosa: en el caso particular del art. 753 CC, ciertamente aquella ve mermada su legitimación para disponer testamentariamente de sus bienes, pero, precisamente, para así asegurar su libertad de testar sin engaños ni abusos; un favor, pues, de la ley, que, al contrario de lo que pretende aquella tradicional jurisprudencia, permitiría su interpretación extensiva conforme al aforismo *favorabilia amplianda*, de modo que "hasta donde llegue la razón de la moralidad [que la justifica] llegará la prohibición"[77].

---

74. Como, en cambio, insinuaba –como poco– aquella STS de 11 febrero 1946 (Roj STS 401/1946), cuando, aunque referida al art. 756 CC, sobre indignidad sucesoria, llegaba a decir que, como sucede también con las incapacidades, "se traduce en una sanción o pena civil, se ha de interpretar restrictivamente". O como afirma GARCÍA RUBIO: "Relaciones de cuidado y Derecho sucesorio: algunos apuntes", en *Estudios de Derecho de sucesiones. Liber amicorum, TF. Torres García*, Madrid, 2014, p. 147, para negar que tales prohibiciones legales puedan ser aplicadas extensivamente, ni por analogía (*ex* art. 4.2 CC).

75. Es lo que, precisamente en contra de GARCÍA RUBIO (mencionada en la nota anterior), advierte DÍAZ ALABART: en su monografía, p. 51, nota 58, cuando dice que los arts. 752 a 754 CC "no son normas sancionadoras, precisamente porque no se aplican por una conducta contraria a una norma imperativa, sino que constituyen una cautela ante la fundada duda de que se haya producido la captación de voluntad".

76. Ya lo advertían, como diferencia, LACRUZ BERDEJO: *op. cit.*, p. 65; RIVAS MARTÍNEZ: *op. cit.*, p. 995; ... De entre todos, a nuestro propósito merecen recordarse las palabras de PUIG PEÑA: *op. cit.*, p. 50 (y que recordará en p. 63), referidas a los arts. 752 a 754 CC, cuando afirma que "no se trata del establecimiento de una sanción civil por un acto ilícito realizado, sino de formular una tacha de carácter preventivo por ciertas razones de sospecha por virtud de las cuales se pone en guardia el legislador reforzando la libertad de testar".

77. Según concluía, en su trabajo –aunque– sobre el art. 1549.2.ª CC, GARCÍA VALDECASAS Y GARCÍA VALDECASAS ("La prohibición de compra a los encargados de vender y administrar y la jurisprudencia del Tribunal Supremo", *Revista de Derecho Privado*, 1960, pp. 457 y 458, quien llegará a decir en general, con toda la razón (p. 457), que "la llamada interpretación extensiva puede ser necesaria para que un precepto prohibitivo e incluso de excepción cumpla su propia finalidad"; añadiendo luego (en la misma página): "Como el campo de la contratación se considera tradicionalmente propio de la autonomía de la voluntad, toda prohibición legal, en cuanto limitación de esa autonomía, tiende a ser interpretada restrictivamente. Pero esa tendencia resulta engañosa y conduce muchas veces a consecuencias erróneas. El *vetare* no tiene por qué ser de interpretación más restrictiva que el *imperare*". En la misma jurisprudencia, la STS de 3 septiembre 1996 (RJ 1996, 9747), tras mencionar la doctrina legal favorable a la interpretación restrictiva de las prohibiciones legales (mención que, por cierto, hace reproduciendo los motivos de casación), llegará a decir, sentando –entonces sí– jurisprudencia: "Es cierto que la doctrina

Así las cosas, y aun siendo indudable que las prohibiciones legales forman un listado cerrado que no se presume, y que deben describirse de forma clara y expresa, la falta de claridad no debe conducir necesariamente a su interpretación restrictiva, conducente incluso a su negación misma, sino a una interpretación de la norma conforme a su finalidad (como exige en general, para toda interpretación jurídica, el art. 3.1 CC *in fine*, cuando condiciona y subordina toda interpretación "al espíritu y finalidad" de la norma interpretada), de modo que, según la particular *ratio legis* (la del art. 753 CC, en nuestro caso), pueda tener como resultado una interpretación estricta, restrictiva o extensiva, según cada caso.

Que, en principio, la interpretación del art. 753 CC deba de ser estricta, como –según vimos– afirma cierta jurisprudencia sobre el tema[78], no parece que sea singularidad ninguna de tal norma, pues, por principio, debe ser la primera intención del intérprete, la de atenerse al tenor o sentido literal o gramatical, al de las palabras que la norma emplea, de modo que deba partirse de la conformidad de la letra de la norma con su espíritu (no en vano, es el primer criterio hermenéutico a que se refiere, en general, el art. 3.1 CC, sobre el modo en que interpretar cualquier norma "según el sentido propio de sus palabras", en cierto modo, conforme al conocido adagio *in claris non fit interpretatio*); tal punto de partida interpretativo, sin embargo, no impide que, mediante el empleo de otros criterios interpretativos, el intérprete concluya que aquella razón de la ley va más allá o más acá del sentido propio o estricto de sus palabras, dando así lugar, respectivamente, a una interpretación extensiva o restrictiva, sin que una u otra opción pueda servir como resultado apriorístico a la hora de interpretar, de aclarar la norma en cuestión.

Y como muestra de tal posibilidad, esto es, de que la interpretación sea, en su caso, extensiva, es la que finalmente ha venido a admitir la propia jurisprudencia más reciente referida –eso sí– al caso del art. 752 CC, como hace ya mucho algunos en la doctrina habían propuesto (Manresa, hace más de un siglo, o, más recientemente, Díaz Alabart[79]); es una interpretación que se ha venido a hacer de conformidad con

---

jurisprudencial dominante preconiza la interpretación y aplicación restrictiva de la prohibición contenida en el n.º 2 del art. 1459 CC, pero también lo es que la mentada prohibición no solo afecta a los casos de autocontratación en su más pura acepción sino, además, a aquellos otros que ofrezcan riesgos de abuso por implicar una colisión de intereses o una acreditada conflictividad entre los intereses en juego".

78. Como, recuérdese, la STS de 18 junio 1864 (Roj STS 1591/1864) que, sobre el antecedente del que sería luego el art. 752 CC, decía que había de entenderse "en su tenor literal", o refiriéndose al art. 752 CC, por entonces ya en vigor, la STS de 25 abril 1899 (Roj STS 153/1899), al reiterar la necesidad de interpretar dicha norma en su "sentido… y los términos literales", así como más recientemente la STS de 20 mayo 1995 para decir que "su aplicación es eminentemente restrictiva y la interpretación de la norma ha de ser estricta", lo que, técnicamente, es un contrasentido, pues una cosa es que la interpretación, en principio, deba ser declarativa –y– estricta (con lo que estamos, sin duda, conformes), y otra que a la vez sea una interpretación –modificativa– restrictiva.

79. En efecto, el primero, si no yerro, en defender tal interpretación extensiva del art. 752 CC fue MANRESA Y NAVARRO: *op. cit.*, pp. 37 y 38, con fundamento, por entonces, en el art. 11 de la Constitución española de 1876 (que proclamaba la libertad de culto, a pesar de la confesionalidad católica del Estado); con él, VALVERDE Y VALVERDE: *op. cit.*, p. 440; LACRUZ BERDEJO: *op. cit.*, p. 68; ROCA-SASTRE MUNCUNILL: *op. cit.*, p. 392, nota 835; PUIG PEÑA: *op. cit.*, pp. 51 y 52; FERNÁNDEZ HIERRO: *op. cit.*, pp. 100 y 101; o ALBÁCAR LÓPEZ y DE CASTRO GARCÍA:

la nueva realidad social y normativa (según permite el art. 3.1 CC en su referencia a los criterios sociológico y sistemático), que se contiene en el art. 16 CE (al consagrar la libertad religiosa y la laicidad estatal) y en todas las normas que han venido a reconocer otras confesiones religiosas, dando por resultado extender la aplicación de la prohibición de testar del art. 752 CC a cualquier ministro de culto (no solo al sacerdote católico, al que literalmente se refiere aquella norma), y cualquiera que sea el acto de asistencia espiritual o religiosa (se trate o no de estricta confesión) dispensado al testador durante su enfermedad postrera.

Aunque algún precedente más lejano puede rastrearse, como en la STS de 6 abril 1954[80] que, aunque partidaria de su interpretación restrictiva[81], vino a incluir en el art. 752 CC al sacerdote o a cualquier "director espiritual" (lo que, tal vez, podría estimarse una interpretación declarativa lata –aunque, por supuesto, no ya restrictiva, ni siquiera declarativa estricta–), como pionera en aquella extensión destaca la STS de 19 mayo 2015[82], siguiéndola, la STS de 8 abril 2016[83] (aunque referida a la norma catalana, más reciente y, por ello, actualizada, y proponiendo por ello que el art. 752 CC

---

op. cit., p. 449, aunque negándose todos ellos a que el art. 752 CC fuese aplicado a actos asistenciales o espirituales diversos de la genuina confesión. Más recientemente, y con mayor énfasis, DÍAZ ALABART: en sus Comentarios de Edersa, pp. 3, 12, 13 y 18, aunque proponiendo –y, con ella, RIVAS MARTÍNEZ: *op. cit.*, pp. 980 y 983; y MARTÍNEZ DE AGUIRRE: *op. cit.*, pp. 85 y 86)– que la norma sea en tal sentido finalmente reformada, ora para darle mayor amplitud, ora para derogarla sin más (acorde a su espíritu opuesto a tal norma); una última opción esta que para GARCÍA RUBIO y OTERO CRESPO: *op. cit.*, p. 248, es la única aceptable, hasta el punto de entender derogado aquel art. 752 CC por sobrevenida inconstitucionalidad; también en favor de una interpretación extensiva del art. 752 CC, mas sin la necesidad de derogarlo, se manifiestan, entre otros, LASARTE ÁLVAREZ: *op. cit.*, p. 69; o PÉREZ RAMOS: *Memento práctico Sucesiones*, Madrid, 2021, p. 118. También los hay, por supuesto, en contra de tal extensión del art. 752 CC, siendo el primero en oponerse, ya en tiempos de Manresa, SÁNCHEZ ROMÁN: *op. cit.*, p. 265, pues, a pesar de la libertad de culto reinante en aquella época, la confesión no encuentra parangón en ninguna otra religión diversa de la católica. Así también, en contra de su interpretación extensiva, recientemente, LÓPEZ Y LÓPEZ: en *Derecho Civil (V): Derecho de sucesiones*, Valencia, 1999, p. 69.

80. (RJ 1954, 1551).

81. Cuando, recuérdese, afirma que "el art. 752 CC es de interpretación restrictiva por contener una disposición que limita la libertad de testar".

82. (RJ 2015, 2451); de cuyo fundamento Jurídico 2.° merece ser transcrito el siguiente fragmento, donde comienza destacando "el carácter instrumental que presenta la interpretación literal de la norma, de forma que no debe valorarse como un fin en sí misma pues la atribución del sentido y alcance, objeto del proceso interpretativo, sigue estando o respondiendo también a la propia finalidad y función que informa a la norma. (…) Desde esta directriz, conviene precisar la caracterización que, prima facie (a primera vista) suele describir la aplicación de este precepto a tenor de su mera literalidad, particularmente de su interpretación estricta. (…) En efecto, en primer lugar, debe señalarse que la valoración de esta causa de incapacidad relativa para suceder no escapa de la debida interpretación flexible conforme a la realidad social y a los valores del momento en que se produce. De ahí que en la actualidad la obligada interpretación constitucional del precepto extienda su aplicación no sólo a los sacerdotes católicos, sino también a los de cualquier otra confesión religiosa. (…) En segundo lugar, y conforme a la necesaria interpretación sistemática del precepto, también debe puntualizarse que su incidencia en el plano de la ineficacia testamentaria tampoco escapa a su debida ponderación por el criterio de conservación de los actos y negocios jurídicos que esta Sala tiene reconocido, no sólo como mero canon interpretativo, sino también como principio general del derecho, con una clara proyección en el marco del Derecho de sucesiones en relación a la voluntad manifestada por el testador (*favor testamenti*)".

83. (RJ 2016, 3659).

también se extendiera a otras religiones y a cualquiera que fuese la asistencia religiosa, por analogía[84] –decía, según creo, sin necesidad, al ser bastante con una interpretación extensiva). Y en la misma línea, siguiendo a las dos anteriores y formando así por su número indudable jurisprudencia, la STS de 19 febrero 2019[85] (en la que, de nuevo innecesariamente, se vuelve a hablar de la aplicación analógica del art. 752 CC).

Habiendo sido, así, admitido tal proceder interpretativo tratándose del art. 752 CC, ¿por qué no también admitirlo para el art. 753 CC –eso sí– siempre que ello sea conforme a su espíritu, a su *ratio*, según exige el art. 3.1 CC *in fine*? Habrá de ser, en fin, tal razón de la norma, y no ningún pretendido tópico apriorístico, ni prejuicio parecido, la que determine en cada caso el resultado de su interpretación.

Con todo, no queda así la cuestión interpretativa del todo resuelta, pues siempre cabe, una vez aplicados todos los instrumentos hermenéuticos (el gramatical, el histórico, …), que exista una duda razonable acerca de si la *ratio legis* resulta o no aplicable a un caso particular que no esté clara o expresamente comprendido en ella. En tal supuesto, si no fuera posible alcanzar una interpretación segura, en la duda, frente a aquella jurisprudencia proclive siempre a una interpretación restrictiva de la prohibición, también cabría, en teoría al menos, abogar por su interpretación extensiva, tratándose, en particular, de la prohibición legal testamentaria del art. 753 CC, porque tal vez su interpretación extensiva se mostraría como la más conforme con la razón general de todas aquellas prohibiciones legales, y, que, según vimos, la propia Convención de la ONU refiere (en su art. 12.4) en favor de las personas con discapacidad: la

---

84. En la doctrina, también habla de aplicar por analogía el art. 752 CC, ALBÁCAR LÓPEZ y DE CASTRO GARCÍA: *op. cit.,* p. 449, como así lo defendía no hace mucho DÍAZ ALABART: en su monografía, pp. 50 ss, a fin de aplicar por analogía el art. 753 CC a lo que ya hoy este se refiere en su nuevo segundo párrafo. En contra de tal analogía, se mostraban GARCÍA RUBIO y OTERO CRESPO: *op. cit.,* p. 248, por entender que, al tratarse de una norma sancionadora y excepcional, que lo es por restringir la capacidad, no puede ser aplicada por analogía, según lo prohíbe el art. 4.2 CC; nada de lo cual podemos compartir, no solo porque, como defendemos, no se trate de una norma excepcional ni sancionadora, sino porque aun siéndolo no habría impedimento para su interpretación extensiva, sino tan solo para su aplicación analógica (que es lo único proscrito en aquel art. 4.2 CC). Admitida, según dije, la distinción entre analogía e interpretación extensiva, ¿qué importa que una norma sea excepcional o singular para ser interpretada extensivamente? Los hay que, aun a veces sin abordar si quiera la categórica distinción entre analogía e interpretación extensiva, consideran que ésta no debe operar en las normas excepcionales, al ser éstas de necesaria interpretación restrictiva (o, cuando menos, estricta), conforme al viejo brocardo *quod contra rationem iuris receptum est, non est procedendum consequenctias.* Según el propio DE CASTRO Y BRAVO (p. 470), "las leyes especiales, excepcionales, concesión de privilegios… serán de aplicación preferente, pero de interpretación restrictiva". A nuestro juicio, en cambio, sí parece posible, al modo en que parece preverlo el CC portugués, cuyo artículo 11 dispone: "As normas excepcionais nâo comportam aplicaçâo analógica, mas admitem interpretaçâo extensiva". No hay, desde luego, norma equivalente en el Derecho español, pero así lo impone la lógica, que matiza aquel viejo adagio pauliano: mientras que las normas excepcionales no son aplicables por analogía, pues esta consiste en la traslación de la *ratio legis* de una institución a otra institución o materia similar, y en aquellas normas no hay principio o razón general que trasladar (por mucho que la excepción a tal regla esté justificada en aquel tipo de normas), en cambio, por principio no debe haber inconveniente en interpretar extensivamente una norma excepcional, pues esta, a diferencia de la analogía, sólo implica una dilatación lógica de la norma *ad intra*, una expansión o traslado de la razón –aunque singular– dentro de su mismo ámbito institucional o material propio, natural, o específico.

85. (RJ 2019, 497).

de evitar el riesgo al fraude o abuso ante posibles conflictos de intereses o casos de influencia indebida. Sin embargo, al estimar la propia Convención cualquier recorte o condición en la capacidad justificada por tal razón como algo excepcional, como una suerte de último recurso, más bien parecería oportuno y prudente, ahora sí, inclinarse por su interpretación restrictiva, es decir, por una interpretación contraria a la prohibición, y favorable, por tanto, a la capacidad, a la libertad –de testar, en nuestro caso– de la persona con discapacidad, conforme a lo que –según advertimos desde un comienzo– es la regla, el principio general inspirador de toda la Convención, y de toda la reforma española que le da cumplimiento, en cuya virtud –de nuevo y una vez más– *in dubio pro capacítate*.

Expuestos, así, cuáles han de ser los criterios de interpretación del art. 753 CC, pasemos, ahora por fin, a aclarar algunas de las numerosas dudas que dicha norma plantea.

IV. RESOLUCIÓN, EN PARTICULAR, DE ALGUNAS DE LAS DUDAS QUE SUSCITA EL ART. 753 CC

Expuestos, hasta aquí, cuáles han de ser los criterios de interpretación del art. 753 CC, y los de cualquier otra prohibición legal, pasamos a aclarar algunas de las dudas que aquella norma plantea, y así saber qué queda incluido y qué excluido de su ámbito de aplicación, no sin antes advertir[86] que no todo aquello que quede fuera del ámbito prohibitivo del art. 753 CC quedará siempre impune, aun habiendo en el caso verdadera captación de la voluntad del testador, acaso como si se tratara de una laguna legal; solo que para tal caso, de haber tal captación fraudulenta, esta, debidamente acreditada –en tal caso sí–, se regirá por las reglas generales de impugnación del testamento –tan difícil de probar en la práctica–, ya sea por la vía del art. 673 CC, o por la de la causa de indignidad sucesoria del art. 756.5.º CC, al tratarse de un testamento hecho por dolo o por intimidación, ya lo sea por aplicación del art. 755 CC[87] en caso de que el testamento se haya hecho en favor de un "testaferro", de una persona interpuesta (como pudiera ser un familiar, amigo,…).

1. SOBRE EL ÁMBITO SUBJETIVO DE LA PROHIBICIÓN LEGAL TESTAMENTARIA

1.1. Sujetos incluidos y excluidos de la prohibición legal de testar

Frente a la redacción originaria del art. 753 CC, que hablaba de "la disposición testamentaria del pupilo", actualmente, ya desde su reforma en 1996 hecha por obra de la Ley Orgánica 1/1996, de 15 enero, de Protección Jurídica del menor, dicha referencia al "pupilo" ha desaparecido, mas tal supresión no parece que sea un problema, al menos ahora, tras la reforma que la norma ha experimentado con la Ley 8/2021, sobre personas con discapacidad, que venimos tratando:

---

86. Y es común así advertirlo en la doctrina, siendo por ello ocioso incluso citarla.
87. Norma que, como dice LASARTE ÁLVAREZ *op. cit.*, p. 70, es la "cláusula de cierre" de las incapacidades relativas para suceder –que él denomina–.

Antes de ella, puesto que la capacidad para testar de las personas con discapacidad, incapacitadas o con su capacidad judicialmente modificada –según se admitía, y decía, por entonces–, no era la regla general, sino algo excepcional (especialmente, tratándose de personas con discapacidad psíquica o sensorial), resultaba debatible a qué "pupilo" se refería rectamente el art. 753 CC: si solo al menor –con capacidad para testar *ex* art. 663.1.º CC– o también a la persona incapaz, o incapacitada, a que se le permitiera tal posibilidad de testar; una duda que se mantendría, o incrementaría incluso, cuando en su reforma de 1996 junto a la figura del tutor se añadió la del curador.

Siendo, por entonces, la opinión mayoritaria favorable a la inclusión de las personas incapaces –por razones que ahora ya no tiene sentido traer para su aclaración–[88], hoy dicha inclusión parece incuestionable: como ha quedado advertido (al comienzo de este trabajo), la capacidad para testar de tales personas es la regla, y la referencia que hoy hace el art. 753.I CC prohibiendo el testamento en favor del "tutor o curador representativo", no debe dejar lugar a duda alguna: la referencia al tutor ha de entenderse referida al menor de edad (puesto que la tutela, tras la reforma de 2021 conforme exige la Convención de Naciones Unidas y la Observación que la interpreta, ha quedado vetada para las personas con discapacidad –salvo que sean a su vez menores, claro es–)[89], de modo que, en su lugar, la referencia que se hace al "curador representativo" no permite más que pensar en la persona con discapacidad, eso sí, con una discapacidad de cierta entidad como para que el sistema de apoyo establecido sea la curatela representativa, y no la curatela asistencial (sin representación), ni la guarda de hecho, …

Aunque pueda extrañar que una discapacidad de tal entidad no afecte a la voluntad para testar (cfr., art. 249 CC), nada impide que no sea así[90], siempre que en el momento de testar tal voluntad se forme y exprese libre y conscientemente (conforme a las garantías, ya mencionadas arriba, que actualmente la ley dispone a tal efecto, entre otros, en sus arts. 663.2.º, 665, 695, 706.III CC).

Más genérica y amplia, en cambio, es la referencia que –no obstante ser hecha– de forma expresa hace el art. 753 CC, prohibiéndoles testar en favor de determinados sujetos, a "las personas que se encuentran internadas por razón de salud o asistencia" en determinados establecimientos (sanitarios o asistenciales)[91]. Salvo que admitamos un concepto amplio de discapacidad –lo que, por lo demás, sería acorde con

---

88. Por todos, DÍAZ ALABART: en sus Comentarios de Edersa, tomados de vlex, p. 8, y siguiéndola, como es habitual en esta materia, FERNÁNDEZ HIERRO: *op. cit.*, p. 105, diciendo que la palabra "pupilo" no solo incluye a los menores, sino también –por entonces admitido– a cualquiera que tenga un tutor, como un incapacitado mayor de edad, como así lo demuestra, decía Silvia, que en su último párrafo el art. 753 CC hable de "descendiente" y de "cónyuge", lo que, salvo excepciones, no es lo habitual tratándose de un menor de edad –sobre todo– con capacidad para testar (que lo es a partir de los 14 años según el art. 663.1.º CC).

89. Así lo aclaran, GARCÍA RUBIO: en *RDC*, p. 179, nota 1; CORVO LÓPEZ: *op. cit.*, p. 164; y DE SALAS MURILLO: *op. cit.*, p. 64.

90. En lo dicho y en lo que sigue –solo– en este párrafo, LORA-TAMAYO RODRÍGUEZ: *op. cit.*, p. 166, y con él PÉREZ RAMOS: *op. cit.*, p. 118 y 119.

91. Sobre su significado, aunque refiriéndose a su antecedente más inmediato, el art. 412-5.2 CC catalán, por todos, VAQUER ALOY: *op. cit.*, pp. 142 ss, y en la propuesta de reforma del art. 753 CC conforme a tal antecedente, DÍAZ ALABART: en su Monografía, pp. 50 ss, GARCÍA RUBIO y OTERO CRESPO: *op. cit.*, pp. 242 ss.

la reforma de 2021, que no la define, aceptando, así, para su integración la idea de discapacidad (mental o física), de la Convención de la ONU (cfr., sus arts. 1.II y 5)[92]–, con aquella expresión el art. 753 CC va más allá de la persona con discapacidad que tenga o no para su asistencia un cargo de apoyo nombrado *ad hoc* para así incluir también a cualquier persona que, ocasional, temporal o indefinidamente[93], se encuentre asistida en aquellos establecimientos por razón de su salud o asistencia, lo que de suyo, en la mente de la norma, hace pensar en su potencial vulnerabilidad a la hora de hacer testamento ante el riesgo de que su voluntad sea sugestionada por sus propios cuidadores adscritos a aquel centro o establecimiento; todo lo cual puede sucederle a cualquier persona en cualquier momento de su vida, aunque, en la estructura más profunda de aquella norma, muchos piensan, especialmente, en las personas de la tercera edad internadas en residencias[94]. Todo lo cual, por cierto, demuestra una vez más que la norma no es discriminatoria para con las personas con discapacidad por su sola discapacidad, pues con tan amplio ámbito subjetivo de aplicación del nuevo párrafo segundo introducido en el art. 753 CC, de nuevo, se pretende evitar el engaño, el abuso, la captación sugestiva de la voluntad del testador[95].

1.2. Sujetos incluidos y excluidos de la prohibición legal de suceder por testamento

A la vista de que la prohibición de testar establecida en el primer párrafo del art. 753 CC se refiere –solo, según parece– al "curador representativo" –y en el entendido de que hoy su mención al tutor solo lo es del menor de edad no emancipado que por tener más de 14 años pueda testar *ex* art. 663.1.º CC[96]–, ¿qué sucede con el curador sin representación?, pues a él no se refiere aquel párrafo, aunque sí lo hacía en su redacción anterior reformada en 1996, así como ahora en su último párrafo, cuando habla de "curador o cuidador" para permitir testar en su favor siempre que sea un pariente heredero *ab intestato* del testador; ¿y qué sucede con los demás posibles cargos de apoyo a las personas con discapacidad, como son el defensor judicial o el guardador de hecho?, y ¿dónde quedaría aquella persona que, sin ostentar ninguno de tales cargos, puede llegar a ayudar a la persona con discapacidad a fin de otorgar su testamento, como así permite el art. 706 CC[97], precisamente ahora reformado a tal efecto

---

92. Así mismo, de la Observación n.º 1 (2014), del Comité de la ONU sobre los derechos de las personas con discapacidad, véase el punto 9 de su Introducción.
93. LORA-TAMAYO RODRÍGUEZ: *op. cit.*, p. 167, muestra sus dudas a que la norma se aplique en caso de internamiento puntual.
94. Como lo revela el título mismo de la monografía de DÍAZ ALABART: *El testamento ológrafo de las personas mayores dependientes... cit.*
95. Curiosamente, al contrario, cree LORA-TAMAYO RODRÍGUEZ: *op. cit.*, p. 167, que tal inclusión de cualquier persona internada en un centro clínico o residencial es discriminatoria para tal persona, de modo que a ella no debería aplicarse el art. 753 CC (en la misma línea, PÉREZ RAMOS: *op. cit.*, p. 119, "aunque [reconociendo] que el precepto no excluye este supuesto y no distingue"); con todo, no se olvide, como vimos, que LORA-TAMAYO se muestra en general contrario al art. 753 CC.
96. Porque, como es sabido, la tutela queda ya hoy excluida para las personas con discapacidad, salvo que sean también menores. Así lo advierten, comentando el art. 753 CC, GARCÍA RUBIO: en *RDC*, p. 179, nota 11; CORVO LÓPEZ: *op. cit.*, p. 164; o DE SALAS MURILLO: *op. cit.*, p. 64.
97. Un problema que hace tiempo planteaba DÍAZ ALABART: en sus Comentarios de Edersa, tomados de vlex, pp. 12 y 13, comentando el art. 754 CC y su posible aplicación analógica al caso; así como respecto de un posible testamento ológrafo con apoyos, PÉREZ GALLARDO:

en su tercer párrafo? ¿está, entonces, prohibido que la persona con discapacidad teste en favor de tales personas no expresamente mencionadas en aquel primer párrafo del art. 753 CC que establece, como regla, la prohibición de testar, o tal vez sí podrá hacerlo por entrar aquellas personas en la excepción del párrafo tercero cuando se refiere a "las demás personas físicas que presten servicios de cuidado, asistenciales o de naturaleza análoga"?

Para la solución de tales dudas, nos parece que el dato histórico puede resultar muy orientativo:

García Goyena, cuando en su Proyecto de CC de 1851 –inspirado en el art. 909 del *Code*[98]– incluía la prohibición de testar en favor del médico, del cirujano o de cuantos otros asistieran al testador durante su última voluntad[99] –que, sin embargo, no pasaría al definitivo Código de 1889, pero que puede estimarse como precedente más remoto del nuevo segundo párrafo del vigente art. 753 CC–, entendía que los términos referidos a "médicos y cirujanos" podían serlo en sentido amplio, para abarcar a quienes lo fueran profesionalmente o no: "bien sean tales de verdad [decía[100]], bien charlatanes ó empíricos, porque en estos hay los mismos recelos de influjo ó ascendente del enfermo"; lo cual, por cierto, sirve para entender incluida en el nuevo párrafo segundo del actual art. 753 a cualquier persona o personal, sea o no profesional sanitario, con o sin titulación, que, cualquiera que sea su relación con el centro sanitario o residencial (estrictamente contractual o no, legalizada o no), presta cualquier tipo de cuidado o atención a las personas en aquel centro ingresadas o trabaje en la propia dirección y gestión del centro. Abunda en tal amplitud, que, por ejemplo, siendo consciente de la crítica hecha a la exigencia de "relación contractual", expresada en el art. 412-5.2 CC Catalán[101], que es la musa más inmediata de aquel nuevo art. 753.II CC, en este se haya

---

"El testamento otorgado con apoyos por personas con discapacidad: ¿una quimera?", en *Revista Crítica de Derecho Inmobiliario*, n.º 782, 2020, p. 3646 ss.

98.   Que tras ser reformado en dos ocasiones (muy cercanas entre sí, en 2007 y en 2009), dispone en su primer párrafo: "Les membres des professions médicales et de la pharmacie, ainsi que les auxiliaires médicaux qui ont prodigué des soins à une personne pendant la maladie dont elle meurt ne peuvent profiter des dispositions entre vifs ou testamentaires faites en leur faveur pendant le cours de celle-ci"; en su versión originaria decía: "Les docteurs en médecine ou en chirurgie, les officiers de santé et les pharmaciens qui auront traité une personne pendant la maladie dont elle meurt, ne pourront profiter des dispositions entre vifs ou testamentaires qu'elle aurait faites en leur faveur pendant le cours de cette maladie".

99.   Era la prohibición contenida en el art. 612 del Proyecto, que, inspirado en el art. 909 del C francés y conservado en el art. 749 del Proyecto de CC de 1882, decía: "Los médicos y cirujanos que hayan asistido al testador en su última voluntad y sus esposas, no podrán percibir cosa alguna á virtud del testamento que haya hecho durante la misma; exceptúanse de esta prohibición los médicos y cirujanos pacientes parientes del testador dentro del cuarto grado", y que GARCÍA GOYENA: *op. cit.*, p. 59, justificaba "porque los honorarios de los médicos y cirujanos son día tan exorbitantes, que hacen innecesaria toda otra remuneración", y "porque en estos hay los mismos recelos de influjo ó ascendente sobre el enfermo".

100. GARCÍA GOYENA: *op. cit.*, p. 59.

101. "Las personas físicas o jurídicas y los cuidadores que dependen de las mismas que hayan prestado servicios asistenciales, residenciales o de naturaleza análoga al causante, en virtud de una relación contractual, solo pueden ser favorecidos en la sucesión de este si es ordenada en testamento notarial abierto o en pacto sucesorio". Una expresión aquella de la "relación contractual" que tanto ha criticado VAQUER ALOY *op. cit.*, pp. 142 y 144, quien defiende la aplicación extensiva de tal norma a los casos en que no haya estricta relación contractual.

suprimido tal exigencia[102], así como que se haya ampliado el abanico de potenciales sujetos afectados por la prohibición de suceder testamentariamente al hablar de "cuidadores que sean titulares, administradores o empleados del establecimiento", conforme se fue ampliando también, tras sucesivas y diversas reformas legales obedientes a su previa jurisprudencia casacional, el art. 909 del CC francés[103].

Sin embargo, tras admitir aquella amplitud en la expresión "médicos o cirujanos", García Goyena rechazaba, en cambio, incluir en su Proyecto de CC la prohibición legal de testar en favor del tutor, apartándose aquí del _Code_, entre otras razones[104], por el peligro de que también aquella prohibición se extendiera a maestros, ayos, ...[105].

El peligro, sin embargo, de tal extensión en el ámbito subjetivo de la prohibición del art. 753 CC no se ha producido, al menos, en su aplicación práctica. Hace ya mucho, la STS de 3 diciembre 1896[106] se negó a aplicar el art. 753 CC a cuidadores que no fuesen legalmente tutores del pupilo, "porque la prestación de tales servicios [de cuidado, según decía] no lleva consigo la autoridad que es inherente y privativa del cargo de tutor". Y en tal línea se ha mantenido la doctrina mayoritaria limitando su aplicación al tutor[107], lo que, por supuesto, no ha impedido que alguna voz disonante propusiera la inclusión del curador, tanto por vía interpretativa (extensiva), como _de lege ferenda_, por entender que el riesgo en la captación de la voluntad testamentaria era idéntico tratándose de dicho cargo[108]; una interpretación más amplia que se haría auténtica por obra del legislador (precisamente tras ser reformada aquella norma por la LO 1/1996, de 15 enero, de Protección Jurídica del Menor); y que, sin embargo, por su falta de precisión acerca de la función asumida por el curador fue pronto objeto

---

102. Y así lo proponía _de lege ferenda_ DÍAZ ALABART: en su monografía, p. 55.

103. En una nota anterior reproducido, y cuya progresiva ampliación en su ámbito subjetivo de aplicación, primero por obra de la jurisprudencia francesa y luego, como interpretación y, por obra del legislador, destacan y explican GARCÍA RUBIO y OTERO CRESPO: _op. cit.,_ pp. 242 y 243.

104. Recuérdese que, comentando el art. 614 del Proyecto de CC de 1851 (antecedente del actual art. 754 CC), decía GARCÍA GOYENA: _op. cit.,_ p. 61: "No se ha admitido el artículo 607 Francés, copiado en el 713 Sardo, y otros Códigos, inhabilitando al tutor para percibir nada del testamento de su menor...; los motivos que se dan para esta prohibición no convencen, y se prefirió, por lo tanto, mantener lo vigente... ¿Y por haber merecido mayor confianza para ser nombrados [como tutores], se desconfía luego de ellos hasta el punto de no poder recibir una muestra de gratitud por su celo y oficios semipaternales?". Como se ve, las razones que ahora se alegan respecto al nuevo art. 753 CC, antes en otra nota referidas, son muy similares a las aducidas hoy con el nuevo art. 753 CC.

105. Cuando decía (en p. 61): "Adoptada la prohibicion de los tutores, seria preciso estenderla á los maestros, ayos, etc., con los que vivan los menores en clase de pensionistas", pero, añadía, que "por evitar un mal ó abuso raro, no se ha de prohibir el bien, ó recto uso en la generalidad de los casos".

106. Roj STS 177/1896.

107. Por todos, DÍAZ ALABART: en sus comentarios de Edersa, tomados de vlex, pp. 9 y 10, comentando dicho art. 753 CC; así como ALBÁCAR LÓPEZ y DE CASTRO GARCÍA: _op. cit.,_ p. 452; MARTÍNEZ DE AGUIRRE: _op. cit.,_ p. 86; ...

108. Por todos, HUALDE SÁNCHEZ: en _Comentarios del CC,_ del Ministerio de Justicia, Tomo I _(comentario al art. 221 CC),_ Madrid, 1991, p. 688, emparentando el 753 con el 221.1.º CC –de entonces–, por fundarse igualmente ambos "en el juicio apriorístico de que toda liberalidad que realiza el sujeto a una medida de guarda y protección en favor de su guardador, habría que entenderla originada no en su libre voluntad sino en una voluntad captada por el cargo tutelar; captación de voluntad que se presumiría producida por la relación de sujeción moral en que se encuentra, con respecto a su guardador, todo sujeto a guarda".

de crítica por parte de la doctrina[109], por entender que la prohibición debería estar solo referida a aquellos "curadores que completan la personalidad del incapacitado judicialmente por deficiencias físicas o psíquicas que impiden que se gobiernen por sí mismos", pero no a "aquellos otros curadores que complementan actos jurídicos realizados por personas plenamente capaces... porque en estos últimos no existe el peligro de captación de la voluntad de que son susceptibles los incapaces"; una crítica a la que, según algunos[110], parece haber obedecido, precisamente, la concreción del nuevo art. 753 CC limitando la prohibición de testar –solo– en favor del curador –que lo sea– representativo, no ya, por tanto, si se trata del curador asistencial, según insiste la doctrina mayoritaria a la vista de su nueva redacción por entender que el riesgo de captación y engaño es menor tratándose de dicho curador[111].

De nuevo, pues, una interpretación de la norma, basada en sus palabras en consonancia con sus antecedentes históricos (con la *voluntas legislatoris*), conduce a tal interpretación –que no es restrictiva, por cierto, sino tan solo estricta–. Sin embargo, creo que concluir así es quedarse a medio camino, pues, aunque tal interpretación sea conforme a la voluntad del legislador, no es del todo acorde con la razón de la norma, ni siquiera con todas las palabras que emplea el art. 753 CC en otros de sus párrafos; a saber:

Admitido –por convicción– que expresamente el art. 753 CC se refiere en su primer párrafo solo al curador con representación y –acríticamente admitido– que el riesgo de captación de la voluntad en caso del curador no representativo es menor que de tener una función representativa, ello no niega que exista tal peligro, aunque sea menor[112], cuando la sospecha de tal peligro es lo que nutre el espíritu de la prohibición de testar a su favor. Por eso mismo, entre entender que en la prohibición ha de ser también incluido el curador asistencial (lo cual chocaría con la letra del art. 753.I CC y con la voluntad del legislador), y permitir sin más que la persona con discapacidad pueda testar a su favor (lo que podría chocar con su *ratio legis*), cabe una solución intermedia, acorde íntegramente con el art. 753 CC (con su letra y con su espíritu): la de entender incluido al curador asistencial, así como a defensores judiciales y guardadores de hecho, entre "las demás personas físicas que presten servicios de cuidado, asistenciales o de naturaleza análoga [análoga, dice] al causante" a que se refiere el propio art. 753 CC, ahora en su párrafo tercero, para permitir que puedan suceder por vía testamentaria "si es ordenada en testamento notarial abierto"[113]. Del mismo modo cabe incluir a tales sujetos, así como también al propio curador representativo, en la siguiente excepción, a la que se refiere el párrafo cuarto y último del art. 753 CC, cuando permite suceder por testamento al "tutor, curador o cuidador que sea pariente con derecho a

---

109. Por todos, DÍEZ-PICAZO: *op. cit.*, p. 314, de quien reproducimos algunos fragmentos de su razonamiento a continuación en texto.

110. Como PLANAS BALLVÉ: *op. cit.*, p. 666, refiriéndose a la opinión de Díez-Picazo.

111. Así, CORVO LÓPEZ: *op. cit.*, p. 164; o DE SALAS MURILLO: *op. cit.*, p. 65, quien entiende aplicable el art. 753.I CC solo al curador representativo por ser el "que actúa en casos de mayores necesidades de apoyos y en los que, por ende, hay mayor posibilidad de influencia".

112. Para LORA-TAMAYO RODRÍGUEZ: *op. cit.*, p. 166, y siguiéndole su yerno, PÉREZ RAMOS: *op. cit.*, p. 119, ese peligro es incluso "más real", dice, tratándose del curador asistencial.

113. Curiosamente, esa es la idea pretendida por LORA-TAMAYO RODRÍGUEZ: *op. cit.*, p. 166, y siguiéndole, por PÉREZ RAMOS: *op. cit.*, p. 119, acaso como si no fuera la que finalmente acoge el nuevo art. 753 CC, sin caer en la cuenta de que la letra misma de la norma ya lo permite.

suceder *ab intestato*", donde, como se ve, se habla ya en general de curador (sin mayor precisión, debiéndose, pues, incluir a todo curador), y de "cuidador", sin más, remitiéndose así con tal expresión al concepto amplio establecido en el párrafo anterior referido a cualesquiera "servicios de cuidado, asistenciales o de naturaleza análoga"[114].

Otro tanto puede decirse de aquella persona que, sin ostentar ninguno de tales cargos de apoyo ni cuidado (ni ser tampoco su confesor, art. 752 CC, ni el notario autorizante del testamento abierto, *ex* art. 754 CC), puede llegar a ayudar a la persona con discapacidad a fin de otorgar su testamento, como así permite el art. 706 CC, precisamente ahora también reformado a tal efecto en su tercer párrafo, porque en el momento de tal ayuda o asistencia tal persona se estaría comportando, en cierto modo, como el "cuidador" a que, tan ampliamente, se refiere el art. 753 CC en sus dos últimos párrafos indicados[115]. También, por tanto, estaría, en principio, prohibido testar a su favor (salvo que se esté en alguna de las dos excepciones que el propio art. 753 CC contiene en sus dos últimos párrafos).

Dicho sea de paso (aunque no por ello sea menos importante), que en tal caso la ayuda deba prestarse en el momento en que se redacta el testamento es coherente con que, en general, la capacidad –y la libertad– para testar deba observarse en el momento de su otorgamiento, conforme exige el art. 666 CC y de acuerdo con que el peligro que trata de evitar el art. 753 CC sea la sugestión de la voluntad en dicho momento en que se otorga testamento. Del mismo modo, la prohibición de testar que impone el art. 753 CC en su primer párrafo, en principio, solo afectará al testamento otorgado una vez que los cargos de apoyo ya estén nombrados y ejerzan su función, así hasta su extinción, al margen de que se hayan o no rendido cuentas (lo que en la nueva redacción del art. 753.I CC ya no se atiende frente a su anterior redacción[116]). Porque ni antes –de la designación del cargo– ni después –tras su extinción– cabe mantener la sospecha de riesgo en la captación de voluntad. Por idéntica razón, la prohibición de testar del art. 753 CC en su nuevo segundo párrafo solo operará mientras que la persona –potencial testadora– se encuentre internada en el centro hospitalario o residencial, pero no –naturalmente– antes, ni –según creo– después. Cualquier posible supuesto de efectiva captación de la voluntad del testador fuera de tales espacios de tiempo (anteriores a la designación del cargo o del internamiento, o posteriores a la extinción del cargo de apoyo o al alta sanitaria o residencial), en principio, quedarían fuera del ámbito prohibitivo del art. 753 CC, pudiendo, en su caso, ser impugnado el testamento, si así se acredita aquella captación, al amparo de las reglas generales (según los ya mencionados arts. 673, 755 y 756.5.° CC)[117].

---

114. Sorprende, por ello, que LORA-TAMAYO RODRÍGUEZ: *op. cit.*, p. 168, se plantee si la excepción contenida en el último párrafo del art. 753 CC aplicable a tutores y curadores lo es también a los sujetos de los dos párrafos anteriores, diciendo que aquel párrafo "nos deja la duda", aunque contestando que "parece lógica la contestación afirmativa", que comparto plena y sencillamente porque así lo incluye aquel párrafo ultimo cuando se refiere al "cuidador", en general, sin mayor precisión.

115. Antes de su nueva redacción, planteaba la posibilidad de aplicar por analogía el art. 754 CC a aquel caso DÍAZ ALABART: en sus Comentarios de Edersa, pp. 12, 13 y 20, comentando dicha norma, aunque ella misma terminaba negando tal solución por muy diversas razones que ahora ya no vienen al caso.

116. Cuando prohibía testar en favor del tutor o del curador "salvo cuando se haya después de aprobadas definitivamente las cuentas o, en el caso en que no tuviese que rendirse éstas, después de la extinción de la tutela o curatela".

117. Todo lo dicho en este sentido, ha sido siempre la opinión común. En la doctrina, por todos, DÍAZ ALABART: en sus Comentarios de Edersa, pp. 7 y 8, aun advirtiendo que nuestro art. 753 CC no

También se ha suscitado siempre como duda acerca del art. 753 CC la de si la prohibición de testar en él impuesta a tutores y curadores –solo los representativos, que dice ahora– es solo referible a las personas naturales que desempeñen tales cargos o también si se trata de personas jurídicas. La doctrina ha mantenido al respecto posturas diversas[118]: entre quienes no veían sentido su aplicación a tales personas jurídicas, por entender que lo normal es captar la voluntad del testador para beneficio propio y no para el ajeno (como sería captar aquella voluntad para que la persona jurídica misma herede)[119], y quienes no lo entendían así porque la norma no hacía distingos (pues, como es sabido, *ubi lex non distinguit…*)[120].

---

sea tan expreso en tal sentido como el art. 596 del *Codice* (cuando este dice: "Sono nulle le disposizioni testamentarie della persona sottoposta a tutela in favore del tutore, se fatte dopo la nomina di questo [dice, claramente] e prima che sia approvato il conto o sia estinta l'azione per il rendimento del conto medesimo"); también GARCÍA RUBIO: en *RDC*, p. 609, y así hoy, acerca del nuevo art. 753 CC, LORA-TAMAYO RODRÍGUEZ: *op. cit.*, p. 166. Así también en nuestra "jurisprudencia menor", como en el caso resuelto por la SAP de Asturias (Sección 5.ª) de 23 abril 2007 (JUR 2007, 211485), que admitió la validez del testamento hecho en favor de quien ya dos años después de otorgado el testamento fue designado como curador del testador; o más interesante la SAP de Córdoba (Sección 1.ª) de 11 marzo 2019 (AC 2019, 537), referida a la autotutela (al caso en que una persona designe a su cargo de apoyo y luego teste a su favor), cuyo razonamiento interesa reproducir cuando dice: "en relación con la figura de la autotutela introducida por Ley 41/2003 mediante la modificación del art. 223 del CC y más concretamente con su párrafo segundo ('Asimismo, cualquier persona con la capacidad de obrar suficiente, en previsión de ser incapacitada judicialmente en el futuro, podrá en documento público notarial adoptar cualquier disposición relativa a su propia persona o bienes, incluida la designación de tutor'), la consecuencia, derivada de una interpretación conjunta de ambos preceptos, debe ser la de considerar, tal y como pragmáticamente se propugna en determinados ámbitos notariales, de que el art. 753 debe de interpretarse en el sentido de que solo esté incapacitado para suceder el que en el momento de hacer testamento tenga la condición de tutor efectivo y real, esto es de tutor judicialmente designado *ex* art. 234 del CC. (…) No entenderlo así sería omitir la referida ratio del art. 753 y considerar, en contra de un elemental pragmatismo a la hora de apreciar la propia realidad de las cosas, que el instituido heredero durante la incapacidad del testador (aunque capaz para testar *ex* 665 del CC) debe de quedar sometido al mismo régimen que el heredero instituido cuando el testador era plenamente capaz y cuando, además, en el ejercicio de esa plena capacidad efectúa, a favor de una misma persona de relevante confianza para el disponente, una mera designación (preferente pero, en última instancia sometido a motivada apreciación judicial) de tutor. (…) Téngase presente en favor de dicha interpretación la convergencia que la misma guarda con lo dispuesto en el art. 666 del CC (si para apreciar la capacidad del testador se ha de atender únicamente al estado en que se halla al tiempo de otorgar testamento, para apreciar la incapacidad del tutor como heredero igualmente deberá de atenderse dicho momento) y art. 221.1 del CC (si la prohibición de recibir liberalidades del tutelado afecta al tutor que desempeña el cargo, igual estado de desempeño había que exigir al tiempo de la disposición testamentaria en cuestión)". Hoy, suprimida la autotutela para las personas con discapacidad, pero admitida la autocuratela, en la doctrina, DE SALAS MURILLO: *op. cit.*, pp. 78 y 79, defiende igual solución, mostrándose proclive, por tanto, a no aplicar sin más la prohibición de testar del art. 753 CC.

118. Que GARCÍA RUBIO y OTERO CRESPO: *op. cit.*, p. 250, se limitan a exponer sin tomar partido por ninguna de las posturas.

119. Era la postura de DÍAZ ALABART: en sus Comentarios de Edersa, tomados de vlex, p. 16, quien solo veía sentido aplicar el art. 753 CC al tutor humano, por cuanto la tutela ejercida por una persona jurídica se ejerce en sus órganos por personas físicas variables, revocables, que pueden ser varias, por lo que resulta difícil pensar en una posible captación de la voluntad, pues de haberla lo sería más bien en provecho propio de tal persona física y no para el de la institución tutelar. Menciona tal postura ESPEJO LERDO DE TEJADA: *op. cit.*, p. 866, pero advirtiendo que "la cuestión parece dudosa".

120. Como ALBÁCAR LÓPEZ y DE CASTRO GARCÍA: *op. cit.*, p. 453, para quienes "la categórica dicción del precepto no consiente excluir el caso".

Entre ambas, creo que la nueva redacción del art. 753 CC obliga a inclinarse por la segunda, permitiendo que la prohibición sea predicable de cargos tutelares que sean también institucionales, personas jurídicas. Ciertamente, en su primer párrafo sigue aquella norma sin hacer distingos. Pero en su nuevo segundo párrafo extiende expresamente la prohibición a ciertas personas jurídicas –a los "establecimientos" clínicos o residenciales en que se interna la persona por razones de salud o asistencia–, permitiendo luego, en su siguiente párrafo, la validez del testamento notarial abierto para las demás "personas físicas", dice; del mismo modo, también la siguiente excepción a la prohibición de testar, contenida en el párrafo cuarto y último del art. 753 CC, ha de entenderse limitada a las personas físicas, únicas estas en nuestro Derecho que pueden estimarse como parientes herederos _ab intestato_, según exige la norma para tal salvedad.

Entre tales parientes –dicho sea, para resolver otra cuestión–, en nuestro Derecho común –así como en muchos autonómicos– no cabe incluir al conviviente de hecho. En su redacción anterior, en lugar de permitir la sucesión testada cuando el cargo de apoyo fuese "pariente con derecho a suceder _ab intestato_", según dice ahora, hablaba de "ascendiente, descendiente, hermano, hermana o cónyuge", quienes, en efecto, son hoy herederos intestados, tal vez permitiendo que entonces pudiera discutirse, a la vista de la nueva realidad social y jurídica –sobre todo, autonómica–, la inclusión de la pareja conviviente; una posibilidad interpretativa a la que quizá podría llegarse no tanto por una analogía habida entre el cónyuge y el conviviente de hecho –que nuestra jurisprudencia desde hace ya un tiempo niega[121]–, sino acaso mediante una interpretación extensiva fundada en aquella nueva realidad (esto es, con fundamento en una interpretación sociológica y sistemática), adecuada a la razón de tal salvedad (una interpretación lógica, pues)[122]; una razón que desde su origen fue la de permitir testar en favor de aquellas personas por ser todas ellas herederas _ab intestato_ y en su mayoría legitimarias o forzosas en caso de sucesión testada, lo que, por eso mismo, alejaba la sospecha de captación de la voluntad del testador (y, de paso, acercaba, o animaba, a tales parientes para ser, precisamente, los guardadores del pupilo, sin rechazar el cargo por temor a no sucederle)[123].

No merece, sin embargo, la pena detenerse hoy en tal posibilidad interpretativa (sea siquiera extensiva), pues vano sería intentarlo ante la nueva redacción dada al último párrafo de aquel art. 753 CC, cuando ahora habla de "pariente con derecho a suceder _ab intestato_" entre los que no parece posible incluir al conviviente de hecho que, para el

---

121. Como recopiladora de tal jurisprudencia, resulta de imprescindible lectura la STS, aprobada en Pleno (aun con votos particulares), de 12 septiembre 2005, que asienta la radical diferencia entre el matrimonio y las parejas no casadas y defiende la aplicación del principio del enriquecimiento injusto para los casos de ruptura de tales parejas, a la que seguirán otras, insistiendo en todo ello nuestro Tribunal Supremo (de nuevo en Pleno), en su sentencia de 15 enero 2018.

122. Aunque para otra cuestión, así al menos lo defendí yo mismo en un trabajo titulado: "¿Puede el conviviente de hecho del heredero ser testigo en un testamento abierto? Entre la analogía y la interpretación ¿extensiva o restrictiva? (Comentario a la Sentencia del TS (en Pleno) de 19 octubre 2016)", en _Revista (Aranzadi) de Derecho Patrimonial_, 2017, n.º 43, pp. 335-372.

123. Es la razón de tal excepción destacada por la común doctrina desde hace tiempo, como MANRESA Y NAVARRO: _op. cit._, p. 41; o, más recientemente, DÍAZ ALABART: en sus Comentarios de Edersa, tomados de vlex, pp. 14 y 15 –y siguiéndola, RIVAS MARTÍNEZ: _op. cit._, p. 987–, añadiendo que lo común es que el tutor sea un pariente y que la tutela no debe ser un obstáculo para heredar.

Derecho común (así como para muchos autonómicos), ni es pariente en sentido estricto, ni es legitimario en la sucesión testada, ni mucho menos con derecho a heredar en caso de sucesión intestada. Sea un lapsus o una decisión consciente por parte de nuestro legislador, no parece, en fin, que las parejas de hecho queden incluidas en aquel párrafo, a pesar de que en la realidad muchas veces sea aquel conviviente quien se encargue de asistir y ayudar a su pareja con discapacidad[124]. Con ello, obsérvese, es la excepción a la regla prohibitiva, y no esta misma, la que es objeto de interpretación estricta, al no ser posible admitir el testamento a favor del conviviente, salvo que no sea curador representativo, y sí asistencial u ostente otro cargo de apoyo, en cuyo caso, conforme a lo visto, sí podría suceder por testamento notarial abierto (según permite el art. 753 CC en su tercer párrafo).

Restan, para terminar, dos dudas que tradicionalmente ha suscitado el art. 753 CC al compararlo con las otras prohibiciones legales de testar que lo rodean:

Una de ellas es si la prohibición de testar que en los arts. 752 y 754 CC se extiende a los parientes del sacerdote confesor o del notario autorizante del testamento, que lo sean dentro del cuarto grado –incluso los afines, según el art. 754.I CC–, es predicable de las personas de apoyo a que el art. 753 CC prohíbe recibir en testamento, o, *mutatis mutandis*, si tal prohibición afecta a posibles sociedades filiales de los establecimientos sanitarios o residenciales que no pueden suceder según el art. 753.II CC *in fine*. Es una cuestión, la planteada, que fue prontamente resuelta por el Tribunal Supremo en su sentencia de 11 marzo 1911[125], negando aquella aplicación, aquella extensión de la prohibición legal de testar al caso del art. 753 CC, por considerar "que las disposiciones de carácter restrictivo no pueden extenderse ni ampliarse á otros casos y personas que á los comprendidos en ellas, y por tal razón es forzoso no aplicar el precepto prohibitivo que limita la testamentifacción activa del pupilo en favor de su tutor, á los hijos de éste, sobre los cuales nada dispuso el art. 753 del Código civil, aparte de que si el legislador hubiera creído que debiera hacerlo, habría hecho la declaración que en los arts. 752 y 754 hizo respecto á los parientes dentro del cuarto grado del confesor y el Notario que asistieran al testador en su última enfermedad". Sin excepción, la doctrina secunda tal solución[126], dejando, de nuevo, para el caso en que efectivamente haya captación de la voluntad para que se teste en favor de algún pariente –amigo, compinche, …– de quien tiene prohibido suceder directamente, la aplicación del art. 755 CC que permite impugnar un testamento que se haya hecho en favor de un "testaferro", de una persona interpuesta (como pudiera ser, en este caso, un familiar)[127]. Comparto, plenamente, tal sentir, no solo por el resultado, sino por su

124. Lo advierte como crítica DE SALAS MURILLO: *op. cit.*, p. 65, con nota 14: "Nótese, sin embargo, que sigue quedando fuera la pareja estable no casada, que en no pocas ocasiones será quien asuma esta función".

125. Roj STS 610/1911.

126. Limitándose a secundar aquella STS de 11 marzo 1911 (Roj STS 610/1911), VALVERDE Y VALVERDE: *op. cit.*, p. 441; ROYO MARTÍNEZ: *op. cit.*, p. 132; OSSORIO MORALES: *op. cit.*, p. 154; ROCA-SASTRE MUNCUNILL: *op. cit.*, p. 393; CASTÁN TOBEÑAS: *op. cit.*, p. 488; MARTÍNEZ DE AGUIRRE: *op. cit.*, p. 86; RIVAS MARTÍNEZ: *op. cit.*, p. 987; GARCÍA RUBIO y OTERO CRESPO: *op. cit.*, p. 250.

127. Añadido a la doctrina mencionada que hacen MANRESA Y NAVARRO: *op. cit.*, pp. 40 y 41 –siguiéndole, ESPEJO LERDO DE TEJADA: *op. cit.*, p. 866–; SÁNCHEZ ROMÁN: *op. cit.*, pp. 267-269; así como DÍAZ ALABART: en sus Comentarios de Edersa, tomados de vlex, pp. 8 y 9, comentando el art. 752 CC, y pp. 13 y 14, comentando el art. 753 CC –y siguiéndola, RIVAS MARTÍNEZ: *op. cit.*,

razonamiento que, como se ve, no lo es por una suerte de necesaria de interpretación restrictiva de la prohibición de testar, sino porque al tratarse de casos prohibitivos legalmente tasados, cerrados, que conforman un sistema de *numerus clausus*, por eso mismo no se presumen, debiendo de ser expresos, lo que impide, en efecto –pues en esto no discrepo del sentir común–, que por interpretación extensiva, mucho menos analógica, ni siquiera mediante pacto, se puedan incluir otros supuestos, otras prohibiciones diversas de las previstas taxativamente en la ley (lo que no impide, en nuestra tesis, como posible una interpretación extensiva de los casos expresa y taxativamente previstos, lo cual no sucede en este caso –aunque, por ejemplo, sí pudiera tal vez hacerse en el caso del art. 752 CC, extendiendo, con fundamento en una interpretación evolutiva, la prohibición al cónyuge del ministro de culto cuando su religión le permita casarse[128]).

Lo mismo se ha de decir de la otra duda, sobre el ámbito subjetivo, resultante de la confrontación de los arts. 752 a 753 CC: la de si la prohibición de testar en favor de los testigos del testamento abierto (sea o no notarial), a que se refiere el art. 754.II CC es también predicable de los casos en que el art. 753 CC sí permite testar (según admite en sus dos últimos párrafos). Refiriéndose a la posible aplicación de aquella norma al caso del art. 752 CC, la STS de 21 octubre 1915 estimó que "no alcanza la prohibición de ser testigo del testamento al confesor de la última enfermedad, pues para ello se requeriría la existencia de prohibición expresa, que no contiene ese precepto legal ni otro alguno". Idéntica solución debe también ser para el caso del art. 753 CC. Y, como se ve, no por una suerte de necesaria de interpretación restrictiva, sino por la misma razón por la que ha quedado resuelta la duda anterior.

A propósito de esta última duda, también podría suscitarse la de si las personas que según los dos primeros párrafos del art. 753 CC no pueden suceder por testamento pueden ser, al menos, testigos de este. Con tal cuestión nos adentramos ya en el ámbito objetivo de aplicación del art. 753 CC.

2. SOBRE EL ALCANCE OBJETIVO DE LA PROHIBICIÓN LEGAL TESTAMENTARIA

2.1. El alcance estrictamente patrimonial de la prohibición legal de testar, y posibles excepciones

Suscitada –al final del epígrafe anterior– la duda sobre si las personas que según los dos primeros párrafos del art. 753 CC no pueden suceder por testamento pueden ser, al menos, testigos de este, en principio (en tanto no haya norma específica que,

---

p. 984–, quien añade otras razones que impiden aquella extensión de la prohibición legal: que su carácter prohibitivo exige su interpretación restrictiva (lo que, ya se sabe, no comparto *a priori* como tópico), que, sobre todo, la inclusión del parentesco por afinidad es muy excepcional en nuestras leyes, y que, tratándose en particular del art. 753 CC, la ampliación de la prohibición a parientes carece de sentido, pues en ellos la posible influencia indebida es menos sospechosa (lo que, dicho así como algo evidente y, de nuevo, *a priori*, tampoco comparto, aunque otra cosa es que el legislador haya tomado tal decisión de política legislativa).

128. Según propone, con toda razón, DÍAZ ALABART: en sus Comentarios de Edersa, tomado de vlex, pp. 8 y 9, comentando el art. 752 CC.

según la forma testamentara, lo prohíba), no debe haber problema en que tal cosa sea posible, pues mientras no reciba nada del caudal hereditario no habrá riesgo de captación de la voluntad, quedando, así pues, fuera del ámbito prohibitivo del art. 753 CC.

Condicionada y justificada, así, la razón de ser de tal prohibición legal para suceder testamentariamente (como es evitar la captación de la voluntad del testador para recibir provecho de la herencia, ya sea como heredero o como legatario), lógico parece también que los mismos sujetos, a los que el art. 753 CC prohíbe suceder por testamento, puedan ser en él nombrados albacea, contador-partidor, … (según permite expresamente el art. 412-5.3 CC catalán[129], y ya mucho antes nuestra jurisprudencia, en sus SSTS de 18 junio 1864[130], 27 mayo 1876[131] y 24 mayo 1954[132] –aunque– referidas las dos primeras al art. 752 CC[133] y la última al art. 754 CC[134])[135]; y así es, no porque la prohibición legal de testar deba interpretarse siempre restrictivamente –según razona alguno[136]–, sino, sencillamente, porque es lo acorde con su razón de ser (evitar –insisto– la captación de la voluntad del testador para recibir provecho de la herencia, ya sea como heredero o como legatario). En la designación de tales cargos, naturalmente, puede haber prevista una retribución, en tanto bajo ella no se disimule una atribución fraudulenta, en contra de la prohibición legal.

Muy relacionado con ello se plantea otra duda, no de fácil solución, que tradicionalmente también ha suscitado el art. 753 CC, así como también el art. 752 CC, en su relación –ambos– con el 754.I CC *in fine*, que, tras prohibir testar en favor del notario (y de sus parientes dentro del cuarto grado), admite "la excepción [a la regla prohibitiva, obsérvese] establecida en el artículo 682" (sobre legados "módicos", según se dice en tal norma, que lo sean "de algún objeto mueble o cantidad de poca importancia con relación al caudal hereditario"). La respuesta, comúnmente, ha sido negar *ex* art. 4.2 CC la aplicación por analogía de tal excepción a aquellos arts. 752 y 753 CC[137],

---

129. Que dice: "La inhabilidad sucesoria no impide ser nombrado árbitro, albacea particular o contador partidor".
130. Roj STS 1591/1864.
131. Roj STS 965/1876.
132. (RJ 1954, 1325).
133. En ellas se trataba de un testamento en que el sacerdote había sido nombrado albacea. Rechazará, en cambio, tal designación la STS de 29 abril 1873 (Roj 120/1873), mas porque en el caso el mismo sacerdote fue designado también heredero universal.
134. En que el propio notario autorizante del testamento había sido designado albacea y contador-partidor.
135. Es esta también la común opinión en la doctrina, admitiendo, por supuesto, la remuneración de tales cargos, que no son herencia, ni legado, como ya decía ROYO MARTÍNEZ: *op. cit.*, p. 134; RIVAS MATÍNEZ: *op. cit.*, p. 981; PUIG PEÑA: *op. cit.*, p. 54; ALBÁCAR LÓPEZ y DE CASTRO GARCÍA: *op. cit.*, p. 449; MARTÍNEZ DE AGUIRRE: *op. cit.*, p. 85; y, naturalmente, DÍAZ ALABART: en sus Comentarios de Edersa, tomados de vlex, pp. 5 y 6, al comentar el art. 752 CC, y p. 10, comentando el art. 753 CC, quien, con ALBALADEJO, puntualiza que el cargo de albacea puede ser gratuito, sin duda, aunque también puede estar remunerado, siempre que la retribución sea acorde, no excesiva que disimule fraudulentamente la prohibición legal de testar.
136. Como PUIG PEÑA: *op. cit.*, p. 54, quien razona tales designaciones como prueba "del carácter restrictivo del precepto".
137. Por todos, DÍAZ ALABART: en sus Comentarios a ambos preceptos, en Edersa, tomados de vlex, pp. 6 y 7, comentando el art. 752 CC, p. 11, al comentar el art. 753 CC, añadiendo que, al ser un legado proporcional al caudal hereditario, de ser este objetivamente grande, también podría serlo el legado; por eso mismo, sí admite, en cambio, legados que sean objetivamente módicos.

aunque tal vez pudiera predicarse la interpretación extensiva de estos preceptos en sí mismos considerados (no desde la aplicación analógica de aquel art. 754.I CC *in fine*): no se estaría haciendo una interpretación extensiva de la regla prohibitiva (impedida, recuérdese, porque tales prohibiciones no se presumen y deben ser expresas, lo que impide "inventar" nuevas prohibiciones), sino, al contrario, una interpretación amplia de su excepción, y no seré yo, desde luego, quien niegue la posibilidad de interpretar extensivamente una norma excepcional[138].

Con todo, no parece necesario, ni suficiente, centrar la atención en tal hipótesis extensiva, porque en el caso –al menos– del art. 753 CC entra en juego otra norma, que siempre ha dificultado aún más la solución de aquella duda que ahora tratamos: me refiero al antiguo art. 221.1.º CC, que ahora ha sido trasladado, para referirse a cualquier cargo de apoyo, al art. 251.1.º CC, así como al art. 287.3.º CC, referido este al curador representativo, aunque con un importante añadido final, introducido ahora como novedad (que, sin embargo, no se prevé en el nuevo art. 226 CC sobre el tutor[139]):

Dice el primero de los mencionados, el art. 251.1.º CC: "Se prohíbe a quien desempeñe alguna medida de apoyo: (…) 1.º Recibir liberalidades de la persona que precisa el apoyo o de sus causahabientes, mientras que no se haya aprobado definitivamente su gestión, salvo que se trate de regalos de costumbre o bienes de escaso valor"; un inciso este último, referido a regalos de costumbre y de poco valor, que también excepciona la prohibición de recibir liberalidades, que fue hace tiempo demandado, incluso por vía interpretativa, por cierta doctrina[140], y que hoy expresamente se admite por obra de la Ley 8/2021, sobre personas con discapacidad[141], retornando así a lo que ya hace más de un siglo pretendió García Goyena, pero la Comisión de Codificación le negó[142].

Sobre el curador representativo, en particular, dirá el nuevo art. 287.3.º CC: "El curador que ejerza funciones de representación de la persona que precisa el apoyo necesita autorización judicial para los actos que determine la resolución y, en todo caso, para los siguientes: … Disponer a título gratuito de bienes o derechos de la persona con medidas de apoyo, salvo los que tengan escasa relevancia económica y carezcan de especial significado personal o familiar"; un inciso final, novedoso e introducido también con la Ley 8/2021, muy similar al del 251.1.º CC *in fine*, aunque no idéntico (a pesar de alguna propuesta parlamentaria hecha a tal respecto[143]).

---

138. Según me referí a ello en una amplia nota anterior referida, en general, a la distinción entre analogía e interpretación extensiva.
139. En cuya discrepancia con los anteriores no corresponde aquí tratar, al estar hoy la tutela excluida de las personas con discapacidad.
140. Como LETE DEL RÍO: en *Comentarios al CC y Compilaciones forales*, de Edersa, Tomo IV, dir. Albaladejo García, pp. 256 y 257, quien entiende que tales casos "tienen por causa no el *animus donandi*, sino la observancia de un uso, … puesto que más bien se trata de gastos obligatorios impuestos en virtud de ineludibles exigencias sociales".
141. A instancia de las enmiendas n.º 222 de VOX y 371 del PP, frente al Grupo del Pueblo Navarro que en su enmienda n.º 115 ante el Senado proponía no hacer tal añadido.
142. Esa fue, en efecto, en principio la intención de GARCÍA GOYENA: *op. cit.*, p. 243, quien, no obstante, comentando el art. 245 del Proyecto de CC de 1851 (equivalente al actual art. 251.1.º CC), reconocerá: "En el artículo 126 de mi borrador se le permite [al tutor] hacer los regalos ó espresiones de costumbre con autorización del consejo: la Sección no lo aprobó".
143. Por el propio Grupo Navarro, en su enmienda n.º 118 ante el Senado, por razones de coherencia interna de la reforma.

A su vista, se comprenderá perfectamente que la coordinación de tales normas con el art. 753 CC –que siempre fue debatida con el anterior art. 221.1.º CC[144]– se hace aún más difícil, al contener aquellas unas salvedades, unas excepciones a la prohibición legal (referidas a los regalos de costumbre o módicos), que, sin embargo, al menos en la letra del art. 753 CC no se contienen. Que aquellos arts. 251.1.º y 287.3.º CC sean novedosos, sobre todo en la salvedad a la prohibición de liberalidades que reconocen, no resuelve la cuestión por aplicación de la máxima *lex posterior derogat lex anterior*, que obligue a una reinterpretación del art. 753 CC a fin de entender también en él incluida aquella salvedad. Porque también el art. 753 CC es, en parte, novedoso, y ha sido reformado en la misma Ley 8/2021 que ha venido a reformar aquellas otras normas, sin que en materia testamentaria el legislador reformador haya hecho lo propio que con aquellas otras normas, lo que tampoco ayuda a decidir –y zanjar así un debate que siempre se ha movido entre tales opciones– si aquellas normas son normas generales, sobre liberalidades *inter vivos* y *mortis causa*, que absorban, por tanto, al art. 753 CC, integrando así su omisión entendiendo aplicables a su ámbito la salvedad de aquellas otras normas, o si, por el contrario, precisamente por ser normas generales (dada, sobre todo, su ubicación), es menester calificar al art. 753 CC como norma especial (referida exclusivamente al ámbito sucesorio *mortis causa*), aplicable, por tanto, de forma preferente a aquellos arts. 251.1.º y 287.3.º CC (conforme a la máxima *lex specialis derogat generali*), y excluyendo, así, en su aplicación las salvedades a la prohibición –de testar en nuestro caso– que solo quedarían para las liberalidades hechas *inter vivos*.

Junto a tales argumentos (que son algunos de los usuales para resolver cualquier antinomia), el propio contenido de aquellos arts. 251.1.º y 287.3.º CC puede por sí mismo dificultar su traslado al art. 753 CC: en cuanto al art. 251.1.º CC, bien podría tratarse de permitir la concesión de legados "de bienes de escaso valor", pero ¿acaso hay legados "de costumbre"?, y en cuanto al art. 287.3.º CC, el principal obstáculo en su aplicación al art. 753 CC se debe a que aquél está pensado para actos y negocios que el propio curador –representativo, no se olvide– hace, él mismo, sobre los bienes y derechos de la persona con discapacidad, lo que tratándose de un testamento, siempre personalísimo, no parece posible.

Todo lo dicho solo tiene sentido discutirlo de admitirse, antes, que, en efecto, entre los arts. 251.1.º y 287.3.º CC, por un lado, y el art. 753 CC, por otro, hay antinomia, o, cuando menos, una laguna en este último que integrar de algún modo. Aunque también cabe pensar que, siendo de hace tiempo conocido el debate habido al respecto, el legislador reciente, en su reforma habida con la Ley 8/2021 sobre personas con discapacidad, con su silencio –conscientemente mantenido– en el art. 753 CC no ha querido introducir excepción ninguna en este punto a la prohibición general de testar. Aunque también cabría pensar en la reiteración del mismo lapsus, del mismo olvido... (en que el legislador se mantiene sin ser consciente de aquel silencio que aún guarda el art. 753 CC).

Siendo, en fin, tantas las posibles hipótesis (o elucubraciones, cabría incluso decir), y tantos los argumentos en pro y en contra que hay dentro de cada hipótesis para

---

144. Por todos, y exponiendo todas las posiciones habidas en la doctrina, DÍAZ ALABART (al comenzar su comentario al art. 753 CC en sus Comentarios de Edersa, tomados de vlex, pp. 1 ss.), al que nos remitimos.

admitir o rechazar aquella salvedad a la prohibición de testar legados módicos, antes que restringir la salvedad a las liberalidades _inter vivos_, y excluirla de las _mortis causa_, en este caso –que lo es de auténtica duda interpretativa agotada todas las posibles vías– más apropiado parece reconocer la posibilidad de que el testador otorgue en favor de su cargo de apoyo o cuidado tales legados, siempre que se trate "de bienes de escaso valor" (según dice el art. 251.1.º CC), o de "escasa relevancia económica y carezcan de especial significado personal o familiar" (según dice el art. 287.3.º CC)[145], pues no parece, en tal caso, que haya riesgo o sospecha de captación de la voluntad testamentaria. Tal solución nos vendría dada desde el último criterio interpretativo habido en la materia, desde el principio _in dubio pro capacítate_. Tal vez así, además, quede mitigada en parte la generalizada crítica que hoy se le hace al "nuevo" art. 753 CC, entre otras razones –ya vistas–, por no permitir ninguna muestra de gratitud en el testamento por parte de la persona con discapacidad testadora en favor de su persona de apoyo o cuidado.

Por igual razón, tampoco –en la última de las dudas que aquí se tratarán– veo razonable que en la posibilidad de testar en favor de curadores y cuidadores, a que se refiere, como excepción a la prohibición, el art. 753 CC en sus dos últimos párrafos, no pueda concederse mediante herencia o legado más allá de lo que por legítima o sucesión intestada pudiera corresponderles, siempre que se respete la legítima de los demás herederos concurrentes[146].

2.2. Testamentos a los que afecta la prohibición de testar, y sus excepciones

Una de las muchas y variadas dudas que surge de confrontar los párrafos primero y tercero del art. 753 CC, muy semejante a la duda que la doctrina, con encendida polémica, también refiere cuando compara aquel tercer párrafo con los arts. 752 y 754 CC[147], es si la prohibición de testar establecida en el primer párrafo, y referida

---

145. Curiosamente, es la tesis de DÍAZ ALABART: _ult. loc. cit._, quien, aun contraria a aplicar por analogía para los arts. 752 y 753 CC la excepción del art. 682 CC a que se refiere el art. 754.I CC _in fine_, se muestra conforme en permitir, por puro sentido común, los legados –que ella denomina– módicos, al ser inocuos para los herederos legitimarios.
146. En ello discrepo de la opinión de LACRUZ BERDEJO: _op. cit._, p. 67, nota 3, que secunda DÍAZ ALABART: en sus Comentarios de Edersa, tomados de vlex, p. 11, al comentar el art. 752 CC.
147. Un debate, sobre todo, referido al art. 754 CC (que PUIG PEÑA: _op. cit._, p. 55, expone sin tomar partido), sobre el que desde un principio se suscitó tal polémica: en una posición favorable al testamento cerrado, ya pensaba OSSORIO MORALES: _op. cit._, p. 155, que la prohibición de testar "solo afecta al testamento abierto, ya que en el cerrado, como el notario no interviene en el otorgamiento, no existe la posibilidad de sugestión en que la prohibición se funda"; así también opinan VALLET DE GOYTISOLO _op. cit._, p. 445; apoyado en SCAEVOLA, CASTÁN TOBEÑAS: _op. cit._, p. 488; siguiendo a ambos, ROCA-SASTRE MUNCUNILL: _op. cit._, p. 393; y, últimamente, LÓPEZ Y LÓPEZ: _op. cit._, p. 70. En contra, creyendo que la prohibición afecta a cualquier tipo de testamento, ya SÁNCHEZ ROMÁN (_cit._), porque tal norma en su primer párrafo no hace distinción alguna frente al segundo en que –ahora sí– se hace tal precisión; en la misma línea, LACRUZ BERDEJO: _op. cit._, p. 68, añadiendo nuevos argumentos: por un lado, la diferencia del art. 754 CC con su precedente, el art. 614 del Proyecto de CC de 1851, que solo refería la prohibición al testamento abierto, y, por otro, porque la expresión "autorizar" que emplea el art. 754 CC es referible a cualquier clase de testamento, incluido el cerrado. Así también, aunando todas esas razones, DÍAZ ALABART: en sus Comentarios de Edersa, tomados de vlex, pp. 2 y 3, comentando el art. 754 CC, DÍEZ-PICAZO _op. cit._, p. 314, p. 314; y siguiendo a todos ellos, RIVAS MARTÍNEZ: _op._

literalmente –solo– al "curador representativo", es para toda clase de testamentos o sería, al menos, válido si se tratara de un testamento notarial abierto, como prevé el mismo art. 753 CC en su tercer párrafo para cualesquiera "personas físicas [dice] que presten servicios de cuidado, asistenciales o de naturaleza análoga"; así como si la posibilidad de testar en favor de aquellos si son parientes herederos *ab intestato*, según previene el art. 753 CC en su último párrafo, cabe hacerla mediante cualquier tipo de testamento o, aplicando de nuevo aquel párrafo tercero, solo mediante testamento notarial abierto. Obsérvese que, tras referirse en su tercer párrafo a tal modalidad testamentaria, para admitirla como válida, comienza diciendo en su siguiente párrafo –el cuarto y último– "serán, sin embargo [sin embargo, dice], válidas las disposiciones…" ¿hechas en cualquier tipo de testamento, entonces, o solo en uno notarial abierto?

Antes de su actual redacción, la doctrina –escasa[148]– que planteaba tal cuestión sobre el anterior art. 753 CC entendía la prohibición de testar referida a cualquier tipo de testamento, utilizando algunos de los argumentos que la doctrina –mayoritaria– empleaba para negar la posibilidad del testamento notarial abierto como salvedad a la prohibición del art. 754 CC: por un lado, porque la norma no distingue según el tipo de testamento (lo que sería una interpretación gramatical, o, cuando menos, basada en la máxima *ubi lex non distinguit…*), y, por otro, "pues aun tratándose del abierto es posible la coacción moral" (lo que serviría como interpretación lógica del precepto). Con ello, sin embargo, en absoluto se propugnaba una interpretación extensiva del art. 753 CC (lo que, de ser así, contribuiría en favor de mi tesis), sino una interpretación declarativa –y– estricta de la norma, entendida esta en sus justos términos. Un resultado, según creo, que ha de mantenerse con su nueva redacción, aunque debiendo dar también entrada –ahora sí– a la posibilidad del testamento notarial abierto pues así lo ha hecho expresamente tras su reciente reforma; y del siguiente modo:

Ante todo, tanto la letra como el espíritu del "nuevo" art. 753 CC hacen pensar que la prohibición de testar es la regla y que la posibilidad del testamento notarial abierto, recientemente admitida, es la excepción que, como tal, no podría ser aplicada, cuando menos, por analogía (art. 4.2 CC). Tal idea es, además, refrendada por el dato histórico más inmediato a su gestación en su actual redacción, por los comúnmente llamados "materiales prelegislativos" (según permite, como es sabido, el art. 3.1 CC para interpretar las normas, cuando se refiere a "los antecedentes históricos y legislativos")[149]: como quedó explicado al justificar el art. 753 CC, durante su tramitación parlamentaria algunos partidos políticos, en la creencia de que tal norma era contraria a la capacidad de las personas con discapacidad que como regla consagra la Convención de Naciones Unidas, propusieron que aquella excepción (consistente en admitir

---

cit., p. 988; ALBÁCAR LÓPEZ y DE CASTRO GARCÍA: *op. cit.,* p. 455; GARCÍA RUBIO y OTERO CRESPO: *op. cit.,* p. 253.

148. Al menos, por lo que concierne al art. 753 CC, solo he visto tratada la cuestión por PUIG PEÑA: *op. cit.,* p. 52, y por ALBÁCAR LÓPEZ y DE CASTRO GARCÍA: *op. cit.,* p. 452, de quienes tomamos la frase entrecomillada que se transcribe a continuación en texto.

149. Y que solo pueden dan lugar a un resultado interpretativo declarativo (sea lato o estricto), nunca modificativo (ni extensivo, ni restrictivo), radicando ahí su utilidad, en la de evitar cualquier tergiversación bizarra o convenida tanto de la *voluntas legislatoris* como de la *ratio legis*, y así de la propia norma interpretada (según razoné en un trabajo sobre el tema titulado "El [relativo] valor interpretativo de los materiales prelegislativos", en *Anuario de Derecho Civil,* 2019, pp. 747-792).

el testamento notarial abierto), fuese la regla, quedando así, en su opinión, eludido el problema de la posible captación de voluntad ante la intervención garantista del notario[150]. El rechazo, sin embargo, de tal propuesta en la redacción final del art. 753 CC ratifica, pues, aquella idea de su excepcionalidad frente a la regla de la prohibición de testar. Por muy lógica, en sentido amplio (conforme al sentido común), que fuese aquella propuesta parlamentaria –y que sin duda lo era–, tal rechazo por la mayoría parlamentaria impide su propuesta hoy por vía interpretativa, pues ello sería contrario, no solo a la letra de la ley, sino, sobre todo, tanto a la *voluntas legislatoris* como a la *ratio* del art. 753 CC: porque si la razón de asegurar la libertad testamentaria con la intervención del notario es la razón de la excepción[151], no lo es de la regla general prohibitiva.

Dicho todo lo cual, queda, entonces, por precisar cuándo opera la regla (prohibitiva) y cuándo su excepción (permisiva del testamento notarial abierto): por su propio orden de redacción, el art. 753 CC comienza estableciendo la regla prohibitiva (sin distinguir tipos de testamento), y que ahora mantiene en su nuevo párrafo segundo (recuérdese, "para las personas que se encuentran internadas por razones de salud o asistencia…"). Será ya en el nuevo párrafo tercero cuando se de entrada a la excepción para decir: "Las demás personas físicas que presten servicios de cuidado, asistenciales o de naturaleza análoga al causante, solo podrán ser favorecidas en la sucesión de este si es ordenada en testamento notarial abierto". Obsérvese que la norma se refiere a "las demás [dice, las demás] personas físicas que presten servicios de cuidado, asistenciales o de naturaleza análoga", es decir, a los otros posibles cargos o sistemas de apoyo de la persona con discapacidad (según vimos al tratar su ámbito subjetivo). De modo que los cargos y sistemas de apoyo, ayuda o cuidado mencionados en los anteriores párrafos no cabe entenderlos incluidos en esta salvedad, debiéndose, por tanto, entender que la prohibición de testar a su favor abarca cualquier tipo de testamento.

No obstante lo dicho, a continuación y para terminar, el art. 753 CC introduce en su cuarto y último párrafo otra excepción (una contra excepción, en cierto modo), al decir: "Serán, sin embargo, válidas las disposiciones hechas en favor del tutor, curador o cuidador que sea pariente con derecho a suceder *ab intestato*", mencionando e incluyendo, así, en la excepción a todos los cargos y sistemas de apoyos posibles mencionados en todos sus anteriores párrafos (según vimos también al tratar su ámbito subjetivo); pero, ¿para poder testar en su favor en cualquier tipo de testamento o solo mediante el notarial abierto a que se refiere el anterior párrafo con su primera excepción? La clave para resolver tal cuestión radica en aquel "sin embargo", que aunque ahora está referido al párrafo tercero anterior (que introduce la excepción), ya existía antes, cuando formaba parte del segundo párrafo de aquella norma, haciéndolo, precisamente, para excepcionar la regla prohibitiva, que si afectaba a todo tipo de testamento, lo propio hacía la excepción, del mismo modo que hace ahora cuando ese

---

150. Recuérdese, según explicamos ya arriba, que durante la tramitación parlamentaria de la reciente reforma así lo propusieron en el Senado los Grupos Parlamentarios Mixto y de Ciudadanos (en sus enmiendas n.º 1 y 78, respectivamente), y algo parecido, también en el Senado, el Grupo Vasco (en su enmienda n.º 118).

151. Según explican, refiriéndose al nuevo art. 753 CC, GARCÍA RUBIO: en *RDC*, p. 179 –y siguiéndole CORVO LÓPEZ: *op. cit.*, p. 165–: "con el fin de que el notario controle la ausencia de presiones o influencias indebidas en la voluntad del testador", así como su propia capacidad para testar, según añade DE SALAS MURILLO: *op. cit.*, pp. 66 y 82.

"sin embargo" se refiere al párrafo tercero, de tal forma, en fin, que cuando la persona que asiste a la persona con discapacidad, cualquiera que sea su cargo ("tutor, curador o cuidador", dice —insisto— refiriéndose a todos los sujetos antes mencionados), de ser tal persona un pariente heredero *ab intestato* de la persona con discapacidad, esta podrá testar a su favor en cualquier modalidad testamentaria (como excepción frente a los dos primeros párrafos del art. 753 CC), sin necesidad de que lo sea mediante testamento notarial abierto (como contra excepción a la del párrafo anterior que así lo admite —se ha de entender— cuando los cuidadores a que se refiere no sean parientes herederos *ab intestato* de la persona con discapacidad que testa a su favor).

V. BIBLIOGRAFÍA

ALBÁCAR LÓPEZ, José Luis y DE CASTRO GARCÍA, Jaime: en *Código Civil. Doctrina y jurisprudencia, Tomo III: arts. 609-1087*, Trivium, 1991.

BOTELLO HERMOSA, Pedro Ignacio: *Mecanismos "mortis causa" de protección de las personas con discapacidad*, Chile, 2021.

CABEZUELO ARENAS, Ana Laura: "El problema de la validez del legado ordenado por la testadora en favor de institución religiosa de la que formaba parte su confesor", en *Revista Aranzadi Doctrinal*, n.º 11, 2015, pp. 81-89.

CASTÁN TOBEÑAS, José: *Derecho civil español, común y foral, Tomo VI: Derecho de sucesiones, vol. 1.º: la sucesión en general. La sucesión testamentaria*, Madrid, 2010.

CORVO LÓPEZ, Felisa M.ª: "La capacidad para testar de las personas con discapacidad intelectual", en *Revista de Derecho Civil*, vol. VI, n.º 4, octubre-diciembre 2019, pp. 135-170.

DE AMUNÁTEGUI RODRÍGUEZ, Cristina:

– "Testamento otorgado por personas que sufren discapacidad psíquica o tienen su capacidad modificada judicialmente", en *Revista de Derecho Privado*, 2018, pp. 3-37.

– Apoyo a los mayores en el ejercicio de su discapacidad. Reflexiones a la vista del Anteproyecto de reforma de legislación en materia de discapacidad, Madrid, 2019.

DE CASTRO Y BRAVO, Federico: *Derecho Civil de España*, reed., Madrid, 1984.

DE SALAS MURILLO, Sofía: "Reconsideración de la prohibición de suceder: el caso del tutor o curador", en *Derecho Privado y Constitución*, n.º 35, 2019, pp. 57-85.

DÍAZ ALABART, Silvia:

– en *Comentarios al CC y a las Compilaciones Forales: arts. 752 a 755*, dir. M. Albaladejo García, Edersa (tomados de vlex).

– *El testamento ológrafo de las personas mayores dependientes, problemas y posibles soluciones*, Madrid, 2018.

DÍEZ-PICAZO, Luis y GULLÓN BALLESTEROS, Antonio: *Sistema de Derecho Civil, vol. IV: Derecho de familia. Derecho de sucesiones*, 9.ª ed., Madrid.

ESPEJO LERDO DE TEJADA, Manuel:

– en *Comentarios al CC*, dir. A. Domínguez Luelmo.

– "Un epitafio y algunas dudas sobre la sustitución ejemplar", en *Un nuevo orden jurídico para las personas con discapacidad*, G. Cerdeira Bravo de Mansilla y M. García Mayo (dirs.), Madrid, 2021, pp. 669 ss.

FERNÁNDEZ HIERRO, José Manuel: *Los testamentos*, Granada, 2000.

GARCÍA GOYENA, Florencio: *Concordancias, motivos y comentarios del Código Civil español*, Tomo I, Madrid, 1852.

GARCÍA RUBIO, M.ª Paz:

– "Relaciones de cuidado y Derecho sucesorio: algunos apuntes", en *Estudios de Derecho de sucesiones. Liber amicorum, TF. Torres García*, Madrid, 2014.

– "Algunas propuestas de reforma del CC como consecuencia del nuevo modelo de discapacidad. En especial en materia de sucesiones, contratos y responsabilidad civil", en *Revista de Derecho Civil*, Vol. V, n.º 3, julio-septiembre 2018, pp. 173-197.

GARCÍA RUBIO, M.ª Paz y OTERO CRESPO, Marta: "Capacidad, incapacidad e indignidad para suceder", en *Tratado de Derecho de sucesiones*, Tomo I, dir. M.ª C. Gete-Alonso y Calera, 2.ª ed. 2016.

GONZÁLEZ Y MARTÍNEZ, Jerónimo: "Prohibiciones de disponer", en *RCDI*, 1925, pp. 659-680.

HUALDE SÁNCHEZ, José Javier: en *Comentarios del CC*, del Ministerio de Justicia, Tomo I *(comentario al art. 221 CC)*, Madrid, 1991.

LACRUZ BERDEJO, José Luis: *Derecho de sucesiones*, 5.ª ed., Barcelona, 1993.

LASARTE ÁLVAREZ, Carlos: *Principios de Derecho Civil, Tomo VII*, 2.ª ed., 2001.

LETE DEL RÍO, José Manuel: en *Comentarios al CC y Compilaciones forales*, de Edersa, Tomo IV, dir. Albaladejo García.

LÓPEZ Y LÓPEZ, Ángel Manuel: en *Derecho Civil (V): Derecho de sucesiones*, Valencia, 1999.

LORA-TAMAYO RODRÍGUEZ, Isidoro: *Reforma civil y procesal para el apoyo a personas con discapacidad*, Madrid, 2021.

MANRESA Y NAVARRO, José María: *Comentarios al Código Civil español*, Tomo VI, Madrid, 1906.

MARTÍNEZ DE AGUIRRE, Carlos:

– *Curso de Derecho Civil, vol. V: Derecho de sucesiones*, 2013.

– "La Observación General Primera del Comité de derechos de las personas con discapacidad: ¿interpretar o corregir?", en *Un nuevo orden jurídico para las personas con discapacidad*, G. Cerdeira Bravo de Mansilla y M. García Mayo (dirs.), Madrid, 2021, pp. 97-120.

MENA-BERNAL ESCOBAR, M.ª José: *La indignidad para suceder como figura de exclusión de herencia en el Código Civil español*, Valencia, 1995.

OSSORIO MORALES, Juan: *Manual de Sucesión testada*, reimp., Granada, 2001.

PASQUAU LIAÑO, Miguel: "La reforma de la incapacitación: dignidad personal y 'derecho a equivocarse'", en https://ctxt.es/es/20200701/Politica/32820/incapacitacion-ley-apoyo-estado-civil-regulacion-dignidad-miguel-pasquau.htm.

PÉREZ GALLARDO, Leonardo B.: "El testamento otorgado con apoyos por personas con discapacidad: ¿una quimera?", en *Revista Crítica de Derecho Inmobiliario*, n.º 782, 2020, pp. 3625-3671.

PÉREZ RAMOS, Carlos: *Memento práctico Sucesiones*, Madrid, 2021.

PLANAS BALLVÉ, María: "La capacidad para otorgar testamento", en *Un nuevo orden jurídico para las personas con discapacidad*, G. Cerdeira Bravo de Mansilla y M. García Mayo (dirs.), Madrid, 2021.

PUIG BRUTAU, José: *Fundamentos de Derecho Civil, V-1.º*, 2.ª ed., Barcelona, 1975.

PUIG PEÑA, Federico: *Tratado de Derecho civil español, Tomo V: Sucesiones, vol. 1.º: Teoría general de las sucesiones*, 2.ª ed., Madrid, 1974.

RIVAS MARTÍNEZ, Juan José: *Derecho de sucesiones, común y foral, Tomo I*, 4.ª ed., Madrid, 2009.

ROCA-SASTRE MUNCUNILL, Luis: *Derecho de sucesiones, Tomo I*, 2.ª ed., Barcelona, 1995.

ROYO MARTÍNEZ, Miguel: *Derecho sucesorio "mortis causa"*, Sevilla, 1951.

SÁNCHEZ ROMÁN, Felipe: *Estudios de Derecho Civil, Tomo VI, vol. 1.º: Derecho de sucesión ("mortis causa")*, Madrid, 1910.

VALVERDE Y VALVERDE, Calixto: *Tratado de Derecho Civil español, Tomo V: Parte especial. Derecho de sucesión*, Valladolid, 1939.

VALLET DE GOYTISOLO, Juan B.: *Panorama del Derecho de sucesiones, Tomo I: Fundamentos*, Madrid, 1982.

VAQUER ALOY, Antoni:

– "La protección del testador vulnerable", en *ADC*, 2015, pp. 328-368.

– *Libertad de testar y libertad para testar*, Santiago de Chile-Buenos Aires, 2018.

VIVAS TESÓN, Inmaculada:

– "La Convención de la ONU de 13 diciembre 2006: impulsando los derechos de las personas con discapacidad", en *Comunitaria: Revista internacional de trabajo social y ciencias sociales*, n.º 1, 2011.

– *Más allá de la capacidad de entender y querer…*, Olivenza, 2012.

– "El nuevo marco constitucional de los derechos de las personas con discapacidad a la luz de la Convención de la ONU de 13 de diciembre de 2006", en _Derecho Civil Constitucional_, dir. Villagrasa Armengol y Pérez Gallardo, Méjico, 2014.

ZURITA MARTÍN, Isabel: "La protección de la libertad de testar de las personas vulnerables", en _La libertad de testar y sus límites_, dirs. A. Vaquer Aloy, M.ª P. Sánchez González y E. Bosch Capdevila, Madrid-Barcelona, 2018.

6

La incapacidad para suceder a la persona con discapacidad: la prohibición del art. 753 del Código Civil tras la reforma efectuada por la Ley 8/2021, de 2 de junio[1]

SOFÍA DE SALAS MURILLO

Catedrática de Derecho Civil
Universidad de Zaragoza

I. EL ENFOQUE DE LA CUESTIÓN

Dentro de las incapacidades relativas para suceder, me voy a centrar en la que afecta al tema que unifica este volumen colectivo: la sucesión de la persona con discapacidad, de la que se ocupa el art. 753 CC, y por tanto, aunque aluda a ello tangencialmente, no

---

1.   Trabajo realizado en el marco del Proyecto de investigación del Ministerio de Ciencia e Innovación, PID2019-105489RB-I00 "Vulnerabilidad patrimonial y personal: retos jurídicos" (IIPP M.ª Victoria Mayor del Hoyo/Sofía de Salas Murillo).

pretendo analizar otros supuestos de incapacidad relativa, como la que recae sobre el confesor en la última enfermedad, el notario autorizante del testamento o los testigos en el testamento abierto (arts. 752 y 754 CC), con los que comparte fundamento, pero respecto a los que hay relevantes diferencias, como luego explicaré.

Describiré, en primer lugar, el régimen vigente tras la entrada en vigor de la Ley 8/2021, de 2 de junio, planteando posibles dudas interpretativas, y posteriormente, haré una valoración crítica de la postura adoptada por el legislador en este punto[2].

Antes de continuar, me parece importante aclarar el que creo debe ser el enfoque adecuado para esta cuestión, que no es el de la perspectiva de quien es *incapaz para suceder* –aunque de la sistemática y terminología del Código así se pudiera deducir– sino el de la prohibición o limitación que ello comporta en la libertad de testar de la persona con discapacidad. En concreto, la duda de fondo es, si a la vista de la interpretación que impone la Convención, es justificable el mantenimiento de tal límite a la libertad para testar de una persona por el solo hecho de que tenga una discapacidad, siempre que tenga, naturalmente, el discernimiento necesario para la testamentifacción activa. Es claro que la voluntad del testador, base y justificación de la libertad de testar, puede ser objeto de influencias indebidas y de manipulaciones, sobre todo en periodos o situaciones de especial vulnerabilidad. Pero también es cierto, como recordó la STS de 15 de marzo de 2018, en sentencia de Pleno que "el principio de presunción de capacidad, que ya resultaba de nuestro ordenamiento (art. 10 CE, art. 322 CC, art. 760.1 LEC), ha quedado reforzado por la Convención …(que) proclama como objetivo general el de promover, proteger y asegurar el goce pleno y en condiciones de igualdad de todos los derechos humanos y libertades fundamentales por todas las personas con discapacidad, así como promover el respeto de su dignidad inherente (art. 1)"[3]. Hay que partir, por tanto –y tras la Convención, con mayor razón–, de este

---

2. En continuación con la que adelanté en un trabajo de 2019 –"Reconsideración de la prohibición de suceder: el caso del tutor o curador"– en plena tramitación de la ley, para la revista *Derecho privado y Constitución*, n.º 35, pp. 57-85. Desde entonces se han publicado ya estudios específicos a los que me remito e iré haciendo referencias: en especial, el extenso trabajo de CERDEIRA BRAVO DE LA MANSILLA, G., "Prohibición legal de testar para las personas con discapacidad: justificación e interpretación del 'nuevo' artículo 753 del Código Civil", *Revista Jurídica del Notariado*, n.º 113, 2021, pp. 91-158, que, sin perjuicio de las discrepancias que mantengo y que se irán viendo, aporta un profundo y sugerente enfoque de la cuestión, con abundantes referencias al *status quaestionis* –en realidad, como afirma, una *vexata quaestio*–, así como una completa revisión bibliográfica; también, REPRESA POLO, M.ª P. "La prohibición de suceder del curador y del cuidador habitual. La reforma del art. 753 CC", en *Modificaciones sucesorias, discapacidad y otras cuestiones. Una mirada comparativa*, Reus, 2022, pp. 41 a 87, con un detenido análisis del problema de los vicios de la voluntad testamentaria y la influencia indebida. Cfr. también lo dedicado a este artículo en los *Comentarios a la ley 8/2021 por la que se reforma la legislación civil y procesal en materia de discapacidad* (Coord. GUILARTE MARTÍN CALERO, C.), Aranzadi, 2021, en el *Comentario articulado a la reforma civil y procesal en materia de discapacidad* (Dirs. GARCÍA RUBIO, MORO ALMARAZ y VARELA CASTRO), Thomson Reuters Civitas, 2022 o en los *Comentarios al Código civil* (Coord. BERCOVITZ RODRÍGUEZ-CANO, R.), Thomson-Reuters Aranzadi, 5.ª ed., 2021.

3. El recurso de casación debía resolver si una persona sometida a curatela para la realización de actos de disposición, necesitaba contar con la intervención para los actos de disposición mortis causa o si, caso de apreciarse su capacidad para testar con los requisitos del art. 665 CC, podía otorgarlo por sí sola. El Tribunal Supremo se inclina con claridad por lo segundo, sobre la base de argumentos, entre otros, como que "no cabe basar la falta de capacidad para testar ni por analogía ni por interpretación extensiva de otra incapacidad", o que "Atendiendo a su diferente

principio de capacidad *para* testar y *de* testar, como manifestación y afirmación de la dignidad inherente a la persona[4].

Este enfoque, además de iluminar el razonamiento sobre toda esta cuestión, tiene una aplicación concreta en el alcance de la interpretación, extensiva o restrictiva, que haya de darse el artículo que vamos a analizar. Al margen de la valoración sobre algunos de los posicionamientos de la Convención, o más bien de la Observación[5], el espíritu de aquella, al reconocer la igual capacidad jurídica de la persona con discapacidad, y suprimir el tradicional interés superior de tal persona –aunque insisto, sobre la oportunidad de esto último se puedan manifestar dudas– así como cualquier medida representativa y sustitutiva de su autonomía de la voluntad, determina que cualquier limitación a la capacidad, en este caso a la de testar, se debe interpretar de modo restrictivo: *in dubio pro capacitate*[6].

No obstante, no es un unánime este planteamiento: CERDEIRA se pregunta si el art. 753 CC es una "norma odiosa", que justificara la aplicación del adagio *odiosa sunt restringenda*, concluyendo lo contrario: que es una norma que protege la libertad de testar y que por ello, se debería poder aplicar a otras causas de sugestión o captación de la voluntad, pues su *ratio iuris*, como la de los arts. 752 y 754 CC, no es discriminatoria, sino protectora de la persona ante posibles abusos o engaños en la captación de su voluntad y libertad de testar por parte de quienes deberían velar por ella. Ello supone que la interpretación de dicha norma no sea siempre restrictiva, sino que, según cada caso, puede ser extensiva si con ello se contribuye a aquella protección[7].

De todo ello iremos viendo aplicaciones a lo largo de estas líneas, pero ya adelanto que el razonamiento –además de fundada y sólidamente argumentado– me parece del todo correcto desde el punto de vista de la *ratio* de la protección, pero el núcleo de mi discrepancia con su postura radica en la opción elegida por el legislador para cumplir con esa finalidad, opción que ni es la única con la que el legislador contaba, ni tiene en cuenta otros valores que el ordenamiento jurídico también protege. Sobre ello volveré al hacer la valoración crítica.

---

naturaleza y caracteres, la disposición de bienes mortis causa no puede equipararse a los actos de disposición inter vivos y existe una regulación específica para el otorgamiento de testamento por las personas con discapacidad mental o intelectual", complementado claro está, con las cautelas que la propia legislación actual prevé para la aseveración de la capacidad *in actu* para otorgar dichos actos.

4. Tomo la distinción de VAQUER ALOY, A. en *Libertad de testar y libertad para testar*, Santiago de Chile, Ediciones Jurídicas Olejni, 2018.

5. Que pongo de manifiesto en "¿Existe un derecho a no recibir apoyos en el ejercicio de la capacidad?", *Revista Crítica de Derecho Inmobiliario*, n.º 780, 2020, pp. 2227 a 2268. De especial interés, la visión de MARTÍNEZ DE AGUIRRE ALDAZ, C. en "La Observación General Primera del Comité de Derechos de las Personas con Discapacidad: ¿interpretar o corregir?", *Un nuevo orden jurídico para las personas con discapacidad* (Coord. CERDEIRA BRAVO DE MANSILLA, G.), Wolters Kluwer, pp. 101-124, cuyo planteamiento comparto plenamente.

6. Así lo reconoce, aunque en su planteamiento es otra la dirección a tomar, CERDEIRA BRAVO DE LA MANSILLA, G., *ob. cit.*, pp. 99 y 100. Denuncia el autor que entonces lo coherente para los que sostienen tal postura –que la restricción del art. 753 CC no se acomoda al espíritu de la Convención– sería estimar la derogación de la norma que contenga tal limitación indiscriminada en la capacidad.

7. CERDEIRA BRAVO DE LA MANSILLA, G., *ob. cit.*

II. UNA COMPARACIÓN ENTRE EL TEXTO DEL ART. 753 CC ANTERIOR Y EL POSTERIOR A LA LEY 8/2021

El tenor del texto anterior del artículo, fruto de la reforma efectuada por la LO 1/1996, de 15 de enero, decía: *"Tampoco surtirá efecto la disposición testamentaria en favor de quien sea tutor o curador del testador, salvo cuando se haya hecho después de aprobadas definitivamente las cuentas o, en el caso en que no tuviese que rendirse éstas, después de la extinción de la tutela o curatela.*

Serán, sin embargo, válidas las disposiciones hechas en favor del tutor o curador que sea ascendiente, descendiente, hermano, hermana o cónyuge del testador"[8].

Tras la Ley 8/2021, de 2 de junio, el artículo mantiene su numeración, temática y espíritu en los siguientes términos, adaptados, como no podía ser de otro modo, al nuevo sistema: *"Tampoco surtirá efecto la disposición testamentaria en favor de quien sea tutor o curador representativo del testador, salvo cuando se haya hecho después de la extinción de la tutela o curatela.*

Será nula la disposición hecha por las personas que se encuentran internadas por razones de salud o asistencia, a favor de sus cuidadores que sean titulares, administradores o empleados del establecimiento público o privado en el que aquellas estuvieran internadas. También será nula la disposición realizada a favor de los citados establecimientos.

Las demás personas físicas que presten servicios de cuidado, asistenciales, o de naturaleza análoga al causante, solo podrán ser favorecidas en la sucesión de este si es ordenada en testamento notarial abierto.

Serán, sin embargo, válidas las disposiciones hechas en favor del tutor, curador o cuidador que sea pariente con derecho a suceder ab intestato".

Veamos las principales novedades que se han introducido en el artículo.

1. RESTRICCIÓN AL CURADOR REPRESENTATIVO

Excluida de nuestro campo de análisis la mención al tutor, pues este cargo se reserva en el nuevo texto únicamente para la tutela de menores, nos encontramos con una restricción inicial de la prohibición que se circunscribe solo a un tipo de curador, previsto además con carácter excepcional: el curador representativo.

1. Tal restricción supone una mejora respecto al tenor del precepto anterior, que aludía al curador, tal y como se concebía a la luz del sistema entonces vigente, es decir, como figura que prestaba un complemento de capacidad[9]: la prohibición regía y le

---

8. Su precedente parece ser, claramente, el art. 596 del *Codice civile* italiano vigente. El texto inicial del Código civil español decía *"Tampoco surtirá efecto la disposición testamentaria del pupilo a favor de su tutor hecha antes de haberse aprobado la cuenta definitiva de éste, aunque el testador muera después de su aprobación. Serán, sin embargo, válidas las disposiciones que el pupilo hiciere en favor del tutor que sea su ascendiente, descendiente, hermano, hermana o cónyuge".*

9. Aunque no hay que desconocer que a partir de la STS de 29 de abril de 2009, interpretativa del impacto de la Convención de Nueva York en nuestro sistema, hubo toda una línea jurisprudencial, inspirada en aquélla, en la que destaca, no solo la tendencia hacia la curatela y las funciones

afectaba, por tanto, aunque sus funciones fueran tan puntuales o limitadas que difícilmente pudieran propiciar la influencia indebida que se trataba de evitar con la prohibición. Ello había sido objeto de críticas por parte de la doctrina[10], pese a lo cual, textos como la *Propuesta del Código civil* de la Asociación de Profesores de Derecho civil[11], han mantenido la incapacidad relativa de *"tutor o curador"* (art. 461-9), salvo que sea ascendiente, descendiente, cónyuge o hermano del causante, si bien contrapesada con la posibilidad que luego veremos, de que puedan suceder si la designación se hace en testamento notarial abierto o en pacto sucesorio.

También entendía la doctrina que, a diferencia de lo previsto en los arts. 752 y 754 CC, no cabía extender la incapacidad para suceder a los parientes del tutor o curador, salvo que actuaran como personas interpuestas (cfr. STS de 11 de marzo de 1911), ni a otros guardadores legales, como el defensor judicial[12]. Incluso algún autor apreciaba "consenso en que el precepto sólo es aplicable a la tutela en sentido estricto, pero no a otros cargos tutelares"[13].

2. El nuevo texto ha asumido la crítica expuesta al circunscribir la prohibición a los curadores con funciones representativas, que actuarán en casos de mayor necesidad de apoyos y en los que, por ende, hay mayor posibilidad de influencia.

Esta prohibición más restringida se acota aún más, porque no rige solamente respecto al tutor o curador que fuera *ascendiente, descendiente, hermano, hermana o cónyuge* del testador, como sucedía en la legislación anterior, sino para ninguno de los *parientes con derecho a suceder ab intestato*. Es decir, si, como suele ser frecuente, el cargo de curador representativo lo asume un familiar –entendiendo por tal los que entran dentro del amplio círculo de los parientes hasta el cuarto grado– podrá suceder por testamento, porque serán válidas las disposiciones hechas a su favor, sin exigirse además la forma de testamento notarial abierto.

---

de mera asistencia, como modo de prestar los apoyos imperados por la Convención, sino que contiene construcciones *ad casum*, que no correspondían con la curatela (ni con la tutela) tal y como estaba configurada en el ordenamiento jurídico estatal. Sobre ello, DE SALAS MURILLO, S. "Repensar la curatela", *Derecho privado y Constitución.*

10. GARCÍA RUBIO, M.ª P., "Comentario al art. 753", *Código civil comentado*, Volumen II (Dirs. CAÑIZARES LASO, DE PABLO CONTRERAS, ORDUÑA MORENO, VALPUESTA FERNÁNDEZ), 2.ª ed., Thomson Reuters, 2016, p. 609.

11. *Propuesta del Código civil* de la Asociación de Profesores de Derecho civil, Tecnos, Madrid, 2018.

12. MARTÍNEZ DE AGUIRRE ALDAZ, C., en *Curso de Derecho civil (V). Derecho de Sucesiones,* Madrid: Edisofer, 2018, p. 86, que manifiesta dudas respecto al acogedor permanente con funciones tutelares (art. 173 bis 2.ª CC), respecto del que sí aprecia posible peligro de captación de voluntad. GARCÍA CANTERO, en reflexión al hilo del entonces vigente art. 221 CC, pero aplicable a lo aquí expuesto, encuentra dudas para extender la prohibición al tutor exclusivamente de la persona, que es del todo ajeno a la administración del patrimonio del pupilo, por lo cual no incurriría en actividad sospechosa si el que adquiere o enajena bienes es únicamente el tutor de los bienes. Él se inclinaría, sin embargo, a extenderle la prohibición ya que la función y el cargo tutelar constituyen una unidad difícil de escindir; lo que cada tutor gestiona (persona o patrimonio) repercute en la gestión del otro, al menos en la apariencia frente a terceros, y de hecho se traducirá en habitual relación entre ambos. GARCÍA CANTERO, G., "Comentario al art. 221", *Código civil comentado*, Volumen I (Dirs. CAÑIZARES LASO, DE PABLO CONTRERAS, ORDUÑA MORENO, VALPUESTA FERNÁNDEZ), 2.ª ed., Thomson Reuters, 2016, pp. 1063 y 1064.

13. TRUJILLO DÍEZ, I, "Comentario al art. 753", (actualizado por J.J. Marín López), en *Comentarios al Código civil* (Coord. BERCOVITZ RODRÍGUEZ-CANO), 2016, Aranzadi, p. 928.

3. La prohibición no se extiende ni al curador meramente asistencial, pese a que también puede ejercer influencia indebida, que se intentará evitar o neutralizar por los cauces generales, ni a las medidas voluntarias (apoderado preventivo, prestador de apoyos nombrado en una escritura pública *ex* art. 255 CC), ni a la guarda de hecho, salvo que el guardador entre en el concepto que veremos enseguida de *cuidador*. Pueden surgir dudas en el caso –admitido por el sistema, pese que no parece que vaya a ser el más frecuente–, de un curador representativo designado solo para asuntos puntuales, v.gr., de salud.

Desde el otro polo personal, y a diferencia del actual art. 251.1º CC que sí extiende la prohibición de *"recibir liberalidades de la persona que precisa el apoyo o de sus causahabientes, mientras que no se haya aprobado definitivamente su gestión, salvo que se trate de regalos de costumbre o bienes de escaso valor"*, aquí no se extiende la prohibición de suceder mortis causa a los familiares del curador representativo. Otra cosa es que el familiar se considere *"persona interpuesta"*, a los efectos del art. 755 CC, lo que haría nula la disposición testamentaria por considerarse que, en realidad, se está haciendo a un afectado por la incapacidad para suceder.

4. Una vez se haya "extinguido" la curatela (se entiende que representativa) cabe hacer disposiciones testamentarias a favor de la persona que fue curador representativo. Los supuestos, pueden ser:

– que la persona haya reducido sus necesidades de apoyo, de modo que, siendo la misma persona quien los presta, pase a hacerlo con carácter de curador meramente asistencial y no representativo, o incluso, que deje de ser necesaria la curatela. Esto es: el supuesto del segundo párrafo del art. 291 CC *"la curatela se extingue por resolución judicial cuando ya no sea precisa esta medida de apoyo o cuando se adopte una forma de apoyo más adecuada para la persona sometida a curatela"*.

– que otra persona pase a desempeñar el cargo de curador representativo. No hay obstáculo para hacer una disposición testamentaria a favor de un curador representativo previamente removido, lo que puede parecer sorprendente, pero no lo es tanto si se piensa que la remoción responde a una medida de protección de la persona con discapacidad y opera con independencia de la culpa del curador, que puede ser removido, simplemente, por ineptitud en el desempeño del cargo o por sobrevenirle una inhabilidad que, en nada desmerezca su conducta, v.gr., la imposibilidad absoluta de hecho para continuar con el ejercicio del cargo: esto es, siempre que la causa de remoción no sea de las que coinciden con la indignidad.

5. La consecuencia de la contravención de la prohibición es, al igual que en el precepto anterior a la reforma, que el testamento *"no surtirá efecto"*, línea continuista que se rompe en el párrafo siguiente, como veremos, en que se habla de *"nulidad"*. No obstante, entonces y ahora esa ineficacia es la consecuencia de la invalidez del testamento, al haber contravenido una norma prohibitiva (art. 6.3 CC), cuestión sobre la que volveremos más adelante.

2. EXTENSIÓN DE LA PROHIBICIÓN A LOS CUIDADORES

Otra de las críticas que se hacía al texto derogado es que no aludía a quienes frecuentemente tienen, por su cercanía con la persona internada, muchas más posibilidades de captar su voluntad o de influir indebidamente en ella: los cuidadores. Figura esta de importancia cuantitativa y cualitativamente creciente en una sociedad tendencialmente envejecida como la nuestra, en la que la extensión del núcleo familiar se ha reducido, al tiempo que se ha generalizado la incorporación de la mujer –tradicional cuidadora de mayores, menores y vulnerables– al mercado laboral.

El nuevo artículo los contempla diferenciando tres grupos, que expongo por su orden de aparición.

2.1. Cuidadores incardinados en la estructura del establecimiento público o privado en que la persona está internada por razones de salud o asistencia

Se hace preciso definir los elementos de este inciso: en concreto, a qué testadores, a qué cuidadores y a qué internamiento se refiere.

2.1.1. Testadores

El precepto piensa en un testador *internado por razones de salud o asistencia.* El propio hecho del internamiento, por lo que supone de contacto estrecho y de menor relación con el exterior, parece incrementar considerablemente el peligro de captación de voluntad, y por ello se le aplica el mismo régimen que al curador representativo.

La prohibición rige, por tanto, aunque la persona no esté sometida a ningún régimen de curatela, pues el motivo no es la discapacidad –aunque el legislador trate el supuesto en el mismo artículo[14]–, sino la situación de vulnerabilidad derivada de la falta de salud o de autonomía y consiguiente necesidad de asistencia, que provocan el internamiento. Cuando la persona está en esa situación de vulnerabilidad, si además se unen las condiciones propias de un internamiento, es evidente que está más expuesta a esas posibles influencias indebidas, motivo por el cual el legislador adopta la misma solución de prohibición.

En coherencia con lo dicho, la prohibición no se aplicaría a los que residen en estos establecimientos por voluntad propia, que no necesiten ser asistidos, siendo un caso muy típico, el cónyuge del que sí lo está por razones de salud o asistencia. Estas personas no necesitarían más apoyos que los que pueda precisar cualquier persona.

2.1.2. Internamiento

El concepto *internamiento* parece excluir a los centros de día, pero plantea el problema de la duración del internamiento. Es claro en el caso de los indefinidos, pero

---

14. Motivo por el cual CERDEIRA afirma que el precepto en su conjunto no es discriminatorio por motivos de discapacidad, CERDEIRA BRAVO DE LA MANSILLA, G., *ob. cit.* p. 113, lo cual es cierto, pero es que, en mi opinión, también en este caso –el de los internados *vulnerables* sin discapacidad– la posible influencia indebida podría conjurarse mediante la intervención del notario que se desplazara a la residencia al otorgamiento del testamento abierto, excluyendo, eso sí, la vía del testamento en peligro de muerte: en este sentido, DÍEZ MARTÍNEZ, A. "Comentario al art. 753", en *Comentarios a la Ley 8/2021* (Dir. EGUSQUIZA BALMASEDA, M.ª Á. et al), Dykinson (en prensa).

plantea dudas en los de corta duración[15], por reducirse, precisamente, la posibilidad de ejercitar dicha influencia indebida.

Se trata de un internamiento por razones de salud o asistencia, luego el establecimiento debe tener estas características, lo que excluiría, hoteles o pensiones. Se ha apuntado que probablemente se esté pensando en las residencias de la tercera edad[16], pero carecería de justificación, como he dicho, aplicar la prohibición a los residentes autónomos: bien es verdad que acaso a ellos no cabría considerarlos *internados,* sino, precisamente, residentes.

Terminado el internamiento, podría testar a su favor, incluso aunque estuviera internado en establecimiento distinto.

2.1.3. *Cuidadores*

Se considera, a estos efectos, que desempeñan esta función tanto los "empleados", como los "administradores" y los "titulares" del citado establecimiento (art. 753 párrafo 2º), tanto personas físicas como jurídicas, a las que se extiende explícitamente la prohibición, al referirse al establecimiento en sí.

A la vista de la *ratio iuris* del artículo, así como debería recaer sobre los contratados a través de una empresa intermediaria y no directamente por la residencia, siempre que tengan un contacto cercano o estrecho con la persona, no debería afectar a los empleados cuyo trabajo no posibilita esa posible influencia indebida, aunque en sentido lato cuiden de la persona (como los encargados de cocina de la residencia, por ejemplo).

2.2. Cuidadores personas físicas

Sobre la base de la misma argumentación que acabo de describir, el precepto extiende la incapacidad al resto de los cuidadores no residenciales –*Las demás personas físicas que presten servicios de cuidado, asistenciales, o de naturaleza análoga al causante–*, a los que permite, sin embargo, ser favorecidos en la sucesión si ésta es ordenada en testamento notarial abierto. La intervención del notario en este tipo de testamentos sospechosos, aunque aquél no tenga la formación específica propia de un forense o de un psicólogo, permite, o por lo menos hace más fácil "detectar si el testador está sometido a alguna presión o sugestión; una entrevista a solas con preguntas sobre el contenido de su testamento y las razones de ese contenido pueden aflorar la existencia de una voluntad captada"[17], o de una influencia indebida proscrita por la Convención. A ello hay que sumar el papel del notario en la apreciación de la capacidad legal exigida para el otorgamiento del testamento, de modo que cumple una doble función tuitiva[18], a la

---

15. LORA-TAMAYO RODRÍGUEZ, I., *Reforma civil y procesal para el apoyo a personas con discapacidad,* Colex, 2021, p. 167, considera muy dudoso que la norma se aplique en caso de internamiento puntual.
16. CERDEIRA BRAVO DE LA MANSILLA, G., *ob. cit.* pp. 111 y 131, y doctrina allí citada.
17. VAQUER ALOY, A., "La protección del testador vulnerable", *Anuario de Derecho Civil*, n.º LXVI-II-II, 2015, p. 368.
18. GUILARTE MARTÍN-CALERO, C., "La capacidad para testar: una propuesta de reforma del artículo 665 del Código civil a la luz de la Convención internacional sobre los derechos de las

que cabe sumar su papel como apoyo principal y único, a la vista de los términos del art. 665 CC y la DT 3ª III Ley 8/2021[19].

La mención a los cuidadores, realidad numéricamente creciente en nuestra sociedad, era reclamada desde hace tiempo por la doctrina, y había sido ya atendida por la legislación catalana que trata ambos casos (cuidadores en residencias y en domicilio) con el mismo criterio: pueden ser favorecidos en la sucesión siempre que la designación se haga en testamento notarial abierto o pacto sucesorio (art. 412-5.2 Código civil de Cataluña): *"Las personas físicas o jurídicas y los cuidadores que dependen de las mismas que hayan prestado servicios asistenciales, residenciales o de naturaleza análoga al causante, en virtud de una relación contractual, solo pueden ser favorecidos en la sucesión de este si es ordenada en testamento notarial abierto o en pacto sucesorio"*, considerado como el más inmediato o cercano precedente del artículo que estudiamos, que a su vez se inspira en el art. 902 del *Code* francés.

Ha de tratarse, como puntualiza REPRESA POLO, de un cuidador *habitual*[20], pero en el art. 753 CC no se exige que la relación del cuidador sea contractual, por lo que parece que podría aplicarse al *cuidador de hecho* no familiar: el vecino o vecina que cuida de hecho a la persona con discapacidad, por ejemplo[21]: la frontera de cuándo este cuidador en el ámbito personal pasa a ser *guardador de hecho*, proyectando su función en el ámbito patrimonial, o en el ámbito personal diferente del cuidado es muy borrosa.

Y aquí es el momento de recordar que no podrán ejercer *"ninguna de las medidas de apoyo"* y, por tanto, tampoco ser guardadores de hecho, *"quienes, en virtud de una relación contractual, presten servicios asistenciales, residenciales o de naturaleza análoga a la persona que precisa el apoyo"* (art. 250 CC *in fine*)[22]. Se provoca con ello una situación un tanto desconcertante, porque:

– Si hay un guardador de hecho, nada impide hacer una disposición testamentaria a su favor, siendo como puede tener una influencia efectiva en temas muy

---

personas con discapacidad", *Estudios y comentarios jurisprudenciales sobre discapacidad* (Coord. GUILARTE MARTÍN-CALERO), Thomson Reuters, 2016, p. 89.

19.   Criterio que debería haberse generalizado en opinión de CARRASCO PERERA a los contratos elevados a públicos: cfr. CARRASCO PERERA, Á., "Contratación por discapacitados con y sin apoyos", *XXI Jornadas de la Asociación Profesores de Derecho civil* (en prensa).

20.   REPRESA POLO, M.ª P., que introduce esta importante matización en el título del trabajo citado.

21.   Ya lo había propuesto VAQUER ALOY, A., en *Libertad de testar y libertad para testar*, pp. 142 y 144, al criticar la expresión "relación contractual" que aparecía en el art. 412-2-5 del Código civil de Cataluña, defendiendo la aplicación extensiva de tal norma a los casos en que no haya estricta relación contractual. Sin embargo, REPRESA POLO, M.º P. entiende que el alcance de la prohibición debe ceñirse al cuidador profesional, es decir, a aquél que mediante prestación se dedica profesionalmente al cuidado del testador, *ob. cit.* p. 61.

22.   El legislador catalán ya se había adelantado a incorporar la prohibición de que quien desempeña servicios asistenciales pueda ser al mismo tiempo cargo tutelar, considerándolo como una *Exclusión por conflicto de intereses* (art. 222-17 CCC: "*1. No pueden ser titulares de la tutela ni de la administración patrimonial, ni ejecutoras materiales de las funciones tutelares..., las que, en virtud de una relación contractual, presten servicios asistenciales, residenciales o de naturaleza análoga a la persona protegida. 2. No obstante lo establecido por el apartado 1, ante circunstancias excepcionales por necesidades de la persona tutelada, la autoridad judicial puede autorizar a las entidades tutelares a prestar servicios asistenciales y residenciales*"), asumiendo así la propuesta de importantes sectores del sector, de deslindar funciones para *no ser juez y parte*.

decisivos, y no hace falta que sea en testamento notarial abierto: puede ser cerrado u ológrafo.

– El guardador de hecho nunca podrá ser la misma persona que el cuidador contratado en virtud del citado último párrafo del art. 250 CC, pero sí pueden confluir en una misma persona la condición de guardador de hecho y de cuidador también de hecho, porque el citado inciso exige que sea una relación contractual.

– Al cuidador no contratado sino *de hecho*:

a) si se le aplica el criterio de CERDEIRA de considerar que el art. 753 es una norma favorable para la persona con discapacidad porque asegura su libertad de testar, y en consecuencia se aplica el criterio *favorabilia amplianda*, debería entenderse que también aquí habría de exigirse testamento notarial abierto[23];

b) si se entiende como limitación en su libertad de testar, no, y en consecuencia podrá hacerlo con cualquier forma testamentaria, como por otra parte, se puede hacer en el caso de guarda de hecho.

c) Todo ello teniendo en cuenta que el cuidador de hecho sí que puede ser considerado guardador de hecho, si efectivamente ejerce tal función de guarda: en este caso, como guardador no tendría ningún problema en heredar por la vía testamentaria que fuera, pero como cuidador sí, dependiendo de la interpretación que se adopte: de ser la segunda –que es la que responde a la postura que defiendo en este capítulo– también podría utilizar cualquiera de las vías testamentarias, no solo el testamento notarial abierto.

2.3. Curadores o cuidadores que sean parientes *con derecho a suceder ab intestato*

Del *"pariente con derecho a suceder ab intestato"*, aunque sea todo lo lejano que permiten las múltiples combinaciones del límite del cuarto grado, no presume el legislador esa desconfianza o peligro de captación de voluntad. Se entiende que el legislador ha de poner el límite en alguna parte, y este es el tradicionalmente asignado al concepto de familia extensa, a los efectos de heredar.

Sin embargo, la pareja estable no casada, que en no pocas ocasiones será nombrada curador representativo –es más, en la preferencia para el nombramiento de curadores se le equipara al cónyuge (art. 276.1° CC)–, y frecuentemente será el cuidador, al no ser pariente con derecho a heredar *ab intestato,* entra de lleno en la prohibición (si es curador representativo) o en la exigencia de testamento notarial abierto (si es cuidador).

3. EFECTOS DE LA PROHIBICIÓN

Respecto a los efectos, y pese a lo confuso de la terminología del Código civil en este punto –confusión que se mantiene tras la reforma de 2021– puede afirmarse que

---

23. CERDEIRA BRAVO DE LA MANSILLA, G., *ob. cit.*, pp. 123 y 124.

una disposición testamentaria que contraviniera esta prohibición es, sin duda, inválida e ineficaz, con la consecuencia de que si el curador representativo o cuidador no ha tomado posesión de los bienes hereditarios, la prohibición les impide hacerlo; si lo ha hecho, debe restituir dichos bienes con sus accesiones y con todos los frutos y rentas que haya percibido, con efecto retroactivo al momento de apertura de la sucesión (art. 760 CC). A partir de ahí, cómo se interprete la categoría de invalidez, pese a lo que rotundamente afirme el art. 755 CC (*"Será nula la disposición testamentaria a favor de un incapaz"*), o la STS de 12 de noviembre de 1964 que lo interpreta ("Se trata de una nulidad radical, con las consecuencias que ello implica, como la imposibilidad de subsanar, la imprescriptibilidad de la acción y los efectos ab initio"), es complejo, pues además de otras cuestiones, la acción para *"declarar la incapacidad"* es, según el art. 762 CC, de cinco años –plazo de caducidad– a contar *"desde que el incapaz esté en posesión de la herencia o legado"*, algo que se producirá desde el momento de la aceptación, sin que compute, a estos efectos, el tiempo de posesión civilísima. No obstante, no es necesario esperar a que el incapaz para suceder posea los bienes, sino que la acción puede ejercitarse antes, una vez producida la apertura de la sucesión, si se trata de pedir sólo la incapacidad y no la restitución[24].

4. MOMENTO EN EL QUE OPERA LA PROHIBICIÓN

Surge la pregunta de si una disposición testamentaria hecha en favor de quien luego resulta ser curador representativo sufre los efectos de la prohibición que estamos analizando.

La respuesta parece clara en el sentido de que la incompatibilidad es entre ser heredero y curador representativo, y si la designación es previa, y aún no es heredero, no hay tal incompatibilidad: si lo que se quiere evitar es la captación de voluntad del testador, lo correcto es referir la prohibición al momento de hacer la disposición testamentaria, por lo que se proyecta en el lapso que media desde el nombramiento del curador representativo a la extinción de la curatela, en los términos ya vistos.

¿Cabría hacer una delación de autocuratela acompañada de una institución de heredero o legatario a favor del designado? No se aplicaría aquí la prohibición del art. 753 Cc, no solo por la interpretación restrictiva que entiendo ha de darse a la prohibición contenida en este artículo, sino fundamentalmente por el respeto a la voluntad del otorgante de ambos documentos.

---

24. LÓPEZ MAZA, S. "Comentario al art 762 CC", *Comentarios al Código civil* (Coord. BERCOVITZ RODRÍGUEZ-CANO, R.), Thomson-Reuters Aranzadi, 5.ª ed., 2021. Prescindo aquí por tanto del espinoso tema de la calificación del tipo de invalidez del que se trata en estos arts. 752 a 754, en relación con los citados preceptos 755 y 762 CC, del *dies a quo* para ejercitar la acción del art. 762 CC, así como del debate acerca de si la incapacidad impide suceder, o permite suceder, pero obligan a restituir, de consecuencias más bien teóricas. Cosa distinta, a la que atienden los preceptos del Código civil, es que efectivamente el incapaz haya tomado posesión de los bienes hereditarios, en cuyo caso está obligado a restituirlos con sus frutos y accesiones; o también que, habiendo tomado posesión de tales bienes, la acción para declarar la incapacidad no se ejercite en el plazo legalmente fijado (cinco años), y por tanto el incapaz consolide definitivamente su situación. MARTÍNEZ DE AGUIRRE ALDAZ, C., *Curso de Derecho civil. Sucesiones.* Tomo V, Edisofer, pp. 86 y 87.

Además, si llegado el momento, el juez apreciara en este doble nombramiento una sospechosa intención en los intereses del designado –pensando, por los indicios que pudiera haber, que la captación de voluntad se había producido en esa fase previa a la redacción de los documentos– lo que haría es precisamente no nombrarle tutor, posibilidad que permite el art. 272 CC. *"La autoridad judicial nombrará curador a quien haya sido propuesto para su nombramiento por la persona que precise apoyo o por la persona en quien esta hubiera delegado, salvo que concurra alguna de las circunstancias previstas en el párrafo segundo del artículo 272"*, es decir, *"circunstancias graves desconocidas por la persona que las estableció o alteración de las causas expresadas por ella o que presumiblemente tuvo en cuenta en sus disposiciones"*.

Es más, puede ser que precisamente en consideración al nombramiento como futuro o posible curador, se le hubiera hecho una disposición testamentaria. Que el Código civil contempla como aceptable esta situación, queda claro cuando, justamente, lo que dispone es que, si llegado el caso *"el curador nombrado en atención a una disposición testamentaria que se excuse de la curatela por cualquier causa perderá lo que, en consideración al nombramiento, le hubiere dejado el testador"* (art. 280 CC).

Pues bien, en mi opinión, desde el año 2003, esta consecuencia no puede limitarse a la delación hecha por los padres, ya que, desde esa fecha, el art. 223 CC incluye la posibilidad de que sea el propio interesado quien haga la designación (autotutela). Y esta interpretación sistemática la aplico tanto para lo positivo, es decir, la posibilidad de, incluso en un mismo documento, nombrar heredero o legatario a la misma persona de confianza a la que se le encomienda la eventual tutela o curatela, como para lo negativo: la extensión del efecto de pérdida de lo dejado en testamento[25].

Como el designado como eventual tutor o curador aún no ejerce ninguno de sus cargos cuando se le hace la designación testamentaria, no se vulnera la prohibición de la que trata este capítulo. Otra cosa, como he dicho, es que un juez escrupuloso optara, temeroso de un más que posible conflicto de intereses, por no nombrar tutor o curador a esa persona.

Todo ello sin olvidar la siempre presente posibilidad por parte del interesado de modificar el testamento a favor de personas diferentes, y de la impugnación *a posteriori* una vez abierta la sucesión[26].

---

25. Para DE AMUNÁTEGUI RODRÍGUEZ se trata de una regla restrictiva que no permitiría su aplicación por analogía para otros casos, y propone como texto alternativo el de la propuesta de la Asociación de Profesores de Derecho Civil, que atenúa notablemente el rigor de la regla, y lo amplía a las autodelaciones (art. 174-14, 5: "El curador o tutor designado en testamento o en escritura pública que se excuse de la curatela o la tutela pierde lo que, en consideración al nombramiento, se le haya dejado por vía de herencia, legado o donación, siempre que del acto de disposición no se deduzca lo contrario. Si la excusa se produce de forma sobrevenida la autoridad judicial puede determinar la pérdida total o parcial atendiendo a las circunstancias del caso"): DE AMUNÁTEGUI RODRÍGUEZ, C. "El protagonismo de la persona con discapacidad en el diseño y gestión del sistema de apoyo", *Cla-ves para la adaptación del ordenamiento jurídico privado a la Convención de Na-ciones Unidas en materia de discapacidad* (Dirs. DE SALAS MURILLO Y MAYOR DEL HOYO) Tirant lo Blanch, p. 145.

26. DE AMUNÁTEGUI RODRÍGUEZ, C., *Apoyo a los mayores en el ejercicio de su discapacidad. Reflexiones a la vista del Anteproyecto de reforma de la legislación en materia de discapacidad*, Madrid, Reus, 2019, p. 70, respecto al texto en proyecto, en el que ya observaba un cierto rigor, contrario al respeto

Y si entendemos que la designación de autocuratela ha de hacerse contando con la capacidad necesaria para otorgar testamento, el notario autorizante ha de apreciar dicha capacidad –pues lo lógico sería, en el escenario descrito, que también el testamento fuera notarial– por lo que no hay justificación alguna para tratar de extender la prohibición de heredar. Máxime porque en caso de ser así, el juez, al nombrarle tutor o curador, estaría privándole de una posibilidad a la que –salvo de posibles cambios en el testamento cumpliendo las condiciones del art. 665 CC– estaría llamado, y por su parte, salvo casos de encomiable desinterés por parte del designado, éste posiblemente alegaría excusa para no aceptar el cargo tutelar. En ambos casos, no se cumpliría la voluntad de la persona que, no olvidemos, puede declarar merced a las vías que el actual ordenamiento le proporciona.

Pero, como ya he ido diciendo, la solución debería ir más allá de lo dispuesto en esa fase previa, para aceptar la posibilidad de esta designación cuando ya se ha nombrado el cargo tutelar, pero el testador cumple con los postulados del art. 665 y otorga testamento notarial abierto.

A continuación, trataré de justificar los motivos por los cuales me parece necesario que el legislador podría haber adoptado otra postura. Para ello, me detendré en la *ratio iuris* del actual artículo en relación con otras incapacidades relativas para suceder y con otras prohibiciones que, en diferentes ámbitos, pesan sobre estas figuras de apoyo, para finalizar con las razones de conveniencia y justicia desde la óptica de quien desempeña esos cargos, y de cumplimiento de los postulados de la Convención desde la perspectiva del testador con discapacidad.

III.   DIFERENCIAS CON OTRAS PROHIBICIONES LEGALES

Como sabemos, los arts. 752 a 754 CC contienen varias denominadas *incapacidades relativas* para suceder por testamento, pero que funcionan y son auténticas prohibiciones, implicando en su reverso una limitación al principio de libertad de disponer del sujeto activo.

La *ratio iuris* de estas prohibiciones es evitar la captación de voluntad del testador, que, por las circunstancias que rodean los supuestos contemplados en estos artículos, es más fácil que se produzca que en otros escenarios. El Código proyecta sobre estas circunstancias una suerte de tacha, o por lo menos de sospecha, de inmoralidad en los sucesores, presuntos captadores de voluntad, con el lógico correlato de la limitación de voluntad por parte del disponente.

Discrepa CERDEIRA en el sentido de que no cree que el legislador tenga en tan baja estima a aquellas personas y constata que el artículo en sí no tiene carácter punitivo o sancionador –de hecho, su régimen difiere del de la indignidad[27]– sino que

_____

de los deseos y preferencias como motor de las decisiones del sujeto, con independencia de que, de tratarse de la presencia de una influencia indebida, pudiera impugnarse el testamento por los cauces correspondientes (apreciando en primer lugar la presencia de aptitud en el momento del otorgamiento, y en segundo lugar libertad de consentimiento).

27.   CERDEIRA BRAVO DE LA MANSILLA, G., *ob. cit.*, p. 110.

su razón de ser estriba en "salvaguardar el derecho a equivocarse no incluye en tal salvedad el derecho a ser engañado (del mismo modo en que el error propio es diverso del causado por dolo); lo que pretende la Convención es que la persona con discapacidad asuma sus propios riesgos y sus propios errores (riesgos y errores siempre propios), pero no cuando tales riesgos y errores puedan ser causados por engaño de otra persona, mucho menos, de manos de su propio guardador o apoyo"[28]. La *ratio*, en su opinión, no es la desconfianza del legislador hacia el testador con discapacidad, al que reconoce su capacidad testamentaria en muchos preceptos (arts. 663.2°, 665, 695, 706. III CC), pero sí hacia la persona que debe cuidarla, protegerla y ayudarle a que forme libremente su voluntad[29].

Quizá el legislador no tenga en baja estima la honorabilidad del curador representativo o, en su caso, de algunos cuidadores, pero el resultado al que llega parece que es como si así fuera, haciéndoles de peor condición que el indigno, dado que el testador no tiene ninguna vía para dejar esas prohibiciones sin efecto. Y en el fondo, sí que hay desconfianza hacia la capacidad del testador de hacerse cargo de determinadas circunstancias, respecto del que piensa que, ni siquiera con apoyos externos como en su caso el notario, es capaz de detectar una posible influencia indebida.

Sea cual sea el origen de esa desconfianza que objetivamente se refleja en el artículo, pese a su amplia dicción literal (que se refiere genéricamente a las *"disposiciones testamentarias"*) parece pacífico admitir que no se aplicarían a las que no favorecen al afectado por la prohibición ni tampoco a aquéllas que, favoreciéndole, es claro que no suponen captación de voluntad: por ejemplo, el nombramiento de albacea, aunque sea remunerado, si la remuneración no excede de lo que es usual para el trabajo que va a realizar ni disimula fraudulentamente la prohibición legal de testar[30]. Y, por esa misma razón, respecto a qué se entiende por *"disposiciones testamentarias"*, se incluye la institución de heredero y legados, ser beneficiario de una carga modal impuesta en testamento a otra persona, o ser nombrado sustituto vulgar o fideicomisario, pero no ser beneficiario de un seguro de vida.

Por lo demás, es habitual hacer referencia a que la *ratio iuris* común de los arts. 752, 753 y 754 es idéntica: como venimos diciendo, evitar la captación de voluntad del testador por parte de quien, por las circunstancias allí reflejadas, tiene mayor margen de influencia. Sin embargo, existen algunas diferencias que deben tenerse en cuenta y podrían justificar un tratamiento específico de la que afecta a la persona con discapacidad, sin perjuicio de que tampoco vería inconveniente a eliminar aquellas, dejando a una posible impugnación *a posteriori* del testamento si se prueba la influencia indebida o captación de voluntad[31].

---

28.   CERDEIRA BRAVO DE LA MANSILLA, G., *ob. cit.*, p. 113.
29.   CERDEIRA BRAVO DE LA MANSILLA, G., *ob. cit.*, p. 112
30.   DÍAZ ALABART, S., "Comentario al art. 752", en *Comentarios al Código civil y a las Compilaciones Forales* (Dir. ALBALADEJO GARCÍA M.), Tomo X, Vol. 1, Edersa, 1987, pp. 117 a 119.
31.   No defiendo a toda costa el mantenimiento de dichas incapacidades, en las cuales, en efecto, es objetivamente mucho menos probable la eventual influencia en la voluntad del testador (GARCÍA RUBIO, M.° P., "Contenido y significado general de la reforma civil y procesal en materia de discapacidad", Artículo monográfico, *Sepin*, 2021: p. 3): lo que hago notar en el texto es que, en la

1. DIFERENCIAS RESPECTO A LAS PROHIBICIONES DE SUCEDER DE LOS ARTS. 752 Y 754 CC

1. En el caso del art. 753 CC el testador no tiene ninguna otra alternativa para nombrar heredero a las personas allí referidas, a diferencia de los arts. 752 y 754 CC: así como en principio, y salvo casos de urgencia o circunstancias variadas que lo hicieran imposible, cabría acudir a otro notario a otorgar testamento o incluso hacerlo ológrafo, o a otro confesor, para poder favorecer a éstos por vía testamentaria, el sometido a curatela representativa carece, por motivos que no es necesario explicitar, de esta posibilidad.

2. Los tribunales han aceptado cierto margen de prueba en contra en el caso de la prohibición del art. 752, pero no en el del artículo que analizamos. En la STS de 19 de mayo de 2015 relativa al art. 752 CC, se aprecia que dándose los presupuestos del citado artículo (confesión, testamento posterior a aquélla, disposición a favor del confesor durante la última enfermedad), se presume que el testador actuó bajo un estado de sugestión, "debiendo" –y, por tanto, se parte de que se puede– "ser desvirtuada dicha presunción por prueba en contrario". Se asume así la opinión de que, si la finalidad de la norma es la preservación de la libre voluntad querida por el testador, debe descartarse la interpretación que, de un modo absoluto, aplica automáticamente el precepto sin posibilidad de prueba en contrario. En contra, la opinión que aprecia en el tenor del artículo una prohibición de carácter absoluto, que limita completamente la libertad del testador, incluso aunque se probara que actuó libre, conscientemente y por propia iniciativa.

No ha habido, que me conste, un pronunciamiento jurisprudencial similar para el art. 753 CC y ello concuerda, al menos en parte, con la imposibilidad vigente hasta ahora de considerar válidos los actos prohibidos por la sentencia de modificación de la capacidad de obrar, incluso aunque se probara la aptitud natural de su autor en el momento de su realización: rigidez del sistema en aras a la seguridad jurídica, que en ocasiones ignoraba la realidad, pero que hasta ahora ha sido comúnmente aceptada por considerar dicha seguridad jurídica como valor superior.

En el caso del art. 753 CC no se admite prueba en contrario, ni de ausencia de captación de voluntad ni de que la declaración de voluntad coincide con la voluntad real del testador. La única prueba posible sería demostrar que la fecha del testamento es posterior a la extinción de la curatela o, incluso, que el testamento se otorgó antes del nombramiento del tutor o curador[32].

---

reforma del art. 753 –pues los arts. 752 y 754 no eran objeto de atención por el legislador en esta ocasión– se hubiera tenido una estupenda oportunidad para avanzar en estos planteamientos.

32. En este sentido, REPRESA POLO, M.ª P., *ob. cit.* pp. 45 y 60 hace notar, acertadamente, que "lo que preocupa no son los casos que quedan fuera del ámbito de aplicación del artículo 753 CC que siempre podrían impugnarse a través de la teoría de los vicios de la voluntad testamentaria sino los supuestos que quedan dentro del ámbito de aplicación de aquél y en los que no ha habido influencia alguna, sino que la verdadera voluntad del testador es beneficiar al curador o al cuidador". Todo ello contrasta con el hecho de que, en sede de curatela, a diferencia de lo que sucedía en el régimen anterior, en el que la sentencia podía privar a la persona de la posibilidad

3. Además, sin menosprecio alguno de la labor del notario o del confesor, es probable que el testador tenga muchos más motivos para agradecer las atenciones y cuidados prestados en vida por el tutor o el curador, que, en muchas ocasiones, atienden a la persona de un modo mucho más generoso y cercano que sus propios familiares.

2. DIFERENCIAS RESPECTO A OTRAS PROHIBICIONES QUE PESAN SOBRE QUIEN EJERCE UN CARGO DE APOYO

Se trata también de prohibiciones legales que obedecen a razones objetivas –no subjetivas– de moralidad o de contraposición de intereses, a fin de evitar el abuso o el fraude que una persona (la de asistencia y apoyo) pueda cometer en perjuicio de otra (precisamente, de quien aquella debería asistir y apoyar). Señala en este sentido CERDEIRA que, mientras que cualquier limitación a la capacidad afecta a la capacidad propia de una persona, las prohibiciones legales, en cambio, afectan a la legitimación para disponer o para administrar, pero no a la capacidad de la persona que en absoluto se ve afectada por aquella prohibición, sino una limitación, un veto a tal legitimación y al poder de asistencia[33].

Ahora bien, desde la otra cara de la moneda, estas prohibiciones impiden a la persona con discapacidad donar o vender: valgan aquí las consideraciones antedichas sobre la razón, en este caso subjetiva, que impide que las personas puedan llevar a cabo estos determinados negocios jurídicos.

2.1. Recibir liberalidades de la persona que precisa el apoyo o de sus causahabientes

La prohibición del art. 251 CC –*"Se prohíbe a quien desempeñe alguna medida de apoyo: 1.º Recibir liberalidades de la persona que precisa el apoyo o de sus causahabientes, mientras que no se haya aprobado definitivamente su gestión, salvo que se trate de regalos de costumbre o bienes de escaso valor"*– se refiere al desempeño de cualquier medida de apoyo, incluyendo, por tanto, la guarda de hecho o las medidas de origen voluntario (poder preventivo, escritura de apoyo del art. 255 CC) y no solo al curador representativo, como hace el art. 753 CC.

La referencia a la prohibición de recibir liberalidades de los causahabientes de la persona con discapacidad –que no aparece en el art. 753 Cc–, parece pensada para evitar expedientes para burlar dicha prohibición, como si esta designara, v.gr., herederos a otras personas, pero con la carga de hacer una liberalidad en el futuro a quien presta

---

de otorgar testamento, ello no es posible en la actualidad porque, además, se trata de actos personalísimos en los que no es posible asistencia ni representación. En el nuevo sistema será en el momento concreto en el que se pretenda prestar el consentimiento cuando se llevará a cabo el juicio de discernimiento para ver si la persona puede consentir consciente y libremente: cfr. PEREÑA VICENTE, M., "La curatela: los nuevos estándares de intervención, nombramiento, actuación y remoción", *XXI Jornadas de la Asociación Profesores de Derecho civil* (en prensa).

33. En este sentido, CERDEIRA, que las diferencias de las restricciones a la capacidad, que obedecen a razones subjetivas e inherentes a cada persona, p. 32, y de la indignidad sucesoria, que sí tiene naturaleza punitiva o sancionadora, CERDEIRA BRAVO DE LA MANSILLA, G., *ob. cit.*, p. 123.

el apoyo: lo que sí podrían hacer los causahabientes es dejar su propio testamento al que en su momento prestó el apoyo (si es que les sobrevive), porque ni este exprestador de apoyos va a influir en su ánimo a la hora de testar si ellos no quieren, ni ellos son los sujetos de esta protección.

Cabe efectuar donaciones *si son de escasa cuantía*: la traslación del criterio al escenario del art. 753 CC sería el de un legado de un bien de escaso valor[34] – pues no se alcanza a identificar la existencia de *disposiciones testamentarias de costumbre*.

También cabe hacer donaciones una vez aprobada definitivamente la gestión, lo que remite a varios escenarios: 1) que la persona haya mejorado y no necesite apoyos, 2) que cambie la persona que presta apoyos (porque por ej. se va a otra ciudad, o cambia su situación): en este caso, tendría que hacer la donación con el apoyo del nuevo prestador, si es que lo necesita para este punto, o 3) que la persona con discapacidad haya fallecido y los causahabientes quieran hacerle una donación, una vez aprobada la gestión[35].

2.2. Adquirir bienes por compra de la persona a quien representen

El art. 1459 CC prohíbe adquirir por compra, aunque sea en subasta pública o judicial, por sí ni por persona alguna intermedia a los que desempeñen *"funciones de apoyo los bienes de la persona o personas a quienes representen"*, inciso este último que conduce a limitar esta prohibición solo a los casos de curador con facultades de representación, que es respecto al que se produciría conflicto de intereses por el autocontrato. Si no es un curador de este tipo, sino solo de los que presta apoyos, y la persona con discapacidad tiene la capacidad para decidir sobre esa compra no tiene sentido o extenderle esa prohibición, aunque no hay duda de que podría igualmente haber captación de voluntad o influencia indebida.

Con carácter general, hay que llamar la atención en que, además de estas u otras diferencias que pudieran establecerse, una muy relevante es que con la prohibición de liberalidades en vida al tutor o de compras sospechosas por parte de éste, se pretende no perjudicar en vida a la persona con discapacidad, pero tras su muerte, el perjuicio a sus intereses, si es que lo hay, no se produce de la misma manera.

Es verdad que si se tiene ese prejuicio de presunción de intereses espurios por parte del prestador de apoyo, llevado al extremo, se puede concluir que de no existir la prohibición del art. 753 CC ello podría provocar una falta de cuidado e interés del tutelado que acelerara su muerte y con ella la adquisición de la herencia por parte de éste. Pero ¿pensar en ese escenario reprochable y casi delictivo justifica el coartar la libertad de testar de la persona con discapacidad? Sinceramente creo que no.

---

34. DÍAZ ALABART, S., considera, por diversas razones, algunas de índole práctica, que los legados módicos no son nulos en "Comentario al art. 753", en *Comentarios al Código civil y a las Compilaciones Forales* (Dir. ALBALADEJO GARCÍA M.), Tomo X, Vol. 1, Edersa, 1987, pp. 153 y 154.
35. Puede hacer liberalidades *"el curador que ejerza funciones de representación de la persona"*, si bien *"necesita autorización judicial"* para *3.º Disponer a título gratuito de bienes o derechos de la persona afectada, salvo los que tengan escasa relevancia económica y carezcan de especial significado personal o familiar* (art. 287 CC).

Además, hay otros ámbitos en los que el sistema no ve imposible salvar los conflictos de intereses (no es infrecuente en los apoderamientos voluntarios): aquí, sin embargo, no hay margen alguno.

IV. EXISTENCIA DE OTRAS OPCIONES QUE HUBIERA TENIDO EL LEGISLADOR

El argumento esencial para rechazar la prohibición absoluta del primer párrafo del art. 753 CC es, a mi modo de ver, la *igual capacidad jurídica* a la que alude el art. 12 de la Convención, que tendría como una de sus manifestaciones –aunque no se diga expresamente[36]– la testamentifacción activa: posibilidad que requeriría, al igual que las personas sin discapacidad, que tengan capacidad legal (14 años) y en el momento en que vayan a otorgarlo tengan entendimiento y voluntad suficiente para hacerlo.

Evidentemente tienen que tener esa capacidad pues no puede testar la persona que en el momento del otorgamiento no pueda conformar o expresar su voluntad –o "comprender y manifestar el alcance de sus disposiciones", en los términos del art. 665 CC– "ni aun con ayuda de medios o apoyos para ello" (art. 663.2º CC), lo que en cierto modo se reitera en el art. 666 CC al recordar que para apreciar la capacidad del testador se atenderá" únicamente al estado en que se halle al tiempo de otorgar el testamento".

En ámbitos especialmente sensibles para la persona con discapacidad como el sufragio activo, que durante años fue objeto de la restricción prevista en el art. 3.1.b) LOREG, se dio un radical giro con la la Ley Orgánica 2/2018, de 5 de diciembre: eliminación que operó además *ministerio legis,* sin tener que impugnar, una a una, sentencias anteriores.

En el mismo nivel de afirmación de dignidad de la persona está el decidir qué destino quiere para sus bienes tras su muerte, y en la elección de ese destino, la protección y el paternalismo no se pueden volver en su contra impidiendo lo que él o ella quieren, a lo mejor con todas sus fuerzas: dejar los bienes a la persona física o jurídica que más y mejor se ha ocupado de él.

Si el criterio del "interés de la persona con discapacidad" se considera abandonado e incluso en algunos sectores proscrito, ¿por qué ha de decidir el legislador qué es lo mejor para él en este punto prohibiéndoselo a priori? Si eliminamos la incapacitación como tal y de alguna manera revive, no la presunción de capacidad clásica, sino la consideración de la misma capacidad jurídica en su caso necesitada de apoyos para su ejercicio ¿podemos prescindir de este postulado, así como del *favor testamenti?* Creo que sobre todo esto se debe reflexionar sin los perjuicios que arrastramos fruto, muchas veces, de ideas preconcebidas y de miedo al cambio.

El art. 12.4 de la Convención impone a los Estados parte el deber de asegurar que en todas las medidas relativas al ejercicio de la capacidad jurídica se proporcionen "salvaguardias adecuadas y efectivas para impedir los abusos", que se pueden producir en este ámbito. Y, de hecho, la Observación nº 1º (2014), del Comité de la ONU sobre

---

36. Sí que se aluden en el art. 12.5 de la Convención a cuestiones como la capacidad para ser propietarias y heredar bienes y controlar sus propios asuntos económicos, entre otros.

los derechos de las personas con discapacidad reconoce en su punto 22, que aunque "todas las personas pueden ser objeto de 'influencia indebida', este riesgo puede verse exacerbado en el caso de aquellas que dependen del apoyo de otros para adoptar decisiones. Se considera que hay influencia indebida cuando la calidad de la interacción entre la persona que presta el apoyo y la que lo recibe presenta señales de miedo, agresión, amenaza, engaño o manipulación", y por ello, las salvaguardias para el ejercicio de la capacidad jurídica deben incluir la protección contra la influencia indebida; sin embargo, la misma Observación reitera que "la protección debe respetar los derechos, la voluntad y las preferencias de la persona, incluido el derecho a asumir riesgos y a cometer errores".

No puede negarse que la opción del legislador se hace en el marco de esas salvaguardias, y, desde ese prisma, tiene acomodo en la Convención porque la limitación de capacidad –en este caso, para testar– se hace en términos no discriminatorios, si se tiene en cuenta que no es la única, sino que existen los arts. 752 y 754 CC[37].

Sin embargo, y como he tratado de demostrar, pese a tener un denominador común, existen relevantes diferencias entre estas prohibiciones, que justificarían un tratamiento específico en el caso de las personas con discapacidad. No sé si una prohibición absoluta, habiendo otras posibilidades, es, en los propios términos de la Convención, proporcional –principio que también afecta a la graduación de las salvaguardias– ni respeta sus derechos, voluntad y preferencias.

En el fondo, es una toma de decisión previa por parte del legislador de lo que considera *interés* de la persona con discapacidad, que, pese a ser criterio proscrito por la Convención, en la interpretación dada por la Observación General Primera, encuentra una presencia velada, muy reveladora, en algunos preceptos de la nueva ley. Como ha advertido MARTÍNEZ DE AGUIRRE, el sistema permite dejar de lado la voluntad, incluso expresada, de la persona afectada, más allá de los supuestos en los que proceda la curatela representativa, en casos como la reorganización del funcionamiento de la curatela (art. 283 CC), la fijación de la retribución del curador (art. 48 LJV), o la remoción de este (art. 49 LJV). Se concede a la autoridad judicial la capacidad de decidir, apartándose de la voluntad expresada por la persona con discapacidad, y "sobre la base de otros criterios, entre los que cuales habría que incluir el de la protección de los derechos e intereses de esa persona, recogidos expresamente en el art. 12 de la Convención, y muy cercanos (si no idénticos) al de su interés objetivo: al menos en algunos casos, no se ve que otro criterio puede ser tomado en consideración una vez establecido que la voluntad y preferencias no son decisivas"[38].

---

37. Así lo defiende CERDEIRA BRAVO DE LA MANSILLA, G., *ob. cit.*, p. 114, con cita de la Observación n.º 1.º en su punto 32, cuando afirma que "Los Estados pueden limitar la capacidad jurídica de una persona en determinadas circunstancias, como la quiebra o una condena penal. Sin embargo, el derecho al igual reconocimiento como persona ante la ley y a no sufrir discriminación exige que cuando el Estado niegue la capacidad jurídica, lo haga aplicando los mismos motivos a todas las personas. La negación de la capacidad jurídica no debe basarse en un rasgo personal como el género, la raza o la discapacidad, ni tener el propósito o el efecto de tratar a esas personas de manera diferente".

38. MARTÍNEZ DE AGUIRRE ALDAZ, C., "Autonomía, apoyos y protección en la reforma del Código civil sobre discapacidad psíquica", *Diario La Ley*, n.º 9851, de 17 de mayo de 2021 (versión accesible online). Muy esclarecedora, la diferenciación que GUILARTE MARTÍN-CALERO hace del

Y desde luego, donde sigue presente el criterio del interés objetivo de la persona con discapacidad con mucha más fuerza, es en la presunción *iuris et de iure* de influencia indebida o captación de voluntad, que se mantiene en este ámbito de la prohibición testamentaria del art. 753 C, o en otros ámbitos, la prohibición de que sean curadores las personas jurídicas con ánimo de lucro (art. 275 CC: "Asimismo, podrán ser curadores las fundaciones y demás personas jurídicas sin ánimo de lucro, públicas o privadas, entre cuyos fines figure la promoción de la autonomía y asistencia a las personas con discapacidad")[39].

Ahora bien, quien escribe estas líneas comparte los reparos que muchos tienen frente a un ilimitado "*right to wrong*" de la persona con discapacidad y por ello, entiendo que probablemente la mejor *medida de apoyo* para la toma de decisiones respecto al destino mortis causa de sus bienes, y en concreto en el caso de que vayan al curador representativo, debería ser la intervención notarial.

El apoyo en estos casos tiene que ser exquisitamente respetuoso con el carácter personalísimo del testamento, siendo tan solo un mero consejo o asesoramiento que deje libre a la persona.

Y es que, incluso aunque no fuera un complemento de capacidad en sentido técnico[40] –contenido de sustitución o complemento de capacidad en sentido jurídico–,

---

"interés de la persona con discapacidad", que se concreta en el respeto de sus derechos, voluntad y preferencias, y que excluye las decisiones de un tercero ajenas a este canon, y el "interés objetivo", que es el adoptado por el intérprete según sus propias convicciones y ello sólo será posible en aquellos casos en los que no pueda aplicarse el canon de la trayectoria vital. Y frente a lo que acontece con el interés del menor que se declara prevalente frente a cualesquiera otros en el art. 3 del Convenio europeo de los derechos del niño y en el art.2 LOPJM, el interés de la persona con discapacidad no es superior, en caso de conflicto de derechos, no ha de considerarse prevalente. A ello ha de añadirse, como consta la autora, la admisibilidad expresa del desplazamiento del principio de la voluntad en dos supuestos muy concretos que en su opinión han de interpretarse con carácter restrictivo: la provisión de apoyos con oposición de la persona, regulada en los arts. 756 y ss LEC y la designación de curador recogida en los arts. 272 y 276 CC, que permite al juez apartarse de la voluntad o preferencia manifestada por la persona a este respecto, si existen circunstancias graves desconocidas por ella o alteración de las causas expresadas por ella o que presumiblemente tuvo en cuenta en sus disposiciones. GUILARTE MARTÍN-CALERO, C. "Las grandes líneas del nuevo sistema de apoyos regulado en el código civil español", *XXI Jornadas de la Asociación Profesores de Derecho civil* (en prensa). Estos supuestos y los citados en el texto el legislador decide, no tanto apartándose, sino sin tener en cuenta la voluntad, deseos y preferencias, tienen como base, a mi parecer, lo que el legislador considera que es interés objetivo de la persona con discapacidad.

39. Esta exclusión parece contradictoria con aquellas situaciones en que la administración del patrimonio exija una dedicación profesionalizada o falten personas cercanas al beneficiario que merezcan la confianza del constituyente o puedan asumir con garantías dichas funciones. E incluso MPGR dice que las limitaciones que al respecto se establecen para ser nombrado curador en el actual art. 275 CC no deberían imponerse a la voluntad contraria del interesado. Lo importante es que en la escritura de autocuratela se incluyeran las correspondientes medidas de control para asegurar el respeto a la voluntad y las preferencias de la persona si llegan a ser nombradas curadores, y asegurar que no haya conflicto de intereses ni influencia indebida (art. 12.4 de la Convención) y, por supuesto, si llegan a ser nombradas curadoras, que estén sujetas a exámenes periódicos y a los correspondientes controles, que disponga la resolución judicial.

40. En ningún caso puede tener contenido jurídico en sentido estricto, y en esto la STS de 15 de marzo de 2018 ha sido muy clara al referirse al papel del tutor o curador a la hora de testar excluyendo el posible apoyo o intervención en los negocios jurídicos de disposición *mortis causa* del tutelado o curatelado: "ni el tutor como representante legal puede otorgar testamento en lugar de la persona con capacidad modificada judicialmente ni el curador puede completar

sí que sería sospechoso que el apoyo, en versión asesoramiento para la toma de esta decisión viniera, precisamente de quien en el futuro se va a beneficiar de ella. Por eso, un tercero imparcial como es el notario puede cumplir perfectamente este papel de asesoramiento, haciéndose cargo mediante preguntas acertadas de cuál es la voluntad de la persona con discapacidad.

Intervención notarial compatible con la impugnación del testamento por vicios del consentimiento o por captación de la voluntad –aun con los problemas que supone la aceptación de la doctrina de la *undue influence*[41]–, o por lo menos, por admitir prueba en contrario configurándose como presunciones *iuris tantum*. Es verdad que la intervención notarial en la inmensa mayoría de las ocasiones conjurará ese peligro, pero no debería excluirse como posibilidad.

Otros argumentos de conveniencia, nada desdeñables, vendrían de las necesidades económicas de muchas de las entidades prestadoras de apoyos.

No es ninguna sorpresa constatar que factores como la reducción de la extensión de las familias o la insolidaridad propia de una sociedad competitiva y de alta velocidad como la actual, provocan que sea muy difícil encontrar personas del entorno de las personas con discapacidad que, libre y desinteresadamente –pues la hipotética retribución del tutor o curador dista mucho de proporcionarle ganancias–, quieran asumir estos cargos. De hecho, las entidades públicas de tutela de adultos de las respectivas comunidades autónomas, están generalmente sobresaturadas y cada vez es más importante el papel de las personas jurídicas privadas que se constituyen con este fin.

Es cierto que el nuevo art. 281 CC, consciente de este problema, no limita el montante de dicha retribución, pero además de que hoy por hoy es una retribución limitada, y probablemente, en defensa de la persona con discapacidad no se fije en un montante excesivo, lo cierto es que parecería de justicia que quien ha ejercido esos cargos con interés y cuidado de la persona, máxime si la actitud de los familiares potenciales herederos *ab intestato* ha sido de desinterés y abandono.

El rechazo a esta posibilidad viene, curiosamente, de muchas personas jurídicas que ejercen los apoyos, que quieren sentirse y ser libres, sin estar bajo la sospecha de que se postulan y en su caso aceptan estos cargos con ánimo de enriquecerse. Puedo

---

su capacidad cuando sea ella quien otorgue testamento". Ya apuntaba con razón GUILARTE MARTÍN-CALERO, C., en "La capacidad para testar:...", cit., p. 88, antes de estas sentencias, que no parece oportuno imponer la asistencia del curador en el otorgamiento de testamento, que el autor realiza por sí mismo y por sí solo, al tiempo que recomienda limitar el otorgamiento a la forma notarial abierta, a la espera de la reformulación de los arts. 663.2 y 665 CC para adaptarse a los postulados de la Convención.

41. Concepto que sí define la Observación n.º 1 (2014) "Se considera que hay influencia indebida cuando la calidad de la interacción entre la persona que presta el apoyo y la que lo recibe presenta señales de miedo, agresión, amenaza, engaño o manipulación". Como en nuestro país se ha carecido hasta ahora de ese concepto, los casos se han ido resolviendo desde la perspectiva de la falta de capacidad del testador vulnerable, como vicio del consentimiento, o como dolo testamentario o incluso si era un ológrafo se ha dicho que no era una verdadera expresión de voluntad testamentaria (*"las tachaduras, enmiendas, entrerrenglonados y añadidos que presenta el manuscrito y que no han sido salvadas son de tal extensión e importancia que lo invalidan como testamento ológrafo"*): sobre todo ello, cfr. VAQUER ALOY, A., "La protección del testador vulnerable", cit. p. 345. Cfr. también REPRESA POLO, M.ª P., *ob. cit.*, p. 46 y jurisprudencia allí citada.

entender esta loable actitud, pero me parece que las injusticias que se generan en ocasiones –favoreciendo, por ejemplo, a sobrinos lejanos que ni conocían al tutelado– neutralizan a los ojos de la sociedad estos miedos, a lo que habría que sumar que, en el caso de muchas de las fundaciones privadas prestadoras de apoyos, sus recursos propios son tan exiguos que necesitarán todos los recursos económicos que puedan allegar para seguir desempeñando su labor.

V. ALGUNOS CONTRASTES DIFÍCILMENTE EXPLICABLES

La opción superproteccionista del legislador para la designación del *destino post mortem* de los bienes que estamos analizando contrasta con el amplísimo margen del llamado derecho a equivocarse en vida que late en la nueva redacción del art. 1263 CC, en el que no hay ningún tipo de limitación en la capacidad para contratar, lo que se completa y reafirma en el nuevo régimen del art. 1302 CC.

La respuesta al sistema hasta ahora, en el caso de la curatela, era, según el art. 293 CC que los actos jurídicos realizados sin la intervención del curador cuando ésta fuera preceptiva, eran anulables a instancia del propio curador o de la persona sujeta a curatela. Tras una accidentada tramitación parlamentaria, con cambios de criterio de un extremo a otros, la solución adoptada en el art. 1302.3 CC, segundo inciso, permite que el prestador de apoyos –la persona a la que hubiera correspondido prestar el apoyo– anule el acto *"cuando el otro contratante fuera conocedor de la existencia de medidas de apoyo en el momento de la contratación o se hubiera aprovechado de otro modo de la situación de discapacidad obteniendo de ello una ventaja injusta"*.

Se ha evitado acudir a la mala fe del otro contratante, como en algún momento se propuso, para evitar que se identificara con el dolo –porque para eso ya está el art. 1265 CC–, considerando sin embargo como un indicio muy significativo de esa mala actuación por parte de un tercero, el hecho de que conociera que había establecidas medidas de apoyo, que la persona con discapacidad no utilizó. Y se ha introducido el concepto –se supone que objetivo y relacionado con el tradicional enriquecimiento injusto– de la obtención de una ventaja injusta.

Habrá que ir viendo cuál es la apreciación de los tribunales, pero parece que con ello el legislador español ha hecho una interpretación correctora en positivo de los términos de la Convención que, tal y como se ha interpretado por el Comité de seguimiento, puede dar lugar a pensar que las principales amenazas vienen, precisamente, de quien debería apoyar. Por supuesto, así es, pero también, y quizá principalmente de los terceros.

Pero esa posibilidad queda circunscrita a los términos vistos: es decir, no cabe anular contratos en los que esas circunstancias no se han dado pero que, sin embargo, vistos desde fuera, pueda pensarse que perjudican a la persona. Es decir, no se podría aplicar a actos "bienintencionados", como donaciones hechas por la persona con discapacidad para ayudar, por ejemplo, a un familiar desempleado, pero sin prever sus propias necesidades futuras. La solución es equilibrada, en el sentido de que, ni es la inicial que, transponía los criterios tradicionales del texto anterior art. 1302 CC, que no casaban con la filosofía del nuevo sistema, ni es el otro extremo, que dejaba absolutamente desprotegida a la persona con discapacidad, al dejar solo en su mano la posibilidad de anular los actos realizados sin apoyo.

Precisamente enlazando con esto último, el sistema sigue permitiendo que la propia persona con discapacidad pueda anular sus propios actos hechos sin el apoyo correspondiente (art. 1302.III CC, primer inciso). Esto parece conveniente y necesario, pero hay que reconocer que se contradice con la libertad cuyo respeto, casi sagrado, ha hecho que nada ni nadie pueda haberle obligado a contar con el apoyo: si era libre para hacerlo –para prescindir del apoyo– no parece muy justo que luego pueda echarse atrás, precisamente por ese motivo (por ausencia de apoyo). Otra cosa es –y puede que esa sea la idea– que la posibilidad de anular sus propios actos hechos sin el apoyo, se anude a la alegación no tanto de un déficit de voluntad (porque ha recibido el apoyo), sino de un vicio de la voluntad como error o dolo. Y, de hecho, en estos casos de actuación sin apoyo, será más frecuente que la persona haya sufrido uno de estos vicios de la voluntad. Lo que pasa es que no deja de sorprender un poco que se le asigne una "doble oportunidad": la persona voluntariamente prescinde del apoyo, que quizá hubiera podido evitarle el error, y, sin embargo, luego no tiene que asumir las consecuencias, sino que puede instar la anulación. Es verdad que, como he dicho, pienso que también los actos realizados con apoyo se podrían anular por vicios de la voluntad, pero eso es en las mismas condiciones que podemos anularlo cualquier persona.

Por lo demás, y siguiendo la dinámica tradicional en este punto, el nuevo art. 1302 CC dice que el contrato también podrá ser anulado por los herederos de la persona con discapacidad, durante el tiempo que faltara para completar el plazo de ejercicio de la acción, pero los contratantes no podrán alegar la falta de apoyo de aquel con el que contrataron.

Los artículos conexos se acomodan a este cambio, introduciendo también algunas variaciones en relación a la versión anterior: así, en el cómputo del plazo de caducidad de cuatro años de la acción de nulidad (art. 1301.IV CC) aplicada a este caso, cuyo *dies a quo* será la celebración del contrato, sin más, puesto que se ha eliminado la cláusula de cierre, pasados cinco años desde la celebración del contrato, que figuraba en el anteproyecto. También, en las consecuencias relativas a la restitución de la cosa objeto del contrato, con el límite del enriquecimiento por parte de la persona con discapacidad (art. 1304 CC) o en los casos de pérdida de la cosa (art. 1314 CC).

Como digo, no deja de sorprender que, aunque en general el sistema trata de introducir –o facilitar la introducción– de salvaguardas efectivas para evitar los perjuicios en la vida de la persona con discapacidad, deje conscientemente un margen de derecho a equivocarse como afirmación de su dignidad, y, sin embargo, no lo permita en algo que a priori no le va a perjudicar, puesto que desplegará su efectividad después de su muerte.

No tiene mucha justificación que se admita su capacidad para testar, pero no para decidir a quién se dejan los bienes. El proteccionismo basado en la presunción de captación de voluntad no casa mucho en mi opinión con la afirmación de su libre desarrollo de la personalidad, ni de la afirmación de su dignidad: otra cosa es que haya que prestarle los correspondientes apoyos para asegurar en la medida de lo posible que no se producen esas influencias indebidas, como por otra parte ha de hacerse con cualquier persona, pero no prohibirlo *a priori*.

Ahora bien, soy consciente de que no es esta la tendencia: de hecho, en Alemania, que es un referente claro con su legislación sobre la *Betreuung*, si bien no había ningún artículo que impidiera que una persona con discapacidad designe como heredero a su *Betreuer*, a partir de 2023, con la entrada en vigor de la *Betreuungsorganisationsgesetz* (Ley de organización de la asistencia), se prohíbe que el *Betreuer* sea heredero (§30 BtOG)[42].

VI. BIBLIOGRAFÍA

CARRASCO PERERA, Á., "Contratación por discapacitados con y sin apoyos", *XXI Jornadas de la Asociación Profesores de Derecho civil* (en prensa).

CERDEIRA BRAVO DE LA MANSILLA, G., "Prohibición legal de testar para las personas con discapacidad: justificación e interpretación del 'nuevo' artículo 753 del Código Civil", *Revista Jurídica del Notariado*, nº 113, 2021.

DE AMUNÁTEGUI RODRÍGUEZ, C. "El protagonismo de la persona con discapacidad en el diseño y gestión del sistema de apoyo", *Claves para la adaptación del ordenamiento jurídico privado a la Convención de Naciones Unidas en materia de discapacidad* (Dirs. DE SALAS MURILLO Y MAYOR DEL HOYO) Tirant lo Blanch, 2019.

– *Apoyo a los mayores en el ejercicio de su discapacidad. Reflexiones a la vista del Anteproyecto de reforma de la legislación en materia de discapacidad*, Madrid, Reus, 2019.

DÍAZ ALABART, S., "Comentario a los arts. 752 a 754", en *Comentarios al Código civil y a las Compilaciones Forales* (Dir. ALBALADEJO GARCÍA M.), Tomo X, Vol. 1, Edersa, 1987.

DÍEZ MARTÍNEZ, A. "Comentario al art. 753", en *Comentarios a la Ley 8/2021* (Dir. EGUSQUIZA BALMASEDA, Mª Á. et al), Dykinson (en prensa).

GARCÍA CANTERO, G., "Comentario al art. 221", *Código civil comentado*, Volumen I (Dirs. CAÑIZARES LASO, DE PABLO CONTRERAS, ORDUÑA MORENO, VALPUESTA FERNÁNDEZ), 2ª ed., Thomson Reuters, 2016.

GARCÍA RUBIO, Mª P., "Comentario al art. 753", *Código civil comentado*, Volumen II (Dirs. CAÑIZARES LASO, DE PABLO CONTRERAS, ORDUÑA MORENO, VALPUESTA FERNÁNDEZ), 2ª ed., Thomson Reuters, 2016.

– "Contenido y significado general de la reforma civil y procesal en materia de discapacidad", *Sepin*, 2021.

---

42. Sin embargo, el testamento a favor del *Betreuer* puede resultar contrario al orden público, basándose en la regla del § 138 I BGB, y en consecuencia, nulo, lo que no obstante es discutido (en contra: Graf Wolffskeel v. Reichenberg, NJW 2021, 1681, 1686; Litzenburger, FD ErbR 2021 437206). La jurisprudencia ha dicho que sí, siempre que el *Betreuer* utilice su poder y su influencia sobre la persona con discapacidad (anciana, enferma, soltera) para lograr que esa persona otorgue testamento en beneficio del *Betreuer* (OLG Braunschweig, BeckRS 1999, 30843645; OLG Celle, NJW 2021 1681, 1684).

GUILARTE MARTÍN-CALERO, C., "La capacidad para testar: una propuesta de reforma del artículo 665 del Código civil a la luz de la Convención internacional sobre los derechos de las personas con discapacidad", *Estudios y comentarios jurisprudenciales sobre discapacidad* (Coord. GUILARTE MARTÍN-CALERO), Thomson Reuters, 2016.

– "Las grandes líneas del nuevo sistema de apoyos regulado en el código civil español", *XXI Jornadas de la Asociación Profesores de Derecho civil* (en prensa).

LÓPEZ MAZA, S. "Comentario al art 762 CC", *Comentarios al Código civil* (Coord. BERCOVITZ RODRÍGUEZ-CANO, R.), Thomson-Reuters Aranzadi, 5ª ed., 2021.

LORA-TAMAYO RODRÍGUEZ, I., *Reforma civil y procesal para el apoyo a personas con discapacidad,* Colex, 2021.

MARTÍNEZ DE AGUIRRE ALDAZ, C., *Curso de Derecho civil. Sucesiones.* Tomo V, Edisofer, 2013.

– "La Observación General Primera del Comité de Derechos de las Personas con Discapacidad: ¿interpretar o corregir?", *Un nuevo orden jurídico para las personas con discapacidad* (Coord. CERDEIRA BRAVO DE MANSILLA, G.), Wolters Kluwer, 2021.

– "Autonomía, apoyos y protección en la reforma del Código civil sobre discapacidad psíquica", *Diario La Ley*, nº 9851, de 17 de mayo de 2021.

MESA MARRERO, C., "Comentario al art. 753 CC", *Comentario articulado a la reforma civil y procesal en materia de discapacidad* (Dirs. GARCÍA RUBIO, MORO ALMARAZ y VARELA CASTRO), Thomson Reuters Civitas, 2022.

PEREÑA VICENTE, M., "La curatela: los nuevos estándares de intervención, nombramiento, actuación y remoción", *XXI Jornadas de la Asociación Profesores de Derecho civil* (en prensa).

Propuesta del Código civil de la Asociación de Profesores de Derecho civil, Tecnos, Madrid, 2018.

REPRESA POLO, Mª P., "Comentario al art. 753 CC", *Comentarios a la ley 8/2021 por la que se reforma la legislación civil y procesal en materia de discapacidad* (Coord. GUILARTE MARTÍN CALERO, C.), Aranzadi, 2021.

– "La prohibición de suceder del curador y del cuidador habitual. La reforma del art. 753 CC", en *Modificaciones sucesorias, discapacidad y otras cuestiones. Una mirada comparativa*, Reus, 2022.

TRUJILLO DÍEZ, I, "Comentario al art. 753", (actualizado por J.J. Marín López), en *Comentarios al Código civil* (Coord. BERCOVITZ RODRÍGUEZ-CANO), 4ª ed., 2016, Aranzadi.

VAQUER ALOY, A., "La protección del testador vulnerable", *Anuario de Derecho Civil,* nº LXVIII-II, 2015.

– *Libertad de testar y libertad para testar*, Santiago de Chile, Ediciones Jurídicas Olejni, 2018.

7

La indignidad para suceder y la desheredación. Algunas reflexiones tras la promulgación de la Ley (8/2021)[1]

SILVIA DÍAZ ALABART

Catedrática de Derecho Civil
Universidad Complutense de Madrid

SUMARIO: I. INTRODUCCIÓN. II. LA INDIGNIDAD SUCESORIA. 1. *Generalidades*. 2. *Las dos causas de indignidad que se han visto afectadas por la Ley 8/2021: Apartados 2.º y 7.º del art. 756 CC*. 2.1. El curador removido del ejercicio de la curatela y su indignidad con respecto a la herencia de la persona con discapacidad. 2.2. Las personas con derecho a la herencia que no hayan prestado las atenciones debidas al discapacitado. 2.2.1. Las atenciones debidas. 2.2.2. Quienes son las personas que pueden incurrir en indignidad por no prestar al discapacitado las atenciones debidas. III. LA DESHEREDACIÓN. 1. *Introducción*. 2. *Las causas específicas de desheredación, además de las de indignidad a las que se remiten los artículos de desheredación*. 3. *Negativa ilegítima de alimentos*. 4. *Maltrato de obra o injurias graves de palabra*. 4.1. Maltrato de obra. 4.2. Injurias graves. IV. BIBLIOGRAFÍA.

I. INTRODUCCIÓN

La indignidad para suceder y la desheredación son figuras coincidentes en varios extremos. Así, en cuanto que ambas tienen como consecuencia última, que quién está incurso en causa de indignidad o, que ha sido desheredado con justa causa, no pueda suceder a la persona respecto a la que se ha comportado indignamente o que la ha desheredado, o en cuanto que la realización de determinadas conductas tanto pueden ser causa de desheredación como de indignidad (art. 853 CC, primer párrafo).

Asimismo, en todos supuestos que pueden determinar la indignidad o desheredación de una persona, salvo la lógica excepción del que deviene indigno por no

---

1. Este trabajo se ha realizado dentro del marco de las actividades del Proyecto I+D DRTI 2018-099855-3-100, "Desafíos del Derecho de sucesiones en el siglo XXI: una reforma esperada y necesaria".

denunciar la muerte violenta del testador (art. 756, 4.º CC), el causante tiene en su mano la posibilidad de dejar sin efecto la sanción, si así lo expresa en los términos que marca la ley (arts. 757 y 856 CC). Pero ahí se acaban las semejanzas entre ambas figuras, pues sus requisitos y funcionamiento son bastante distintos.

La Ley 8/2021, de 2 de junio, por la que se reforma la legislación civil y procesal para el apoyo de las personas con discapacidad en el ejercicio de su capacidad jurídica (LAPD), ha modificado un gran número de artículos del Código Civil. Entre ellos, varios del ámbito de las sucesiones. Respecto de la regulación de la indignidad se han llevado a cabo un par de retoques más de pura redacción que de otra cosa, mientras que nada se ha cambiado en los preceptos dedicados a la desheredación. No obstante, tiene su interés hacer algunas reflexiones sobre esas dos figuras. En el supuesto de la indignidad el tema principal que veremos no es tanto lo que se cambió, como lo pudiéndose, y debiéndose retocar se mantuvo. En el de la desheredación las cuestiones a tratar derivan de que, en estos momentos, en nuestra sociedad es un tema muy debatido[2]. Hay una corriente de pensamiento no sólo social, sino también jurídico que aboga por una mayor facilidad para que los padres puedan desheredar a sus hijos cuando éstos pierden casi totalmente su relación con ellos y dejan de atenderles en su vejez[3], causándoles un daño psicológico. Directamente relacionada con esta cuestión está la idea de revisar toda la regulación de las legítimas en el Código Civil, pensando en introducir reformas en este sector en la línea de ampliar la libertad de disposición del causante, y planteando incluso la posibilidad de que dicha libertad sea absoluta[4]. Esta posible futura reforma del Código Civil supondría un cambio esencial en el Derecho de sucesiones del Código Civil.

---

2. No es que sea un tema novedoso, pues ya lo planteaba GARCÍA GOYENA; F, en *"Concordancias, Motivos y Comentarios del Código Civil español"*, T.II, Imprenta de la Sociedad Tipográfica Editorial, Madrid 1852, pp. 188 y ss., y se puede decir que ese momento hasta ahora se ha mantenido vivo. Así, a título de ejemplo varias obras relativamente recientes, RAMS ALBESA, J., "Libertad Civil, libertad de testar (notas para su formulación)", en *"Estudios en Homenaje al Profesor Doctor Don José Luis Lacruz Berdejo"*, Bosch, Barcelona 1992, pp. 695 y ss., VALLADARES RASCÓN, E., "Por una reforma del sistema sucesorio del Código Civil" en, *"Libro-Homenaje al profesor Manuel Albaladejo García"*, dirigido por J.M. González Porras y F. Méndez González, T.II, Colegio de Registradores de España y Servicio de publicaciones de la Universidad de Murcia, 2004, pp. 4893-4903, TORRES GARCÍA, T.F., "Legítima, legitimarios y libertad de testar", en *"Derecho de sucesiones. Presente y futuro"*, XII Jornadas de la Asociación de profesores de Derecho Civil, Servicio de Publicaciones de la Universidad de Murcia, 2006, pp. 214-227 o, más recientemente, CAÑIZARES LASO, A., "legítimas y libertad de testar", en *"Estudios de Derecho de Sucesiones. Liber amicorum T.F. Torres"*, dirigido por A. Domínguez Luelmo y M. P. GARCÍA RUBIO, La Ley, Madrid 2014, pp. 245-270.
    No es extraño que sea un debate que permanece en el tiempo ya que las legítimas reguladas en el Código son mucho más amplias que las establecidas en los demás Derechos civiles españoles de origen foral. De hecho, cuando se redactó la Ley 2/2006, de 14 de junio de Derecho civil de Galicia en sustitución de leyes anteriores que para la regulación de las legítimas remitía al Código Civil, en su art. 243 se establece que la legítima de los descendientes será una cuarta parte del caudal hereditario, optando así por una reducción drástica de las legítimas en favor de la libertad de testar que parece ser el signo de los tiempos.
3. En el art. 451-7 del Código Civil catalán en el elenco de las causas de desheredación se incluye, "La ausencia manifiesta y continuada de relación familiar entre el causante y el legitimario, si es por una causa exclusivamente imputable al legitimario". Sobre esta causa en concreto existen ya algunas sentencias de los tribunales catalanes.
4. Vid. MAGARIÑOS BLANCO, V., *"Libertad para ordenar la sucesión"*, Dykinson, Madrid 2022.

II. LA INDIGNIDAD SUCESORIA

1. GENERALIDADES

Se define la indignidad como la tacha con la que la ley marca a las personas que han cometido determinados actos especialmente dignos de reproche, en virtud de los cuales el autor queda inhabilitado para suceder al causante que los padeció, salvo que este lo haya rehabilitado. La indignidad no afecta a la capacidad del indigno de suceder en general, solo a la de suceder a la persona concreta frente a la que realizó la conducta que se sanciona.

El indigno está inhabilitado para suceder tanto testamentariamente como por la vía intestada, como heredero o como legatario. Si fuera legitimario perdería su derecho a la legítima.

Se discute en la doctrina, si en realidad el indigno carece de capacidad para suceder (como dice literalmente el art 756 CC *ab initio*, "son incapaces de suceder"), o sea que no existe delación a su favor. O si más bien, lo que pasa es que se mantiene la delación, pero ésta es claudicante, ya que el estar incurso el heredero en causa de indignidad, cualquier interesado (como un heredero ulterior, o un coheredero), puede solicitar y obtener la anulación de la sucesión.

La primera opción parece más lógica porque no tiene mucho sentido mantener la delación de quien la ley establece que no debe suceder. En cualquier caso, la discusión sobre este punto no tiene interés práctico, pues con delación o sin ella, el indigno al que nadie cuestione por esa causa, adquiere la herencia, y pasados cinco años, ya no hay posibilidad de accionar para privarlo de ella (art. 762 CC)[5].

Las causas de indignidad no tienen efecto si el testador las conocía en el momento de hacer testamento, o si conociéndolas después, las remitiera en documento público. La prueba de que el testador las conocía le corresponde al indigno.

Las causas de indignidad se enumeran en el largo y farragoso art. 756 CC, modificado ya en varias ocasiones[6].

Se pueden resumir en: la comisión de delitos graves contra la vida e integridad física del causante o de sus parientes más cercanos, cónyuge o pareja de hecho. De delitos contra la libertad o integridad moral de las mismas personas, o de delitos contra los derechos y deberes familiares o por haber sido removido de cargos de cuidado o apoyo a personas vulnerables, ya sean menores o discapacitados (art. 756, apartados 1.º, 2.º y 3.º). En todos estos casos es condición necesaria que exista sentencia firme[7]. También el haber acusado al causante falsamente de delito grave (art. 756, apartado 3.º).

---

5. ALBALADEJO GARCÍA, M., *"Curso de Derecho Civil"*, T. V, *"Derecho de Sucesiones"*, Edisofer, 11.ª ed., revisada y puesta al día por S. Díaz Alabart, Madrid 2015, p. 86.
6. Ya se modificó por la Ley 22/1978, de 26 de mayo, de despenalización del adulterio y amancebamiento, posteriormente también lo hizo la Ley 41/2003, de 18 de noviembre de Protección patrimonial de las personas con discapacidad, y la Ley 15/2015, de 2 de Iulio de la Jurisdicción voluntaria, y finalmente ahora con la Ley 8/2021, de 2 de junio.
7. La SAP de Murcia de 19 de noviembre de 2012 es interesante respecto de este extremo. Los hechos son los siguientes: En la comisaria de Yecla se recibe una llamada telefónica. En ella un hombre manifiesta haber asesinado a su mujer en una casa de campo. Cuando los agentes se

Delitos varios que atentan contra la libertad de testar (art. 756, apartados 5.°y 6.°).

El que no denuncie a la justicia la muerte violenta del testador dentro del plazo legalmente establecido, salvo que según la ley no tenga obligación de acusar (art. 756, aptdo.4.°).

El que no presta al discapacitado las atenciones debidas, respecto de su sucesión (art. 756, aptdo. 7.°).

De todas estas causas las enumeradas en los números 1.°, 2.°, 3.°, 5.° y 6.°, también serán justas causas para desheredar a quien las realizó (art. 852 CC).

2. LAS DOS CAUSAS DE INDIGNIDAD QUE SE HAN VISTO AFECTADAS POR LA LEY 8/2021: APARTADOS 2.° Y 7.° DEL ART. 756 CC

2.1. El curador removido del ejercicio de la curatela y su indignidad con respecto a la herencia de la persona con discapacidad

La reforma del apartado 2.° del art. 756 CC ha consistido en introducir algunas mínimas modificaciones en el tercer párrafo de dicho apartado. Sencillamente, que donde antes se decía que se incurría en causa de indignidad por haber sido removido de algún cargo o función de guarda respecto de menores o de personas con la capacidad modificada judicialmente, ahora se dice: "También el privado por resolución firme de la patria potestad, o removido del ejercicio de la tutela o acogimiento familiar de un menor o del ejercicio de la curatela de una persona con discapacidad por causa que le sea imputable, respecto de la herencia del mismo". Esto es, como en otros artículos también modificados por la LAPD, se ha procurado una redacción en la que se separen claramente los menores de las personas mayores con discapacidad, puesto que las primeras han de estar sometidas a la patria potestad o a la tutela, mientras que los discapacitados pueden tener diversas figuras de apoyo, siendo la de mayor entidad la curatela. El curador puede actuar solo asistiendo a la persona con discapacidad, o en los casos en que sea preciso[8] asumirá la representación de la persona con discapacidad, en cuyo

---

personan en la finca en cuestión el sujeto se suicida disparándose en la cabeza. Al explorar la vivienda encuentran el cadáver de la mujer y de los dos hijos pequeños de la pareja, todos ellos con lesiones de arma blanca, así como una nota auto inculpatoria del asesino. La autoría de los crímenes no presenta dudas.

Tiempo atrás, el hombre y su fallecida esposa habían otorgado testamento en el mismo sentido, instituían herederos a sus hijos y dejaban al cónyuge sobreviviente el usufructo universal y vitalicio de todos sus bienes.

Según el informe forense la esposa falleció primero, los hijos quince minutos después y el padre y marido cinco horas más tarde. No hay ninguna duda de que el asesino ha incurrido en causa de indignidad respecto a su esposa e hijos, pero aún es más claro que, una vez muerto, ya no puede ser condenado por sus crímenes. Se podría pensar que al no haber sentencia condenatoria el asesino al fallecer el último heredó a sus familiares a los que dio muerte, y que al fallecer el también todos esos bienes irían a su familia de sangre, lo que a todas luces resultaría aberrante. No fue así. Acertadamente la Audiencia entendió que la exigencia de condena firme recogida en el art. 756 CC, apartados 1.° y 2.°, no es indispensable que sea penal, que basta la civil en la que se declara la indignidad.

8. A tenor de lo dispuesto en el art, 269 CC, tercer párrafo, "Sólo en los casos excepcionales en los que resulte imprescindible por las circunstancias de la persona con discapacidad …". No

caso será un curador representativo. Como en el precepto no se hace distinción entre uno y otro tipo de curador hay que entender que se refiere a ambos.

Aunque no se mencione en el art 756 CC, hay que plantearse si esta causa de indignidad puede afectar a la persona designada por el propio interesado para que cumpla con unas funciones de apoyo similares a las del curador, se le denomine de ese modo o de otro. Parece claro que, pese a la gran libertad que se otorga a las personas para configurar según sus deseos unas medidas voluntarias de apoyo, el derecho a la tutela judicial efectiva exige que los tribunales puedan intervenir en el caso de que se detecten abusos en el desempeño del apoyo al discapacitado, sobre todo cuando este haya perdido la aptitud mínima para advertirlo y denunciarlo, y que por analogía se le aplicarían las causas de remoción del art. 278 CC[9].

Las causas de remoción de la curatela están enumeradas en el art. 278 CC, y afectan a, los que después de su nombramiento hayan incurrido en causas de inhabilidad (art. 275 CC), o que se conduzcan mal en su desempeño por incumplimiento de los deberes propios del cargo, por notoria ineptitud de su ejercicio o cuando en su caso, surgieran problemas de convivencia graves y continuados con la persona a la que prestan apoyo. Para que cualquiera de estas causas desencadene efectivamente la remoción los incumplimientos deben de tener entidad.

Tal como ya se ha señalado, no todas estas causas de remoción del curador tienen que ver necesariamente con una conducta dolosa o incluso culposa del mismo[10]. Así la imposibilidad absoluta de hecho para permanecer en el ejercicio de su cargo, o su notoria ineptitud. No obstante, si a esa remoción se le quiere acompañar de la tacha de indignidad del 756, 2.º, tercer párrafo, resulta evidente que además de que efectivamente exista objetivamente esa causa de indignidad, esta deberá ser imputable a la conducta del curador[11]. De otro modo la sanción carecería de motivo. Así, si la ineptitud sobrevenida para el ejercicio de la curatela procede de graves inconvenientes de salud o edad avanzada del curador[12], o si los desacuerdos reiterados entre curador y curatelado convivientes tiene su causa en la enfermedad mental que padece este último, es claro que eso no puede dar lugar a que se le considere indigno para recibir la herencia del discapacitado al que venía prestando su apoyo como curador. Es obvio

---

obstante, pese a las buenas intenciones del legislador, la terca realidad de que hay un porcentaje de personas con un altísimo grado de discapacidad en los que va a ser imprescindible que los curadores los representen prácticamente para todo. Ello obligará a que en la resolución motivada del Juez en la que se constituya la curatela tenga que incluirse, en este caso, un largo listado de los actos concretos en los que el curador haya de asumir la representación del discapacitado.

9.   SANCHO GARGALLO, I., "El Juez en el nuevo sistema de apoyos", en *"El ejercicio de la capacidad jurídica de las personas con discapacidad tras la Ley 8/2021 de 2 de junio"*, dirigido por M. Pereña Vicente y M.ª. M. Heras Hernández, Tirant lo blanch, Valencia 2021, p. 81.

10. DE SALAS MURILLO, S., "Comentario al art 278 CC", en *"Comentarios al Código Civil"*, coordinado por R. Bercovitz Rodríguez-Cano, Thomsom-Aranzadi 5.ª ed., Cizur menor (Navarra) 2021, p. 514.

11. En este sentido, DE AMUNÁTEGUI RODRÍGUEZ, C., "Comentario al art. 247 del Código civil", en *"Comentarios al Código civil"* dirigidos por R. Bercovitz Rodríguez-Cano, TII, Tirant lo blanch, Valencia 2913, p. 2286, REPRESA POLO, M. P., "Comentario al art. 756 CC", en *"Comentarios a la Ley 8/2021 por la que se reforma la legislación civil y procesal en materia de discapacidad"*, dirigidos por C. Guilarte Martín-Calero, Thomson-Aranzadi, Cizur menor (Navarra), 2021, p. 921.

12. Es el supuesto de la SAP de Ciudad Real de 17 de abril de 2015 (JUR 2015, 138400).

que en el caso del primer ejemplo habrá de nombrarse un nuevo curador que tenga todas las aptitudes precisas para el buen desempeño de su función. En el caso del segundo ejemplo podría ser necesario tomar otro tipo de medidas como ajustar el tratamiento,médico que esté siguiendo el discapacitado, acompañado o no de su ingreso en un establecimiento especializado[13].

Se puede plantear la duda de si el guardador de hecho que actúa como un curador podría también llegar a considerarse indigno si observa alguna conducta, se sobreentiende que le sea imputable, de las que dan lugar a la remoción de los curadores.

Desde luego, aunque la figura del guardador de hecho se haya desarrollado y adquirido lo que podríamos llamar un "mayor *estatus*" como apoyo desde el momento en el que se determina que si viene ejerciendo adecuadamente dicha guarda de hecho, continuará en el ejercicio de su función, incluso si existen medidas de apoyo voluntarias o judiciales, siempre que estas no funcionen correctamente (art. 263 CC). Es más, pidiendo autorización judicial a través de un expediente de jurisdicción voluntaria, el guardador de hecho podrá actuar como representante del discapacitado en actos puntuales. No obstante, se trata de una figura muy diferente a la del curador y la sanción del art. 756, 2.º CC, solo está prevista para este, por lo que habría que concluir que no se le aplicaría[14].

2.2. Las personas con derecho a la herencia que no hayan prestado las atenciones debidas al discapacitado

Aunque inicialmente en el Proyecto de ley se modificaba ligeramente la redacción del art. 756, 7.º CC respecto de la que le dio en su día la Ley 41/2003 de Protección Patrimonial de la Personas con Discapacidad (LPPD)[15], finalmente la Ley 8/2021, por la que se reforma la legislación civil y procesal en materia de discapacidad, ha conservado, tal cual, su redacción originaria. Esto es: "Son incapaces de suceder por causa de indignidad: 7.º. Tratándose de la sucesión de una persona con discapacidad, las personas con derecho a la herencia que no le hubieren prestado las atenciones debidas, entendiendo por tales las reguladas en los artículos 142 y 146 del Código Civil".

Ya en el momento de la inclusión de esta nueva causa de indignidad en 2003, la doctrina de forma prácticamente unánime[16] puso de relieve la gran cantidad de dudas que suscitaba una regla redactada de un modo tan inconcreto[17], cosa

---

13. DE SALAS MURILLO, S., *ob. cit.* p. 515.
14. REPRESA POLO, M. P., *ob. cit.*, pp. 921-922.
15. En el Proyecto de Ley, se mencionaban los distintos tipos generales de discapacidad que pueden afectar a las personas; psíquica, física y sensorial. Probablemente por entender que con ese cambio quedaba más claro que la regla se refería a la sucesión de cualquier persona con discapacidad. En realidad, era innecesario pues ya se sobreentiende que si no se dice nada y no se sigue otra cosa del contenido de la norma cuando se habla de discapacidad se comprenden todos los tipos de la misma.
16. Esa unanimidad exonera de la necesidad de citar autores concretos.
17. Aunque la reforma del artículo estuviera llena de buenas intenciones para incentivar el cuidado de las personas con discapacidad por arte de sus familiares (DÍAZ ALABART, S., "La protección económica de los discapacitados a través del Derecho de sucesiones", en *Encrucijada de la incapacitación y la discapacidad*", dirigido por J. Pérez de Vargas Muñoz, La Ley, Madrid 2011, p. 858.

especialmente criticable cuando hablamos de una regla que sanciona una conducta privando de un derecho o de un beneficio[18] a quien la lleva a cabo. No obstante tanta critica fundada, el legislador ha perdido una buena oportunidad de aclarar todos esos extremos dudosos[19] y de dejar patente cual es el sentido último de la regla. Precisamente por eso, es necesario entrar ahora, casi veinte años después de la introducción en el Código Civil de esta causa de indignidad, con una mirada un poco distinta, después de que en nuestra sociedad se haya avanzado en la comprensión de lo que es la discapacidad y en tener presente que las sucesiones no se pueden contemplar sólo desde un puro sentido patrimonial, sino que es preciso también considerar aspectos puramente personales.

Aunque en la Exposición de Motivos de la LPPD al mencionar la reforma efectuada en el art. 756 CC solamente alude a la sucesión intestada hay que entender, conforme a la opinión común, que también se aplica a la testamentaria[20].

2.2.1. Las atenciones debidas

Probablemente la primera cuestión a plantearse es el determinar a qué "atenciones debidas" hace alusión realmente este apartado 7.º del art. 756 CC. Es cierto que señala como preceptos aclaratorios de a qué se refiere y como se calculan las atenciones que se han de prestar, a los arts. 142 y 146 del CC. No obstante, pudiendo hacerlo, el legislador no ha hecho una remisión en bloque a toda la regulación de la obligación de alimentos, pese a que el art. 153 CC con clara vocación de generalización, establece la aplicabilidad de esa regulación a "...los demás casos en qué por este Código, por testamento o por pacto se tenga derecho a alimentos, salvo lo pactado, lo ordenado por el testador o lo dispuesto por la ley para el caso especial de que se trate". Pese al silencio clamoroso del art. 756, 7.º creo que hay razones suficientes para entender que estas "atenciones debidas" al discapacitado no se corresponden exactamente con la obligación legal de alimentos que son otra cosa[21], aunque como veremos, pese a que la única referencia que hace el 756 CC a la regulación de alimentos sea a los arts. 142 y 146 CC, en base a la naturaleza de las cosas y a esa ya apuntada vocación de generalidad de dicha normativa, es lógico pensar que también se le aplicarán algunas otras reglas de los alimentos legales. Es precisamente esa naturaleza propia la que puede explicar que no se haya realizado una mera remisión general a los arts. 142 a 153 CC.

---

18. Que sea una cosa u otra dependerá de si el sucesor indigno tenía la condición de legitimario o de heredero voluntario.
19. Por todos, REPRESA POLO, M. P., "Comentario al párrafo tercero del ordinal 2.º y al ordinal 7.º del art. 756 CC", en *"Comentarios a la Ley 8/2021 por la que se reforma la legislación civil y procesal en materia de discapacidad"*, dirigidos por C Guilarte Martín-Calero, Vol. III, Thomson-Aranzadi, Cizur Menor (Navarra) 2021, p. 922.
20. MARTÍN MELENDEZ, M.T., "La causa de indignidad para suceder del artículo 756, 7.º del Código Civil", en "Estudios de Derecho de Sucesiones. *Liber amicorum* T. F. Torres", dirigido por A. Domínguez Luelmo y M. P. GARCÍA RUBIO, La Ley, Madrid 2014, pp. 815-818, desarrolla con detenimiento la cuestión.
21. MARTÍN MELENDEZ, M. T., *ob. cit.*, p. 823, apunta que las atenciones debidas no son directamente equivalentes a los alimentos legales, sino que se trata de las atenciones oportunas o pertinentes.

El que no se trate exactamente de la obligación legal de alimentos entre parientes nos lleva a plantearnos algunas cuestiones en torno a que artículos de la regulación de los alimentos en el Código se les aplicarán. Así, es opinión común de la doctrina que no se aplicará el art. 148 CC. Esto es, que no es preciso que el discapacitado haya realizado una reclamación judicial de alimentos. Más bien se ha dicho, en relación con la negativa injustificada a prestar alimentos que puede dar lugar a la desheredación de legitimarios, que basta con que de algún modo se haya hecho esa petición, tratándose de personas discapacitadas es entendible que ni siquiera haga falta que hubieran hecho una petición extrajudicial, bastando con que el obligado hubiera tenido conocimiento de la necesidad de atención de su causante.

La falta de exigencia de demanda judicial tiene sus consecuencias prácticas, ya que la fecha de la demanda sirve para que exista la obligación de abonar los alimentos desde el momento en que se interpuso. Para el supuesto del art. 756, 7.º CC habrá que entender que las atenciones deberán prestarse desde que el futuro sucesor tuvo conocimiento de la necesidad del discapacitado[22].

No hay duda de la aplicabilidad del art. 147 CC que permite ajustar la obligación, que es dinámica, a los parámetros básicos de la extensión de su contenido, cuando las posibilidades del alimentante y las necesidades del alimentista sufran variaciones significativas a lo largo del tiempo. Igualmente aplicable es el art. 149 CC y la posibilidad que ofrece de que las atenciones se presten en el propio domicilio del futuro sucesor. Lo mismo los arts. 150, 151, primer párrafo y 152.

La idea del art. 145 CC, aunque no el artículo en su totalidad también podría aplicarse. En el caso que nos ocupa no siempre intervendrá un juez, pero es de pura lógica que si son varios los que por tener derecho a su herencia deban atender al discapacitado, se repartan entre ellos la labor de atenderle en sus necesidades.

Desarrollando un poco esta idea es conveniente plantearse la duda de si estas atenciones debidas tienen un contenido puramente patrimonial como opina prácticamente toda la doctrina[23] y parece reforzar la STS de 2 de julio de 2019 (RJ 3141, 2019).

Es cierto que los alimentos generales que se regulan en el CC tienen solo un contenido patrimonial al menos en su pura literalidad[24], pero eso no quiere decir que estos otros que han de prestarse al discapacitado sean exactamente esos. En un momento en el que se habla de la importancia del contenido no patrimonial de los testamentos

---

22. ECHEVARRÍA DE RADA, M. T., "Desheredación de hijos y descendientes: interpretación actual de las causas del artículo 853 del Código Civil", Reus, Zaragoza 2018, p. 49.

23. Por todos, REPRESA POLO, M. P., *ob. cit.*, pp. 922-923, si bien esta misma autora en "Indignidad y desheredación: sanciones civiles en el orden sucesorio", en *Revista de Derecho Privado*, mayo-junio-2020, p. 104, matiza señalando la existencia de algunas sentencias de jurisprudencia menor que "realizan ya una interpretación tímidamente extensiva del contenido de la obligación de alimentos en la que se incluyen las atenciones personales". En esta línea cita las SSAP Madrid 19/9/2013 (AC 3342/2013) y Valladolid 22/5/2012 (AC 23025, 2012), con sus argumentos al respecto.

24. Sin embargo, si atendemos a la posibilidad establecida en el art. 149 CC de que el obligado a prestar alimentos pueda prestarlos recibiendo y manteniendo en su propia casa al que tiene derecho a ellos, habrá que concluir que la relación establecida tendrá que cumplir unos mínimos de efectividad que hagan plausible la convivencia entre alimentante y alimentista.

como parte importante y no residual de los mismos[25], y que se pone el acento especialmente en la dignidad de la persona[26], se hace muy cuesta arriba que al pensar en las atenciones que necesita una persona discapacitada que le presten sus familiares más o menos cercanos, se excluyan cualquiera de carácter afectivo. Si todas las personas tienen necesidad de desarrollar su afectividad con mucho mayor motivo ello resulta imprescindible para las personas que sufren algún tipo de discapacidad.

El que esta idea no es ningún sin sentido se justifica con otras normas de Derecho Civil referidas a todo tipo de personas, con discapacidad[27] o sin ella[28], que toman en cuenta el aspecto afectivo en las relaciones humanas. En el Derecho civil de Galicia (Ley 2/2006) al regular el contrato de vitalicio con honda raigambre en esa Comunidad Autónoma, cuando en el art. 148, 1 se establece el contenido de los alimentos, se dice: La prestación alimenticia deberá comprender el sustento, la habitación, el vestido y la asistencia médica, así como las ayudas y cuidados, incluso los afectivos, adecuados a las circunstancias de las partes. No olvidemos que el vitalicio gallego es un contrato de carácter oneroso que perfectamente puede celebrarse entre personas que no tengan ningún vínculo de parentesco entre sí[29].

Si pensamos en que el sujeto que presta esos alimentos a la persona con discapacidad haya optado por prestárselos en su propia casa, sin duda nos resultaría muy difícil entender que se pudiera pensar que se prestan correctamente si no existe una mínima atención afectiva de la persona (art. 149 CC). Sería una conducta inhumana.

A ello hay que añadir que en las relaciones de los descendientes con los ascendientes y a la inversa, y entre cónyuges (arts. 67,155, y 154 CC) incluyen una obligación de respeto, lo que implica expresamente si no afecto, lo que en situaciones normales se presupone, si un buen trato entre ellos.

Es cierto que la ya mencionada STS de 2 de julio de 2019 (RJ 3141, 2019) ha entendido que los alimentos a los que se refiere el art. 756, 7.º tienen un contenido puramente patrimonial. En el caso juzgado se trataba de la desheredación de la hija de un matrimonio por maltrato e injurias a ambos cónyuges, personas ancianas y dependientes. La hija, que a su vez tenía tres hijas, desatendió absolutamente a sus padres y las nietas siguieron en este punto la pauta marcada por su madre. Tal era el nivel de la desatención de la hija y nietas respecto a sus padres y abuelos, que tardaron en enterarse de su fallecimiento más de un año después de que se produjera el segundo fallecimiento. La cuestión discutida en la sentencia no era la desheredación de la hija que estaba claro que obedecía a una justa causa, si no la petición de que se declararan indignas a las tres nietas, a las que los abuelos no habían incluido en la causa de desheredación de su testamento. Se solicitaba que se las declarara indignas *ex* art. 756, 7.º

25. BARBA, V., "Testamento y actos de última voluntad en el derecho italiano", en *"Derecho Privado y Constitución"*, n.º 35, julio-diciembre 2019, p. 23.

26. Lo que se considera un valor esencial en la Convención de los derechos de la persona con discapacidad de 2006.

27. En el art. 282 CC, 2.º párrafo se dice que el curador estará obligado a mantener contacto personal con la persona a la que va a prestar apoyo.

28. Así, en el art. 173, 1 CC, regulando el acogimiento familiar, impone al acogedor una serie de obligaciones, entre ellas la de: "procurarle una formación integral en un entorno afectivo".

29. Si bien es frecuente que lo tengan, aunque no siempre, es un parentesco muy cercano.

CC, argumentando que la interpretación del deber de alimentos para las personas con discapacidad incluía también el trato personal y atención a los abuelos discapacitados, cuidados que no se les habían proporcionado. Dado que conforme a la jurisprudencia del TS (SSTS de 3 de junio de 2014 [RJ 3900, 2014] y de 30 de enero de 2015 [RJ 636, 2015]), se alegaba que el abandono se ha entendido como un maltrato psicológico continuado y justa causa de desheredación, ese componente psicológico debería entenderse incluido también en el deber de prestar los alimentos.

El TS mantiene el carácter puramente patrimonial de los alimentos y señala que aunque la consecuencia final (pérdida del derecho a suceder al ofendido) pueda ser la misma, la indignidad y la desheredación son dos cosas distintas, y que, pese a la conducta reprobable y rechazable de las tres nietas con respecto a sus abuelos, la obligación establecida en el art. 756, 7.º CC es solo patrimonial, y los abuelos en ningún momento necesitaron auxilios económicos, por lo tanto finalmente las nietas los heredaron[30].

El TS, probablemente, parte de que las "atenciones debidas" a las personas con discapacidad no son otra cosa que los alimentos entre parientes y, estos, en principio, efectivamente tienen ese sentido puramente patrimonial[31], sin entrar en si su naturaleza no es exactamente esa. Además, el alto Tribunal ha tenido muy presente que los abuelos, pudiendo haber intentado desheredar a las nietas no lo hicieron así.

2.2.2. *Quienes son las personas que pueden incurrir en indignidad por no prestar al discapacitado las atenciones debidas*

Otra de las cuestiones que se han planteado respecto de esta causa de indignidad es quienes son las personas qué pueden incurrir en ella por no prestarle esas "atenciones debidas" a la persona con discapacidad. Los autores han mantenido dos posiciones distintas. Algunos entienden que esas personas son las que tienen la obligación de alimentos entre sí: ascendientes, descendientes, hermanos y cónyuge (art. 143 CC)[32]. Otros, en cambio, consideran que además de éstos, hay que incluir también a los demás parientes colaterales que pueden ser llamados a la sucesión intestada; parientes hasta el cuarto grado colateral[33]. Algún otro entiende que pueden ser indignos por

---

30. La SAP de Oviedo (sección 5), sentencia 00420/2021, de 23 de noviembre de 2021, se ocupa de una demanda de indignidad contra los hijos del causante. Se alegaban como causas la remoción del cargo de tutor y de no haberle prestado los alimentos del art. 756, 7.º CC. Respecto del primer motivo se desestima, pues en realidad no había habido ninguna remoción, sino que os hijos declinaron hacerse cargo de la tutela de su padre con el que no tenían relación desde hacía más de 13 años, por lo que fue una entidad de tutelas la que ocupó el cargo. En cuanto ala no prestación de las atenciones debidas, la demanda insistía en que dentro de la asistencia médica está el cuidado y vigilancia del estado de salud del interesado, cuestión de la que no se habían preocupado los hijos. El argumento se rechaza también y el tribunal refuerza su desestimación con la existencia de un testamento a favor de los hijos otorgado transcurrido ya bastante tiempo desde que terminó la relación paternofilial, con lo que la Audiencia entendió que de haber habido un comportamiento indigno el testamento suponía su remisión.

31. Aunque como ya he señalado antes, resulta difícil entender ese contenido puramente patrimonial cuando los alimentos se prestan en el propio domicilio del prestador.

32. TRUJILLO DÍEZ.I.J., "Comentario al art. 756 CC" en *"Comentarios al Código Civil"*, dirigidos por R. Bercovitz Rodríguez-Cano, Thomson-Aranzadi, Cizur menor (Navarra), 4.ª ed. 2013, p. 916.

33. PÉREZ DE VARGAS MUÑOZ, J., "La nueva causa de indignidad para suceder del art. 756, 7.º, del CC", en *"Protección jurídica y patrimonial de los discapacitados"*, coordinado por D. Bello Janeiro,

esta causa todas las personas que puedan tener derecho a la herencia del discapacitado: herederos *ab intestato*, herederos o legatarios designados en testamento legitimarios o no[34]. Esta última es una postura minoritaria y es lógico que así sea, ya que con esta interpretación (posible conforme a la literalidad del precepto), si la causante que deviene discapacitada nombró legatario en su testamento a un antiguo novio con el que no conserva ninguna relación y que lo instituye en recuerdo de los momentos bonitos de esa relación, este se encontraría que podría ser declarado indigno sin poder comprender por qué razón[35]. En un caso como este el discapacitado no estaría más protegido en absoluto y16 de hecho se haría caso omiso a su voluntad claramente manifestada en su testamento.

La limitación a las personas obligadas a prestar alimentos (arts. 142 y ss. del CC) tiene su justificación en que son éstas solamente las que tienen la obligación legal de prestar alimentos, lo que se corresponde con el texto del artículo que habla de "atenciones debidas". Para que sean "debidas" la obligación tiene que estar establecida legalmente. La posible ampliación a los parientes que además de los que tienen obligación de alimentos entre sí pueden suceder *ab intestato*, es defendible en base precisamente a la coherencia de que quien puede recibir del causante conforme a las reglas de la sucesión intestada, también podría ser sancionado en el mismo ámbito sucesorio si no presta dichos alimentos a su pariente discapacitado. Esta segunda interpretación se apoya también en la Exposición de Motivos de la LPPD[36], que apunta que esta causa puede darse aunque la persona que incurre en ella no sea una persona obligada a prestar alimentos.

El pensar en incluir también a cualquier otra persona distinta de las mencionadas por el simple hecho de haber sido nombradas herederas voluntarias es a todas luces excesivo, aun queriendo hacer una interpretación amplia de la regla en favor de la persona con discapacidad.

III. LA DESHEREDACIÓN

1. INTRODUCCIÓN

El Código limita mucho la posibilidad de desheredar con éxito y por eso, cuando alguien va a otorgar un testamento notarial abierto y manifiesta su deseo de hacerlo, es

Xunta de Galicia, 2005, p. 260, LÓPEZ MAZA, S., "Comentario al art. 756 CC" en *"Comentarios al Código Civil"*, dirigidos por R. Bercovitz Rodríguez-Cano, Thomson-Aranzadi, Cizur menor (Navarra), 5.ª ed. 2021, p. 1011 ZURILLA CARIÑANA, M. A., "Comentario al art. 756 CC", en *"Comentarios al Código Civil"*, dirigidos por R. Bercovitz Rodríguez-Cano, Tirant lo blanch, T.IV, Valencia 2013, pp. 5641-5642, REPRESA POLO, M. P., *ob. cit.*, p. 924.

34. MARTÍN MELENDEZ, M. T., *ob. cit.*, p. 821.
35. Si no se relacionaba con el causante desde que finalizó su relación además de desconocer su institución es muy posible que ni siquiera supiera que esa persona estuviera en situación de discapacidad.
36. Evidentemente la mención de la Exposición de Motivos, por sí sola no es argumento suficiente, pero si tiene valor combinado con otros datos, como es el de los parientes que pueden suceder *ab intestato*. Tiene su lógica que quienes tienen ese derecho a suceder, aunque no los haya designado expresamente el causante, puedan tener ciertas obligaciones con él, si sus circunstancias de discapacidad hace que lo necesiten, aunque no este dentro del círculo de parientes obligados en general a prestarse alimentos entre sí.

habitual que el notario, en cumplimiento de su función de asesoramiento, le ponga de relieve esos inconvenientes y dificultades para que se haga efectiva su voluntad.

El testador tiene que tener muy claro que ese es su deseo pues tiene que vencer la natural repugnancia a tomar una decisión de ese tipo en relación con personas habitualmente muy cercanas afectivamente, descendientes, ascendientes o cónyuges, y estar seguro de que es posible probar que existió una justa causa de desheredación.

Aún para las personas legas en Derecho, el término desheredación no es desconocido, ni tampoco lo es su consecuencia de privar de cualquier derecho hereditario a quien se deshereda.

Para poder desheredar con éxito es preciso que el testador cumpla una serie de requisitos:

1.ª Es una declaración solemne y por ello exige forma determinada ha de ser en testamento. Eso sí, en cualquier tipo de testamento, en escritura pública si hablamos de testamento notarial abierto, o cerrado protocolizado ante notario, o en documento privado manuscrito y firmado que es lo que se pide para el testamento ológrafo.

2.ª Se ha de expresar la causa por la que se le deshereda, aunque no es preciso que explique en el testamento exactamente cuál fue la conducta que siguió el legitimario desheredado.

Como se trata de una conducta personal, por ello la causa no se transmite a los hijos o descendientes del desheredado.

3.ª) Esa causa ha de ser alguna de las que la ley enumera para ello. Son actos que la ley considera especialmente graves, máxime cuando se llevan a cabo contra los familiares más cercanos, directa o indirectamente. Varían dependiendo del legitimario al que se vaya a desheredar.

4.º) Si el desheredado, como sucede habitualmente, niega que la causa sea cierta[37], la tendrán que probar los herederos del ofendido.

5.ª) Que después de que se produzcan los hechos que constituyen causa de desheredación el ofendido no se haya reconciliado con el ofensor perdonando su conducta[38]. Si existe esa reconciliación ya no será posible la desheredación por esa causa y deja sin efecto la que ya se había hecho. La reconciliación habrá de probarla la persona desheredada.

---

37. La STS de pleno 492/2019, de 25 de septiembre, resuelve el único motivo del recurso de casación que era el transcurso del plazo para impugnar la desheredación. El TS dice que el plazo es de caducidad y tiene una duración de cuatro años.

38. Hay que señalar que una cosa es perdonar la ofensa sufrida y otra es la reconciliación. Esta supone un paso más, ya que eso significa que el testador renuncia a la posibilidad de desheredar al ofensor. El perdonar, sin más, es una actitud moral de no guardar rencor al ofensor, pero que no impide que el ofendido no desee que reciba bienes de su herencia. Buen ejemplo en este sentido es el de la STS de 4 de noviembre de 1904 en la que se entendió justa causa de desheredación las injurias que el hijo profirió contra su padre, y en la que se decía que la frase incluida en el testamento, "le perdonaba de corazón las ofensas" en la misma cláusula en la que le desheredaba no es la reconciliación que el Código contempla en el art. 856.

Si la desheredación se efectúa sin expresar la causa, ésta no es ninguna de las enumeradas en el Código, o si contradicha por el legitimario no se probara, la consecuencia es la anulación de la institución de heredero que contenga el testamento en cuanto perjudique al desheredado, pero valdrán los legados, mejoras y otras disposiciones testamentarias en lo que no perjudiquen a la legítima.

Se ha discutido por los autores si la desheredación puede ser parcial o siempre habrá de ser total[39], ya que el Código no menciona la posibilidad de desheredación parcial, ni hay jurisprudencia al respecto. Hay partidarios de ambas tesis, así como argumentos para sustentarlas. No obstante, actualmente parece que la doctrina admite la desheredación parcial, entendida esta en el sentido "de que se deshereda al legitimario, pero se le atribuye algo como heredero voluntario con cargo al tercio de libre disposición"[40].

Puede parecer extraño, pero ahora, más que nunca la desheredación tiene presencia en la vida diaria. Especialmente son los padres los que desean desheredar a sus hijos, aunque también hay casos, muchos menos, en sentido inverso. La razón puede ser que en los últimos años la cohesión familiar intergeneracional se ha debilitado. Al parecer uno de los efectos de la pandemia es que se han disparado los casos de los hijos que se desentienden de sus padres ancianos, muchas veces discapacitados. Tanto es así que se ha creado una asociación de mayores ACUMAFU que recoge firmas para que se cambie la ley y sea más sencillo desheredar, y el Ministerio de Justicia ya ha recabado informes a la Comisión General de Codificación para reflexionar sobre una posible modificación de las legítimas. En realidad, dada la amplitud actual de las legítimas, en particular esta de los descendientes, cualquier modificación que se pueda hacer, con toda probabilidad supondrá algún tipo de reducción en aras de ampliar la libertad de testar[41].

La desheredación del cónyuge, en cambio es muy rara, porque si se dan las causas de desheredación propias de ese supuesto, todas ellas muy graves, lo normal es que el matrimonio no permanezca unido y haya una separación, legal o, de hecho, o divorcio, y en todos esos casos el cónyuge pierde automáticamente su derecho a la legítima.

Por todo lo dicho aquí se abordará solo lo referente a la desheredación de los descendientes.

2. LAS CAUSAS ESPECÍFICAS DE DESHEREDACIÓN, ADEMÁS DE LAS DE INDIGNIDAD A LAS QUE SE REMITEN LOS ARTÍCULOS DE DESHEREDACIÓN

Las causas de desheredación de los legitimarios siempre suponen haber incurrido respecto del testador o sus familiares más cercanos en conductas extremadamente

---

39. En el art. 451-18 del Cód. cat. se prohíbe expresamente la desheredación parcial.
40. ÁLVAREZ ÁLVAREZ, H., "El alcance de la desheredación: la desheredación parcial", en *"estudios de Derecho de Sucesiones. Liber amicorum T.F. Torres"*, dirigido por A. Domínguez Luelmo y M. P. GARCÍA RUBIO, La Ley, Madrid, 2014, p. 111.
41. Siguiendo esa corriente de pensamiento, claramente mayoritaria entre lis juristas y también extendida socialmente, en la "Propuesta de Código civil" elaborada por la Asociación de Profesores de Derecho Civil (APDC), Tecnos, Madrid 2018, p. 597, fija la cuantía de la legítima de los descendientes, si estos fueran varios, en la mitad del caudal relicto. Si solo existiera un descendiente a legítima quedaría limitada a un tercio.

graves, y si finalmente la desheredación se hace efectiva (incluso aunque no llegue a serlo) supone una nota infamante con consecuencias sociales negativas para el desheredado, especialmente en poblaciones pequeñas donde todo el mundo se conoce.

En el CC se recogen causas de desheredación específicas para cada tipo de legitimarios.

Las que justifican la desheredación de hijos y descendientes (art. 853 CC) son:

1.º Haber negado sin motivo legítimo los alimentos al padre o ascendiente que le deshereda.

2.º Haberle maltratado de obra o injuriado gravemente de palabra.

Me centraré en este supuesto que es el más común de la desheredación de hijos y descendientes y especialmente en una de las causas que también es la que se alega más frecuentemente y por ello, sobre la que han recaído más sentencias, la del maltrato de obra o las injurias.

3. NEGATIVA ILEGÍTIMA DE ALIMENTOS[42]

Esta causa de desheredación es general, es decir referida a cualquier persona, que teniendo derecho a recibir los alimentos entre parientes regulados en los arts. 142 y ss. del CC se los niega sin causa justificada su heredero legitimario.

Para que se entienda que el descendiente ha incurrido en esta causa de desheredación es preciso que el ascendiente necesite los alimentos[43]. No es necesario que los haya reclamado judicialmente, aunque sí que haya existido algún tipo de reclamación[44]. Esta circunstancia de la reclamación habrá de probarse, si el descendiente legitimario no se aviene a la desheredación.

Asimismo, es preciso que el descendiente se haya negado a prestar los alimentos requeridos, sin motivo legítimo. Motivo legítimo sería por ej. carecer de medios económicos para prestarlos, o no exista verdadera necesidad de ellos.

---

42. Una de las cuestiones que se plantean es si esta obligación de alimentos se refiere a los legales entre parientes o abarca también la convencional, la renta vitalicia o el contrato de alimentos suscrito entre parientes en línea recta. Hay que entender que lo que puede dar lugar a la desheredación es solamente el incumplimiento de la obligación legal de alimentos, y no el incumplimiento de los derivados de convención (RAGEL SÁNCHEZ, L. F., "Comentario al art. 853 CC", en "Comentarios al Código Civil", T.V, dirigidos por R. Bercovitz Rodríguez-Cano, Tirant lo blanch, Valencia 2013, p. 6286).

43. ECHEVARRÍA DE RADA, M. T., *"Desheredación de hijos y descendientes: interpretación actual de las causas del artículo 853 del Código Civil"*, Reus, Zaragoza 2018, p. 33, señala "que esa necesidad exista en el momento en el que se otorga el testamento que contiene la desheredación". En este sentido las SSAP de Vizcaya de 8 de marzo de 2014 (JUR 2014, 189463), de Valencia de 29 de febrero de 2016 (JUR 2016, 150383), etc.

44. RAGEL SÁNCHEZ, L. F., *ob. cit.*, *loc. cit.*, pone de relieve la necesidad de que quede constancia de la reclamación efectuada, citando la STS de 20 de junio de 1959 (RJA 1959, 2922) que consideró injusta a desheredación de sus nietos efectuada por la testadora, precisamente porque no existía constancia de la reclamación.

En cuanto al concepto de alimentos, en general se descarta que pueda tener connotaciones afectivas[45].

4. MALTRATO DE OBRA O INJURIAS GRAVES DE PALABRA

No hay duda, que esta es una conducta de los hijos hacia sus padres que puede calificarse de repugnante y que, contraviene frontalmente los deberes de los hijos que el Código concreta en el art. 155 CC[46], deberes que pese a lo que digan algunos no son solo morales[47], "los hijos deben obedecer a sus padres mientras permanezcan bajo su potestad y respetarles siempre. Además, deben contribuir equitativamente, según sus posibilidades al levantamiento de las cargas de la familia mientras convivan con ella".

Esta causa de desheredación, sobre la que existe abundantísima jurisprudencia[48], la podemos descomponer en dos subcausas, el maltrato de obra y el de injurias. Lo primero es señalar que, a diferencia de otras causas de desheredación, en estas hay que probar que se dio esa conducta, pero no es preciso que exista sentencia condenatoria al respecto[49], aunque lógicamente, si existe esa sentencia la prueba se facilitaría enormemente.

Tanto en un caso como el otro los tribunales exigen, en principio, que haya una reiteración de la actuación sancionada por parte del ofensor.

4.1. Maltrato de obra

El maltrato de obra implica, en principio, una agresión intencional contra la integridad física o psíquica del ascendiente, aunque también puede ser constitutiva de esa agresión la omisión absoluta de actuación cuando esta era obligada para el legitimario. Este es el caso de la STS 26/6/1997 (RJ 1997, 7930). Los hechos son los siguientes: El hijo desheredado había expulsado a su anciana madre de su propia casa, casa en la que convivía con ella y con su esposa. A consecuencia de aquello la madre hubo de ocupar una vivienda cercana en estado ruinoso, sin otras atenciones o ayudas que las de una

---

45. ECHEVARRÍA DE RADA, M. T., _ob. cit._, pp. 39-40 enumera un número considerable de sentencias de jurisprudencia menor en las que se dice que en la obligación de alimentos no entran las afectivas, pero en las pp. 42 y siguientes menciona otras que lo que tienen en consideración es la ausencia de asistencia y atención personal a ascendientes gravemente enfermos que por sí solos no pueden subvenir sus necesidades mas básicas, pues eso supone un incumplimiento de deberes asistenciales.
46. Aunque no sea lo habitual en algún caso lis tribunales hacen alusión a este artículo 155 CC. Así la SAP de Palencia de 20 de abril de 2001 (AC 2001, 932).
47. Vid. DÍAZ ALABART, S., "Obligaciones de los hijos mayores para con sus padres: respeto y contribución al levantamiento de las cargas familiares", en _Revista de Derecho Privado_, septiembre-octubre 2015, pp. 35 a 68.
48. En particular sentencias de Audiencias. Es cierto que la cuestión no es nueva, pero desde el inicio de los años noventa a día de hoy hay más de ciento cincuenta sentencias de esta naturaleza. Parece claro concluir que nos encontramos ante una cuestión que merece una reflexión no sólo jurídica sino también sociológica.
49. Así lo señalan, REBOLLEDO VARELA, A. L., "Problemas prácticos de la desheredación eficaz de los descendientes por malos tratos, injurias y abandono asistencial de los mayores", en _"La familia en el Derecho de sucesiones: cuestiones actuales y perspectivas de futuro"_, coordinado por A.L. Rebolledo Varela, Dykinson, Madrid 2010, p. 387, y BARCELÓ DOMENECH, J., "la desheredación de los hijos o descendientes por maltrato de obra o injurias graves", en revista Crítica de Derecho Inmobiliario, marzo-abril, 2004, p. 487.

sobrina, circunstancia que se prolongó hasta su muerte. El hijo alegó que él no había echado de casa materialmente a su madre, que eso lo había hecho su mujer, que el simplemente no hizo nada, se podría decir que había sido un mero espectador. Es claro que aún sin agresión física, el maltrato de obra del hijo fue patente, y así lo entendió el Supremo. El no actuar cuando estaba obligado a hacerlo lo convirtió en maltratador.

El TS, en una sentencia, a la que se le dio gran trascendencia, por entender que había iniciado una doctrina nueva, incluyendo el maltrato psicológico como un tipo más de maltrato de obra del art. 853 CC, aunque en realidad lo que hacía era interpretarlo correctamente, y no tan restrictivamente como era usual[50]. Para hacer esa interpretación más amplia del precepto aducía la realidad social y los valores sociales en el momento de la aplicación de la norma.

La sentencia inicial es la de 3 de junio de 2014 (RJ 2014, 3900), a la que en breve tiempo siguió otra en el mismo sentido. El testador deshereda a sus hijos por el maltrato al que le habían sometido, con una conducta de menosprecio, insultos, y abandono familiar constante, pero sin agresiones físicas. Nombra heredera a su hermana que le acogió en su casa y le atendió, ya enfermo, los últimos siete años de su vida.

Poco después, el TS en la Sentencia de 30 de enero de 2015 (RJ 639, 2015)[51], resuelve un caso muy similar, el hijo desheredado que le arrebata dolosamente todos sus bienes a la madre forzándola a hacer donaciones a su favor y al de sus nietos, la intimidó y la dejó sin ingresos con los que poder afrontar dignamente la última etapa de su vida. Los argumentos del TS para dar por buena la desheredación son los mismos de la sentencia anterior a la que reenvía en sus considerandos. El caso es que ya hay dos sentencias del TS conformes, es decir ya hay jurisprudencia al respecto[52].

Después de estas dos sentencias del TS, queda muy claro que "el maltrato de obra no debemos identificarlo únicamente con una agresión física que menoscabe la integridad del causante sino con cualquier comportamiento, activo u omisivo incluido el consentir que otro lesione la integridad física o psíquica del causante sin hacer nada por evitarlo, que presente cierta entidad y persistencia en el tiempo siendo lo determinante no tanto los hechos en sí sino el resultado objetivo que ocasiona en el causante como menoscabo de su integridad física o psíquica"[53].

La falta de relación afectiva entre padres e hijos por si sola puede suscitar algunas dudas[54], pues puede ser una decisión común, que ni unos ni otros quieren relacionarse

---

50. Era muy frecuente que en las sentencias se dijera que las conductas de menos precio y abandono de los ascendientes por parte de sus descendientes, si bien eran reprobables no debían tener consecuencias jurídicas, ya que había que encuadrarlas en el campo de la moral, y por lo tanto solo estaban sometidas al tribunal de la conciencia. A título de mero ejemplo de esta línea jurisprudencial, la STS de 28 de junio de 1993 (RJ 1993, 4792).

51. Fueron muchos los comentarios de esta sentencia y de la anterior, por todos, CABEZUELO ARENAS, A. L., Desheredación por maltrato psíquico. Litigio promovido contra un hijo que empleó dolo para que la madre consintiera donar todos sus benes. Comentario a la STS de 30 de enero de 20152, en *Revista de Derecho Patrimonial* n.° 37, mayo-agosto 2015.

52. En esta misma corriente de pensamiento pueden incluirse las sentencias del Tribunal Superior de Justicia de Cataluña de 28 de mayo de 2015 (JUR 2015, 183361) y la de 2 de febrero de 2017.

53. REPRESA POLO, M. P., *"La desheredación en el Código Civil"*, Reus, Madrid 2016, p. 136.

54. La STS 419/2022, de 24 de mayo de 2022, examina un caso en el que la causante deshereda a sus nietas legitimarias en representación de su padre premuerto por maltrato de obra hacia su

y en tal caso no sería causa de desheredación[55]. Ahora bien, no cabe duda de que resulta absurdo que cuando ni padres ni hijos quieran saber nada los unos de los otros y se comporten entre sí como perfectos extraños, los primeros deseen que a su muerte la mayor parte de sus bienes vayan a ellos y que los segundos reclamen su entrega. Las legítimas no son una restricción a la libertad de testar entre personas extrañas o que se comportan como tales, sino entre parientes tan cercanos, cuyas relaciones sean de cercanía y afecto y no solo por razón de la biología[56].

En el Código catalán en el art. 451-17, 2, apartado e), aparece como causa de desheredación, "la ausencia manifiesta y continuada de relación familiar entre el causante y el legitimario, si es por una causa exclusivamente imputable al legitimario"[57]. Es una causa que puede resultar difícil de aplicar en la práctica, puesto que en muchos casos será complicado probar hasta qué punto le es imputable solo al legitimario la falta de relación, puesto que las relaciones familiares se caracterizan por darse especialmente en el ámbito más íntimo de las personas. La STSJC de 8 de enero de 2018 (JUR 78802) dijo que la ausencia de relación familiar no se podía imputar exclusivamente a los legitimarios si los intentos de retomar la relación familiar por parte del causante solo encontraron una respuesta cautelosa de los primeros, atendida la necesidad de un inevitable período de transición o acercamiento progresivo después de muchos años de distanciamiento[58].

---

abuela. El daño psicológico estaba constituido por la falta de relación absoluta de las nietas con su padre y abuela desde que los progenitores se separaron años atrás. El TS no aprecia justa causa pues entiende que esta situación familiar había sido generada por una historia previa de desacuerdos, no se habían probado los daños psicológicos causados a la abuela y, que no en todos los casos la falta de relación familiar es justa causa para desheredar.

55. En cambio, la STS 401/2018, de 27 de junio de 2018, en la que el padre desehereda a una hija con la que no mantiene relación desde que esta tenía nueve años, por razón de un divorcio traumático. El padre intenta recuperar es relación al cumplir la mayoría de edad de la hija y le manda un burofax asegurando su deseo de mantener esa relación y doliéndose de que haya faltado tantos años, pese a sus esfuerzos. El TS, entendió que si había justa causa.

56. Aunque la expresión sea muy coloquial la incluyo porque me parece muy gráfica, no es preciso que se tenga que ser el hijo del año, pero no es admisible pedir la legítima cuando desconoce su condición de hijo, o dicho conforme al refranero español, "manos que no dais que esperáis".

57. FARNÓS AMORÓS, E., "desheredación por ausencia de relación familiar:¿Hacia la debilitación de la legítima?", en *Estudios de Derecho de Sucesiones. Liber amicorum T.F. Torres*", dirigido por A. DOMÍNGUEZ LUELMO y M. P. GARCÍA RUBIO, La Ley, Madrid 2014, p. 462, entiende que esta nueva causa de desheredación armoniza plenamente con el modelo familiar actual, más sustentado en los vínculos afectivos que en los estrictos de parentesco.

58. Son varias las sentencias de Audiencia que se han pronunciado sobre esa cuestión (Todas ellas recogidas por, EGEA FERNÁNDEZ, J., FERRER RIBA, J., "*Codi Civil de Catalunya i Legislació complementaria*", 16.ª ed. Atelier, Barcelona 2018, p. 418. Así la de la Audiencia de Barcelona de 30 de abril de 2014 (JUR 2014, 135504), que entendió que 11 años de falta de relación entre padre e hijo son más que suficientes para apreciar la causa de desheredación de falta de relación familiar. La sentencia de la Audiencia de Gerona de 1 octubre de 2014 consideró que la falta de relación por haber tenido el progenitor que abandonar el domicilio de la hija a causa de las amenazas de su marido era imputable a ésta. Por el contrario, son varias las sentencias muy escépticas en cuanto a la apreciación del requisito de la imputabilidad de la falta de relación al legitimario, en tanto consideran muy difícil valorar las circunstancias que se dan en cada caso ya que quedan dentro del ámbito de la intimidad familiar (así las sentencias de la Audiencia provincial de Barcelona de 22 de maro de 2012 (JUR 144625), Audiencia provincial de Tarragona de 18 de diciembre de 2013 (JUR 2014, 21780) y la de la Audiencia provincial de Barcelona de 13 de febrero de 2014 (JUR 2014, 85318).

Aunque el CCCat. no exige un tiempo mínimo de falta de contacto, lógicamente ese tendrá que ser significativo, siempre en atención a las circunstancias del caso.

Hay que destacar que se trata de probar un hecho negativo lo que ya presenta dificultades, por lo que se ha subrayado lo recomendable de dejar en vida la prueba ya constituida[59].

Si la falta de relación es decisión de los hijos no compartida con sus padres, ya es claro que mantenida en el tiempo puede ser justa causa de desheredación[60]. Así, el caso de un hijo desheredado que no mantenía relación con su madre desde más de 12 años atrás, no le dirigía la palabra, ni iba a visitarla y en las contadas ocasiones en las que lo hizo era solamente por interés económico en su beneficio (SAP de Valencia de 24 de junio de 2016 (JUR 2016, 247572).

La SAP de Sevilla de 20 de diciembre de 2016 (JUR 2017, 306166) trata de un caso de desheredación tanto de la hija de la testadora como de sus nietos hijos de ésta. La hija intentó apropiarse de la vivienda de la testadora sobre la que esta tenía un usufructo vitalicio, no la visitó durante dos meses en los que estuvo hospitalizada, ni tampoco sus nietas, ni en el centro geriátrico en el que estuvo residiendo. Hubo algunas visitas esporádicas que solo buscaban lograr que la madre y abuela era que esta vendiera su vivienda y así poder quedarse con el precio. Es obvio que la desheredación se consideró justa.

La SAP de León de 23 de marzo de 2011 (AC 2011, 454) contempla un supuesto especialmente llamativo por el absoluto descaro del hijo desheredado. El padre tuvo que pleitear con su hijo que se había apropiado materialmente de la mayor parte de la casa del testador. Lo hizo con el expeditivo procedimiento de levantar una serie de tabiques para aislar la parte de la casa de que se apropió, y hay que destacar que en esa arte se encontraba el único baño con el que contaba la vivienda. Esa fue la actuación material del hijo, pero es claro que eso produjo sufrimiento y daño psicológico al anciano a un alto nivel[61].

4.2. Injurias graves

Pese a la exigencia general de los tribunales de reiteración de la conducta ilícita que ya he mencionado, a veces, ante la gravedad y las consecuencias de los hechos ilícitos, el tribunal considera que no es precisa la reiteración. A modo de ejemplo, la SAP de Tarragona de 17 de octubre de 2003 (JUR 2003, 259597). En el caso solo se

---

59. FARNÓS AMORÓS, E., *ob. cit.* p. 466.
60. En este sentido la SAP de Cádiz de 2 de noviembre de 2021 (ROJ SAP CA 2466/2021) que consideró que el simple desapego o desatención continuado y grave, e imputable al desheredado es justa causa de desheredación.
61. Otro caso con unas circunstancias igualmente duras es el contemplado en la SAP de Cantabria de 31 de enero de 2012. También aquí el testador tuvo que litigar con su hija respecto de la vivienda familiar que el tenía en usufructo. La hija se instaló en a vivienda con su marido e hijos sin contar con el asentimiento del padre de edad muy avanzada. Además, la hija trajo con ella erros y gatos en número apreciable y dos caballos, sacó dinero de la cuenta ganancial de sus padres horas antes de la muerte de su madre. Sometió a su padre a unas condiciones de vida incompatibles con la dignidad de una persona. En conclusión, un caso de maltrato de libro y una desheredación justa.

produce un único incidente, la hija desheredada insultó públicamente a su madre llamándola puta y reputa y mala madre, la emprendió a patadas con ella, le retorció un dedo, y siendo asmática le roció la cara con un spray. A partir de ese episodio, como es natural, hubo una absoluta mala relación entre ambas mujeres. El incidente se consideró suficiente para dar lugar a la desheredación, pero hay que convenir que en realidad, ofendió a su madre de casi todas las formas posibles. aunque todas esas ofensas se efectuaran en el mismo espacio de tiempo la gravedad hace innecesaria la mencionada reiteración.

Las injurias graves lo son por sí mismas, por el dolor que producen al injuriado, y porque se hagan públicamente, lo que supone además la intención de humillar al ofendido frente al ámbito social en que se mueve. Para juzgar de la gravedad hay que tener en cuenta el ambiente y tono general de la familia. No se puede pedir la misma expresión de respeto en el lenguaje a personas que han tenido un buen nivel de educación que a quienes no han tenido esa oportunidad.

Tampoco se puede considerar que no son injurias graves expresiones que si bien en si mismas no son gravemente ofensivas, el hecho de su repetición continua humillan a la persona objeto de las mismas y le producen un daño que puede llegar a considerarse como maltrato de obra[62].

Los tribunales muchas veces no entienden justa la desheredación por esta causa, por considerar que las injurias se profirieron en un momento de ofuscación por algún problema familiar, etc.[63].

Pero las hay en las que, si lo aprecia, así en la STS 16 de julio de 1990 (RJ 1990, 5886). En ella, las hijas desheredadas no guardaron el respeto debido a su padre que se había divorciado de su madre, y habitualmente lo llamaban hijo de perra, cabrón, y otras expresiones igualmente peyorativas y gravemente ofensivas.

No hay duda de que el maltrato o injurias del tipo que hemos ido viendo, cuando tienen como objetivo un progenitor discapacitado (aunque solamente lo sea por razón de su edad avanzada y la vulnerabilidad que conlleva), revisten mayor gravedad, pues la situación del ofendido hace más fácil causarle daño y este fácilmente comportarles un mayor sufrimiento.

Pero también tenemos que plantearnos el caso contrario, que sea la persona discapacitada la que injurie o maltrate a sus progenitores: El sufrir una discapacidad no en todos los supuestos significa, ni mucho menos, que sea una persona inimputable, por lo tanto, habrá que ver caso por caso para determinar si su actuación puede ser o no, justa causa de desheredación.

La SAP de Salamanca de 19 de diciembre de 2013 (AC 2013, 2219), niega la desheredación por injurias pues la ofensora desheredada era una persona discapacitada mentalmente, con inteligencia limite, con muchas dificultades para relacionarse

---

62. REPRESA POLO, M. P., _"La desheredación..."_, p. 139.
63. Así lo consideró la SAP de Córdoba de 28 de septiembre de 2011 (AC 2011, 790) dado que las expresiones injuriosas se profirieron en el marco de unas negociaciones para poner fin a un litigio largo y complicado.

socialmente y en el seno familiar (informes psicológicos en este sentido fueron aportados en el litigio). Obviamente, la persona discapacitada puede injuriar y su ánimo de hacerlo ofender, pero por sus características psíquicas hay que relativizarlo.

La SAP de Santa Cruz de Tenerife de 14 de diciembre de 2014 (es otra en esta misma línea de pensamiento, la legitimaria ofensora tenía la capacidad modificada judicialmente para administrar bienes y regir su persona, en la STS se transcribe un informe médico forense que fija su capacidad mental en un 10%, y por ello no se le imputa una conducta dolosa e intencional. Por su parte la SAP de Córdoba de 20 de enero de 2017 (JUR 2017, 914699) no aceptó como justa causa de desheredación por maltrato de la hija de la causante, ya que esta padecía un trastorno afectivo bipolar con síntomas psicóticos, y un mal estado de salud mental prolongado en el tiempo. El tribunal consideró que la hija presentaba unas condiciones personales incompatibles con el poder prestar unas mejores atenciones a su madre.

El criterio adecuado para estos casos puede ser el que se manifiesta en la SAP de Barcelona de 22 de abril de 2014 al decir, "El descendiente que incurre objetivamente en causa de desheredación entendemos que debe reunir suficientes condiciones mentales para ser considerado responsable de sus propios actos, que la conducta haya sido realizada con discernimiento, no bastando la realización objetiva de la misma.

El juicio de reproche que constituye la causa de desheredación debe realizarse desde parámetros distintos a los que se aplican a la persona que se encuentra en plenitud de facultades volitivas y cognitivas, en el que la voluntariedad es clara".

Así, cuando el sujeto comprende bien lo incorrecto de su actuación y tiene el ánimo de injuriar o maltratar no basta con el mero hecho de la discapacidad para no ser desheredado, sino que habrá que atender al grado en que se padezca la discapacidad y la gravedad de la actuación. El que el discapacitado tenga conforme a la Ley 8/2021 la máxima autonomía en el ejercicio de su capacidad jurídica, el que conforme a la vigente regulación de la curatela solo excepcionalmente se le pueda representar, y será solo para actos concretos, y tiene que estar motivado, parece que en lógica contrapartida se le pueda exigir un comportamiento de respeto a sus progenitores compatible con esa autonomía, y si atenta gravemente contra ellos o los injuria, que estos puedan sancionarlo con la desheredación.

La desheredación se produce por una actuación del testador encaminada precisamente a privar de cualquier derecho hereditario a alguno de sus sucesores.

IV. BIBLIOGRAFÍA

ALBALADEJO GARCÍA, M., *"Curso de Derecho Civil"*, T. V, "Derecho de Sucesiones", Edisofer, 11.ª ed., revisada y puesta al día por S. Díaz Alabart, Madrid 2015, p. 86.

ÁLVAREZ ÁLVAREZ, H., "El alcance de la desheredación: la desheredación parcial", en *"Estudios de Derecho de Sucesiones. Liber amicorum T.F. Torres"*, dirigido por A. Domínguez Luelmo y M. P. García Rubio, La Ley, Madrid, 2014, p. 111.

ASOCIACIÓN DE PROFESORES DE DERECHO CIVIL (APDC), *"Propuesta de Código civil"*, Tecnos, Madrid 2018.

BARCELÓ DOMENECH, J., "La desheredación de los hijos o descendientes por maltrato de obra o injurias graves", en *Revista Crítica de Derecho Inmobiliario*, marzo-abril, 2004.

CABEZUELO ARENAS, A. L. "Desheredación por maltrato psíquico. Litigio promovido contra un hijo que empleó dolo para que la madre consintiera donar todos sus bienes. Comentario a la STS de 30 de enero de 2015", en *Revista de Derecho Patrimonial* n.º 37, mayo-agosto 2015.

CAÑIZARES LASO, A., "Legítimas y libertad de testar", en *"Estudios de Derecho de Sucesiones. Liber amicorum T.F. Torres"*, dirigido por A. Domínguez Luelmo y M. P. García Rubio, La Ley, Madrid 2014, pp. 245-270.

DE AMUNÁTEGUI RODRÍGUEZ, C., "Comentario al art. 247 del Código civil", en *"Comentarios al Código civil"* dirigidos por R. Bercovitz Rodríguez-Cano, TII, Tirant lo blanch, Valencia 2913, p. 2286.

DE SALAS MURILLO, S., "Comentario al art. 278 CC", en *"Comentarios al Código Civil"*, coordinado por R. Bercovitz Rodríguez-Cano, Thomsom-Aranzadi 5.ª ed., Cizur menor (Navarra) 2021, p. 514.

DÍAZ ALABART, S., "Obligaciones de los hijos mayores para con sus padres: respeto y contribución al levantamiento de las cargas familiares", en *Revista de Derecho Privado*, septiembre-octubre 2015, pp. 35 a 68.

– "La protección económica de los discapacitados a través del Derecho de sucesiones", en *"Encrucijada de la incapacitación y la discapacidad"*, dirigido por J. Pérez de Vargas Muñoz, La Ley, Madrid 2011.

ECHEVARRÍA DE RADA, M. T., *"Desheredación de hijos y descendientes: interpretación actual de las causas del artículo 853 del Código Civil"*, Reus, Zaragoza 2018, p. 33.

EGEA FERNÁNDEZ, J., FERRER RIBA, J., *"Codi Civil de Catalunya i Legislació complementaria"*, 16.ª ed. Atelier, Barcelona 2018, p. 418.

FARNÓS AMORÓS, E., "Desheredación por ausencia de relación familiar: ¿Hacia la debilitación de la legítima?, en *"Estudios de Derecho de Sucesiones. Liber amicorum T.F. Torres"*, dirigido por A. Domínguez Luelmo y M. P. García Rubio, La Ley, Madrid 2014, pp. 451-478.

GARCÍA GOYENA; F, en *"Concordancias, Motivos y Comentarios del Código Civil español"*, T.II, Imprenta de la Sociedad Tipográfica Editorial, Madrid 1852, pp. 188 y ss.

LÓPEZ MAZA, S., "Comentario al art. 756 CC" en *"Comentarios al Código Civil"*, dirigidos por R. Bercovitz Rodríguez-Cano, Thomson– Aranzadi, Cizur menor (Navarra), 5.ª ed. 2021, p. 1011.

MAGARIÑOS BLANCO, V., *"Libertad para ordenar la sucesión"*, Dykinson, Madrid 2022.

MARTÍN MELÉNDEZ, M. T., "La causa de indignidad para suceder del artículo 756, 7.º del Código Civil", en *"Estudios de Derecho de Sucesiones. Liber amicorum T.F. Torres"*, dirigido por A. Domínguez Luelmo y M. P. García Rubio, La Ley, Madrid 2014, pp. 807-828.

PÉREZ DE VARGAS MUÑOZ, J., "La nueva causa de indignidad para suceder del art. 756, 7.º, del CC", en *"Protección jurídica y patrimonial de los discapacitados"*, coordinado por D. Bello Janeiro, Xunta de Galicia, 2005, p. 260.

RAGEL SÁNCHEZ, L. F., "Comentario al art.853 CC", en *"Comentarios al Código Civil"*, T.V, dirigidos por R. Bercovitz Rodríguez-Cano, Tirant lo blanch, Valencia 2013, p. 6286.

RAMS ALBESA, J., "Libertad Civil, libertad de testar (notas para su formulación)", en *Estudios en Homenaje al Profesor Doctor Don José Luis Lacruz Berdejo*, Bosch, Barcelona 1992, pp. 695 y ss.

REBOLLEDO VARELA, A. L., "Problemas prácticos de la desheredación eficaz de los descendientes por malos tratos, injurias y abandono asistencial de los mayores", en *"La familia en el Derecho de sucesiones: cuestiones actuales y perspectivas de futuro"*, coordinado por A.L. Rebolledo Varela, Dykinson, Madrid 2010.

REPRESA POLO, M. P., "Comentario al art. 756 CC", en *"Comentarios a la Ley 8/2021 por la que se reforma la legislación civil y procesal en materia de discapacidad"*, dirigidos por C. Guilarte Martín-Calero, Thomson-Aranzadi, Cizur menor (Navarra), 2021, p. 921.

– *"La desheredación en el Código Civil"*, Reus, Madrid 2016, p. 136.

SANCHO GARGALLO, I., "El Juez en el nuevo sistema de apoyos", en *"El ejercicio de la capacidad jurídica de las personas con discapacidad tras la Ley 8/2021 de 2 de junio"*, dirigido por M. Pereña Vicente y M.ª M. Heras Hernández, Tirant lo blanch, Valencia 2021, p. 81.

TORRES GARCÍA, T. F., "Legítima, legitimarios y libertad de testar", en *"Derecho de sucesiones. Presente y futuro"*, XII Jornadas de la Asociación de profesores de Derecho Civil, Servicio de Publicaciones de la Universidad de Murcia, 2006, pp. 214-227.

TRUJILLO DÍEZ, I. J., "Comentario al art. 756 CC" en *"Comentarios al Código Civil"*, dirigidos por R. Bercovitz Rodríguez-Cano, Thomson-Aranzadi, Cizur menor (Navarra), 4.ª ed. 2013, p. 916.

VALLADARES RASCÓN, E., "Por una reforma del sistema sucesorio del Código Civil" en, *"Libro-Homenaje al profesor Manuel Albaladejo García"*, dirigido por J.M. González Porras y f. Méndez González, T. II, Colegio de Registradores de España y Servicio de publicaciones de la Universidad de Murcia, 2004, pp. 4893-4903.

ZURILLA CARIÑANA, M. A., "Comentario al art. 756 CC", en *"Comentarios al Código Civil"*, dirigidos por R. Bercovitz Rodríguez-Cano, Tirant lo blanch, T.IV, Valencia 2013, pp. 5641-5642.

8

Disposiciones testamentarias en beneficio de las personas con discapacidad

RAMÓN MARÍA MOSCOSO TORRES

Notario
Delegado de la Fundación Aequitas en Andalucía

SUMARIO: I. INTRODUCCIÓN: PLANIFICACIÓN DE LA SITUACIÓN DE LAS PERSO-
NAS CON DISCAPACIDAD EN PREVISIÓN DEL FALLECIMIENTO DE LAS
PERSONAS QUE LA ATIENDEN. II. MODIFICACIÓN DEL RÉGIMEN DE
LEGÍTIMAS DE LOS DESCENDIENTES. III. DETERMINACIÓN DEL RÉGI-
MEN DE ADMINISTRACIÓN Y DISPOSICIÓN DE LOS BIENES DEJADOS
A LA PERSONA NECESITADA DE APOYOS. IV. DISPOSICIONES TESTA-
MENTARIAS PARA EVITAR LA INTERVENCIÓN JUDICIAL EN LA LIQUI-
DACIÓN DE LA SOCIEDAD DE GANANCIALES DEL TESTADOR Y EN LA
PARTICIÓN DE LA HERENCIA. V. OTRAS DISPOSICIONES TESTAMENTA-
RIAS. VI. BIBLIOGRAFÍA.

El testamento, sin duda alguna, es una institución esencial para que la situación de las personas con discapacidad al fallecimiento de los padres o personas que las atienden, se vea lo menos alterada posible desde el aspecto patrimonial y especialmente con respecto a las atenciones o cuidados que dichas personas hayan de recibir. Pero siempre es conveniente que en la planificación de tal situación se combine el testamento con otras instituciones, como el patrimonio protegido o las donaciones a favor de las personas con discapacidad, en cuanto que pueden servir al fomento de la autonomía de dichas personas en la medida en que participen en la administración de sus propios bienes, pues lo mejor que puede ocurrirles una vez fallezcan las personas que las atiendan, es que ellas mismas puedan vivir de forma independiente.

Para favorecer la situación patrimonial de las personas con discapacidad, la Ley 8/2021, de 2 de junio, ha modificado el régimen de las legítimas de los descendientes en el Código Civil, permitiéndose que toda la herencia se pueda atribuir al hijo o descendiente legitimario con discapacidad. Se trata de una reforma que en principio debe merecer una valoración positiva en cuanto contribuirá, en la medida que los bienes hereditarios lo permitan, a sufragar las necesidades de las personas con discapacidad. Pero igualmente puede ser fuente de contiendas judiciales en cuanto puede utilizarse como medio para privar de la legítima estricta a los legitimarios sin discapacidad. Esta modificación del régimen de legítimas de los descendientes puede tener incidencia además, en algunas normas del Código Civil que en principio no han sido modificadas, especialmente la de su artículo 831.

Igualmente esta ley, ha facilitado la captación de recursos a los patrimonios de las personas con discapacidad mediante la determinación en testamento o escritura de donación del régimen de administración y disposición de los bienes dejados a dichas personas, lo que puede incentivar las disposiciones a su favor, y del mismo modo puede servir para evitar la intervención judicial en aquellos supuestos en que el testador tiene plena confianza en las personas a las que se atribuye el apoyo a la persona con discapacidad en el ejercicio de las facultades de administración o disposición de los bienes transmitidos.

I. INTRODUCCIÓN: PLANIFICACIÓN DE LA SITUACIÓN DE LAS PERSONAS CON DISCAPACIDAD EN PREVISIÓN DEL FALLECIMIENTO DE LAS PERSONAS QUE LA ATIENDEN

Al abordar la problemática que puede plantear las disposiciones testamentarias en beneficio de las personas con discapacidad, lo primero que he de advertir es que pueden ser tan diversas que es imposible configurar un modelo de testamento a favor de personas con discapacidad, e incluso también es muy difícil dar modelos precisos de cláusulas testamentarias específicas de disposiciones testamentarias a favor de personas con discapacidad.

Y es que las capacidades de estas personas pueden ser tan diversas que cualquier instrumento que quiera otorgarse en su beneficio, deberá adaptarse a su situación personal y patrimonial, si la finalidad perseguida es la de atribuirle el máximo beneficio. Es evidente que lo que puede valer para una persona con discapacidad es posible que no valga para otra.

Por ello, el primer consejo que se debe dar a quien quiera otorgar testamento en favor de una persona con discapacidad es que exponga con toda claridad, al notario o profesional de quien se recabe asesoramiento, la situación personal y patrimonial de esa persona y el beneficio que se quiere atribuir.

El notario, abogado o profesional deberá ponderar esa situación y aconsejar las instituciones más adecuadas a la finalidad del testador. Lo mismo que las instituciones de apoyo deben diseñarse como un traje a medida de cada persona con discapacidad, el testamento a favor de la persona con discapacidad también debe estar hecho a medida de la voluntad del testador, teniendo en cuenta las circunstancias sociales y familiares de la persona con discapacidad, para que pueda hacerse efectivo el beneficio que el testador quiere atribuir. Es por tanto muy conveniente que los padres de personas con discapacidad se dejen aconsejar por los notarios como funcionarios públicos y profesionales especializados en la elaboración de estos documentos.

Por experiencia profesional puedo afirmar que normalmente cuando acuden a la notaría los padres o personas que atienden a la persona con discapacidad, muestran su preocupación por la atención del hijo o persona a la que atienden en caso de fallecimiento.

Sin duda el testamento es un instrumento adecuado para atender a esos intereses. Pero hemos de advertir que no es el único.

Como ha advertido MARÍN CALERO[1], la planificación de la situación de las personas con discapacidad para después del fallecimiento de los padres o personas que atiendan a la que padece la discapacidad, debe empezar en vida de esas personas que se ocupan de ella y cuanto antes, pues sin duda alguna, la mejor forma de asegurar la digna subsistencia de la persona con discapacidad es fomentando su autonomía. Es evidente que lo mejor que puede ocurrir a la persona con discapacidad es que pudiera atenderse por sí misma. Y esta tarea de fomentar su autonomía debe comenzar en cuanto sea posible, a la iniciación del proceso de formación y educación de la persona con discapacidad si esa discapacidad es congénita.

Algunos podrán pensar que hay discapacidades que impiden la autonomía personal. Y eso puede ser verdad, pero también es verdad que la gran mayoría de personas con discapacidad siempre pueden lograr un mayor grado de autonomía, por mínimo que sea. Y para esa actividad de fomentar la autonomía de la persona con discapacidad siempre va a ser importante atraer hacia ella recursos económicos que puedan servir a ese fin.

Y si el testamento es un instrumento que solo surte efecto después del fallecimiento del testador, es evidente la conveniencia de utilizar otros mecanismos o instituciones específicas para ese fin, como pueden ser, tal y como señala el autor antes citado, los patrimonios protegidos y las donaciones a favor de las personas con discapacidad.

Los patrimonios protegidos y las donaciones a favor de las personas con discapacidad evidentemente pueden servir para asegurar la satisfacción de las necesidades vitales de las personas con discapacidad para después del fallecimiento de los padres o personas que lo atiendan, en cuanto que ya desde antes de ese momento se dispondrá de medios materiales para ese fin.

Pero igualmente pueden ser instrumentos al servicio del fomento de la autonomía y esto puede hacerse en vida del testador. Sabemos que al donar bienes o realizar aportaciones al patrimonio protegido, se puede establecer en la escritura correspondiente reglas de administración de los bienes donados o aportados al patrimonio protegido, y en esa administración, si se quiere fomentar la autonomía de la persona con discapacidad, se debe dar participación en la medida de lo posible a la propia persona con discapacidad, por sí o con los apoyos que precisen, apoyos que deben estar encaminados a realizar la voluntad, deseos y preferencias de la persona con discapacidad, que como saben es objetivo de la reforma del Código Civil operada por la Ley 8/2021, de 2 de junio, por la que se reforma la legislación civil y procesal para el apoyo a las personas con discapacidad en el ejercicio de su capacidad jurídica.

---

1. MARÍN CALERO, C.: *"La herencia a favor de un hijo con discapacidad intelectual"*. Editorial Tirant lo Blanch. Valencia 2022.

No puede haber nada más gratificante para los padres de una persona con discapacidad que contemplar cómo su hijo va adquiriendo habilidades que permite gozar de una mayor autonomía que pueden ir desde la más básicas (comer o vestirse por sí solo, leer y escribir, etc.), a otra más complejas, entre las que puede encuadrarse la de administrar los bienes propios, actividad que en un principio puede estar tutelada o apoyada por los propios padres o donantes o por las personas que estos designen, pero también hay que marcar el objetivo de conseguir que pueda ser realizada en mayor o menor medida por la propia persona con discapacidad, objetivo que puede ser esencial para que la persona con discapacidad pueda gozar de autonomía, que sin duda es la mejor forma de protección.

En consecuencia, si lo que se quiere asegurar es la subsistencia y atención de la persona con discapacidad para después del fallecimiento del testador, es muy conveniente aconsejar no solo de la importancia del testamento sino también de la de acompañarlo con otras instituciones como el patrimonio protegido o las donaciones, que permitirán la conformación en vida propia de los padres de un patrimonio que no solo pueden servir a la atención de sus necesidades vitales, sino que también pueden permitir, como dice el artículo 249 del Código Civil, el desarrollo pleno de su personalidad y su desenvolvimiento jurídico en condiciones de igualdad.

Evidentemente los padres pueden concertar *seguros de vida* que tengan como beneficiario las personas con discapacidad, lo mismo que *planes de pensiones o planes de previsión asegurados*. Son fórmulas todas ellas con las que se pueden obtener ingresos para atender en el futuro a las personas con discapacidad.

Pero sin duda **el testamento** es la institución esencial para disponer a favor de la persona con discapacidad, y muchas veces es también casi la única, pues desgraciadamente hay muchos padres de personas con discapacidad, que viven al día y solo podrán desprenderse de sus bienes una vez que fallezcan.

II. MODIFICACIÓN DEL RÉGIMEN DE LEGÍTIMAS DE LOS DESCENDIENTES

Como he dicho anteriormente los padres de personas con discapacidad se preocupan de la atención y subsistencia de sus hijos para después de su fallecimiento. Y muchas veces quieren que todos sus bienes se pongan al servicio de ese fin.

El problema que hemos tenido hasta ahora ha sido el régimen de legítimas pues si bien los padres del hijo con discapacidad han podido atribuirle los tercios de mejora y libre disposición, hay otro tercio, llamado de legítima estricta, que hasta ahora se ha tenido que repartir a partes iguales entre todos los hijos o descendientes legitimarios del testador.

Sin embargo, el nuevo artículo 808 del Código Civil, después de la reforma operada por la Ley 8/2021, establece en sus párrafo cuarto y quinto: *"Cuando alguno o varios de los legitimarios se encontraren en una situación de discapacidad, el testador podrá disponer a su favor de la legítima estricta de los demás legitimarios sin discapacidad. En tal caso, salvo disposición contraria del testador, lo así recibido por el hijo beneficiado quedará gravado con sustitución fideicomisaria de residuo a favor de los que hubieren visto afectada su legítima estricta y no podrá aquel disponer de tales bienes ni a título gratuito ni por acto mortis causa.*

Cuando el testador hubiere hecho uso de la facultad que le concede el párrafo anterior, corresponderá al hijo que impugne el gravamen de su legítima estricta acreditar que no concurre causa que la justifique".

Se permite, por tanto, disponer de toda la herencia a favor del hijo o descendiente legitimario con discapacidad, lo que supone una aproximación al régimen de la legislación aragonesa en materia de legítima de los descendientes, que tiene un carácter colectivo, es decir, que toda ella puede atribuirse solamente a alguno de los legitimarios, de tal forma que el tercio de legítima estricta puede operar de forma muy similar al tradicional tercio de mejora. Pero se trata solo de una aproximación a ese régimen, en cuanto que solo se permite la atribución de los dos tercios de legítima a uno o varios de los legitimarios en caso de encontrarse los beneficiados en situación de discapacidad.

En tal caso, salvo disposición contraria del testador, lo así recibido por el hijo beneficiado, quedará gravado con sustitución fideicomisaria de residuo a favor de los legitimarios sin discapacidad. Esto significa que el hijo beneficiado será el propietario de los bienes, de los que podrá disponer a título oneroso, es decir, que si fuera necesario vender algún bien para atender sus necesidades podrá sin duda hacerlo. Pero los bienes de los que no se hubiera dispuesto, estarán afectos al fallecimiento del hijo beneficiado al pago de las legítimas de los legitimarios sin discapacidad.

Se deduce de la disposición adicional cuarta del Código Civil, también afectada por la reforma, que los beneficiarios deben ser descendientes legitimarios con discapacidad psíquica igual o superior al treinta y tres por ciento, o física o sensorial igual o superior al sesenta y cinco por cinco, así como las personas que se encuentren en situación de dependencia de grado II y III, independientemente de que necesiten o no apoyo en el ejercicio de su capacidad jurídica. Y del artículo 2.3 de la Ley 41/2003 se desprende que el grado de discapacidad se acredita con certificación administrativa o resolución judicial, y obviamente el grado de dependencia también requiere resolución administrativa del órgano correspondiente de la Comunidad Autónoma (artículo 27 de la Ley 39/2006).

En una interpretación literal de esta disposición adicional cuarta, podría llegarse a la conclusión de que es imprescindible una resolución administrativa o judicial que reconociera la discapacidad o dependencia en los grados indicados y, en consecuencia, en las escrituras de herencia, se debería incorporar los documentos acreditativos, como requisito para su inscripción en el Registro de la Propiedad. Pero creo que es una conclusión a la que no debe llegarse, ya que se deduce del último párrafo del artículo 808, que el testamento debe producir todos sus efectos mientras el legitimario sin discapacidad no haya impugnado el gravamen de su legítima y acreditado en el correspondiente procedimiento judicial que no concurre causa que lo justifique, por lo que la eficacia del testamento mientras ello no ocurra, debe mantenerse en el ámbito judicial y extrajudicial. Exigir, por tanto, al legitimario beneficiado que pruebe su discapacidad o dependencia al tiempo de fallecimiento del testador supondría imponerle una carga que la ley no establece.

También debe tenerse en cuenta que la discapacidad ha de padecerse en el momento del fallecimiento del testador, pues es posible que se tuviera al otorgarse la disposición testamentaria pero que después hubiera desaparecido. Si alguno de los hermanos entiende que realmente en el momento de la apertura de la sucesión no existe tal discapacidad podrá impugnar la disposición testamentaria conforme a lo que establece el párrafo final de la norma.

Por otra parte, debe respetarse la legítima del cónyuge viudo y las legítimas estrictas de todos los hijos o descendientes legitimarios con discapacidad. Debe tenerse en cuenta que es posible que al tiempo de otorgarse el testamento solo existiera la discapacidad del hijo beneficiado con la disposición, pero después haya sobrevenido la discapacidad de otro hijo del testador, en cuyo caso su legítima se habrá de respetar.

El pago efectivo de las legítimas estrictas de los legitimarios sin discapacidad, si el testador no hubiera dispuesto lo contrario, quedará diferido al momento del fallecimiento del beneficiado y el valor de la misma podrá quedar reducido si la persona con discapacidad hubiera dispuesto de los bienes para la atención de sus necesidades. Entiendo que si alguno de los legitimarios sin discapacidad hubiera fallecido después del testador pero antes que el beneficiado, los herederos del legitimario sin discapacidad harán suyo el beneficio de residuo en la parte que quede y les corresponda, pues la mayoría de la doctrina considera que las sustituciones fideicomisarias de residuo no implican una sustitución condicional, ya que el llamamiento al sustituto es cierto desde el fallecimiento del testador, y en lo único que afecta la potestad dispositiva es en el *quantum*, esto es, en el volumen de los bienes hereditarios residuales, aplicándose en definitiva a este supuesto el artículo 799 del Código Civil y no el artículo 759 del mismo cuerpo legal.

Una cuestión que se ha puesto en duda es la de si constituye presupuesto de aplicación de la norma que el tercio de libre disposición esté agotado con disposiciones a favor de la propia persona con discapacidad. Y es que puede parecer fraudulento al sistema legitimario tradicional de nuestro Código Civil, disponer de este tercio de libre disposición a favor de un extraño, atribuyéndose los dos tercios de legítima al hijo con discapacidad, con la consiguiente privación de su legítima estricta al legitimario sin discapacidad. Ya antes de la aprobación definitiva de la norma, en contemplación del Anteproyecto de Reforma, GOMÁ LANZÓN[2], advertía que esto puede parecer injusto y causa de conflictos familiares, pero que realmente no se prohibía. Y a pesar de esta advertencia, el legislador en este aspecto no cambió la redacción, por lo que por muy injusto que parezca, al incidir la regulación solo en lo que afecta a la legítima y no al tercio de libre disposición, parece que sí podrá atribuirse dicho tercio de libre a un extraño dejando toda la legítima al hijo o descendiente legitimario con discapacidad, aunque probablemente estas atribuciones sean fuente de contiendas judiciales y habrá que ver cómo se pronuncian los Tribunales.

Por otra parte, el efecto de la sustitución fideicomisaria de residuo a favor de los legitimarios que hubieran visto afectada su legítima estricta opera *"salvo disposición contraria del testador"*, la cual entiendo que puede establecerse en dos sentidos distintos:

a) Uno, disponiéndose que no exista sustitución fideicomisaria de residuo, y por tanto el hijo con discapacidad hará suyos de forma definitiva los bienes, de los que podrá disponer de los mismos por cualquier título.

---

2. GOMÁ LANZÓN, F., *"Análisis crítico de la reforma de las legítimas en el anteproyecto de discapacidad"*. Blog "Hay derecho"; entrada de 29 de noviembre de 2018.

b) Y en el otro sentido, podrá existir sustitución fideicomisaria de residuo pero regulándose esta con efecto distinto al señalado en la norma, y en concreto permitiendo que el beneficiado disponga no solo a título oneroso sino también a título gratuito por actos entre vivos o mortis causa, pues si el testador puede suprimir la sustitución fideicomisaria de residuo, podrá igualmente mantenerla pero limitando los efectos de la misma.

Señala Bercovitz Rodríguez-Cano[3] que el testador puede prever una disposición de esa legítima estricta menos amplia o favorable para el legitimario discapacitado, o todavía más amplia o favorable, puesto que no existe restricción alguna a esa "disposición contraria". Lo que quiere decir que, en su caso, si el testador así lo quiere, puede privar de toda legítima a todos o cualesquiera de los demás legitimarios en beneficio del legitimario discapacitado, e igualmente entiende este autor que podrá disponer de modo diferente de la legítima estricta correspondiente a los diversos descendientes legitimarios no discapacitados en favor del legitimario discapacitado, estableciendo así un trato desigual en la legítima estricta de aquellos, pues aunque parece excesivo, así resulta del tenor literal de la norma.

Con igual criterio Oñate Cuadros[4] señala que es posible establecer distintos grados de afectación o gravámenes a las legítimas individuales de los demás hijos. En primer lugar, porque lo contrario podría hacer muy difícil, por no decir imposible, el establecimiento de medidas beneficiosas para la persona con discapacidad, Por otra parte, el testador ha podido establecer determinadas medidas de administración y disposición de bienes conforme al artículo 252 CC, sin excluir la adopción de medidas de apoyo que deba prestar alguno de los legitimarios a cambio de respetar sus derechos legitimarios. Y en tercer lugar porque el párrafo cuarto del artículo 808 CC, presupone que puede haber unos que hayan visto afectada su legítima estricta y otros que no y que solo algunos de aquellos que hubiesen visto afectada su legítima estricta ostentarán a su favor la sustitución fideicomisaria de residuo.

Y si el testador puede privar por esta vía a los legitimarios de su legítima, según Bercovitz Rodríguez-Cano y Oñate Cuadros, ello equivale a introducir una nueva causa de desheredación en el Código Civil, lo que merece la crítica de los autores citados, por no ser la norma adecuada para introducir una reforma tan sustancial en el sistema de legítimas tradicional de nuestro derecho común, previendo además que pueda ser fuente de contiendas judiciales.

No obstante, esta interpretación de la "disposición en contrario" conforme al sentido propio de sus palabras (artículo 3.1 CC) no es mantenida por toda la doctrina. Así Amunátegui Rodríguez[5], señala que una vez quebrado el principio de intangibilidad

---

3.   BERCOVITZ RODRIGUEZ-CANO, R. "*Sobre la ley 8/2021, para el apoyo de las personas con discapacidad en el ejercicio de su capacidad jurídica*", Revista Jurídica del Notariado, número 113, julio-diciembre 2021, Fundación Notariado, p. 63.

4.   OÑATE CUADROS, F.J.: "*Una oportunidad perdida: reformas necesarias en el Código Civil para las personas con discapacidad en el ámbito sucesorio*"; La reforma de la discapacidad volumen 2, Fundación del Notariado, Madrid, 2022, p. 481.

5.   AMUNÁTEGUI RODRÍGUEZ, C.: "*La reforma de las sustituciones hereditarias: la supresión de la ejemplar y la modificación de la fideicomisaria sobre la legítima*"; en La reforma de la discapacidad volumen 2, Fundación del Notariado, Madrid, 2022, p. 531.

cualitativa de la legítima debe mantenerse intacta la cuantitativa, por lo que no considera aceptable que unos reciban la legítima gravada y otros no[6], al igual que también entiende que no puede atribuirse al fiduciario las facultades de disposición a título gratuito ni mortis causa, aunque reconoce que en nada ayuda la expresión de la norma pareciendo que la *disposición contraria del testador* pudiera extenderse a todo lo descrito en el correspondiente párrafo.

Igualmente Mariño Pardo[7] considera que no se puede atribuir al legitimario con discapacidad todos los bienes de la herencia libres de sustitución fideicomisaria pues implicaría una liberación total de los deberes legitimarios.

Y con un criterio aún más limitativo, Pérez Ramos[8] considera que lo máximo que puede ordenar el testador en virtud de la disposición en contrario es un fideicomiso de residuo más restringido, no permitiendo todos los actos a título oneroso o limitando tal fideicomiso a parte de los bienes fideicomitidos y no a todos ellos, pues esta interpretación a su juicio es la más conforme con el respeto a las legítimas sin traicionar el tenor literal del precepto. Entiende igualmente que la disposición en contrario no autoriza para poder limitar los fideicomisarios que puedan recibir los bienes fideicomitidos tras el fallecimiento del testador ni imponer un modo testamentario, como que lo recibirá aquél legitimario que cuide de su hermano o sobrino discapaz.

Desde mi punto de vista, el arraigo del sistema de legítimas en nuestra tradición jurídica, hubiera merecido una norma más clara o contundente, o al menos, alguna justificación aclaratoria en el Preámbulo de la ley de reforma, que ni siquiera menciona esta modificación legal de tanta trascendencia. Pero la alegación de esa tradicional configuración de la legítima en nuestro derecho común, no debe erigirse en el único argumento para seguir interpretaciones restrictivas y contrarias al sentido gramatical de la expresión "*salvo disposición contraria del testador*", pues precisamente ha sido el régimen de legítimas de los descendientes, cuando entre ellos haya alguno con discapacidad, lo que ha sido objeto de reforma legal, dejando muy claro que el testador puede establecer una disposición contraria al derecho a recibir *lo que quede* de la legítima en virtud de la sustitución fideicomisaria de residuo.

Sin duda, la Ley 8/2021 ha supuesto un reforzamiento del principio de autonomía de la voluntad, incidiendo tanto en el respeto a la voluntad del discapacitado (sus deseos y preferencias), como en el respeto a la voluntad de quien dispone a su favor (artículo 252 CC), que ha tenido igualmente una evidente incidencia en el régimen de legítimas con la norma de este párrafo cuarto del artículo 808 CC, que como cualquier otra ha de interpretarse conforme a lo que se desprenda del sentido gramatical de sus palabras, atendiendo fundamentalmente al espíritu y finalidad de aquéllas (art. 3.1 CC). Y la reforma de 2021 en este aspecto sigue la estela de la Ley 41/2003 de protección patrimonial de las personas con discapacidad, la cual tiene como fin específico,

---

6.   En el mismo sentido, aunque reconoce que la cuestión es dudosa, Lora-Tamayo, I.: "*Reforma civil y procesal para el apoyo a las personas con discapacidad*", Guía Rápida, Francis Lefebvre, p. 171.

7.   MARIÑO PARDO, F.: "*Reforma del Código Civil por la Ley 8/2001: modificación de los art. 782 y 808: sustitución fideicomisaria en caso de discapacidad de un legitimario*", en blog: iuris prudente.com.

8.   PÉREZ RAMOS, C.: "*Incidencias de la Ley 8/2021 sobre las sustituciones hereditarias*", en El Notario del Siglo XXI, n° 106.

según se desprende de su Preámbulo, facilitar que los familiares más próximos de la persona con discapacidad puedan poner a su disposición los medios económicos precisos para asegurar su bienestar y necesidades vitales específicas, y uno de los medios que ha brindado para ello la Ley 8/2021 ha sido la posibilidad de disponer de la legítima de los legitimarios sin discapacidad en beneficio del que la padezca.

En consecuencia, la disposición testamentaria por la que se atribuya un beneficio o ventaja patrimonial al hijo o descendiente legitimario con discapacidad, en perjuicio de la legítima estricta de todos o de alguno o algunos de los demás legitimarios sin discapacidad, si realmente contribuye a su bienestar, en mi opinión no puede ser removida con la alegación de no respetar el derecho del legitimario sin discapacidad a recibirla por la vía de la sustitución fideicomisaria de residuo, ya que ese derecho no se tiene si el testador así lo hubiera dispuesto, en virtud de la "disposición en contrario" que permite el párrafo cuarto del artículo 808 Cc. También creo que debe admitirse la sustitución fideicomisaria de residuo en favor solamente de aquél o aquellos otros legitimarios que van a atender al hijo con discapacidad, pues el beneficio de este sería evidente, e incluso que tal sustitución se establezca a favor de terceros, extraños o no (por ejemplo, el cónyuge o pareja del testador) que se ocuparán del hijo con discapacidad.

Pero igualmente es posible buscar amparo en el tenor literal de la norma con el propósito de defraudar las legítimas de todos o de algunos de los herederos forzosos bajo el paraguas del beneficio atribuible a la persona con discapacidad, que en algunos casos puede ser más aparente que real. Si eso ocurriera, el fraude a los derechos legitimarios no debe admitirse (artículo 6.4 CC), pero la apreciación de la intención fraudulenta escapa al ámbito notarial y registral, sin perjuicio de las reservas y advertencias que puedan formularse, y por tanto la cuestión deberá plantearse en sede judicial.

Podemos pensar en herencias de elevada cuantía, en las que una parte ínfima de las mismas sea suficiente para cubrir todas las necesidades, e incluso comodidades, del descendiente con discapacidad, y haya sido nombrado como beneficiario del todo o la mayor parte de la misma en perjuicio de los demás o de solamente alguno de los legitimarios sin discapacidad, con su consiguiente "desheredación" o "apartamiento". ¿Se puede autorizar un testamento en tal sentido? Y una vez autorizado el testamento y fallecido el testador, ¿ha de intervenir el "desheredado" en la escritura de partición o adjudicación de los bienes?

Creo que el notario no podría negarse a la autorización de ese testamento, sin perjuicio de las oportunas advertencias, y la intervención del "desheredado" en la escritura de herencia no tendría ningún sentido, por lo que si considera defraudados sus derechos legitimarios debería demandarlos en el correspondiente procedimiento judicial, aunque tendríamos que ver cómo se pronuncia la Dirección General de Seguridad Jurídica y Fe Pública, que siempre ha exigido la intervención de los legitimarios en la partición, dejando a salvo los supuestos de preterición (resoluciones de 6 de julio de 2016 y 23 de noviembre de 2022 entre otras). En cualquier caso, para evitar problemas en la futura partición hereditaria, en previsión de que un legitimario sin discapacidad se niegue a prestar su conformidad a la misma, sería conveniente nombrar un contador partidor en el testamento, aunque no debe olvidarse que si no hubiera contador partidor nombrado y el legitimario sin discapacidad obstruye la adjudicación hereditaria, el heredero beneficiado podrá solicitar el nombramiento de contador partidor dativo, conforme a lo dispuesto en el párrafo 2.º del artículo 1057 del Código Civil.

Por último, también se ha puesto en duda si el testador puede establecer que toda la herencia atribuida al legitimario con discapacidad quede sujeta a sustitución fideicomisaria de residuo, incluso la parte que puede corresponderle por legítima. Esto se permitía anteriormente a la reforma, incluso con sustitución fideicomisaria simple y no de residuo ya que antes de la reforma operada por la Ley 8/2021, el párrafo tercero del artículo 808 del Código Civil, en su redacción por la Ley 41/2003, de 18 de noviembre, de protección patrimonial de las personas con discapacidad, admitía con respecto a alguno de los hijos o descendientes que hubieran sido judicialmente incapacitados, que el testador pudiera establecer *"una sustitución fideicomisaria sobre el tercio de legítima estricta, siendo fiduciarios los hijos o descendientes judicialmente incapacitados y fideicomisarios los coherederos forzosos"*. Pero al desaparecer esta previsión con la reforma de este artículo 808, ya se ha entendido que no es posible someter la legítima del legitimario con discapacidad a gravamen o sustitución alguna pues lo impide el artículo 782 del Código Civil. Por mi parte no estoy muy de acuerdo con esa conclusión, al menos si el gravamen lo acepta el legitimario con discapacidad, pues normalmente lo que se va a dejar por esta vía al legitimario con discapacidad es un valor muy superior al valor de su legítima, por lo que le interesará aceptar el gravamen sobre su legítima para recibir un beneficio mayor. Como decía VALLET DE GOYTISOLO[9], una vez deferida la legítima, no debe haber inconveniente en que el legitimario, acepte el gravamen impuesto sobre su legítima o renuncie a reclamar contra el mismo, aceptación o renuncia que deben ser expresos pero ese carácter expreso de la aceptación o renuncia a impugnar no solo puede resultar de *"palabras expresas sino también de demostraciones claras, sin expresión, declaración formal o incluso con silencio"*.

También lo demuestra el régimen transitorio establecido con respecto a las sustituciones ejemplares, cuya admisión se suprime después de la reforma, pero que con respecto a las ordenadas antes de su entrada en vigor, conforme a la Disposición Transitoria 4.ª de la ley, quedan convertidas en sustituciones fideicomisarias de residuo en cuanto a los bienes que el sustituyente hubiera transmitido a título gratuito a la persona sustituida, sustitución que evidentemente también puede afectar a la legítima estricta de la persona con discapacidad, lo que demuestra que la prohibición del artículo 782 del Código Civil no es tan absoluta.

La cuestión puede tener más trascendencia incluso cuando el hijo con discapacidad sea el único hijo del testador, ya que a los familiares del hijo con discapacidad que tengan derecho a suceder abintestato les interesará impugnar la disposición testamentaria para que dos terceras partes de la herencia recibida en virtud de la disposición testamentaria, que es lo que le corresponde por legítima al hijo con discapacidad, se integre en su herencia y no en la herencia del testador, en detrimento de la persona o entidad que hubiera este previsto como sustituto y que seguramente se haga cargo de la persona con discapacidad, impugnación que desde mi punto de vista no debería prosperar.

9. VALLET DE GOYTISOLO, J. B.: *"Perspectiva histórica de las cautelas testamentarias con opción compensatoria de la legítima"*, en Anuario de Derecho Civil, ISSN 0210-301X, Vol. 16, N.º 2, 1963, pp. 281-344.

En definitiva, entiendo que la reforma del régimen de legítimas con la nueva redacción de los párrafos cuarto y quinto del artículo 808 del Código Civil, contribuirá a asegurar las necesidades de las personas con discapacidad y en tal sentido merece valoración positiva, aunque tampoco es difícil prever que será fuente de contiendas judiciales, y de ahí que quizás hubiera sido más adecuado atender a ese fin mediante una reforma integral del derecho de sucesiones, que solventara las dudas expuestas y acogiera las propuestas doctrinales de eliminar o limitar la institución de las legítimas, tildada de anacrónica y carente de sentido en nuestros días, al mismo tiempo que se estableciera otros instrumentos más adecuados para que en el ámbito familiar se dispense la protección debida a las personas con discapacidad[10].

III. DETERMINACIÓN DEL RÉGIMEN DE ADMINISTRACIÓN Y DISPOSICIÓN DE LOS BIENES DEJADOS A LA PERSONA NECESITADA DE APOYOS

Pero la Ley 8/2021 no solamente ha facilitado la captación de recursos al patrimonio de las personas con discapacidad a través del régimen de legítimas, sino que también ha incidido en el régimen de administración y disposición de los bienes de las personas con discapacidad, permitiéndose en el nuevo artículo 252 del Código Civil que el testador o donante establezca en testamento o escritura de donación no solo el régimen de administración de los bienes donados o dejados en testamento a una persona necesitada de apoyos (que ya se admitía anteriormente con respecto a las personas sujetas a la anterior tutela en el artículo 227, anterior a la reforma de la Ley 8/2021), sino que también se puede establecer el régimen de disposición de los mismos bienes, y por tanto se admite que el testador pueda acentuar, atenuar o incluso suprimir, los requisitos legales exigidos para la disposición de los bienes dejados por el testador a la persona necesitada de apoyo.

Esto evidentemente también puede favorecer la atribución de bienes a las personas con discapacidad, pues si alguno de esos requisitos para la disposición de los bienes, se consideran excesivos, lo que puede darse cuando el testador tenga plena confianza en las personas que han de apoyar al beneficiado en el ejercicio de las facultades dispositivas, tal vez el disponente pueda paralizar la disposición a favor de la persona con discapacidad, atribuyéndole otro beneficio distinto. Y lo mismo puede ocurrir si los requisitos se consideran insuficientes para evitar una transmisión fraudulenta.

Para explicar el alcance de la reforma, debemos tener en cuenta que hasta ahora cuando se ha querido disponer de bienes inmuebles que pertenecían a una persona incapacitada judicialmente, era necesario obtener autorización judicial, y si existía colisión de intereses con el tutor o padres con patria potestad prorrogada o rehabilitada, proceder al nombramiento de un defensor judicial.

_____

10. Así lo viene a proponer MAGARIÑOS BLANCO V.: "Desheredación y libertad para ordenar la sucesión", en blog: hayderecho.com, 24 de junio de 2022. Entiende que debe dispensarse protección a los hijos con discapacidad y a los demás hijos durante la minoría de edad y aún después hasta que razonablemente puedan alcanzar una formación integral, pero debe concretarse legalmente en una obligación de educación y alimentos en sentido amplio, pues aunque pueda entenderse que los padres tienen tal obligación, no deben tener la obligación de enriquecerlos.

Y el panorama se complicaba todavía más si la persona con discapacidad no estaba judicialmente incapacitada o con la capacidad modificada judicialmente, ya que si el notario consideraba que dicha persona no tenía capacidad para realizar el acto dispositivo, con la legislación anterior a la reforma, se tenía que iniciar el procedimiento de incapacitación o modificación judicial de la capacidad de obrar, para que se le nombrara un representante legal a la persona con discapacidad, que sería el tutor o los padres con patria potestad rehabilitada, y después de ese nombramiento obtener las autorizaciones antes citadas. Precisamente la mayoría de los procedimientos de incapacitación se han iniciado ante la necesidad de disponer de los bienes de la persona con discapacidad o de aceptar una herencia.

Pero además de las autorizaciones mencionadas los bienes de las personas con discapacidad se tenían que **enajenar en subasta pública**, exigencia que no siempre beneficiaba los intereses de la persona con discapacidad, y por ello, la nueva ley 8/2021 ha seguido la orientación de leyes anteriores como la de protección patrimonial de personas con discapacidad (Ley 41/2003, de 18 de noviembre) en relación a los bienes del patrimonio protegido, y con carácter general la Ley 2/2015, de 2 de julio, de jurisdicción voluntaria, que han ido atenuando hasta suprimirse definitivamente con la nueva ley, la necesidad de subasta pública como único procedimiento de enajenación de bienes inmuebles de estas personas.

Después de la reforma, no obstante, el artículo 287 del Código Civil sigue exigiendo autorización judicial, para que el curador con funciones representativas pueda disponer de bienes inmuebles u otros de extraordinario valor o de especial significado personal o familiar (apartado 2.º), norma que es aplicable al apoderado preventivo salvo que el poderdante haya determinado otra cosa (artículo 259 del Código Civil) así como al guardador de hecho en caso de realizar actos representativos (párrafo segundo del artículo 264 del Código Civil).

Ahora bien, el disponente, haciendo uso de la norma que comentamos, podrá dispensar de la necesidad de obtener la autorización judicial exigida en el mencionado artículo 287.2 del Código Civil, a pesar de que el inciso inicial de ese artículo exija autorización judicial *en todo caso*, para los actos que menciona, pues no se establece ningún límite al establecimiento del régimen de disposición, en sintonía con los principios de libertad de disposición y autonomía de la voluntad, cuyo fortalecimiento ha inspirado toda la reforma. Además, también lo demuestra la reforma del régimen legal de los patrimonios protegidos en cuanto que antes de la reforma, respecto de los patrimonios no constituidos por el beneficiario, el artículo 5.2 de la Ley 41/2003, exigía incluir *"la obligatoriedad de autorización judicial en los mismos supuestos que el tutor la requiere respecto de los bienes del tutelado, conforme a los artículos 271 y 272 del Código Civil…"*, lo que ya no exige el nuevo artículo 5.2 después de su reforma por la Ley 8/2021, y por tanto el régimen de disposición será el que se establezca en la escritura por el disponente.

Es cierto que la autorización judicial es una garantía, e incluso con la reforma procesal se eliminan costes para obtenerla en cuanto no es necesario la intervención de abogado y de procurador, salvo cuando lo requiera la complejidad de la operación o existan intereses contrapuestos. Pero cuando se tiene plena confianza en la persona a la que se le encomienda las facultades dispositivas (normalmente otro hijo o el cónyuge del testador) cualquier limitación legal, como puede ser la obtención de una autorización judicial, puede ser mirada con disfavor.

Y también puede ocurrir lo contrario, esto es, que las restricciones legales en vez de excesivas sean consideradas insuficientes para evitar una transmisión fraudulenta o en perjuicio de la persona con discapacidad. Ningún obstáculo existe a que el disponente pueda añadir otros controles en la realización de actos dispositivos, exigiendo la intervención o autorización de determinadas personas o de determinados órganos de control o supervisión que además pueda sustituir a la autorización judicial si se considera que aquella puede obtenerse con más agilidad.

Además, y fuera de los casos en que se imponga una actuación representativa, el régimen de administración establecido por el donante o testador, como ya hemos apuntado anteriormente, puede coadyuvar a la integración social y jurídica de la persona con discapacidad y al fomento de su autonomía, pues ese régimen no tiene porqué limitarse a establecer requisitos o controles sino que también puede acentuar la necesidad de que las decisiones en materia de administración y disposición las tome la propia persona con discapacidad, pudiendo exigirse solo para los actos más trascendentes de carácter dispositivo su realización con los apoyos que se estimen convenientes. Creo que el testamento, lo mismo que la escritura de donación o de patrimonio protegido, como ya he apuntado anteriormente, puede ser un instrumento idóneo para diseñar cómo debe participar la persona con discapacidad en la administración de sus bienes.

Y del mismo modo es posible que el testador sea consciente de la dificultad que puede entrañar la formalización del acto dispositivo en escritura pública por la necesidad de que el notario se asegure que la persona necesitada de apoyos tenga discernimiento para prestar su consentimiento informado. Podemos encontrarnos supuestos en que la persona necesitada de apoyos no esté sujeta a una curatela representativa pero que a la hora de realizar el acto dispositivo el notario albergue dudas sobre la comprensión del alcance y efectos de la escritura y por tanto entienda que no pueda autorizarla. El establecimiento del régimen de disposición puede facilitar la realización del acto dispositivo, ya que para estos casos podrá preverse un representante que conozca la trayectoria vital de la persona con discapacidad, sus creencias y valores, y que pueda inducir por la interactuación constante con ella, si la realización del acto dispositivo es conforme a su voluntad, deseos y preferencias.

Por otra parte, presupuesto de aplicación de la norma es que se haga una disposición gratuita a favor de una persona necesitada de apoyos. Al tratar la reforma de las legítimas vimos que bastaba con que la persona beneficiaria padeciera discapacidad o dependencia, y en cambio el artículo 252 exige que la persona necesite apoyo en el ejercicio de su capacidad jurídica. Y se debe precisar que no es lo mismo una persona necesitada de apoyos que una persona con discapacidad en cuanto que pueden existir personas necesitadas de apoyos para el ejercicio de su capacidad que sin embargo carezcan oficialmente de reconocimiento de discapacidad, y también puede ocurrir lo contrario, esto es, personas con discapacidad que no necesiten apoyo para el ejercicio de su capacidad, como ocurre con las personas que padecen solo discapacidad física o sensorial, ya que las personas que necesitan apoyo en el ejercicio de su capacidad jurídica son las personas con discapacidad psíquica, y no siempre todas ellas.

En la apreciación de si una persona necesita apoyo en el ejercicio de su capacidad se puede suscitar la cuestión de si es necesario que exista una resolución judicial que así lo establezca. Creo que en principio debe responderse negativamente ya que casi siempre podrá saberse por las circunstancias concurrentes que la persona favorecida necesitará apoyo para el ejercicio de su capacidad jurídica. Además, el hecho de que el disponente lo haya considerado así estableciendo un régimen especial de administración o disposición constituirá un claro indicio de que la persona beneficiaria necesitará apoyo para el ejercicio de su capacidad, al menos en la realización de los actos que haya previsto el disponente.

Puede no obstante ocurrir que el disponente entienda que el beneficiario necesita apoyo para el ejercicio de su capacidad jurídica cuando realmente no sea así.

Entiendo que en tal supuesto no se puede dar una solución uniforme para todos los casos que puedan contemplarse. Normalmente podrá estimarse la validez de las cautelas o limitaciones establecidas en el régimen de administración o disposición, pues en materia de disposiciones gratuitas, la ley parte de un amplio reconocimiento del principio de autonomía de la voluntad, pudiendo someterse al beneficiario a todo tipo de limitaciones o modalidades[11], y por tanto puede entenderse que es indiferente que la persona beneficiaria necesite o no apoyos en el ejercicio de su capacidad pues tales limitaciones o modalidades ha querido establecerlas el disponente y el beneficiario tendrá tenido que pasar por ellos al aceptar la disposición gratuita.

No obstante, si la disposición es a favor de un legitimario ese régimen de administración o disposición, podrá reducirse o limitarse e incluso anularse si transgrede la legítima del propio beneficiario (artículo 813, párrafo 2.º). También podría pensarse en la posibilidad de anulación de dicho régimen por error del disponente (artículo 1266 del Código Civil), solución que quizás puede ser adecuada si la persona beneficiaria necesitara apoyo en el momento de otorgarse la disposición, pero posteriormente, cuando el beneficiario quiere disponer del bien, ha desaparecido objetivamente. E incluso también cabe pensar en la posibilidad de anulación de la disposición gratuita si la causa determinante de la misma estuviera en la consideración de que se hacía a favor de una persona necesitada de apoyos cuando en realidad no era así, aunque esto será sumamente difícil que pueda prosperar.

Por último, el testamento puede determinar la persona que ha de prestar apoyo en la realización del acto dispositivo, que puede ser incluso persona distinta a la que estuviera nombrada en resolución judicial en calidad de curador, pudiendo ser esto frecuente en los casos en que los progenitores de la persona con discapacidad estuvieren separados o divorciados, y el nombramiento del curador hubiera recaído exclusivamente en el ex-cónyuge del testador, ya que normalmente este no querrá que sea su ex-cónyuge quien haya de prestar apoyo al hijo con discapacidad en la realización de los actos de administración o disposición de los bienes dejados en testamento.

---

11. GONZÁLEZ-MENESES GARCÍA VALDECASAS, M.: *"La donación"* en "Instituciones de Derecho Privado". Tomo III, Obligaciones y contratos, volumen II. P. 620. Editorial Thomson-Civitas.

IV. DISPOSICIONES TESTAMENTARIAS PARA EVITAR LA INTERVENCIÓN JUDICIAL EN LA LIQUIDACIÓN DE LA SOCIEDAD DE GANANCIALES DEL TESTADOR Y EN LA PARTICIÓN DE LA HERENCIA

Otras disposiciones testamentarias que pueden resultar convenientes, son las que pueden evitar la intervención judicial en la liquidación de la sociedad de gananciales del testador, en la partición hereditaria o en la aceptación de la herencia por parte de la persona con discapacidad.

Obviamente debe tratarse de supuestos en que el testador tiene plena confianza en la familia de la persona con discapacidad, porque de lo contrario la intervención judicial más que un inconveniente se erige en una garantía, para evitar abusos o influencias indebidas.

En materia de aceptación de la herencia, si el causante o testador no tenía deudas en el momento de su fallecimiento, no habrá excesivos problemas si la persona con discapacidad puede manifestar su voluntad de aceptar. La aceptación será un acto que claramente beneficiará a la persona con discapacidad, siendo fácil comprender las consecuencias que pueden conllevar el hecho de convertirse mediante la aceptación en propietario de bienes determinados, por lo que lo mismo que en materia de aceptación de donaciones puras y simples, será difícil encontrar resoluciones judiciales en que se exija la intervención de personas que han de prestarle apoyo. Pero es que, aun cuando se exija esa intervención, no debe haber mayores problemas siempre que la persona con discapacidad pueda manifestar con claridad su voluntad de aceptar y el notario no albergue duda de la compresión de lo que significa ese acto. A pesar de ello, para más seguridad, siempre será conveniente aconsejar que la persona con discapacidad acepte a beneficio de inventario, pues en esta clase de aceptación el heredero no responde de las deudas hereditarias.

Mayores problemas deben plantearse en caso de aceptación pura y simple si el causante tenía deudas al tiempo del fallecimiento. En los casos de fallecer una persona con deudas, con hijos con discapacidad, siempre será conveniente iniciar el procedimiento para la aceptación a beneficio de inventario, pero en el caso en que este ya no se pueda iniciar, por ejemplo por haber transcurrido los plazos previstos por la ley para ello, se ha de proceder con mayor cautela pues el notario no debe albergar dudas de que el heredero comprende que puede responder de las deudas del causante y las consecuencias perjudiciales que ello puede suponer.

Además hay que tener en cuenta que si el curador tiene funciones representativas necesitará autorización judicial conforme al artículo 287.5 del Código Civil, lo mismo que para repudiar la herencia.

Pero si el testador hubiera previsto el nombramiento de un contador partidor, puede hacerse innecesaria la intervención judicial, tanto en la liquidación de la sociedad de gananciales del testador como en su partición hereditaria, pues la Dirección General de Seguridad Jurídica y Fe Pública (Resolución de 30 de noviembre de 2016 y todas las que en ella se citan) admite no solo que la liquidación de la sociedad de gananciales la realice el contador partidor junto con el cónyuge viudo, sino también la posibilidad incluso de inscripción de los bienes adjudicados a favor de la persona con discapacidad sin necesidad de que conste la aceptación, inscripción que no tiene carácter firme o definitiva, sino que estará sujeta a la condición suspensiva de que en un momento posterior se acreditase la aceptación, la cual se entiende implícita en cualquier acto de administración o disposición que realice el titular del derecho inscrito.

No obstante en la operación de inventariar los bienes tanto en la liquidación de sociedad de gananciales como en la de la herencia es posible que la resolución judicial de medidas de apoyo haya establecido la necesidad de citar a quien que haya de prestar de apoyo a persona con discapacidad, conforme a lo dispuesto en el inciso final del último párrafo del artículo 1057, también afectado por la reforma. Y esto puede ser así sobre todo por los recelos que puede suscitarse con la concurrencia con el cónyuge viudo ya que se aprecia con facilidad conflicto de intereses cuando muchas veces realmente no lo hay. Para evitar esos recelos, y aunque se tratara de una mera citación, estoy con MARÍN CALERO, que señala la conveniencia de dejar claro en el testamento, los bienes que conforman la sociedad de gananciales, el reconocimiento de los privativos del cónyuge del testador, los créditos o deudas que puede tener con el mismo cónyuge o la inexistencia de los mismos.

Una vez inscritos los bienes adjudicados por el contador partidor a la persona con discapacidad, sin que conste su aceptación, los problemas se van a plantear cuando se quiera disponer de los mismos. Aun cuando el testador haya dispensado de la necesidad de obtener autorización judicial para disponer de los bienes conforme al artículo 252, no debe olvidarse que esa disposición entrañaría aceptación tácita de la herencia con arreglo al artículo 1000.1 del Código Civil, y por tanto será necesario autorización judicial, no por el acto dispositivo en sí para el que existe dispensa, sino por la aceptación de la herencia implícita en la realización del acto dispositivo.

Otra cosa ocurriría **si el testador le hubiera atribuido los bienes a título de legado.** En este caso entiendo que no sería necesario autorización judicial para disponer de los bienes legados si el testador hubiera dispensado de la necesidad de obtenerla. Y ello es así porque si se trata de un legado puro y simple de cosa determinada, el legatario adquiere la propiedad desde la muerte del testador conforme a lo dispuesto en el artículo 882 del Código Civil, entendiendo la generalidad de la doctrina y jurisprudencia (sentencias del Tribunal Supremo de 27 de junio de 2000, 7 de julio de 1987, 30 de septiembre de 1990 y 25 de mayo de 1992) que no sería necesario la aceptación del legatario, sin perjuicio de su derecho a repudiar el legado, si bien una Resolución de la DGRN de fecha de 19 de septiembre de 2002, muy criticada doctrinalmente, exige aceptación del legatario para la inscripción aunque admitiendo en caso de adjudicación realizada por el contador partidor la posibilidad de practicar la misma inscripción condicionada a la aceptación a la que antes aludíamos, lo que no encaja del todo con el artículo 81 b) del Reglamento Hipotecario, que no establece esa condicionalidad de la inscripción cuando se trate de una escritura de partición de herencia o de aprobación y protocolización de operaciones particionales formalizada por el contador-partidor en la que se asigne al legatario el inmueble o inmuebles legados.

En definitiva, si se quiere evitar la intervención judicial lo mejor es atribuir bienes concretos que formen parte de la herencia a la persona con discapacidad a título de legado, sin perjuicio de las cautelas o controles que para la realización de los actos dispositivos el testador estime conveniente establecer.

V. OTRAS DISPOSICIONES TESTAMENTARIAS

Por último otras disposiciones a tener en cuenta en el testamento a favor de una persona con discapacidad, y que ya se permitía antes de la reforma, entre ellas:

– La del artículo 822, con relación al legado del derecho de habitación sobre la vivienda habitual que el testador haga a favor de un legitimario que se encuentre en situación de discapacidad, señalando que no se computará para el cálculo de las legítimas si en el momento del fallecimiento ambos estuvieran conviviendo en ella, siendo esta una norma que pierde gran parte su sentido teniendo en cuenta que con la reforma del artículo 808 toda la herencia se puede atribuir al hijo con discapacidad como anteriormente hemos visto.

– Pero sí se debe destacar la importancia del artículo 831 del Código Civil que permite delegar en el cónyuge la facultad de mejorar o adjudicar bienes con cargo al tercio de libre disposición, y que evidentemente se puede utilizar en beneficio de un hijo o descendiente común con discapacidad, lo que permitirá mantener la herencia indivisa y hacer las adjudicaciones conforme a lo que las circunstancias sobrevenidas a la muerte del testador aconsejen. La norma dice en su apartado tercero que el cónyuge al ejercitar las facultades encomendadas deberá respetar las legítimas estrictas de los descendientes comunes. Pero después de la Ley 8/2021 puede plantearse la cuestión de si al amparo del artículo 831 CC, puede delegarse al cónyuge sobreviviente la facultad de adjudicar bienes al descendiente legitimario común con discapacidad con afectación de la legítima estricta de los otros descendientes comunes. Habiendo autorización expresa del testador, se podría defender tal posibilidad, considerando que la legítima estricta de los descendientes no discapacitados cuando además hay alguno con discapacidad, es la que determina el artículo 808 con la limitación de su párrafo cuarto, limitación que es inherente a esa legítima, y es la que se debe respetar conforme al apartado 3 del artículo 831. Creo que debería admitirse este criterio, pues la Ley 41/2003, que dio nueva redacción a este artículo 831, quiso extender todo lo posible las facultades que se podían delegar en el cónyuge viudo en beneficio de los descendientes comunes con discapacidad, según se deduce del apartado VII d) de su Preámbulo, y si hoy se permite al testador dejar los bienes al legitimario con discapacidad afectando las legítimas de las que no la padezcan, debería en buena lógica admitirse la delegación de tal facultad si el testador lo prevé de forma expresa. Pero también creo que va a ser difícil que tal criterio sea admitido por los juzgados y tribunales, pues la STS de 24 de mayo de 2019, interpreta restrictivamente el artículo 831, obligando al viudo fiduciario a entregar la legítima estricta al legitimario que la reclame, y en nada ayuda además el hecho de que el referido artículo 831.3 CC no haya cambiado de redacción tras la reforma de 2021 y siga obligando en los mismos términos a respetar las legítimas estrictas de los descendientes, por lo que puede entenderse que obliga a lo mismo antes y después de la reforma, a pesar de haberse modificado la configuración de la legítima cuando haya descendientes legitimarios con discapacidad.

Por último entiendo que este artículo 831 del Código Civil, debe relacionarse con el nuevo artículo 3.1 c) de la ley reguladora de patrimonios protegidos, en el sentido de que el testador puede delegar en su cónyuge la constitución de un patrimonio protegido a favor de un hijo o descendiente común con discapacidad.

VI. BIBLIOGRAFÍA

DURÁN CORSANEGO, E.: *"La autorregulación de la tutela"*, Editorial universitaria Ramón Areces, 2007.

GONZÁLEZ-MENESES GARCÍA VALDECASAS, M.: "La donación", en *"Instituciones de derecho privado"*. Coordinador general: Juan Francisco Delgado de Miguel, Civitas, 2004.

LEÑA FERNÁNDEZ, R.: *"El notario y la protección del discapacitado"*, Colegios Notariales de España, 1 997.

MARÍN CALERO, C.: *"Aceptación de la herencia a beneficio de inventario"*, Aferre, 2021.

– *"La herencia a favor de un hijo con discapacidad intelectual"*, Tirant lo Blanch, Valencia, 2022.

RIVAS MARTÍNEZ, J. J.: *"Derecho de Sucesiones Común y Foral"*. Tercera Edición. Editorial Dykinson. Año 2004.

ROCA-SASTRE MANCUNILL, L.: *"Derecho de Sucesiones"*. Bosch, 1995.

VALLET DE GOYTISOLO, J. B.: *"Perspectiva histórica de las cautelas testamentarias con opción compensatoria de la legítima"*, en *Anuario de Derecho Civil*, Vol. 16, N.º 2, 1963.

9

El patrimonio protegido: constitución y funcionamiento[1]

CRISTINA DE AMUNÁTEGUI RODRÍGUEZ

Catedrática de Derecho Civil
Universidad Complutense de Madrid

---

1. Este trabajo forma parte de los resultados del Proyecto de Investigación RTI2018-094855-B-100, "Desafíos del derecho de sucesiones en el siglo XXI: una reforma esperada y necesaria", dirigido por M.ª T. ÁLVAREZ MORENO, y del Grupo de Investigación UCM, "Nuevas perspectivas del Derecho civil", dirigido por L. A. ANGUITA VILLANUEVA.

I. APROXIMACIÓN A LA REFORMA DE LA LEY 41/2003 DE PROTECCIÓN PATRIMONIAL DE LAS PERSONAS CON DISCAPACIDAD POR LA LEY 8/2021 POR LA QUE SE REFORMA LA LEGISLACIÓN CIVIL Y PROCESAL EN MATERIA DE DISCAPACIDAD

De las diferentes modificaciones legadas obradas por la Ley 8/2021, de Reforma civil y procesal en materia de discapacidad, la operada en la Ley 41/2003, de Protección Patrimonial de las Personas con Discapacidad es de las que, comparativamente, menos atención ha concertado[2].

Querría destacar que no se incorpora a la Ley en la primera versión del Anteproyecto[3], pese a poder afrontarse desde la perspectiva de tratarse de un supuesto de representación legal plenamente sustitutiva que no encajaba bien con la inspiración de la Ley, ni con el art. 12 de la Convención de Derechos de las Personas con Discapacidad y de la correspondiente Observación de Naciones Unidas dedicadas al mencionado precepto. La circunstancia de pasar inadvertida por los trabajos de la Sección Civil de la Comisión General de Codificación puede coadyuvar en el entendimiento no muy preciso de la modificación llevaba finalmente a cabo, probablemente de manera precipitada y sin mediar la adecuada reflexión que se espera en una materia como esta.

Aparece ya en el texto del Proyecto que llega a las Cortes, pero con ciertas diferencias respecto a la letra finalmente aprobada, existiendo algunos cambios durante la tramitación de la ley.

Sin duda, no puede decirse que se trate de una modificación de calado, sino que más bien participa un poco de las reformas operadas por la ley fuera de las medidas de apoyo, en las que se deja ver una cierta inercia, o, como se está diciendo de otras materias, un lavado de cara, *lifting*, o incluso un parcheo. La regulación parece evidenciar cierta premura, incluyendo algunos guiños a las nuevas premisas imperantes en el nuevo tratamiento de la discapacidad, adaptando también la terminología, pero sin una auténtica revisión del sentido y finalidad de la norma que regula el patrimonio protegido[4].

---

2.   En contraste con otras modificaciones llevadas a cabo por la ley son escasos los trabajos que se han dedicado a las reformas del patrimonio protegido, abordados fundamentalmente en las obras en las que se abordan comentarios de la regulación de la ley en su totalidad, así, LORA TAMAYO, I., *Reforma civil y procesal para el apoyo a las personas con discapacidad*, Lefebvre, Madrid, 2021; PALOMINO DÍEZ, I., en *Comentarios a la Ley 8/2021 por la que se reforma la legislación civil y procesal en materia de discapacidad*, GUILARTE MARTÍN-CALERO, C., (Dir.), Thomson Reuters Aranzadi, Cizur Menor, 2021; FERNÁNDEZ-TRESGUERRES, A., *El ejercicio de la capacidad jurídica. Comentario de la Ley 8/2021, de 2 de junio*, Thomson-Aranzadi, Cizur Menor, 2021; LOURO GARCÍA, I., en *Comentario articulado a la reforma civil y procesal en materia de discapacidad*, GARCÍA RUBIO, M.ª P. y MORO ALMARÁZ, M.ª J., (Dirs.), Thomson Civitas, Cizur Menor, 2022. También en la monografía de MARÍN CALERO, C., *La herencia a favor de un hijo con discapacidad intelectual*, Tirant lo Blanc, Valencia, 2022.

3.   Llamándose la atención sobre el particular en algunos trabajos y congresos, así DE AMUNÁTEGUI RODRÍGUEZ, C., "El protagonismo de la persona con discapacidad en el diseño y gestión del sistema de apoyo", en *Claves para la adaptación del ordenamiento jurídico privado a la Convención de Naciones Unidas en materia de discapacidad*, Tirant lo Blanch, Valencia, 2019. p. 133.

4.   En el mismo sentido PALOMINO DÍEZ, I., *Comentario...*, cit., p. 1262, quien califica la reforma de apurada y confusa, sin afrontar una verdadera y útil transformación.

Los escasos cambios se añaden sin modificar en absoluto la estructura o sistemática de la Ley, lo que no es una cuestión menor a la hora de interpretar el texto; circunstancia que obliga a tener que conjugar la conexión de algunos de los cambios con el resto del articulado en el entendimiento de lo que verdaderamente implica el sistema de apoyos en el ejercicio de la capacidad jurídica y del respeto a la Convención de Nueva York.

En este estudio dedicaré algunas reflexiones, a modo de pinceladas sobre lo que no ha querido cambiarse, o se ha desaprovechado la ocasión de hacerlo, aquello que sí se ha modificado, y lo que debería haberse incorporado con claridad, llevando a cabo una valoración respecto del sentido actual de esta institución y su incierto porvenir. Después iré analizando las específicas novedades introducidas, pero sin detenerme en el exhaustivo y detallado tratamiento doctrinal existente sobre esta figura, previo a la reforma, más que en lo estrictamente necesario[5].

Aunque los beneficiarios de la ley continúan siendo las mismas personas, sin que se haya meditado en absoluto sobre este particular, las consideraciones que realizaré lo serán solo respecto de sus beneficiarios que presenten una discapacidad psíquica superior al 33%. Podríamos detenernos a pensar si se debería haber cambiado esta concepción puramente administrativa de la discapacidad, en contra del propio Preámbulo de la Ley 8/2021 que señala que "podrá beneficiarse del apoyo cualquier persona que las precise, con independencia de si su situación de discapacidad ha obtenido algún reconocimiento administrativo". No obstante, en esta materia se ha mantenido el criterio de los porcentajes declarados por resolución administrativa, entiendo que fundamentalmente como un mecanismo de control tanto a la hora de la prevista supervisión, como sobre los beneficios fiscales que implica la institución, exigiendo la correspondiente constatación de la Administración, pudiendo también interpretarse esta exigencia como evidencia de que el patrimonio protegido no se considera medida de apoyo por parte del legislador.

II. ¿QUÉ PORVENIR ESPERA AL PATRIMONIO PROTEGIDO? ¿DÓNDE QUEDAN SUS FINALIDADES?

Es sabido, conforme disciplina el art. 1 de la Ley 41/2003, que "(E)l objeto de esta Ley es favorecer la aportación a título gratuito de bienes y derechos al patrimonio de las personas con discapacidad y establecer mecanismos adecuados para garantizar la afección de tales bienes y derechos, así como de los frutos, productos y rendimientos de éstos, a la satisfacción de las necesidades vitales de sus titulares".

La Exposición de Motivos de la propia Ley nos explica, con todo detalle y amplitud, que el patrimonio protegido tiene como esencia destinarse a la "protección patrimonial" de la persona con discapacidad, concibiendo para ello la regulación de una masa

---

5. Una descripción sobre la institución y su funcionamiento, con abundantes referencias bibliográficas, en DE AMUNÁTEGUI RODRÍGUEZ, C., "La constitución de un patrimonio protegido por las personas mayores inicialmente capaces, en previsión de su futura pérdida de capacidad", en *Libro homenaje al Profesor Manuel Amorós Guardiola*, T. I, Centro de Estudios Registrales, Madrid, 2006, pp. 77 y ss.

patrimonial vinculada a la satisfacción de las necesidades vitales de la persona con discapacidad. Tales bienes –en teoría– se aíslan del resto del patrimonio de su titular beneficiario, sometiéndose a un régimen de administración y supervisión específico.

La Ley se completa, como también menciona su texto introductorio, cuando la persona no tenga capacidad suficiente –en sentido de la discapacidad psíquica superior al 33%– con que la constitución corresponderá "a sus padres, tutores o guardadores de acuerdo con los mecanismos generales de sustitución de la capacidad de obrar (…)". Si el beneficiario es persona con capacidad de obrar suficiente no se podrá constituir un patrimonio protegido contra su voluntad; lo que implica no contar en absoluto con el consentimiento o la oposición del beneficiario si este carece de capacidad de obrar suficiente.

Si recojo estas expresiones de la Exposición de Motivos de la Ley 41/2003 es con la finalidad de evidenciar la esencia de la figura del patrimonio protegido que, precisamente, es lo que se plasma e integra en su articulado, en el que ese mismo esquema se reproduce en la llevanza del patrimonio, incluyendo su administración y la disposición de los bienes que integran el mismo.

Aunque estas palabras son expresión del legislador en el año 2003, a cualquiera que esté familiarizado con el Preámbulo de la Ley 8/2021 le parecerá, de inmediato, que esto resulta insostenible a la vista de los principios que disciplinan los apoyos a las personas con discapacidad. Comenzando por expresiones como "protección", continuando con la destacada atención al patrimonio de la persona sin mención alguna de la esfera personal, o transitando por una reglamentación plagadas de decisiones sustitutivas que implican una representación legal, en la que el consentimiento de la persona con discapacidad en nada se tiene en cuenta cuando se trata de discapacidad psíquica. Claro está que, limitándose el legislador a realizar algunos retoques a veces exclusivamente lingüísticos, algo va a chirriar si se me permite la expresión, porque la inspiración de la Ley 41/2003 no está de acuerdo con los nuevos principios que han pasado a regir y disciplinar la materia, como reflejo de los presupuestos de los que parte la Convención.

Como iré desarrollando, la posible conjunción entre ambas normas no resulta tarea sencilla, pudiendo interpretarse sus preceptos de diferentes formas, en muchos casos divergentes o contrarias, lo que, como se verá, posibilitan los propios artículos "tocados y mantenidos" por el legislador que a la hora de acometer su modificación les ha dotado de un significado que se supone –o al menos presupone– ajustado a las metas y finalidades anheladas. Quiero decir con esto que no parece una cuestión menor constatar que el Parlamento haya querido mantener o cambiar el texto de una disposición concreta cuando ha pasado por la misma y ha decidido lo que ha tenido por conveniente. Otra cosa sería que nos enfrentáramos a un texto ignorado por el aludido legislador, en cuyo caso las reglas de interpretación entiendo que deben ser diversas.

Cuando se publicó la Ley 41/2003 el fundamento o finalidad de la constitución del patrimonio protegido residía, a mi parecer en dos razones o finalidades, explicadas igualmente en su extensa motivación.

La primera se encontraba en plantearse como una eficaz alternativa a la incapacitación judicial. En lugar de proceder a una modificación sobre lo que ya se consideraban graves inconvenientes o defectos en el desarrollo y aplicación del procedimiento se articulaba una vía de protección intermedia que permitiera su evitación.

La segunda razón residía en el ánimo de "sujetar", "inmovilizar" o "asegurar" una serie de bienes a la satisfacción de las necesidades vitales de la persona con discapacidad, circunstancia que, unida a la representación legal del constituyente-administrador, sustraía el patrimonio "protegido" del poder de disposición de la propia persona con discapacidad.

A la vista del contenido de la Ley 8/2021 entiendo que estas dos razones han decaído completamente.

La primera porque la anterior incapacitación ha desaparecido del ordenamiento jurídico y la Ley posibilita un nuevo sistema de apoyos en los que destaca el protagonismo de la persona con discapacidad atendiendo a la proyección de su voluntad, deseos y preferencias, en un modelo en el que la representación y sustitución en la toma de decisiones se convierte en absolutamente residual y excepcional en el supuesto límite de la curatela representativa; y aun así debe atenderse a la valoración de las mencionadas voluntad, deseos y preferencias de la persona a la hora de adoptar cualquier decisión.

El amplio elenco de medidas de apoyo que posibilita la Ley 8/2021, en cumplimiento de los principios de necesidad y subsidiariedad, permite acudir a instituciones desjudicializadas, con una sencillez y eficacia que contrasta con la extraordinaria complejidad que presenta el patrimonio protegido[6]. La persona con discapacidad puede gestionar sus intereses mediante apoyos voluntarios que funcionan de forma ágil y eficiente, bien se trate de disposiciones unilaterales, acuerdos de apoyo o incluso poderes preventivos, todos ellos en escritura pública.

Si lo que se anhela es huir de la judicialización de la situación de la persona, la necesaria supervisión del patrimonio protegido resulta paradójica y se revela como poco conveniente (otra cosa es que se trate de una función de control de los posibles beneficios fiscales y de un hipotético control hipotética vigilancia sobre el destino de los bienes cuando no coinciden beneficiario y administrador). Si se hace un excurso por la Ley 41/2003 se constata la presencia de intervenciones del Ministerio Fiscal –institución a quien se encomienda la supervisión del patrimonio– con controles judiciales en algunos supuestos, lo que resulta en definitiva poco acorde con los nuevos principios inspiradores.

En cuanto a la segunda razón, la sujeción e inmovilización de los bienes, puede considerarse, en mi opinión, contraria a la inspiración de la Ley 8/2021, y, sin duda, a los principios rectores de la Convención. El, tantas veces mencionado y traído a colación, art. 12 de la Convención de Derechos de las Personas con Discapacidad dispone sin duda la instauración del principio de igualdad para las personas con discapacidad en la gestión y llevanza de sus asuntos e incumbencias y la regulación del patrimonio

---

6.   Ver también sobre la situación descrita LOURO GARCÍA, I., _Comentario…_, cit., pp. 990 y 991.

protegido no siempre participa de esa nota característica[7]. Quiero entender, como expondré a lo largo de este trabajo, que pueden interpretarse sus reglas en clave de Convención, pero la literalidad de la norma posibilita las más de las veces una hermenéutica más conservadora que podría defender actuaciones representativas con administraciones paralelas.

Es cierto que la propia Ley 8/2021 posibilita situaciones en las que se puede llegar a privar de la administración (e incluso disposición) a la persona con discapacidad, como permite sin ambages el nuevo art. 252, heredero del art. 227 previo, con un tenor corregido y aumentado. Igualmente se posibilita que la legítima recibida por el hijo con discapacidad se someta a los criterios rectores de las administraciones limitadas de los fiduciarios, lo que se permite sin reparos en el art. 782 en relación con el art. 808, situación que implica establecer distinciones entre las personas que presentan discapacidad. He manifestado repetidamente que creo que se trata de disposiciones que no respetan el contenido del art. 12 de la CNY, pero en nada ha sido esto un impedimento para la consideración de su inclusión y desarrollo en la reforma por parte del legislador.

Habría que reflexionar en cuanto a que la posible conveniencia de asegurar la sujeción de los bienes mediante el establecimiento de una administración separada (e incluso disposición), puede garantizarse a tenor del contenido de la Ley 8/2021 por la vía de las atribuciones a título gratuito que permite, precisamente, el art. 252 CC, que parece plantear menos dificultades en su aplicación y desarrollo de lo que pueda implicar la constitución de un patrimonio protegido[8].

Entiendo que estas reflexiones apuntadas, junto con otras que llevaré a cabo seguidamente, analizándolas por separado, influirán en un incierto porvenir para una institución que no ha logrado "cuajar", si se me permite la expresión, en la medida pensada en su día por el legislador. A ello nos ayuda contar con los datos estadísticos que publica el Consejo General del Notariado en los que, en el intervalo contabilizado de 2007 a la actualidad, se habrían constituido menos de 4600 patrimonios protegidos[9].

Habrá que esperar a ver qué sucede por el transcurso del tiempo, pero teniendo en cuenta la complejidad que siempre ha tenido la institución, y el desdeñoso tratamiento que se dispensa a los padres en la reforma, principales constituyentes de esta figura (a los que entre otras cosas se requerirá rendición de cuentas) no parece que su constitución en el futuro aumente. La Ley 8/2021 permite adoptar diversos apoyos precisos

---

7. Dispone textualmente el mencionado art. 12.5 de la CNY: "Sin perjuicio de lo dispuesto en el presente artículo, los Estados Partes tomarán todas las medidas que sean pertinentes y efectivas para garantizar el derecho de las personas con discapacidad, en igualdad de condiciones con las demás, a ser propietarias y heredar bienes, controlar sus propios asuntos económicos y tener acceso en igualdad de condiciones a préstamos bancarios, hipotecas y otras modalidades de crédito financiero, y velarán por que las personas con discapacidad no sean privadas de sus bienes de manera arbitraria".

8. Ya en su día apunté la mayor sencillez de la aplicación del entonces art. 227 (actual 252) respecto de la complejidad del patrimonio protegido, en "La constitución…", cit., pp. 100 y 101. Tras la reforma se plantea la mayor aplicabilidad del precepto, restando interés a la constitución de un patrimonio protegido, PALOMINO DÍEZ, I., *Comentarios…*, cit., pp. 1264 y 1265.

9. Concretamente según las estadísticas que publica el Consejo General del Notariado, desde 2007 a 2022 el número de patrimonios protegidos asciende a un total de 4329 (datos disponibles en https://www.notariado.org/liferay/web/cien/estadisticas-al-completo).

y puntuales, y la sujeción y afección de bienes a título gratuito a favor de personas con discapacidad puede conseguirse de forma más ágil y menos compleja, por la vía que permite el mencionado art. 252 CC. No es posible obviar que, como decía el propio legislador en el año 2003, esta figura aparecía como una alternativa a la incapacitación que facilitaba la llevanza de los asuntos patrimoniales de la persona con discapacidad, y ahora las medidas de apoyo resultan mucho menos complejas de articular que la constitución de un patrimonio protegido[10].

III. CIRCUNSTANCIAS DERIVADAS DE LA PROPIA MODIFICACIÓN DEL PATRIMONIO PROTEGIDO RESPECTO DEL COMPLEJO TRATAMIENTO FUTURO DE LA INSTITUCIÓN

Si analizamos el contenido de la Ley 41/2003 tras las modificaciones introducidas por la Ley 8/2021 y su relación con esta última, saltan a la vista dos circunstancias que requieren también de algún comentario que introduce elementos de compleja interpretación. La primera se refiere a la relación existente entre ambos textos jurídicos, y la segunda a la ausencia de disposiciones de carácter transitorio.

1. ANÁLISIS DE LA MODIFICACIÓN DEL ARTÍCULO 1.2 DE LA LEY 41/2003

Dispone el nuevo art. 1.2: "El patrimonio protegido de las personas con discapacidad se regirá por lo establecido en esta Ley y en sus disposiciones de desarrollo, cuya aplicación tendrá carácter preferente sobre lo dispuesto en el Título XI del Libro I del Código civil".

En principio parece que la modificación se dirigiría tan solo a sustituir la anterior referencia a las normas sobre incapacitación, por las recogidas en el nuevo Título "(D) e las medidas de apoyo a las personas con discapacidad para el ejercicio de su capacidad jurídica", que abarca del art. 249 al 299, todos ellos de nueva factura.

Aunque no podría asegurar que el legislador haya reparado en el significado del cambio operado, parece que no considera que el patrimonio sea una medida de apoyo, no siendo figura precisa para el adecuado ejercicio de la capacidad de obrar, no quedando incluida tampoco en las enumeraciones y clasificaciones de los arts. 250 y 255 CC.

Entiendo que esta circunstancia posibilita interpretaciones a favor de la vigencia de reglas que puedan continuar pareciendo contrarias a la inspiración de la Ley 8/2021, e incluso de la Convención. Como vamos a ver los preceptos vigentes, al intercalarse las pocas adaptaciones a los nuevos principios en el contexto de una ley que nada tiene que ver con los mismos sin modificar siquiera la estructura previa de los textos, posibilitan reiteradas interpretaciones contradictorias.

Así, se podría partir de unos criterios rigurosos y conservadores, atendiendo al tenor literal y al contexto de la Ley 41/2003 en cuanto a facultades restrictivas en las

---

10.   Ver también sobre la situación descrita LOURO GARCÍA, I., *Comentario...*, cit., pp. 990 y 991.

que no se tendría en cuenta a las personas con discapacidad, omitiendo el respeto a su voluntad, deseos y preferencias. Al primar la aplicación de la propia disposición normativa sobre la nueva ley no tendría aquella que hacerse eco del respeto a sus principios inspiradores.

Por otra parte, habría que acudir a criterio de plasmar la intención de adaptar las reglas mediante una interpretación integradora conforme a la inspiración de la reforma, y, sin duda posible al respecto, al contenido de la Convención como texto superior a ambas leyes, dando entrada a los nuevos principios que disciplinan el ejercicio de la capacidad de las personas. Entiendo que este segundo camino de proceder es el correcto, aun en contra de la literalidad de los preceptos, aunque no puede decirse que esta sea, sin vacilación alguna, la tendencia a seguir que se presenta con un incierto porvenir.

Creo que, como he comentado en otras ocasiones, la interpretación de las modificaciones operadas por la Ley 8/2021 en varias materias ofrece notables argumentos para poder litigar sobre sus pormenores, lo que llevará a los "proscritos padres", si son debidamente aconsejados por profesionales del derecho, a dudar sobre la bondad de la figura del patrimonio protegido cuando lo que deseen sea mantener una situación pacífica y segura para sus hijos con discapacidad, y no un futuro inseguro en el que diferentes interpretaciones posibles fomenten el recurso ante los Tribunales.

2. AUSENCIA DE DISPOSICIÓN ALGUNA DE DERECHO TRANSITORIO

A diferencia de lo sucedido con otras instituciones, no ha recibido atención ninguna el tránsito de la antigua a la nueva letra en el supuesto de las modificaciones del patrimonio protegido. Puede que el legislador lo olvidara, o puede que entendiera no ser necesaria por tratarse de variaciones de tono menor, en comparación con otras obradas sobre tutela, curatela, defensor judicial, guarda de hecho, patria potestad prorrogada o rehabilitada, o poderes y mandatos preventivos. Tampoco se menciona la institución en la revisión de las medidas ya acordadas sobre las mencionadas figuras constituidas antes de la entrada en vigor de la ley, nada en absoluto, lo que permite presuponer su plena subsistencia, a la par de parecer constatarse que no se concibe como modelo de apoyo.

Tal circunstancia permitiría pensar que los patrimonios constituidos con anterioridad a la entrada en vigor de la ley puedan continuar funcionando con las reglas propias que tuvieran previamente en cuanto a su gestión, incluyendo sin óbice alguno representaciones legales plenamente sustitutivas.

No obstante, estamos ante una posible disyuntiva que suscita inquietud, pues podrían continuar bajo la ley aplicable en el momento de su constitución; o bien analizar la situación a la vista de la Disposición transitoria primera de la Ley 8/2021 al disponer que a partir de su entrada en vigor: "las meras privaciones de derechos de las personas con discapacidad, o de su ejercicio, quedarán sin efecto". Se plantearía así llegar a cuestionar si las administraciones ajenas a la persona con discapacidad pudieran configurarse como privaciones de derechos, o de su ejercicio, lo que en mi opinión puede considerarse contrario al contenido del art. 12 de la Convención, aunque no sea ese el criterio que ha guiado los designios del legislador a lo largo de la reforma, como evidencia el mantenimiento y ampliación del mencionado art. 252 CC.

IV. ASPECTOS CONTROVERTIDOS DEL PATRIMONIO PROTEGIDO NO MODIFICADOS. ESPECIAL RELACIÓN ENTRE LAS DISPOSICIONES DE LA LEY 8/2021 RELATIVAS A LA APTITUD PARA CONTRATAR Y LA RESPONSABILIDAD DE LA MASA QUE INTEGRA EL PATRIMONIO

Tras ocuparse el legislador del patrimonio protegido resulta necesario reseñar que no se ha aprovechado la reforma para reconsiderar dos de los aspectos que, en opinión de la doctrina y de los profesionales del campo jurídico, inciden en la escasa utilización de esta institución, que son su cicatero tratamiento fiscal (en el que no voy a entrar pero es evidente que lastra la utilidad de la figura[11]), y el otro es el establecimiento de un verdadero patrimonio separado, con limitación de responsabilidad que sólo permita dirigirse contra el mismo por los acreedores de las deudas contraídas para satisfacer las necesidades vitales del sujeto protegido, pero no a consecuencia de otras actuaciones de su titular[12].

En Cataluña así se hizo con el fin de fomentar la constitución de un mayor número de patrimonios[13], según la Ley 25/2010, de 29 de julio, de aprobación del Libro II del CCCat, en los arts. 221-1 a 227-9, no respondiendo el patrimonio de las obligaciones del beneficiario, ni del constituyente o aportante[14]; así como en Navarra por obra de la modificación del FN por Ley Foral 21/2019, de 4 de abril, en la ley 44 disponiendo que no responderá de las obligaciones posteriores a su constitución distintas a su destino que pudieran corresponder al beneficiario, al constituyente o a las demás personas que realizaron aportaciones[15]. En ambos textos legales se dispone igualmente la falta

---

11. Y menos se utilizará en el futuro si continúa el mismo trato fiscal según opinión de LOURO GARCÍA, I., en *Comentario*, cit., pp. 990 y 991, teniendo en cuenta el encorsetamiento de la figura frente a otras mucho más flexibles. Pese a tratarse de una constante reivindicación a la hora de buscar mejoras a la aplicación del patrimonio protegido lo cierto es que poco parece importar al legislador. Ver sobre el aspecto fiscal, en relación con el *trust*, DE HARO IZQUIERDO, M., "Patrimonios protegidos y *Trusts*. Un largo recorrido hacia la asimilación del *Trust* en nuestro ordenamiento jurídico", *Revista Quincena Fiscal*, núm. 4/2016 (Aranzadi BIB 2016, 450).

12. Se ocupa también de esta circunstancia, con notable visión crítica, PALOMINO DÍEZ, I., *Comentarios...*, cit., pp. 1268 y ss.

13. Lo menciona de este modo el Preámbulo del Libro II del CCCat., al acometer la regulación de la institución con el fin de fomentar su constitución.

14. Dispone el art. 227.2 del CCCat.: "1. El patrimonio protegido comporta la afectación de bienes aportados a título gratuito por el constituyente, así como de sus rendimientos y subrogados, a la satisfacción de las necesidades vitales del beneficiario. Se identifica mediante la denominación que consta en la escritura de constitución y es un patrimonio autónomo, sin personalidad jurídica, sobre el cual el constituyente, el administrador y el beneficiario no tienen la propiedad ni ningún otro derecho real.
    2. El patrimonio protegido no responde de las obligaciones del beneficiario, ni tampoco de las del constituyente o de quien hizo aportaciones. Sin embargo, las aportaciones efectuadas a un patrimonio protegido después de la fecha del hecho o del acto del que nazca el crédito no perjudican a los acreedores de la persona que las efectuó, si faltan otros recursos para cobrarlo. Tampoco perjudican a los legitimarios".

15. CÁMARA LAPUENTE, S.,"La defensa patrimonial de la persona y la familia mediante *trust* y patrimonios fiduciarios", en *Homenaje al Profesor Carlos Vattier Fuenzalida*, Thomson-Reuters

de derecho real alguno por parte del titular del patrimonio o de su administrador[16]; así como la imposibilidad de que la administración recaiga en la misma persona del beneficiario.

Se podrá decir como pobre justificación que esto es un tema ajeno a la Ley 8/2021, excediendo de la misma, si se considera que eso es un buen hacer por parte del legislador que sólo se centra en reformar algunas cuestiones y no otras (por eso puede hablarse de lavado de cara), pero es que ni siquiera puede servir ese argumento, pues hay que relacionar esta situación concreta con la extraordinaria ampliación de la aptitud para contratar que se ha instaurado en la ley multiplicando exponencialmente las posibles responsabilidades contractuales de las personas con discapacidad, con unas potenciales agresiones de los acreedores varios contra esta institución que pueden hacer tambalear la misma. Equiparada la capacidad contractual, fundamentalmente por la modificación del art. 1263 CC, al tiempo que, consecuentemente, disminuyen las posibilidades de impugnación de los actos realizados sin los apoyos precisos, resultará una mayor exposición del patrimonio protegido como respaldo del cumplimiento de las obligaciones. Tal circunstancia no sucederá en los ordenamientos del país en los que se ha optado por otra naturaleza para este patrimonio, extremo en el que debería haber recapacitado el legislador. Ni siquiera se ha establecido un posible beneficio de excusión o de orden de responsabilidad patrimonial, como intentaba justificar previamente la doctrina, nada en absoluto[17].

Aranzadi, Cizur Menor, 2013, pp. 236 y ss, lleva a cabo un análisis sobre la falta de asimilación entre la regulación del patrimonio protegido en la Ley 41/2003, y la institución del *trust,* al no dar el definitivo paso de la separación patrimonial; por el contrario considera que la regulación de Cataluña plasma un intento acabado de trasplantar la figura del *trust* con toda su estructura y consecuencias. Analiza el autor las principales características de la norma catalana que la encuadran en su funcionamiento a la categoría mencionada, destacando la estricta segregación patrimonial, la libertad de gestión y administración prevista por el constituyente, la separación entre beneficiario y administrador, o el destino final de los bienes por vía de reversión en todo caso, como más destacables.

16. La falta de titularidad real sobre los bienes se considera discutible a efectos de inscripción en opinión de FERNÁNDEZ-TRESGUERRES, A., *El ejercicio...,* cit., p. 326. Sobre la materia se pronunció previamente DOMÍNGUEZ LUELMO, A., "El papel del Registro de la Propiedad en la protección del patrimonio de las personas con discapacidad", en *La encrucijada de la incapacitación y la discapacidad,* La Ley, Madrid, 2011, pp. 554 y ss, analizando la problemática desde la doctrina de las Resoluciones dictadas como consecuencia de la anulación de gran parte del texto del art. 11 del Reglamento Hipotecario por la STS de 31 de enero de 2001, a través del cauce de las inscripciones de entes sin personalidad.

17. En su extraordinario trabajo sobre la materia, MARTÍN AZCANO, E., *El patrimonio protegido de las personas con discapacidad. Aspectos civiles,* La Ley, Madrid, 2011, pp. 393 y ss., después de analizar la cuestión, propone una interpretación teleológica por la que solo podrían dirigirse los acreedores contra la masa protegida de forma subsidiaria en el supuesto de deudas ajenas al mismo. En opinión de SERRANO GARCÍA, I., *Protección patrimonial de las personas con discapacidad,* Iustel, Madrid, 2008, p. 371, tan solo en el supuesto de que el Registro de la Propiedad comunicase la situación de tratarse de un bien integrado en el patrimonio protegido podría solicitarse del acreedor que dirigiera su embargo previamente hacia otros bienes. Por su parte LUNA SERRANO, A., "El patrimonio protegido del discapacitado", en *La protección jurídica del discapacitado,* SERRANO GARCÍA, I., Coord.) Tirant lo Blanch, Valencia, 2007, pp. 101 y ss, afirma "que no se dispone la incontaminación entre el patrimonio personal de carácter general y un patrimonio autónomo de la persona en el sentido de que las deudas del primero no repercutan sobre el segundo", opinión que comparto absolutamente. Estudia detalladamente los efectos de la inscripción del patrimonio protegido, DOMÍNGUEZ LUELMO, A., "El papel...", cit., pp. 550 y ss. y 566 y ss.,

Si valoramos esta situación con algo de reflexión es posible que ya por esta circunstancia disminuya el uso del patrimonio protegido, pues no hay que olvidar que quienes lo constituyen lo que querían era "sustraer", si se me permite la expresión, o "dificultar" el uso o destino de tales bienes en personas que habitualmente carecerían de capacidad contractual, y esto ya no es así. Vemos así que la lejanía con la disposición de una institución similar al *trust* aumenta cada vez más; mientras que la "sujeción" del patrimonio protegido a un mayor hipotético número de actos de disposición con su correspondiente responsabilidad universal disminuye sus alicientes de constitución. Por muchos controles o salvaguardas que se dispongan en cuanto a la administración y disposición de los bienes que integran el patrimonio nada podrá hacerse para evitar que responda de los actos contractuales llevados a cabo por la persona con discapacidad en otros ámbitos diversos a la satisfacción de sus necesidades vitales.

V. EL DESTINO *POST MORTEM* DEL PATRIMONIO PROTEGIDO. RELACIÓN CON LA INSTAURACIÓN DE UN NUEVO TRATAMIENTO PARA EL TESTAMENTO DE LA PERSONA CON DISCAPACIDAD

Partiendo de las nuevas reglas que disciplinan la sucesión de las personas con discapacidad, debemos tener en cuenta la conjunción de las reglas que precisan el destino de los bienes cuando la persona beneficiaria del patrimonio protegido haya fallecido, con la consagrada ampliación de la aptitud para testar y la posible realización de testamento con apoyo. Es sabido que la Ley 41/2003, en los diferentes apartados del art. 6 dispone una serie de efectos en cuanto a la extinción del patrimonio protegido. El precepto, no modificado por la Ley 8/2021, establece que en caso de muerte del beneficiario el patrimonio protegido se entenderá comprendido en su herencia (art. 6.2), sin perjuicio de la finalidad que pudiera haber previsto el aportante, conforme al art. 4.3 que no es otra que la determinación del destino que haya de darse a los bienes o derechos, mediante una suerte de derecho de reversión[18]. Aunque el texto refiere la posibilidad de establecer este destino solo en cuanto a los aportantes posteriores a la constitución, entiendo que es extensible a la aportación inicial, siempre que se lleve a cabo con bienes del constituyente del patrimonio y no con los que pertenezcan a la propia persona con discapacidad.

_____

planteando los efectos de la constancia registral de los inmuebles que integran un patrimonio protegido, limitando sus consecuencias al supuesto de que el administrador no coincida con el beneficiario (lo que parecería tener que exigir autorización judicial para la enajenación de los mismos), evitando que las aportaciones salgan de forma irregular del patrimonio, pero sin que exista en sentido técnico una afección de los bienes; igualmente, a la vista de los problemas prácticos del embargo del patrimonio por deudas de terceros ajenos, analiza las diferentes opciones de defensa.

18.   Dispone literalmente el art. 4.3, mantenido también en la reforma, con referencia a los aportantes: "Al hacerse la aportación de un bien o derecho al patrimonio protegido, los aportantes podrán establecer el destino que deba darse a tales bienes o derechos, o, en su caso, a su equivalente, una vez extinguido el patrimonio protegido conforme al artículo 6, siempre que hubieran quedados bienes y derechos suficientes y sin más limitaciones que las establecidas en el Código civil o en las normas de derecho civil, foral o especial, que, en su caso, fueran aplicables". Ver sobre la cuestión MARTÍN AZCANO, E., *El patrimonio protegido…*, cit., pp. 429 y ss.

En este sentido se impone meditar sobre la hipotética presencia de un mayor número de disposiciones reversionarias en el futuro, con el fin de paliar tanto los efectos de la fuerte prohibición sucesoria instalada en el art. 753 del Código, como los derivados de la supresión de la sustitución ejemplar[19], junto con el propósito de padres o familiares de limitar en la medida de lo posible los efectos de la extensión de la mayor capacidad para testar cuando perciban una evidente influenciabilidad de su descendiente que posibilite un destino para su patrimonio regido por el criterio de otro, haciendo abstracción de quienes le hayan profesado cuidados, atenciones o afectos.

Es decir, cuando el constituyente o aportante del patrimonio protegido quiera de algún modo, por las circunstancias que tenga en mente, limitar que el destino final de los bienes quede sujeto a la voluntad de testar expresada por el beneficiario, podrá determinar la reversión de los bienes aportados, por ejemplo, beneficiando a las Fundaciones Tutelares o personas físicas que hayan afrontado el cuidado y atención de la persona con discapacidad[20].

Se trata este de un tema a explorar, pero puede que la reversión funcione como eficaz alternativa a los constituyente y aportantes para determinar el destino final de los bienes al margen de las posibles determinaciones testamentarias de la persona con discapacidad lo que permitiría tanto evitar el rigor de la prohibición del art. 753 CC en el caso de que hubiera testamento del beneficiario, como de evitación de la apertura de la sucesión intestada y sus consecuencias indeseadas en el supuesto de que la persona con discapacidad no pudiera conformar y expresar su voluntad testamentaria, siguiendo los parámetros de los arts. 663 y 665 CC.

Al amparo de la letra previa a la Ley 8/2021 no parecía ser la posibilidad de disponer reversiones algo a destacar en la configuración de esta institución, pero por la interrelación con el conjunto de la reforma no puede descartarse su mayor empleo,

---

19. A nadie se le escapa que los "preteridos padres" acompañaban la mayoría de las veces la constitución del patrimonio protegido con la disposición de una sustitución ejemplar paralela, en muchos casos asociada a funciones de cuidado, antes de acudir al establecimiento de la reversión de los bienes. La conjunción de ambas figuras posibilitaba una cierta seguridad en cuanto al destino futuro de los bienes, especialmente mediante la consagración de la postura amplia en el sentido de extenderse a la totalidad del patrimonio del hijo, protegido o no, lo que facilitaba fijar el destino de sus bienes cuando el beneficiario no pudiera otorgar su propio testamento. La sencillez con la que operaba la ejemplar reducía las posibilidades de establecimiento de la reversión de los bienes, figura de consideración y efectos más complejos. A este respecto consideraba MARÍN CALERO, C., *La integración jurídica y patrimonial de las personas con discapacidad psíquica o intelectual*, editorial Ramón Areces, Fundación Aequitas, 2005, p. 135, la subsidiaridad de la reversión respecto del posible testamento de la persona con discapacidad o de sus padres mediante la sustitución ejemplar.

20. En la regulación del FN de Navarra se prevé como criterio prioritario la reversión, y en caso de lo haberse previsto, en consonancia con la falta de atribución de propiedad o derecho real alguno para el beneficiario, los bienes serán adquiridos por la Comunidad Foral de Navarra, que los aplicará a fines de protección de personas con discapacidad o dependencia (Ley 45 FN). Por su parte, el CCCat. dispone en su art. 227.8, "1. La persona que ha efectuado la liquidación del patrimonio protegido debe dar al remanente el destino establecido en la escritura de constitución, que puede incluir la reversión de los bienes al constituyente o a sus herederos. 2. Si la escritura de constitución no establece el destino de los bienes o si este no puede cumplirse, el remanente debe revertir al constituyente o a sus herederos testamentarios o legales. En caso de sucesión por la Generalidad, debe adjudicarse a una entidad no lucrativa que tenga por finalidad la protección de personas con discapacidades o en situación de dependencia".

bien había el propio benefactor, bien hacia terceras personas, incluso sujeto a condiciones o cargas de cuidado de la persona con discapacidad por parte del reversionario.

VI. ¿QUÉ HA CAMBIADO EN LA REGULACIÓN DEL PATRIMONIO PROTEGIDO?

No voy a detenerme en exceso en el ir y venir de los preceptos durante su tramitación parlamentaria, sino tan solo en reseñar los aspectos en los que se ha ido deteniendo el legislador, señalando algunas de sus novedades más destacables.

En primer lugar, se ha parado el legislador en adaptar la terminología de los art. 1 y 2, adecuando las expresiones anteriores a las nuevas exigencias al suprimir la referencia a normas de incapacitación en el primer caso, y procediendo a sustituir el vocablo minusvalía al que se refería el texto por el más adecuado de discapacidad.

Se han suprimido a lo largo del texto todas las referencias que se contenían respecto a legitimación y actuaciones de los padres, con unas consecuencias no siempre asumibles, pues, por ejemplo, al suprimir su específica mención quedan obligados a rendir cuentas conforme a lo dispuesto en el art. 7.2, asimilándose en su trato con el administrador no beneficiario.

En el art. 3, apartado c) se ha introducido un cambio en cuanto a la legitimación para la constitución (y aportaciones según el art. 4.2) que se extiende a los comisarios o titulares de fiducias sucesorias, cuando esté prevista en la legislación civil, autorizada al respecto por el constituyente. Entiendo que, aunque no lo está teniendo en cuenta el legislador, queda incluida aquí ya sin debate posible al respecto la constitución por el cónyuge o pareja supérstite en uso del 831 del Código civil, aunque parece que solo si así lo hubiera previsto el premuerto (también en el art. 4.2 con las aportaciones). Como ya he señalado, no creo que esta posibilidad afecte a aquellos ordenamientos como el catalán o navarro que han proporcionado una reglamentación sistemática para el patrimonio protegido, atendiendo al carácter auto integrado de estos derechos que no permiten su compatibilidad con normativa estatal. En aquellos en los que no se ha proporcionado atención al patrimonio protegido sí sería de aplicación, como por ejemplo al Derecho vasco[21].

Desaparece, en el mismo apartado c) del art. 3, la polémica legitimación que asistía al guardador de hecho para constituir un patrimonio protegido con los bienes que sus padres o tutores hubieran dejado por título hereditario o recibieran como

---

21. Diferente es la regulación recogida en el Código de Derecho Foral de Aragón, pues el art. 40, en relación con el contenido del Preámbulo lleva a cabo una remisión al contenido de la ley estatal. Se expresa así de la siguiente manera: "La Ley estatal 41/2003, de protección patrimonial de las personas con discapacidad, se aplica en Aragón en lo necesario –pues buena parte de su contenido de Derecho civil era ya posible en Aragón en virtud del principio *standum est chartae*– y así prevé el artículo 40 que siga siendo en adelante, con pequeñas adaptaciones". Entiendo que se trata de una remisión dinámica al nuevo contenido de la ley, si bien con las dificultades que presenta su interpretación a falta de llevar a cabo las correspondientes modificaciones respecto de las instituciones de apoyo en la parte de lo que allí continúan siendo las relaciones tutelares.

beneficiarios de pensiones[22]. No quiere decir esto que carezca el guardador de cualquier protagonismo como medida de apoyo, que por supuesto conserva, aunque junto a otros titulares de medidas de apoyo refundiéndose en la legitimación de todos aquellos que presten medidas de apoyo.

Se incluye, en el art. 3.3. c), un párrafo similar al que aparece en todas las instituciones de apoyo en cuanto a que "el documento público o resolución judicial podrá establecer las medidas y órganos de control que estime oportunos para garantizar el respeto de los derechos, deseos, voluntad y preferencias del beneficiario, así como las salvaguardas necesarias para evitar abusos, conflicto de intereses e influencia indebida", expresión que se repite en otros pasajes del texto en el sentido de garantizar la adecuada prestación de los apoyos. Resulta curioso que no se considere una medida de apoyo, pero al tiempo se incluya este párrafo que se recoge en fase parlamentaria avanzada como medida de salvaguarda en el desarrollo de estos. No obstante, sí parece claro el propósito del legislador de que sean atendidos los derechos, deseos, voluntad y preferencias del beneficiario lo que debe condicionar ciertas interpretaciones del texto.

Debemos contemplar igualmente la supresión del apartado 7 del art. 4 que disponía la representación legal del administrador del patrimonio, lo que, como he apuntado puede considerarse un reflejo de la estela de la Ley 8/2021 en el sentido de proscribir las representaciones sustitutivas. No obstante, la expresión se mantiene indebidamente en el art. 8.1 en cuanto a su constancia en el Registro Civil[23].

VII.   ¿QUÉ DEBERÍA HABER CAMBIADO?

Con independencia de los aspectos no abordados por el legislador a los que ya se ha hecho referencia, se echa de menos conferir un mayor protagonismo a la persona con discapacidad, valorando su consentimiento para cualquier medio de constitución del patrimonio que no fuera mediante una curatela representativa, extensible también al régimen de las aportaciones, cuestión en la que incidiré en los apartados siguientes; así como su protagonismo en la administración y llevanza del patrimonio protegido. Como se verá, no se menciona el consentimiento, ni se refiere la ley a su propia iniciativa individual con el apoyo que corresponda, especialmente mediante apoyos voluntarios.

Cuando la ley acude a la inclusión de las salvaguardas y la necesidad de garantizar el respeto a los derechos, voluntad, deseos y preferencias lo lleva a cabo en contextos

---

22. Ver las críticas llevadas a cabo por DÍAZ ALABART, S. y ÁLVAREZ MORENO, M.ª T, *La protección Jurídica de las personas con discapacidad*, Ibermutuamur, Madrid, 2004, pp. 127 y ss. También DE AMUNÁTEGUI RODRÍGUEZ, C., "La constitución…", cit., p. 97.

23. No es posible detenernos en el particular, pero el art. 4, 12.º de la Ley del Registro Civil, entre los hechos inscribibles menciona los "actos relativos a la constitución y régimen del patrimonio protegido de las personas con discapacidad". Por su parte, el art. 76, al hacer referencia a la inscripción de actos relativos al patrimonio protegido de las personas con discapacidad, dispone: "Es inscribible en el registro individual de la persona con discapacidad el documento público o resolución judicial relativos a la constitución y demás circunstancias relativas al patrimonio protegido y a la designación y modificación de administradores de dicho patrimonio". No obstante, teniendo en cuenta el carácter reservado de las situaciones de discapacidad a partir de la reforma, mediante la disposición de una limitadísima publicidad, no creo que tal inscripción tenga especial utilidad fuera del ámbito judicial.

diferentes, como son el establecimiento de tales medidas en el documento de constitución como algo aparentemente potestativo, único inciso de nuevo cuño en su totalidad (art. 3.3. c, mencionado, que dispone "podrá"), en el que tenemos que entender que existe un reflejo, en esta precisa cuestión, de los principios de la nueva ordenación.

Ahora bien, es cierto que en otros supuestos vuelve la reforma a incluir el criterio de atender a la voluntad, deseos y preferencias, pero no para respetar la iniciativa o autonomía en la actuación del titular, sino como mero sustitutivo del anterior estándar del "interés". Sucede de esta forma en el supuesto de constitución por un tercero o, entiendo, respecto de las aportaciones posteriores, en los que se alude a la negativa de la persona encargada de prestar el apoyo que corresponda (el art. 3.2 lo dispone expresamente y el art. 4.1 por remisión al anterior[24]). Esa negativa es previa a la reforma, ya existía y no se puede considerar un reflejo de los principios de la ley, lo que modifica la Ley 8/2021 al respecto es eliminar el criterio del "interés" aparentemente desterrado de las normas en las que se contemple la situación de las personas con discapacidad. El cambio, aunque parezca una mera sustitución terminológica propia de la inercia del legislador, servirá de alguna manera para que al menos en este supuesto de legitimación de un tercero, aunque se reconozca por vía indirecta se valore el consentimiento de la persona con discapacidad, como debería haberse dispuesto directamente.

El mismo criterio por seguir se reproduce en el art. 5.6, en este caso en relación con el nombramiento judicial de administrador[25]; y, finalmente, en cuanto a la función de supervisión llevada a cabo por el Ministerio Fiscal, otra vez más como sustitución del principio rector del beneficio para la persona[26].

VIII.   LA CONSTITUCIÓN DEL PATRIMONIO PROTEGIDO

Se ha modificado el art. 3 de la Ley 41/2003, pero, en mi opinión, no como un seguimiento de los principios inspiradores de la totalidad de la Ley 8/2021, sino llevada una vez más de la inercia a la que he hecho referencia[27].

---

24.   Dispone el artículo 3.2, párrafo segundo: "En caso de negativa injustificada de la persona encargada de prestar aquel apoyo, el solicitante podrá acudir al Ministerio Fiscal, quien instará de la autoridad judicial lo que proceda atendiendo a la voluntad, deseos y preferencias de la persona con discapacidad".
    En cuanto al art. 4 se ha suprimido el párrafo que se refería a la negativa injustificada de padres, tutores o guardadores que permitía, a través de Ministerio Fiscal, acudir al juez para que decidiera lo conveniente en interés de la persona beneficiaria. No obstante, al mantenerse la remisión a todo lo previsto en el artículo anterior entiendo comprendida la misma solución.
25.   Art. 5.6: "Cuando no se pudiera designar administrador conforme a las reglas establecidas en el documento público o resolución judicial de constitución, la autoridad judicial competente proveerá lo que corresponda, a solicitud del Ministerio Fiscal, teniendo en cuenta los deseos, voluntad y preferencias del beneficiario".
26.   Art. 7.1: "La supervisión de la administración del patrimonio protegido corresponde al Ministerio Fiscal, quien instará del juez lo que proceda respetando la voluntad, deseos y preferencias de la persona con discapacidad, incluso la sustitución del administrador, el cambio de las reglas de administración, el establecimiento de medidas especiales de fiscalización, la adopción de cautelas, la extinción de patrimonio protegido o cualquier otra medida de análoga naturaleza".
27.   Dispone el art. 3, en sus apartados 1 y 2: "1. Podrán constituir un patrimonio protegido:
    a) La propia persona con discapacidad beneficiaria.
    b) Quienes presten apoyo a las personas con discapacidad.

Ni siquiera se procede a proporcionar una nueva estructura para el precepto, conforme con lo que significa el protagonismo de la persona con discapacidad en la llevanza de sus asuntos, a la que alude el art. 12 CNY que queda desdibujado absolutamente, pues atendiendo a la literalidad del texto se permite crear el patrimonio por otros sin intervención alguna de la persona con discapacidad, valorándose además de manera expresa la negativa de quien apoya, pero no la suya propia.

1. ANÁLISIS DEL APARTADO 1 DEL ARTÍCULO 3 DE LA LEY 41/2003

El 3.1 dispone la legitimación general para diversos sujetos. Así podemos diferenciar los siguientes:

1.1. La propia persona con discapacidad beneficiaria

Se suprime, como no puede ser de otra forma, la alusión al término capacidad de obrar suficiente que acompañaba al texto, pues no es posible disponer limitaciones o incapacidades para las personas con discapacidad.

Siguiendo la regla general de capacidad de la Ley 8/2021 resulta incontestable, a mi entender, la legitimación propia de la persona con discapacidad para constituirlo. Como se trata de un negocio de carácter formal, que debe otorgarse en escritura pública, corresponderá al notario apreciar que el beneficiario constituyente pueda conformar y expresar su voluntad y, además, deberá hacerse extensiva tal apreciación a la trascendencia de la aportación inicial con bienes de su propio patrimonio tal como exige la norma[28]. Es sabido que el notario se ha convertido en "apoyo institucional" para las personas con discapacidad, por cuanto tras las debidas actuaciones, encuentros o entrevistas, facilitación e información del negocio a llevar a cabo con los medios y ajustes que se requieran, comprobación de su consentimiento y libertad de emisión de este, podrá finalmente autorizar la constitución del patrimonio.

Si nos detenemos brevemente en lo que debe significar la actuación notarial en este supuesto particular la información debe extenderse a varias cuestiones esenciales, como evidentemente la constatación de propia voluntad de constitución; pero también deberá abarcar el significado y consecuencias que implica la aportación de sus bienes propios al patrimonio protegido, explicando a la persona con absoluta claridad

---

c) La persona comisaria o titular de la fiducia sucesoria, cuando esté prevista en la legislación civil, autorizada al respecto por el constituyente de la misma.

2. Cualquier persona con interés legítimo podrá solicitar de la persona con discapacidad, con el apoyo que requiera, la constitución de un patrimonio protegido, ofreciendo al mismo tiempo una aportación de bienes o derechos adecuados, suficientes para este fin.

En caso de negativa injustificada de la persona encargada de prestar aquel apoyo, el solicitante podrá acudir al Ministerio Fiscal, quien instará de la autoridad judicial lo que proceda atendiendo a la voluntad, deseos y preferencias de la persona con discapacidad. Si la autoridad judicial autorizara la constitución del patrimonio, la resolución judicial determinará el contenido a que se refiere al apartado siguiente. El cargo de administrador no podrá recaer, salvo justa causa, en la persona encargada de prestar el apoyo que se hubiera negado injustificadamente a la constitución del patrimonio protegido".

28. También LORA TAMAYO, I., *Reforma...*, cit., p. 186.

el destino de tales bienes que deberán dirigirse a satisfacer sus necesidades vitales, pero no a las finalidades que la persona tenga por conveniente. A pesar de que la norma no dispone ninguna consecuencia para las actuaciones que apliquen los bienes a otras finalidades, fuera de la presencia de una rendición de cuentas (que por cierto no es exigible cuando administre el propio constituyente) y la posible solicitud de extinción del patrimonio, resulta evidente la presencia de limitaciones en la administración y disposición que deberán ser asumidas por el sujeto para el futuro. También deberá extenderse la voluntad de la persona con discapacidad al entendimiento de la posibilidad de que sea él mismo el administrador o bien que pueda delegar la misma a favor de otra persona, atendiendo en este caso a sus deseos, voluntad y preferencias en cuanto a la elección de la persona[29]. Sin duda posible al respecto, la gestión del patrimonio protegido no se presenta como algo exento de complejidad, por lo que es posible que se quiera delegar la misma en persona de confianza del constituyente beneficiario (fundamentalmente sus padres), si bien bajo las premisas de que podrá revocar su decisión en este aspecto si es su voluntad en cualquier momento atendiendo a las directrices generales de la reforma. Cuando el beneficiario disponga que la administración –y posible disposición– corresponda a otro, entiendo que será más sencillo conformar su voluntad. En otro caso, si mediante la adecuada comunicación notario-constituyente no se puede alcanzar la presencia de una voluntad de constitución sin fisuras habría que acudir a la presencia de una medida de apoyo[30].

Vamos a ver ahora qué sucede en cuanto a la constitución por la propia persona, pero, precisamente, con el apoyo que necesite. Por supuesto, atendiendo a las reglas generales de la reforma, aunque en esta sede sean de aplicación no preferente, si es un acto que corresponde a su iniciativa, conforme a su voluntad, deseos y preferencias, es evidente su legitimación con el apoyo correspondiente (sin duda alguna abarcando apoyo voluntario y también judicial asistencial)[31], pero, aunque sorprenda, no se contempla explícitamente su legitimación con apoyo en el texto de la reforma del patrimonio protegido. No me refiero a que se constituya por la persona que le confiere apoyo, sino por sí mismo con el correspondiente apoyo necesario para ello, lo que podrá devenir aconsejable cuando el beneficiario no pueda llegar a conformar su voluntad respecto del funcionamiento del patrimonio y su gestión, requiriendo de medios de asistencia para ello. Aunque no se pueda dudar de esta legitimación estimo que debería haberse contenido una referencia expresa.

Entiendo posible, como ya expresé en su día[32], la constitución con carácter preventivo de un patrimonio protegido, lo que sin duda es admisible igualmente para la persona que ya necesita apoyos bajo la inspiración de la regulación actual, teniendo en cuenta la legitimación general que existe para otorgar apoderamientos incluso

---

29. La propia Exposición de Motivos de la Ley 41/2003 reconocía para los beneficiarios que tuvieran capacidad de obrar suficiente la posibilidad de conferir la administración a otra persona, lo que ahora sería extensible a cualquier beneficiario.
30. Resulta fundamental para el adecuado entendimiento de la materia acudir al trabajo de LORA-TAMAYO, RODRÍGUEZ, I., "La comunicación en el otorgamiento notarial en la Ley 8/2021", *El Notario del Siglo XXI*, enero/febrero 2022, pp. 28 y ss.; así como a la consulta de la Circular de la Comisión Permanente del Consejo General del Notariado 2/2021, de 1 de septiembre.
31. Lo afirma también así LORA-TAMAYO RODRÍGUEZ, I., *Reforma civil...*, cit., p. 186.
32. DE AMUNÁTEGUI RODRÍGUEZ, C., "La constitución...", cit., pp. 101 y ss.

cuando la persona ya presente una situación de discapacidad, entre cuya extensión puede incluirse la constitución de un patrimonio protegido, sea con sus propios bienes o con los del apoderado[33].

1.2. Quienes presten apoyo a la persona con discapacidad

La redacción del precepto, sin duda posible al respecto, atribuye legitimación a quienes presten apoyo, sin prever tampoco de forma expresa la aquiescencia o consentimiento de la persona apoyada. La iniciativa corresponde a la persona que apoya, no a la propia persona con discapacidad con la asistencia que precise. Parece verdaderamente extraño que en el marco de la reforma apuesten los parlamentarios por continuar manteniendo una legitimación que prescinda de la voluntad de la persona apoyada, e incluso de su negativa, pero resulta incuestionable que está ahí recogida, aunque sea contraria a las premisas de la Convención.

Creo que la incoherencia del legislador está en haberse dejado llevar de esa inercia de suprimir cualquier legitimación para los padres, en ocasiones absurda como en este caso, y en cambiar tutor y curador por persona que preste apoyo (recuerdo al lector que antes se decía padres, tutores o curadores si no tuviera capacidad suficiente).

Ante esta particularidad podríamos valorar la necesidad de integrar o no la norma, requiriendo la aquiescencia de la persona con discapacidad de forma que contra su parecer o negativa no se pueda constituir, valorando incluso la posible presencia del derecho a equivocarse[34]; o bien entender que la constitución es posible pese a la falta de consentimiento de la persona beneficiaria, atendiendo a la literalidad del texto que claramente no exige su consentimiento, partiendo de la premisa de que el legislador se ha ocupado de la modificación de esas reglas y no lo ha dispuesto así, interpretación que posibilitaría llegar a privar a la persona con discapacidad de su poder de decidir.

Pese a que la disposición legal correspondiente confiere preferencia a la regulación de la Ley 41/2003 respecto del nuevo contenido, entiendo que, una vez más, se debe a un error del legislador. No obstante, el mencionado legislador no lo pone fácil atendiendo a lo que dice después el precepto en cuanto a la constitución por un tercero, en donde observamos que reiteradamente se reproduce la ausencia del consentimiento del beneficiario, no teniéndose en cuenta sus preferencias hasta llegar el trámite de intervención del Ministerio Fiscal y del juez.

La posibilidad de que se pueda constituir el patrimonio protegido con apoyo o por quienes lo prestan, nos permite encajar la constitución por los padres cuando sean quienes asumen tales funciones respecto de su hijo con discapacidad, permitiendo que, de alguna manera, se pueda sujetar el patrimonio a la satisfacción de las necesidades vitales de su descendiente, si no de una forma mejorada por la reforma estableciendo la independencia patrimonial, al menos tal como estaba antes. Sucedería

---

33. También admiten esta posibilidad LORA-TAMAYO RODRÍGUEZ, I., *Reforma civil...*, cit., pp. 186 y 187; y LOURO GARCÍA, I., *Comentario...*, cit., p. 1000.
34. Así lo estima LORA-TAMAYO RODRÍGUEZ, I., *Reforma civil...*, cit., p. 188, tanto cuando actúe sola como cuando lo haga asistida de apoyo.

aquí algo similar a lo acontecido con el art. 252, ampliando el contenido de lo que era el art. 227, de manera que se encuentran a lo largo de la reforma algunas posibilidades de sustraer de la administración de la persona con discapacidad ciertos bienes ligados a atribuciones gratuitas –inter vivos o *mortis causa*– sin quedar directamente sujetas a los criterios de la ley. Ya he expresado reiteradamente mi parecer respecto a que este tipo de disposiciones que "apartan" la administración y disposición de parte del patrimonio de la persona con discapacidad prescindiendo de su voluntad, deseos y preferencias, son contrarias a la Convención, aunque han sido mantenidas por el legislador en la reforma, e incluso ampliadas en el caso de las sustituciones fideicomisarias o respetadas en el intransmisible legado de habitación. Se ha detenido en todas y cada una de ellas, incluyendo el patrimonio protegido, por lo que es evidente que pueden utilizarse, más como medidas de protección patrimonial en el sentido que tenían previamente que como plena inclusión o respeto a la voluntad de las personas con discapacidad. Sin duda alguna al respecto, estas posibilidades de restricción de administración pueden emplearse con el fin de intentar la conservación de los bienes y su destino al margen del poder decisorio de su beneficiario, lo que puede revelarse especialmente interesante en el caso de personas con discapacidad que tiendan a despojarse de sus propios bienes, sea por el tipo de discapacidad que les afecte –como sucede con algunas discapacidades mentales y psicosociales–, sea porque presentan una voluntad claramente influenciable.

¿Quiénes estarían incluidos en esta legitimación? En principio todos los titulares de medidas de apoyo sean voluntarios o judiciales, aunque tendríamos que llevar a cabo algunas precisiones.

Comenzando con los apoyos de carácter voluntario entiendo que cualquiera de los reconocidos en por Código, así una disposición notarial unilateral, un acuerdo de apoyo o un poder preventivo, dando entrada en tal caso a la voluntad de la persona con discapacidad apoyada con el fin de cumplir las premisas que exigen estas formas de apoyo. Es decir, trasladaríamos aquí la iniciativa y legitimación hacia la persona con discapacidad, lo que podría paliar la incoherencia del legislador, si no por una interpretación *contra legem* del tenor del precepto, sí por el contenido propio de estas medidas de apoyo. De esta forma en escritura pública con el correspondiente apoyo se podría constituir o prever su constitución, bien junto con la persona que presta puntualmente el apoyo a este negocio con lo que entiendo que podría hacerse también con aportación por parte de quien lo presta, bien confiriendo representación para constituirlo por el representante mediante el apoderamiento en consonancia con lo dispuesto en los arts. 250, 255 y siguientes del Código. Considero que perfectamente pueden prestar ese apoyo los padres de la persona con discapacidad, supliendo indirectamente la supresión de tal posibilidad a la que me referido.

Pese a suprimirse la legitimación que existía para el guardador con los bienes dejados *mortis causa* a la persona con discapacidad, entiendo que tal legitimación subsiste al elevarse la guarda a la categoría de medida de apoyo, pudiendo acudirse a la autoridad judicial por el guardador en el caso de que fuera necesario un acto de disposición sobre el patrimonio del guardado; o no siendo necesario si se hace la aportación a cargo de sus propios bienes.

Sin duda posible, puede ostentar la legitimación el curador, asistencial o representativo, en el modo que corresponda en cada caso, si bien, a tenor de las exigencias de la nueva ley debería contenerse la contemplación expresa del acto de constitución de un patrimonio protegido en la específica resolución judicial en la que se constituyera la curatela, en cumplimiento del principio de necesidad.

Más compleja puede parecer en la práctica la legitimación del defensor judicial, pues su actuación no parece ideada para este tipo de actos, ni siquiera en el aspecto que permite el art. 295, 5.°, con lo que considero que no quedaría incluido en este apartado.

Sí creo que la supresión de la legitimación para los padres impide la constitución de un patrimonio protegido a favor de sus hijos menores que presenten discapacidad, a diferencia de lo que sucedía antes[35]. Al no existir medidas de apoyo para los menores es complejo encontrar una posible opción que funcionase como alternativa a la ausencia de legitimación autónoma e independiente para los padres, pues en ningún momento se refiere la Ley a los menores de edad. El contenido del nuevo art. 254 CC abunda en esta interpretación pues radicalmente separa las medidas de apoyo de la minoría de edad. La supresión reiterada del protagonismo de los padres a lo largo del texto reformado de la Ley 41/2003 dificulta cualquier otro entendimiento. Tan solo podría realizarse acudiendo a la legitimación de la propia persona con discapacidad que estuviera emancipada, aquí sí con el complemento de capacidad que fuera necesario, o en el supuesto del apartado siguiente, eso sí como negocio *mortis causa* recogido en el testamento de los padres.

1.3. Comisarios o titulares de fiducias sucesorias

El tercer apartado, el 3.1. c. confiere, como ya he mencionado, legitimación a la persona comisaria o titular de fiducia sucesoria, cuando esté prevista en la legislación civil, autorizada al respecto, evidentemente con sus propios bienes. Pese a repetir lo ya expuesto, con el ánimo de completar este apartado, señalar que la inclusión de esta esta legitimación (que sustituye al anterior guardador de hecho) obedece a una enmienda formulada por el Grupo Vasco creo que, a pesar de su poco afortunada redacción, se refiere a cualquier figura fiduciaria, en la que es posible incluir el 831 CC. Es cierto que algunos derechos autonómicos tienen su propia regulación del patrimonio protegido, por lo que para determinar la legitimación habrá que acudir a lo que prevean sus propios textos, no siendo de aplicación la norma estatal allí donde exista regulación específica, como sucede en Cataluña o Navarra, al tratarse de ordenamientos auto integrados que no podrán hetero integrarse con las reglas de la Ley estatal[36].

Se introduce así una forma de constitución con origen *mortis causa* que, entiendo, en el Código civil se referiría exclusivamente a los padres, por el juego del art. 831 CC,

---

35. De manera diferente sí lo considera posible LORA-TAMAYO RODRÍGUEZ, I., *Reforma civil...*, cit., p. 188, aunque como manifestación de la patria potestad, con bienes de su propio patrimonio, siendo más complejo hacerlo con los del propio menor. Admite también la posible constitución por un tercero, representando al menor en la constitución.

36. Analiza algunas instituciones fiduciarias en los Derechos civiles autonómicos, LOURO GARCÍA, I., *Comentario...*, cit., p. 1005 y ss.

en cuyo caso podríamos plantearnos la posibilidad de constituirlo a favor de menores, pero me cuesta entenderlo posible fuera de ese supuesto particular[37].

Del mismo modo en que se omitió en la primera redacción de la Ley 41/2003, nada se dispone sobre la posible constitución _mortis causa_ por parte de los padres que presten apoyo, lo que puede tener su utilidad, disponiéndose en el mismo documento (necesariamente notarial) el acto inicial de aportación.

2. ANÁLISIS DEL ARTÍCULO 3.2 DE LA LEY 41/2003

Pasamos al número 2 del artículo 3[38], donde no parece que la situación haya cambiado sustancialmente, lo que resulta todavía más contrario a los presupuestos de los que parte la reforma.

En este caso, exactamente igual que antes, se concede legitimación a "cualquier persona que presente interés legítimo", que podrá solicitar de la persona con discapacidad, pero con el apoyo que requiera, la constitución de un patrimonio protegido. Nuevamente se sustituye la expresión "padres, tutores o curadores" por la del "apoyo que requiera", pero, otra vez más, no se prevé el consentimiento independiente o separado de la persona con discapacidad, que debe ser apoyada. Desde luego no se justifica bien la falta de contemplación del posible consentimiento de la persona con discapacidad, pareciendo ser imprescindible que existan medidas de apoyo para el particular. En un contexto en que incluso llega a debatirse la doctrina sobre la posibilidad de que se niegue la persona con discapacidad a la adopción de cualquier medida de apoyo, incluyendo las representativas, admitiéndose por todos el valor de la expresión de su voluntad en el establecimiento de cuantas formas de apoyo se ofrecen, resulta anómalo no solo que no se cuente con su consentimiento expreso, sino que incluso contra el mismo pueda continuar acudiéndose a la autoridad judicial con el fin de que sustituya su aquiescencia o la del titular de una medida de apoyo por la decisión judicial.

Resulta, a mayor abundamiento, que el recurso al Ministerio Fiscal y a la autoridad judicial para que el juez constituya el patrimonio solo se dispone para cuando sea quien presta el apoyo el que se niega injustificadamente a ello. Es decir, un tercero con interés legítimo acude a la persona con discapacidad para que consienta con el apoyo que precise, y quien se niega no es la persona apoyada, sino quien le presta asistencia.

---

37. No obstante, se ha mantenido la opinión de poder articularse a través de ejecutores del mandato del testador, pudiendo corresponder al albacea (FERNÁNDEZ-TRESGUERRES, A., _El ejercicio..._, cit., p. 317). Se ocupa de también de esta forma de constitución MARÍN CALERO, C., _La herencia..._, cit., pp. 194 y ss.

38. Dispone literalmente el art. 3.2: "Cualquier persona con interés legítimo podrá solicitar de la persona con discapacidad, con el apoyo que requiera, la constitución de un patrimonio protegido, ofreciendo al mismo tiempo una aportación de bienes y derechos, suficiente para ese fin.
En caso de negativa injustificada de la persona encargada de prestar aquel apoyo, el solicitante podrá acudir al Ministerio Fiscal, quien instará de la autoridad judicial su proceda atendiendo a la voluntad, deseos y preferencias de la persona con discapacidad. Si la autoridad judicial autorizara la constitución del patrimonio protegido, la resolución judicial determinará el contenido a que se refiere el apartado siguiente. El cargo de administrador no podrá recaer, salvo justa causa, en la persona encargada de prestar el apoyo que se hubiera negado injustificadamente a la constitución del patrimonio protegido".

Una vez más podemos interpretar que la falta de referencia a la negativa de la propia persona con discapacidad se debe a error por parte del legislador y que, por supuesto sería determinante[39]; o bien contemplar la ley en su expresión literal, pareciendo que el protagonismo de la propia persona sólo se tiene en cuenta en fase de intervención del Ministerio Fiscal como se verá a continuación, opción contraria al espíritu de la reforma y Convención, aunque no absolutamente descartable por los argumentos de interpretación expuestos, cuya reproducción resultaría reiterativa.

En tal caso el Fiscal se dice que deberá atender a la voluntad, deseos y preferencias de la persona, que sustituyen el previo criterio del interés del beneficiario con discapacidad. No quiero parecer excesivamente crítica, pero incluir aquí la conocida expresión parece obedecer a la sistemática sustitución de los criterios de interés o beneficio de la persona por el de respeto a sus deseos y preferencias, debiendo regirse el Ministerio Fiscal en su decisión por criterios que incluso pueden apartarse de lo que considere mejor para la persona con discapacidad, y en este supuesto con una evidente intención de cambio expresada por el legislador. Contrasta, por tanto, esta sumisión a los aludidos parámetros de voluntad, deseos y preferencias que han previamente omitidos en la misma ley en materia de legitimación y lo serán en la administración, circunstancia que hace pensar sobre si es esa la auténtica voluntad de la ley.

Resumiendo, creo que la literalidad que presentan los textos determina que se trata de actuaciones que pueden llegar a interpretarse en el sentido de suplir absolutamente a la persona con discapacidad, trasladándose idéntica regulación a la prestación de consentimiento para las aportaciones posteriores. Parece que son ya numerosas en exceso las pretendidas interpretaciones teleológicas de los preceptos reformados, que, en mi opinión, evidencia esa falta de reflexión y de cuidado a la que ya me he referido, fomentando serios escollos en cuanto al futuro tratamiento de la institución.

3. REQUISITOS DISPUESTOS EN EL ARTÍCULO 3.3 DE LA LEY 41/2003

Los requisitos que deben considerarse en la constitución de patrimonios protegidos, regulados en el art. 3.3, continúan como antes de la reforma con la única salvedad de incluir un párrafo en el que se expresa la necesidad de que la escritura o resolución judicial establezca medidas y órganos de control para garanticen el respeto a los deseos, voluntad y preferencias del beneficiario, así como salvaguardas para evitar abusos, conflictos de intereses e influencias indebidas[40]; añadido que, sin duda, obedece al cumplimiento de las exigencias de la Convención, aunque no parezca haber considerado que no nos encontremos ante una medida de apoyo, en el sentido estricto del concepto, como ya he expresado previamente.

---

39. Con el ánimo de justificar la necesidad del consentimiento de la propia persona con discapacidad, se descarta el recurso al Ministerio Fiscal si la negativa proviene del beneficiario mismo por LOURO GARCÍA, I., *Comentario...*, cit., p. 1003.

40. Dispone literalmente el art. 3.3 en su apartado tercero: "Asimismo, el documento público o resolución judicial podrá establecer las medidas u órganos de control que estime oportunos para garantizar el respeto de los derechos, deseos, voluntad y preferencias del beneficiario, así como las salvaguardas necesarias para evitar abusos, conflicto de intereses e influencia indebida".

Nada cambia en cuanto a la posibilidad de establecer reglas de administración y fiscalización que controlen la actuación de administradores que no coincidan con la persona beneficiaria, ni en cuanto al diseño de medidas disposición de los bienes, por lo que entiendo posible que tan solo se cuente con la persona con discapacidad del modo en que está previsto incluso para la curatela representativa, esto es teniendo presentes su voluntad, deseos y preferencias, o trayectoria vital, pero mediante actuaciones plenamente representativas.

Llegados a este punto de la ley puede apreciarse que, en esta materia, y en los siguientes preceptos de la Ley 41/2003, el legislador no solo deja llevar de la inercia, sino también de una notoria pereza al no plantearse una modificación de toda la institución del patrimonio protegido que no vaya un poco más allá de los superficiales cambios apuntados.

IX. FUNCIONAMIENTO DEL PATRIMONIO PROTEGIDO

Siguiendo el título de la ponencia, en cuanto al funcionamiento del patrimonio poco ha cambiado la regulación.

El régimen de aportaciones en esencia continúa siendo el mismo[41], si bien con la supresión de la referencia a los padres para permitir negarse a las mismas –ahora sí por la persona con discapacidad, aunque con el apoyo que precise, sin querer reconocer la negativa propia del beneficiario–, y la inclusión de la posibilidad de realizar aportaciones mediante contrato sucesorio[42], o instituciones fiduciarias en las legislaciones que lo permitan[43].

Continúa exactamente igual la posibilidad de que los aportantes (los mismos que pueden constituir el patrimonio) fijen el destino de los bienes que resten a la extinción del patrimonio, circunstancia que no parece preocupar al legislador sobre su consonancia o no con los presupuestos de la Convención al privar al beneficiario de la disposición *mortis causa* de los mismos. Es cierto que la reversión parece consustancial a determinadas aportaciones gratuitas que tan solo tienen como finalidad que el beneficiario se sirva de las mismas en la satisfacción de sus necesidades vitales, pero sin querer que sus propios herederos reciban el excedente de la aportación. Puede que haya reflexionado el legislador sobre esta justificación y en consonancia con ello no se modifica el art. 6 al recoger las causas de extinción.

---

41. Bajo la regulación anterior se había cuestionado por qué limitar las aportaciones a término, cuestión en la que no se ha entrado en la reforma de la ley. De forma diferente, el FN de Navarra, en el art. 45 permite las aportaciones condicionales y a término; deduciéndose también del contenido del art. 227.7. 2 del CCCat.

42. Se plantea la posibilidad de reflexionar sobre el contenido de preceptos como el 826, 827 y 1341 del CC, como excepciones al rígido principio de prohibición de la sucesión contractual, LORO GARCÍA, I., *Comentario...*, cit., p. 1017 y ss, así como la posible aplicación de esta particularidad en el ámbito de otros Derechos fuera del común.

43. En cuanto al requerido consentimiento para las aportaciones contempla FERNÁNDEZ-TRESGUERRES, A., *El ejercicio...*, cit., p. 319, la posibilidad de que sea prestado por un defensor judicial para que, respecto de ese acto concreto, acepte en nombre de la persona, así como para aportaciones sucesivas.

La administración del patrimonio protegido, desarrollada en el art. 5, sustancialmente coincide con la prevista en la versión anterior, con leves retoques, algunos desajustes y dos aportaciones en las que me detendré brevemente a continuación.

Por una parte, aunque sea comenzar por el final, se suprime el apartado séptimo en el que se recogía la representación legal del administrador, sin necesidad de contar con concurso de los padres o el tutor. En mi opinión, teniendo en cuenta lo que ya he comentado en cuanto a que la administración continúa igual, sin haberse establecido con carácter preferente a la propia persona, el administrador ya no será representante legal, pero tiene legitimación suficiente para actuar en tareas de administración y disposición teniendo en cuenta lo dispuesto en las reglas de constitución[44].

A pesar de parecer reiterativa, la administración corresponde a la propia persona con discapacidad, en su caso con el apoyo que necesite, tal como he previsto en cuanto a la legitimación para la constitución. Tan solo en el supuesto de que ella misma disponga la administración por un tercero –como podría decidir cualquier persona– será posible prescindir de su parecer a la hora de la llevanza de la administración, pero no en otro caso.

También se ha modificado el número 2 del art. 5, que disponía la necesidad de contar con autorización judicial en los mismos supuestos en los que se exigía al tutor. El texto se sustituye por otro, no muy afortunado en su redacción, que dispone lo siguiente, para el supuesto de que el beneficiario no sea el constituyente[45]:

"En los demás casos, las reglas de administración quedarán sujetas a lo dispuesto en el documento público de constitución o aportación, pudiendo establecerse los apoyos o salvaguardas que se consideren convenientes, ya sea por el propio constituyente o aportante o por la autoridad judicial, de oficio o a solicitud del Ministerio Fiscal o de aquellas personas legitimadas para promover la adopción de medidas de apoyo respecto del titular del patrimonio protegido".

La primera salvedad es que se incluyen no solo las reglas recogidas en el documento de constitución, sino también en el de aportación, elevando el poder de los aportantes a permitirles prever tales disposiciones, lo que podría plantear problemas cuando fueran diferentes personas[46].

La regla no es sencilla de entender, pues al sustituir en el texto previo la alusión a la necesidad de autorización judicial para determinados actos (a la que por cierto se vuelve a referir el apartado 3, no retocado por la reforma, permitiendo solicitar al juez la excepción a algo que no se contempla previamente[47]) por la posibilidad de

---

44. PALOMINO DÍEZ, I., *Comentarios...*, cit., pp. 1297, se refiere a esta cuestión, señalando que la supresión procede de una enmienda transaccional presentada por el Grupo Vasco, considerando críticamente que ya no queda clara la condición en la que actúa el administrador.

45. Se ocupa ampliamente de la cuestión, considerando mejorable la nueva disposición, PALOMINO DÍEZ, I., *Comentarios...*, cit., pp. 1290 y ss.

46. También expresa su opinión en este sentido LORA-TAMAYO RODRÍGUEZ, I., *Reforma civil...*, cit., p. 192.

47. Algunos autores como LOURO GARCÍA, I., *Comentario...*, cit., p. 1024, se plantean que tal precepto fuera aplicable a aquellos supuestos en los que nada se hubiera previsto sobre el particular, manteniendo la autorización judicial para los mismos cuando el sujeto no estuviera sujeto a

establecer "apoyos y salvaguardas" a las reglas de administración dispuestas no queda claro a qué se está refiriendo.

Podríamos entender, sería lo más lógico, que se refiriese a ciertas medidas de control para los posibles actos de disposición, tanto si el administrador es el beneficiario como si no lo es; pero en tal caso no alcanzo a comprender la referencia a los apoyos, cuya expresión se ha contenido indebidamente ahí, posibles tan solo en el caso de que se hubiese permitido constituir el patrimonio directamente a la propia persona con discapacidad psíquica a la que hemos visto que se concede directamente legitimación, pero con la particularidad de que deberá llevar a cabo al menos la aportación inicial.

Tales salvaguardas y apoyos se establecerían por el constituyente o aportante o por la autoridad judicial –con la legitimación para acudir a la misma prevista por el precepto–, lo que daría a entender que en el primer caso el constituyente o aportante no es el beneficiario, que querría disponer un apoyo o salvaguarda para la administración, parece que para la propia persona con discapacidad.

Ahora bien, ¿a qué apoyos de refiere? ¿Se está permitiendo a un tercero disponer una "medida de apoyo" al margen de los apoyos voluntarios o judiciales? ¿Por qué apoyos o salvaguardas cuando no es lo mismo? El apoyo es una medida de la que se sirve la persona para conformar adecuadamente su voluntad, mientras que la salvaguarda no deja de entenderse como una medida de protección o control frente a las posibles decisiones irreflexivas. Que existan o no medidas de apoyo, y que la persona en particular los necesite para ejercer su capacidad jurídica en igualdad de condiciones que los demás no es algo que competa en absoluto al documento en el que se constituye el patrimonio o se realicen posteriores aportaciones. Otra cosa es que, siendo el constituyente y administrador la persona con discapacidad que haya actuado con apoyo, se refleje en el documento la constancia de la medida de apoyo y se identifique a quien lo presta, cuestión que nada tiene que ver con el precepto objeto de análisis.

Creo que la única interpretación posible consiste en disponer de algún mecanismo de fiscalización de la actuación de quien administre a la hora de llevar a cabo actos de disposición sobre el patrimonio, de modo que solo se requerían especiales aprobaciones en el supuesto de haber previsto mecanismos de control o fiscalización; lo que no parece aplicable para aquellos supuestos en los que fuera la propia persona con discapacidad quien hubiera constituido el patrimonio protegido aportando sus propios bienes, o cuando nada se haya establecido al respecto por constituyente o aportante. Cuestión que nada tiene que ver con la necesidad de que las enajenaciones obedezcan a la finalidad de satisfacer las necesidades de la persona con discapacidad.

Plantea problemas en la doctrina la conjunción y acomodo con la reforma del contenido del apartado 5 del art. 5, mantenido en su previa redacción, excepto en la sustitución de la palabra tutor por curador cuando dispone: "En ningún caso podrán ser administradores las personas o entidades que no puedan ser curadores, conforme a lo establecido en las normas de derecho civil, foral o especial que, en su caso, fueren aplicables".

---

curatela representativa. Debo manifestar al respecto que tengo mis dudas sobre que fuera esta la intención del legislador.

Nuevamente encontramos disfunciones con el contenido de la Ley 8/2021, en cuanto a la posible aplicación de sus reglas generales, lo que nos llevaría a incluir en este contexto la aplicación del contenido –tan criticado– del final del art. 250 CC al establecer que "(N)o podrán ejercer ninguna de las medidas de apoyo quienes, en virtud de una relación contractual de servicios asistenciales, residenciales o de naturaleza análoga a la persona que precisa el apoyo". En este supuesto concreto sí creo que la hermenéutica correcta debe ser la absolutamente literal, interpretando el texto del art. 5.5 de manera restrictiva, incluyendo exclusivamente los requisitos exigidos para la figura del curador (con independencia de hacer el esfuerzo de pensar si es lo correcto o no) pues eso nos permite, junto con la preeminencia de la Ley 41/2003 respecto de la Ley 8/2021, entenderlo como una remisión específica al contenido del vigente art. 275 CC[48], para el caso de designación por el propio constituyente, en cuanto a si debe prevalecer la autonomía de la voluntad respecto a las condiciones que debe reunir el curador[49].

X.   EXTINCIÓN DEL PATRIMONIO PROTEGIDO

Nada se ha modificado en el texto del art. 6 en cuanto a la extinción del patrimonio protegido, manteniéndose intacta la letra de la redacción original de la ley, sin entrar a valorar siquiera la posible voluntad del beneficiario a la hora de extinguir el patrimonio si así es su deseo.

Es cierto que no se abordaba esta cuestión antes de la reforma, ni siquiera para el supuesto en el que la constitución hubiera sido llevada a cabo por persona con capacidad suficiente, atendiendo a la regulación inicial, lo que no dejaba de llamar la atención de la doctrina[50], entendiéndose admisible tal posibilidad, aunque no fuera objeto de mención específica.

Considero que, si la persona con discapacidad puede expresar y conformar adecuadamente su voluntad podrá decidir la extinción del patrimonio protegido, ajustando el tratamiento fiscal en lo que corresponda. Esta opción resulta indiscutible cuando ella misma haya procedido a la creación y dotación del patrimonio, si bien entiendo que, una vez aceptada la constitución y dotación por parte de otros, querer deshacer lo ya hecho podría parecer contrario a los propios actos, ocasionando por otra parte un perjuicio a los aportantes en cuanto al reajuste de los beneficios fiscales obtenidos.

Cuestión diferente es si, a la vista de la regulación actual, podría valorarse la voluntad de extinguir el patrimonio constituido antes de septiembre de 2021 por otras

---

48.   El art. 275 del Código recoge los requisitos de idoneidad y las prohibiciones para poder ser curador. Precisamente en el número 2.1.° excluye como tales a quienes hayan sido excluidos por la persona que precise apoyo.

49.   Así LORA-TAMAYO RODRÍGUEZ, I., *Reforma civil...*, cit., p. 191. En opinión de LOURO GARCÍA, I., *Comentario...*, cit., p. 1022, es una muestra más de la rigidez que mantiene la regulación del patrimonio protegido que fomentará su menor empleo.

50.   SERRANO GARCÍA, I., *Protección patrimonial...*, cit., p. 389, apuntaba la posibilidad de extinguirlo por la propia persona constituyente, en aquel momento con capacidad suficiente, si bien con las consecuencias fiscales correspondientes. También a favor de la facultad de extinción por el titular, por el constituyente o por sus representantes legales, al no existir prohibición al respecto, LUNA SERRANO, A., "El patrimonio protegido...", cit., p. 141.

personas sin haber necesitado en el momento oportuno su consentimiento. No se ha reparado sobre esta cuestión, a lo que no ayuda la ausencia de disposiciones transitorias que ajustasen el contenido de la nueva norma a lo acontecido antes. Mi posición al respecto es que deberían respetarse los deseos y preferencias de la persona al respecto, pero no es una materia exenta de problemas, pues habría de compatibilizarse esta decisión con las consecuencias previstas para la extinción en el caso de dejar de tener la condición de persona con discapacidad, acudiendo a una interpretación analógica del supuesto, aunque no puedo decir que sea una posición sin fisuras.

Si el titular quiere extinguir el patrimonio que en su día se constituyó en su interés, y no cuenta con el beneplácito de quienes lo acordaron, tendría que acudir a la autoridad judicial, conforme a la facultad mencionada en la Exposición de Motivos de la Ley 41/2003, en la que se hace referencia a que podrá determinarla el juez cuando convenga la extinción al –literalmente– "interés" de la persona con discapacidad. Entiendo que aquí ha apostado el legislador por mantener el criterio mencionado del "interés", por encima de otros como voluntad, deseos o preferencias, pues de haberlo querido así, como ha ido introduciendo el cambio a lo largo de la modificación de la ley, debería haberlo recogido expresamente en el art. 6, lo que puede llevar a la quiebra del respeto a la voluntad de la persona con discapacidad si se considera perjudicial para sus intereses por parte del juez. No obstante, en el deseo del legislador de querer sustituir el canon de interpretación de "beneficio", por el respeto a la voluntad, deseos y preferencias, debemos relacionar esta argumentación con lo dispuesto en el art. 7.1, relativo a la supervisión, en el que se nos dirá que para poder valorar el juez lo que proceda, incluyendo la extinción del patrimonio, deberá respetar los criterios mencionados. Encontramos así una contradicción que permitirá, en hipótesis, sustentar ambas posturas, si bien me inclino por la más respetuosa con la inspiración de la reforma.

En el supuesto de que se llegase a la extinción, tal y como dispone el art. 6.1 en relación con 6.2 párrafo segundo y el contenido del 6.3[51], los bienes quedarían en la titularidad del sujeto beneficiario, a no ser que se hubiera dispuesto su posible reversión en el momento de dotación o de aportación o haberse previsto otra finalidad[52].

---

51. Dispone el art. 6 de la Ley 41/2003: "1. El patrimonio protegido se extingue por la muerte o declaración de fallecimiento de su beneficiario o por dejar éste de tener la condición de persona con discapacidad de acuerdo con el artículo 2.2 de esta ley.
    2. Si el patrimonio protegido se hubiera extinguido por muerte o declaración de fallecimiento de su beneficiario, se entenderá comprendido en su herencia.
    Si el patrimonio protegido se hubiera extinguido por dejar su beneficiario de cumplir las condiciones establecidas en el artículo 2.2 de esta ley éste seguirá siendo titular de los bienes y derechos que lo integran, sujetándose a las normas generales del Código Civil o de derecho civil, foral o especial, que, en su caso, fueran aplicables.
    3. Lo dispuesto en el apartado anterior se entiende sin perjuicio de la finalidad que, en su caso, debiera de darse a determinados bienes y derechos, conforme a lo establecido en el artículo 4.3 de esta ley.
    En el caso de que no pudiera darse a tales bienes y derechos la finalidad prevista por sus aportantes, se les dará otra, lo más análoga y conforme a la prevista por éstos, atendiendo, cuando proceda, a la naturaleza y valor de los bienes y derechos que integren el patrimonio protegido y en proporción, en su caso, al valor de las diferentes aportaciones".

52. Respecto del destino de los bienes en caso de extinción dispone la Exposición de Motivos de la Ley 41/2003: "En estos casos, se presta especial atención a los bienes y derechos aportados por

Convendría reflexionar, a la vista de lo expuesto, sobre la creciente conveniencia por parte de aportantes no beneficiarios, de la oportunidad de establecer la reversión de los bienes para la hipotética posibilidad de extinción del patrimonio por voluntad de su beneficiario, al no convenir la integración de aquellos activos en el resto del patrimonio de la persona con discapacidad.

XI. SUPERVISIÓN DEL PATRIMONIO PROTEGIDO

Finalmente, se ha procedido a la reforma del art. 7 al regular la supervisión del patrimonio en la que se recogen diversas precisiones terminológicas[53].

Como consecuencia de eliminar las referencias a los padres, se suprime su dispensa a la hora de tener que cumplir con la obligación de rendición de cuentas del apartado 2 del artículo 7, lo que determina que en el caso de que presten medidas de apoyo, voluntarias o judiciales, deberán asumir el cumplimiento de esta exigencia.

En segundo lugar, cambia la denominación del Ministerio competente al que se adscribe el órgano externo de apoyo, disponiendo que la Comisión de Protección Patrimonial de las Personas con Discapacidad quedará sujeta al Ministerio competente en materia de servicios sociales.

Mayor peso parece tener la sustitución, una vez más, del criterio del beneficio por el del respeto a la voluntad, deseos y preferencias de la persona con discapacidad, en cumplimiento de los designios de la Convención y de la Ley 8/2021, como criterio a seguir por el Ministerio Fiscal y la autoridad judicial en cuanto a la función de supervisión.

No cabe duda de que la función de supervisión resulta extraordinariamente complicada respecto de la sencillez que presentan las medidas de apoyo. A través de todo lo que se ha apuntado resulta bastante evidente que el patrimonio protegido no puede considerarse una medida de apoyo en el ejercicio de la capacidad jurídica en el sentido en que lo dispone la Ley[54].

A modo de brevísima conclusión, y tal como se he intentado explicar a lo largo de este trabajo habrá que esperar un tiempo para ver si la figura, con su nueva regulación y compleja interpretación, continúa presentando alicientes para su constitución, o si, por el contrario, queda relegada a un menor uso (prácticamente residual) a la vista de las nuevas alternativas que ofrece la Ley 8/2021.

---

terceros, los cuales se aplicarán a la finalidad prevista por el aportante al realizar la aportación, si bien cuando fuera material o jurídicamente imposible cumplir esta finalidad se les dará otra, lo más análoga y conforme posible a la voluntad del aportante, en técnica similar a la conmutación modal regulada por el artículo 798 del Código Civil y atendiendo, si procede a la naturaleza de los bienes y derechos que integran el patrimonio protegido en el momento de su extinción y en proporción a las diferentes aportaciones".

53.   Sobre la función de fiscalización, extensamente, MARTÍN AZCANO, E., *El patrimonio protegido...*, cit., pp. 355 y ss, distinguiendo entre la voluntaria y la institucional.

54.   LORA-TAMAYO RODRÍGUEZ, I., *Reforma civil...*, cit., p. 193, considera "excesivas y perturbadoras" las facultades de supervisión atribuidas al Ministerio Fiscal.

XII. BIBLIOGRAFÍA

CÁMARA LAPUENTE, S.," La defensa patrimonial de la persona y la familia mediante _trust_ y patrimonios fiduciarios", en _Homenaje al Profesor Carlos Vattier Fuenzalida,_ Thomson-Reuters Aranzadi, Cizur Menor, 2013, pp. 215 y ss.

DE AMUNÁTEGUI RODRÍGUEZ, C., "El protagonismo de la persona con discapacidad en el diseño y gestión del sistema de apoyo", en _Claves para la adaptación del ordenamiento jurídico privado a la Convención de Naciones Unidas en materia de discapacidad,_ Tirant lo Blanch, Valencia, 2019.

– "La constitución de un patrimonio protegido por las personas mayores inicialmente capaces, en previsión de su futura pérdida de capacidad", en _Libro homenaje al Profesor Manuel Amorós Guardiola,_ T. I, Centro de Estudios Registrales, Madrid, 2006, pp. 77 y ss.

DE HARO IZQUIERDO, M., "Patrimonios protegidos y _Trusts._ Un largo recorrido hacia la asimilación del Trust en nuestro ordenamiento jurídico", _Revista Quincena Fiscal,_ núm. 4/2016 (Aranzadi BIB 2016, 450).

DÍAZ ALABART, S. y ÁLVAREZ MORENO, M.ª T., _La protección Jurídica de las personas con discapacidad,_ Ibermutuamur, Madrid, 2004.

DOMÍNGUEZ LUELMO, A., "El papel del Registro de la Propiedad en la protección del patrimonio de las personas con discapacidad", en _La encrucijada de la incapacitación y la discapacidad,_ La Ley, Madrid, 2011, pp. 533 y ss.

FERNÁNDEZ-TRESGUERRES, A. _El ejercicio de la capacidad jurídica. Comentario de la Ley 8/2021, de 2 de junio,_ Thomson-Aranzadi, Cizur Menor, 2021.

LORA-TAMAYO RODRÍGUEZ, I., _Reforma civil y procesal para el apoyo a las personas con discapacidad,_ Lefebvre, Madrid, 2021.

– "La comunicación en el otorgamiento notarial en la Ley 8/2021", _El Notario del Siglo XXI,_ enero/febrero 2022, pp. 28 y ss.

LOURO GARCÍA, I., en _Comentario articulado a la reforma civil y procesal en materia de discapacidad,_ GARCÍA RUBIO, M.ª P. y MORO ALMARÁZ, M.ª J., (Dirs.), Thomson Civitas, Cizur Menor, 2022.

LUNA SERRANO, A., "El patrimonio protegido del discapacitado", en _La protección jurídica del discapacitado,_ SERRANO GARCÍA, I., (Coord.), Tirant lo Blanch, Valencia, 2007, pp. 97 y ss.

MARÍN CALERO, C., _La herencia a favor de un hijo con discapacidad intelectual,_ Tirant lo Blanc, Valencia, 2022.

– _La integración jurídica y patrimonial de las personas con discapacidad psíquica o intelectual,_ editorial Ramón Areces, Fundación Aequitas, 2005.

MARTÍN AZCANO, E., _El patrimonio protegido de las personas con discapacidad. Aspectos civiles,_ La Ley, Madrid, 2011.

PALOMINO DÍEZ, I., en *Comentarios a la Ley 8/2021 por la que se reforma la legislación civil y procesal en materia de discapacidad*, GUILARTE MARTÍN-CALERO, C., (Dir.), Thomson Reuters Aranzadi, Cizur Menor, 2021.

SERRANO GARCÍA, I., *Protección patrimonial de las personas con discapacidad*, Iustel, Madrid, 2008.

VIVAS TESÓN, I., *Comentarios al Fuero Nuevo*, RUBIO TORRANO, E. y ARCOS VIEIRA, M.ª L. (Dirs), Aranzadi, 2.ª edic., Cizur Menor, 2020, pp. 145 y ss.

10

Discapacidad y derecho de sucesiones en la geografía latinoamericana: principales reformas

LEONARDO B. PÉREZ GALLARDO

Profesor Titular de Derecho civil
Facultad de Derecho
Universidad de La Habana
Notario

SUMARIO: I. CONSTITUCIÓN, SUCESIÓN POR CAUSA DE MUERTE Y SITUACIONES EXISTENCIALES. II. LA CONVENCIÓN SOBRE LOS DERECHOS DE LAS PERSONAS CON DISCAPACIDAD Y LOS DESAFÍOS PARA EL DERECHO SUCESORIO. ESPECIAL REFERENCIA PARA LATINOAMÉRICA. 1. *La* testamentifactio *activa desde la óptica convencional El otorgamiento de testamento con apoyos. Cautelas.* 2. *El notario en la autorización del testamento. ¿Un apoyo institucional o una salvaguardia?* 3. *Formas testamentarias y discapacidad.* 4. *Legítimas y discapacidad: ¿Ha de sustentarse la protección legitimaria en una situación de discapacidad o en una de vulnerabilidad económica?* 5. *Cuidados, cuidadores y Derecho de sucesiones.* 6. *Conductas disvaliosas respecto de las personas en situación de discapacidad: la reacción del Derecho de sucesiones a través de las incapacidades sucesorias.* III. A MODO DE EPÍTOME: HACIA UN DERECHO DE SUCESIONES SUSTENTADO EN LA CENTRALIDAD DE LA PERSONA. IV. BIBLIOGRAFÍA.

I. CONSTITUCIÓN, SUCESIÓN POR CAUSA DE MUERTE Y SITUACIONES EXISTENCIALES

Tradicionalmente, el derecho a la herencia, *rectius*, el derecho a la sucesión por causa de muerte, ha estado interconectado con el derecho a la propiedad privada. Se entiende como una prolongación de esta, de ahí la formula constitucional de Cartas Magnas tan emblemáticas como la italiana (artículo 47.4), la española (artículo 33.1), la alemana (artículo 14.1) y la portuguesa (artículo 62.1) que se han afiliado a esta posición. Todas ellas garantizan el derecho de propiedad y el derecho de herencia, el segundo siempre a continuación del primero, como una reafirmación de aquel, llegándose incluso a dubitar –como expone algún autor– que el derecho de herencia tenga un contenido adicional al derecho de propiedad, sino tan solo sería un refuerzo, una reafirmación de aquel[1]. De este modo, se entiende que los textos constitucionales que no regulan expresamente el derecho de sucesión por causa de muerte, la razón hay que encontrarla en que dentro del contenido esencial del derecho de propiedad privada, que sí regulan, está la facultad de disponer de los bienes y derechos no solo por actos *inter vivos*, sino también *mortis causa*. La filosofía inspiradora en este orden es que se puede transmitir los núcleos patrimoniales de los que se es titular al momento de la muerte, en tanto propietario. La disposición por causa de muerte carece en consecuencia de autonomía para formar parte del conjunto de facultades que integran el contenido del derecho de propiedad, que en lo que la mayoría de las Constituciones se conforman con regular, dejando al legislador ordinario la potestad de complementar el contenido del derecho a la propiedad (fundamental o no), incluyendo en él todo lo que concierne a su transmisibilidad por causa de muerte.

Ahora bien, se empiezan abrir nuevos cauces en este orden. Constituciones –como la cubana de 2019– rompe esta conexidad entre propiedad y sucesión por causa de muerte. Amén de centrarse en la regulación del derecho de sucesión por causa de muerte y no del de herencia, incluyendo así todas las manifestaciones de las sucesiones *mortis causa* en sus dos dimensiones, en la de causar y en la de recibir por causa de muerte, así como los títulos sucesorios que viabilizan este fenómeno. El constituyente busca el afianzamiento de la persona, nervio central del Derecho, lo cual supone igualmente su proyección no solo en vida sino también después de su muerte.

Como explica el profesor DELGADO ECHEVARRÍA desde el Derecho español el fundamento moral de la herencia está en el simple hecho de ser persona[2]. La dignidad de la persona humana y el libre desarrollo de su personalidad que sustenta el principio de libertad justifica hoy día la sucesión por causa de muerte, que en materia negocial alcanza su expresión más concreta en la libertad de disposición en razón del fallecimiento. Con gran precisión técnica –como es costumbre en el autor–, nos explica el profesor BARBA desde el Derecho italiano que "(e)s la centralidad de la persona humana y no el principio de solidaridad la clave a través de la cual el Derecho de sucesiones espera ser releído; esto requiere reconocer la centralidad de la autonomía privada y, por tanto, la centralidad del acto de última voluntad, como instrumento para la realización de la dignidad de la persona"[3]. De ahí que hable de la necesidad de una inminente protección de los intereses *post mortem* atendibles, que en defecto de disposición especial a tal fin por su titular, será el legislador quien los encauce. Ello nos pone a pensar en las claves que guía el pensamiento del profesor BARBA en el sentido

1. Según lo refleja LIMA GOMES, Felipe, "O direito fundamental à herança: âmbito de proteção e consequências de sua constitucionalização", Tese submetida ao Programa de Pós-Graduação em Direito da Universidade Federal do Ceará, como requisito parcial para obtenção do grau de Doutor em Direito, Orientador: Prof. Dr. Hugo de Brito Machado Segundo, Fortaleza, 2015, p. 78, en http://www.repositorio.ufc.br/handle/riufc/2381, consultada el 7 de septiembre de 2020. El autor hace alusión a la tesis de la "protección conexa" de la propiedad y la herencia al estudiar el artículo 5.º XXX de la Constitución brasilera de 1988.
2. DELGADO ECHEVARRÍA, Jesús, "El fundamento constitucional de la facultad de disponer para después de la muerte", en Diario *La Ley*, no. 7675, Sección Tribuna, año XXXII, Editorial La Ley, p. 4.
3. BARBA, Vincenzo, "Il diritto delle successioni tra solidarietà e sussidiarietà", *Rassegna di Diritto civile*, XXXVII, 2, 2016 (pp. 345-371), p. 359.

de que "el derecho de sucesiones merece ser releído, porque si, por un lado, la sucesión necesaria protege a la familia, por otro lado, la libertad de disponer, expresión del principio de autonomía, es un instrumento fundamental de realización personal, de manera que el interés familiar ya no puede ser considerado el horizonte hermenéutico exclusivo y único a través del cual los temas y problemas del derecho hereditario deben desarrollarse y disolverse"[4].

La faz voluntaria de la sucesión por causa de muerte y con ello la facultad de disponer por tal razón no puede seguir anudada con exclusividad a la propiedad, lo cual no quiere decir en modo alguno que su existencia no sea también una razón más que le impulsa, pero como arguye el ilustre profesor aragonés "(e)l fundamento de la facultad de disponer para después de la muerte sobre incumbencias no patrimoniales no puede ser, simplemente, la propiedad, es decir, en términos constitucionales, el art. 33.1 CE. El fundamento se encuentra en la dignidad de la persona y el libre desarrollo de la personalidad (art. 10 CE), que de este modo se superpone en un plano superior al de la propiedad. La libertad de disponer para después de la muerte no corresponde al individuo en cuanto propietario (no corresponde a todos los propietarios, sólo a las personas físicas), sino en cuanto persona humana; si bien cada uno no puede disponer de otros bienes sino de los que le pertenecen"[5]. Como recientemente ha apuntado la profesora DÍAZ ALABART "hemos evolucionado de un Derecho centrado en el ámbito productivo a uno que tiene como valor máximo la persona y su dignidad (…). Aunque hoy siga teniendo una importancia esencial el mecanismo sucesorio como medio de transmisión de patrimonios, ya no está limitado a esa parcela. Actualmente la sucesión por causa de muerte se ocupa también de otras 'situaciones existenciales' que, en casos concretos pueden ser de mayor trascendencia que las puramente patrimoniales. Todo esto hace que la expresión 'sucesión por causa de muerte' pueda expresar un fenómeno más amplio y complejo que la mera modificación subjetiva de relaciones patrimoniales"[6].

En fin, las situaciones existenciales importan y trascienden para el Derecho de sucesiones, de manera que se anteponen a aquellas de naturaleza patrimonial. Ello implica una relectura de los fundamentos en los que tradicionalmente se ha sustentado este. El artículo 40 de la nueva Constitución cubana regula la dignidad humana como *"valor supremo que sustenta el reconocimiento y ejercicio de los derechos y deberes consagrados en la Constitución, los tratados y las leyes"*. La dignidad es el más importante de los valores que la Constitución reconoce, de ahí que le califique de *"valor supremo"*. En la misma medida en que la persona puede no solo proyectarse en sus situaciones patrimoniales, sino sobre todo en las de contenido existencial, logrará su máxima realización. Las situaciones existenciales en el umbral de la muerte cobran especial sustantividad, en lo que atañe al orden afectivo. Por ello, cada día alcanzan mayor significación las cláusulas de contenido extrapatrimonial en los testamentos, o la proliferación de actos de última voluntad distintos de aquel. Todos ellos protegidos hoy en la nueva dimensión

---

4.   BARBA, Vincenzo, "Ragionevolezza e proporzionalità nel diritto delle successioni", *Diritto delle successioni e della famiglia*, IV 3, 2018 (pp. 747-780), p. 750.
5.   DELGADO ECHEVARRÍA, J., "El fundamento constitucional…", p. 6.
6.   DÍAZ ALABART, Silvia, *La protección de los datos y contenidos digitales de las personas fallecidas*, Reus, Madrid, 2020, p. 20.

que la Carta Magna cubana ofrece, según lo dispuesto por su artículo 63 en relación con los artículos 40 y 47. Así, *v.gr.*, la protección de la memoria pretérita es una clara expresión de la preocupación de nuestro tiempo por tutelar, tras el fallecimiento, lo que un día fue nuestra personalidad. De esa manera, "(s)i bien la muerte implica el fin de la personalidad y, por ende, la extinción de los derechos de la personalidad del fallecido, ello no empece que en determinados supuestos, y más allá del límite temporal de existencia de su titular, quepa la tutela post mortem de ciertos derechos extrapatrimoniales del mismo con el fin de proteger rasgos, atributos o cualidades de la persona ya desaparecida"[7].

Con todo, ya sea la herencia –o en mejor técnica– la sucesión *mortis causa,* es trascendente su reconocimiento vía constitucional. Con ello –tal y como apunta BARRIO GALLARDO al hacer referencia al artículo 33.1 de la Constitución española– la convierte en un "bien jurídico constitucionalmente protegido que impide su eliminación"[8], particular con el que también concuerda desde la doctrina brasilera el profesor LÔBO al estudiar el artículo 5.º XXX de la Constitución de 1988 de su país[9]. Se genera con ello, además una vinculación positiva para el legislador ordinario que se ve compelido a dictar las normas de desarrollo. Y en ese mismo orden el resto de los poderes públicos, además de los particulares se ven constreñidos a respetar y proteger los derechos sucesorios de las personas[10] y a la vez los actos de disposición por causa de muerte.

II. LA CONVENCIÓN SOBRE LOS DERECHOS DE LAS PERSONAS CON DISCAPACIDAD Y LOS DESAFÍOS PARA EL DERECHO SUCESORIO. ESPECIAL REFERENCIA PARA LATINOAMÉRICA

La aprobación en el 2006, en Nueva York, de la Convención sobre los derechos de las personas con discapacidad (en lo adelante CDPD), ratificada después por todos los Estados latinoamericanos[11], supone para los legisladores de dichos Estados partes el reto de adaptar el Derecho interno a los dictados de la Convención, es una deuda que todo Estado parte tiene para el Comité consultivo, evaluador de los cometidos de cada uno de ellos, en función de ese acople armónico entre Derecho interno y Convención, no siempre exitoso en todo momento y en todas circunstancias. Recordemos que el artículo 12.5 de la Convención reconoce el derecho de las personas en situación de discapacidad, en igualdad de condiciones con las demás, a ser propietarias y heredar bienes. De ahí la necesidad de ofrecer una relectura al Derecho

---

7.   GUTIÉRREZ SANTIAGO *cit. pos* LEIVA FERNÁNDEZ, Luis F. P., "La personalidad pretérita. No es lo mismo estar muerto que no haber vivido", en *La Ley* 22/10/2018, 8 – LA LEY2018-E, 1114 – ADLA2018-12, 3, cita on line: AR/DOC/2014/2018, p. 12.
8.   BARRIO GALLARDO, Aurelio, "Derecho a la herencia y sucesión forzosa en el art. 33 de la Constitución española", en *Conpedi Law Review*, vol. 4, no. 1, enero-junio 2018, Zaragoza (pp. 139-158), p. 147. Hágase la salvedad que el autor se refiere a la herencia, y no a la sucesión *mortis causa,* sin más connotación en este orden, pues es la fórmula del citado artículo de la Constitución española.
9.   *Vid.* LÔBO, Paulo, "Direito constitucional à herança, saisine e liberdade de testar", *Anais do IX Congresso Brasileiro de Direito de Família Famílias: Pluralidade e Felicidade* (pp. 35-46), p. 44, en https://www.ibdfam.org.br, consultada el 7 de septiembre de 2020.
10.   *Apud* LIMA GOMES, F., "O direito fundamental à herança…", *cit.*, p. 154.
11.   Si bien, Colombia y Cuba aún no han ratificado su protocolo facultativo.

de sucesiones desde la filosofía que informa la Convención y que lleva a cambiar los meridianos y las coordenadas geográficas en las que se ha situado tradicionalmente el Derecho regulador de las sucesiones por causa de muerte, ante lo cual juega un rol decisivo el valor que cada día le atribuye la doctrina científica a las situaciones existenciales *post mortem* y a su necesaria protección, en tanto intereses legítimos dignos de cobertura legal.

En la "Nota introductora" a un libro sobre las tendencias del Derecho sucesorio en los países iberoamericanos que coordiné hace más de una década, avizoraba respecto de la necesidad "de transitar hacia un Derecho de Sucesiones más dinámico, pero a la vez más sensible, más humano, más apegado al verdadero afecto (...) que fertilice los afectos de los seres humanos, verdadera razón de la sucesión por causa de muerte, y con ello que fortalezca la solidaridad familiar, pero a la vez, exigente del cumplimiento de los sagrados deberes familiares. Un Derecho de Sucesiones, que sin olvidar el camino recorrido, tome nuevos derroteros, en el que supere tensiones y encare los retos que la sociedad de inicios de este siglo impone a nuestras naciones iberoamericanas"[12]. No cabe dudas que ha sido este sector del Derecho civil el que ha protagonizado la mayor inercia en las últimas décadas. Desidia que ha generado asimetrías del ordenamiento jurídico, en tanto que el reconocimiento de nuevas instituciones jurídicas y con ello de derechos subjetivos impulsado por el vertiginoso desarrollo de las ciencias biológicas y las médicas, la tecnología digital o la inserción en el plano jurídico de nuevas constelaciones familiares de indudable construcción sociológica y psicológica, no han sido necesariamente recepcionados por las normas del Derecho de sucesiones, muchas veces ancladas en la época de las calesas, en una estadio adolescente de su desarrollo. Normas que responden a modelos familiares hoy día superados y que llevan a ese desfase entre lo regulado por los sectores del Derecho civil que en los últimos tiempos han avanzado con más premura como el Derecho de personas o el Derecho familiar y lo previsto por el Derecho sucesorio, mucho más cauteloso, conservador y formalista.

De ahí que no es de extrañar que el impulso que ha dado en materia de derechos humanos la aplicación de la CDPD en los Estados partes, al redimensionar los principios y valores que hasta entonces informaban el Derecho en materia de discapacidad, no se refleje de igual manera cuando se escudriñan las normas protectoras de los derechos sucesorios. La adaptación del Derecho interno en aquellos Estados del continente que así han actuado, a los principios convencionales, ha respondido esencialmente al artículo 12 de dicha Convención, sin una reforma integral de los códigos civiles vigentes, en consecuencia, dejando incólume el Derecho de sucesiones con la consiguiente falta de coherencia del ordenamiento jurídico y en desmedro además de una tutela integral a las personas en situación de discapacidad. Solo a guisa de ejemplo, valga mencionar en Colombia la Ley No. 1996 de 26 de agosto de 2019 "Por medio de la cual se establece el régimen para el ejercicio de la capacidad legal de las personas con discapacidad mayores de edad"[13] que se limita a regular los

---

12.   *Vid.* PÉREZ GALLARDO, Leonardo B. (coordinador), *El Derecho de sucesiones en Iberoamérica. Tensiones y retos*, Temis, Ubijus, Reus, Zavalia, Bogotá, México, D.F., Madrid, Buenos Aires, 2009.

13.   Esta Ley solo modificó puntuales preceptos del Código civil, a saber: los artículos 62.2, 784, 1504 y 2346, en tanto derogó los artículos 127.3, 1061.2 y 1068.3 (*vid.* artículos 57 al 61).

acuerdos de apoyos, ajustes razonables y salvaguardias, así como los procedimientos a tal fin; en El Salvador el Decreto No. 672, de 26 de agosto de 2020, contentivo de la "Ley especial de inclusión de las personas con discapacidad" en cuyo capítulo III, atinente al igual reconocimiento ante la ley de las personas con discapacidad, en su artículo 29[14] incorpora a modo de mandato, el contenido del artículo 12 de la Convención, que ya de por sí obliga a los Estados partes a ajustar su Derecho interno a lo dispuesto en él, respecto al ejercicio de la capacidad jurídica de las personas con discapacidad. Decreto que no ha tenido más desarrollo normativo y deja el Derecho del país centroamericano tan solo en la enunciación de principios y de instituciones, sin que se establezcan los procedimientos habilitantes a tal fin y en modo alguno alude al Derecho de sucesiones. Muy parecida es la situación en República Dominicana con su Ley No. 5, sobre discapacidad, promulgada el 15 de enero de 2013, que se enfila en idéntica dirección que el Decreto salvadoreño[15]. En condiciones más ventajosas, pero nada trascendentes a este estudio, se sitúa Costa Rica con su Ley No. 9379, de 18 de agosto de 2016, "Ley para la promoción de la autonomía personal de las personas con discapacidad", la que según su artículo 1 busca *promover y asegurar, a las personas con discapacidad, el ejercicio pleno y en igualdad de condiciones con los demás del derecho a su autonomía personal*, para lo cual *establece la figura del garante para la igualdad jurídica de las personas con discapacidad y, para potenciar esa autonomía, se establece la figura de la asistencia personal humana*. Norma legal que al igual que las anteriores se limita a desarrollar el artículo 12 de la CDPD –que si bien no es poco– no agota el panorama que el reconocimiento del ejercicio de la capacidad jurídica a todas las personas, cualquiera sea su situación de discapacidad, supone en materia de Derecho, llamando su atención la regulación contenida en el artículo 5[16]. Es significativo

---

14. Artículo 29: *"Se reconoce la capacidad jurídica de las personas con discapacidad en igualdad de condiciones con los demás, asegurando su máximo desarrollo personal; para ello, el Estado deberá crear un mecanismo de apoyo para el ejercicio de derechos y proceso de toma de decisiones, que garantice y proteja sus derechos y libertades fundamentales, así como el respecto de la autonomía, voluntad, preferencias e intereses de la persona. Estos mecanismos de apoyo serán creados con la participación de la persona con discapacidad, sus familiares y sus organizaciones".*

15. Se trata de una ley de alcance general cuya finalidad es amparar y garantizar la igualdad de derechos y la equiparación de oportunidades a todas las personas con discapacidad, así como regular las personas jurídicas, sin fines de lucro, cuyo objeto social sea trabajar para mejorar la calidad de vida de las personas con discapacidad. En este orden se lleva al artículo 23 lo atinente al ejercicio de la capacidad jurídica de dichas personas, pero sin más desarrollo normativo, quedando como una petición de principios, a tal fin se dispone que: *"El Estado tiene la obligación de asegurar que las personas con discapacidad disfruten y gocen de capacidad jurídica en igualdad de condiciones con las demás personas en todos los aspectos de la vida; garantizar que las medidas relativas al ejercicio de esta capacidad proporcionen salvaguardias apropiadas, efectivas para impedir los abusos, de conformidad a lo establecido en la Declaración Universal de los Derechos Humanos, la Convención Interamericana para la Eliminación de todas las Formas de Discriminación contra las Personas con Discapacidad, la Declaración del Decenio de las Américas: por los Derechos y la Dignidad de las Personas con Discapacidad 2006-2016, la Convención sobre los Derechos de las Personas con Discapacidad, la Constitución de la República y cualquier otra normativa correlativa de carácter nacional o internacional adoptada por el país".* O sea, se convierte en un trasunto de algunos de los apartados del artículo 12 de la CDPD sin que ello incida en la necesaria reforma al Código civil de dicho país.

16. Artículo 5: *"Igualdad jurídica de las personas con discapacidad. Todas las personas con discapacidad gozan plenamente de igualdad jurídica, lo que implica:) El reconocimiento a su personalidad jurídica, su capacidad jurídica y su capacidad de actuar.*
b) La titularidad y el legítimo ejercicio de todos sus derechos y atención de sus propios intereses.) El ejercicio de la patria potestad, la cual no podrá perderse por razones basadas meramente en la condición de discapacidad de la persona.

señalar que la citada Ley ni tan siquiera modifica expresamente los preceptos sobre capacidad jurídica regulados en el Código civil de ese país, y sí determinados artículos del Código procesal civil, algunos de los cuales modifica y otros deroga. Por su parte, no hay pronunciamiento alguno, ni de soslayo sobre las vigentes normas reguladoras del Derecho sucesorio.

En fin, en la geografía latinoamericana son pocos los ordenamientos jurídicos que han introducido normas *ad hoc* para ir creando las bases de un Derecho sucesorio atemperado a los tiempos de la Convención, en el que cobren mayor sustantividad las situaciones jurídicas existenciales, cuyo pórtico lo es la dignidad de la persona y los valores a ella asociada: la inclusión social y la realización del proyecto de vida de toda persona con independencia de su situación de discapacidad o no, en la que la protección de los intereses legítimos *post mortem* también han de ser atendidos como parte del libre desarrollo de la personalidad. Este enfoque constitucional y convencional le da nuevos bríos al Derecho de sucesiones, permite interpretar en armónica coherencia sus normas desde el prisma de los principios, valores y derechos fundamentales de la persona. De esta manera, acudimos a un proceso paulatino de repersonalización del Derecho de sucesiones, que sin dejar de mostrar interés por las relaciones patrimoniales, no ha de estar exclusivamente fundamentado en la propiedad, sino esencialmente en el libre desarrollo de la personalidad, en la dignidad, en la realización del proyecto vital de las personas[17]. A fin de cuentas, la previsibilidad de la muerte forma parte de ese proyecto de vida, aun sea en el ocaso de esta.

De ahí que la aplicación de los dictados de la CDPD irradia hacia el Derecho sucesorio desde distintos ángulos, algunos recepcionados por los pocos ordenamientos jurídicos del continente que han tomado la avanzada, a saber:

     Para garantizar el ejercicio seguro y efectivo de los derechos y las obligaciones de las personas con discapacidad intelectual, mental y psicosocial, en un marco de respeto a su voluntad y preferencias, sin que haya conflicto de intereses ni influencia indebida, se establece la salvaguardia para la igualdad jurídica de las personas con discapacidad, que será proporcionada y adaptada a la circunstancia de la persona. Este procedimiento se tramitará de conformidad con lo establecido en la presente ley y en la Ley N.° 7130, Código Procesal Civil, de 16 de agosto de 1989, y sus reformas. La persona que el juez o la jueza designe para ejercer la salvaguardia se denomina garante para la igualdad jurídica de las personas con discapacidad.

17.   Como expresa el profesor DELGADO ECHEVARRÍA en un breve artículo sobre el fundamento constitucional de la libertad de disponer por causa de muerte, este "se encuentra en la dignidad de la persona y el libre desarrollo de la personalidad (art. 10 CE), que de este modo se superpone en un plano superior al de la propiedad. La libertad de disponer para después de la muerte no corresponde al individuo en cuanto propietario (no corresponde a todos los propietarios, sólo a las personas físicas), sino en cuanto persona humana; si bien cada uno no puede disponer de otros bienes sino de los que le pertenecen". *Vid.* DELGADO ECHEVERRÍA, Jesús, "El fundamento constitucional...", p. 6. Este criterio es compartido desde la Argentina por Marcelo J. SALOMÓN al afirmar que "cuando alguien formula su testamento, está llevando a cabo significativos actos y buscando obtener efectos jurídicos que reflejen su Proyecto de vida, lo que implica sostener que en su testamento está manifestando su libertad y su autonomía personal constitucionalmente resguardada". *Vid.* SALOMÓN, Marcelo J., "La regulación de la legítima en el Código proyectado: Constitución Nacional, orden público y autonomía personal", en *Revista Derecho Privado*, Año II, No. 6, septiembre 2013, Editorial del Ministerio de Justicia y Derechos Humanos de la Nación (pp. 279-296), p. 283.

a) la necesidad de apartar del ordenamiento jurídico normas legales sucesorias discriminatorias de las personas en situación de discapacidad;

b) el empleo de un lenguaje inclusivo, que evite cercenar derechos subjetivos en materia sucesoria a las personas en situación de discapacidad;

c) la requerida adaptación de las formas habilitantes en materia testamentaria a la diversidad que tales situaciones de discapacidad genera, permitiendo el acceso de todas las personas a las distintas tipologías testamentarias, o sea, la proyección de un concepto de forma testamentaria lo sumamente inclusivo, ajeno de los rígidos moldes en que tradicionalmente se ha sustentado;

d) la posibilidad del otorgamiento de testamento con apoyos, salvaguardias y ajustes razonables lo que implica suprimir habituales impedimentos en relación con la *testamentifactio* activa;

e) el reforzamiento de las atribuciones forzosas –sea vía legitimaria o de otra naturaleza– a favor de personas que su situación de discapacidad las deja en un estado de vulnerabilidad económica;

f) las atribuciones preferenciales en materia sucesoria a favor de personas en situación de discapacidad.

g) la previsión de elementos accidentales incorporados al negocio jurídico testamentario que tengan por finalidad el cuidado o la asistencia de personas en situación de vulnerabilidad.

h) la condena de conductas disvaliosas respecto de las personas en situación de discapacidad que supongan su abandono, exposición, negativa de afectos o de atención lo cual conduce a una relectura de las cotidianas causas de exclusión de la herencia, llamadas impropiamente de "indignidad" sucesoria[18].

---

18. Denominadas en una buena parte de nuestros ordenamientos jurídicos, causas de indignidad sucesoria. En efecto, son las que la *communis opinio* doctrinaria y el Derecho comparado, califican como causales de indignidad cuyo fin o cometido es excluir de la sucesión a quien tiene derecho a ello, en virtud de un reproche ético, moral, reconocido por el legislador como ofensa grave al causante de la herencia, de modo que las normas sociales, de conducta, éticas, y en consecuencia también las legales hacen incompatibles la condición o cualidad de sucesor *mortis causa* con el infame comportamiento para con el causante de la sucesión. No obstante, no creo oportuno hablar en buena técnica jurídica de indignidad. No me cabe dudas que en el Derecho civil del siglo XXI emplear el término indigno, es a su vez atentatorio contra la dignidad del "indigno", y no se trata de un simple juego de palabras, sino que hoy día estigmatizar con ese término, si se quiere, en cierto modo peyorativo, supondría una posición del legislador, atentatoria contra principios elementales de protección de la persona. El que un sujeto haya actuado contra la dignidad de otra persona, con actos que hieren su sensibilidad, que rompen con la solidaridad humana, o que transgreden los límites de convivencia o incluso que son constitutivos de delitos graves como el homicidio intencional o el asesinato (en sus modalidades agravadas de fratricidio, conyugicidio o parricidio), no debe legitimar al legislador a estigmatizar al sujeto con la calificación de indigno, aunque tal indignidad sea para suceder. Cualquier sujeto, ya sea el reproche legal, por conductas, incluso sancionadas en el orden penal, tiene dignidad y tal dignidad hay que respetarla. A mi juicio, seguir denominando estas conductas como supuestos de indignidad para suceder es un maniqueísmo que debemos abandonar, ni tan siquiera se justifica como un recurso metafórico del lenguaje. Que el Derecho reaccione condenando al infractor con una sentencia en que un tribunal le declara indigno para suceder, es como legitimar la Ley del Talión en nuestra cultura occidental.

1. LA *TESTAMENTIFACTIO* ACTIVA DESDE LA ÓPTICA CONVENCIONAL EL OTORGAMIENTO DE TESTAMENTO CON APOYOS. CAUTELAS

Hay pleno consenso en la doctrina[19] y también en el Derecho iberoamericano[20] de que el testamento es un acto personalísimo[21]. La facultad de testar es indelegable[22], es puramente personal[23] del testador, quien no puede dejar su formación en todo, o en parte, al arbitrio de un tercero[24], procurador[25], ni se puede otorgar por apoderado o

19. *Vid.* entre otros tantos, VALVERDE Y VALVERDE, Calixto, *Tratado de Derecho civil español*, tomo V – Derecho de sucesión mortis causa, Talleres Tipográficos Cuesta, Valladolid, 1916, pp. 52-53; ESPÍN CÁNOVAS, Diego, *Manual de Derecho civil español*, volumen V – Sucesiones, Editorial Revista de Derecho Privado, Madrid, 1957, p. 135; LACRUZ BERDEJO, José Luis, *et al.*, *Elementos de Derecho civil V – Sucesiones*, 4.ª edición, revisada y puesta al día por Joaquín Rams Albesa, Dykinson, Madrid, 2009, p. 167; ALBALADEJO GARCÍA, Manuel, *Curso de Derecho civil V* – Derecho de sucesiones, 7.ª edición, Bosch, Barcelona, 1997, p. 210; ROMERO COLOMA, Aurelia María, "El testador anciano y los problemas de la testamentifacción activa", en *Revista Crítica de Derecho Inmobiliario*, año 85, No. 713, 2009 (pp. 1213-1234), p. 1227; ÁLVAREZ CAPEROCHIPI, José A., *Derecho de sucesiones*, Instituto Pacífico, Lima, 2018, pp. 293 y 295; SERRANO DE NICOLÁS, Ángel, *Derecho de familia y sucesiones*, ediciones Olejnik, Santiago de Chile, 2016, pp. 276 y 333; ZANNONI, Eduardo A., *Manual de Derecho de las sucesiones*, 4.ª edición, actualizada y ampliada, Astrea, Buenos Aires, 1999, pp. 592 y 602; FERRER, Francisco M., *Cuestiones de Derecho civil. Familia y sucesiones*, con la colaboración de Francisco A. M. Ferrer, Rubinzal Culzoni, Santa Fe, 1979, pp. 438-440, 445, 449 y 458; ACEDO PENCO, Ángel, *Derecho de sucesiones. El testamento y la herencia*, Dykinson, Madrid, 2014, p. 121; LANATTA, Rómulo E., *Derecho de sucesiones*, tomo II, 3.ª edición, editorial Desarrollo, Lima, 1993, pp. 20-21; ZÁRATE DEL PINO, Juan B., *Curso de Derecho de sucesiones*, Palestra editores, Lima, 1998, p. 133; MONJE BALMASEDA, Óscar, "La delación testamentaria. El testamento como negocio jurídico y la capacidad para testar", en *Sistema de Derecho civil. Sucesiones*, Francisco Lledó Yagüe – Ramón Herrera Campos (directores), Oscar Monje Balmaseda (coordinador), Dykinson, Madrid, 2002 (pp. 73-93), pp. 75-76; O'CALLAGHAN MUÑOZ, Xavier, *Compendio de Derecho civil*, tomo V– Derecho de sucesiones, 2.ª edición, corregida y puesta al día, Editorial Revista de Derecho privado, EDERSA, Madrid, 1987, p. 119; SUÁREZ FRANCO, Roberto, *Derecho de sucesiones*, 2.ª edición, Temis, Bogotá, 1996, pp. 157-158; FERNÁNDEZ ARCE, César, *Manual de Derecho sucesorio*, Fondo editorial de la Pontificia Universidad Católica del Perú, Lima, 2014, pp. 171-172; VILLAFUERTE CLAROS, Armando, *Derecho de sucesiones*, tomo II – Parte especial, Imprenta Riverijos Ltda, La Paz, 1995, p. 125.

20. Todos los Códigos civiles del entorno así lo regulan, salvo el dominicano y el venezolano que son omisos al respecto.

21. Así se pronuncian expresamente el Código civil español (artículo 670), el Código civil boliviano (artículo 1115), el Código civil puertorriqueño (artículo 619), el Código civil federal mexicano (artículo 1295), el Código civil uruguayo (artículo 782), el Código civil panameño (artículo 702), el Código civil brasilero (artículo 1858).

22. Con ese expreso parecer se pronuncian tanto el Código civil chileno (artículo 1004), como los que traen causa de él, a saber: el Código civil ecuatoriano (artículo 1074), el Código civil colombiano (artículo 1060), el Código civil hondureño (artículo 985) y el Código civil salvadoreño, que sólo adiciona, de manera explicativa –a diferencia del resto de los mencionados– que *"no puede conferirse poder para testar"*.

    Incluye también esta expresión literal en el dictado de la norma, el nuevo Código civil y comercial de la Argentina en su artículo 2465.

23. Al decir del artículo 935 del Código civil nicaragüense. Por su parte el artículo 2180.1 del Código civil portugués se refiere a "acto personal".

24. Según el dictado del artículo 619 del Código civil español, artículo 946 del Código civil nicaragüense, artículo 982 del Código civil uruguayo, artículo 702 del Código civil panameño. Con similar dicción el artículo 2465 del Código civil y comercial argentino.

    El giro que hace al efecto el artículo 577 del Código civil costarricense expresa que *"no podrá depender del arbitrio de otro"*.

25. Conforme con el artículo 577 del Código civil costarricense. Así también el artículo 946 del Código civil de Nicaragua, que también extiende la prohibición al *"delegado"*.

una tercera persona[26], ni tampoco su voluntad puede ser sustituida o complementada, precisamente por la defensa del carácter personalísimo del testamento, aunque los Códigos civiles no lo establezcan literalmente. La voluntad testamentaria es la voluntad de quien otorga el acto dispositivo *mortis causa*. Ahora bien, se trata de la voluntad ya formada. Otra cuestión distinta es que en esa formación pueda incidir, la asistencia, la orientación, el auxilio de un tercero, sobre todo cuando se trata de un testador que es una persona en situación de discapacidad.

Reconozco que el tema no es nada sencillo. No es una operación matemática, con resultados exactos. Tampoco es dable hablar de discapacidades en sentido abstracto. No es lo mismo una discapacidad sensorial o físico-motora que un discapacidad intelectual o psicosocial. La vulnerabilidad, la posibilidad de voluntades captatorias, de influencias indebidas en personas fácilmente manejables o la manipulación de estas[27], ya no solo en situación de discapacidad, sino también ancianas, es cada día más palpable[28]. De igual manera, no es igual valorar la capacidad de una persona con tales discapacidades, incluso para el notario autorizante, que la capacidad quizás de una persona con discapacidad visual, o con discapacidad auditiva. Téngase en cuenta que la voluntad es el nervio del negocio jurídico, incluido por supuesto, el negocio jurídico testamentario, que además tiene marcadas particularidades entre ellas, el ser un negocio de última voluntad, de modo que sus efectos para terceros, se supeditan a la muerte del testador, quien nada podrá esclarecer al momento en que el negocio se ejecute, amén de que suele ser, aunque no necesariamente ha de ser así, un negocio dispositivo patrimonial, a cuyo tenor el testador puede disponer de todo su patrimonio. Esto hace al testamento mucho más apetecible para el captor de la voluntad. Ser beneficiario de una cuantiosa herencia puede cambiar la vida de muchas personas. De ahí por qué el testamento siempre es un negocio jurídico susceptible de impugnación por los más variados motivos.

Todas estas circunstancias han fortalecido ese carácter personalísimo del testamento. De modo que tal negocio jurídico forma parte del reducto de los negocios

---

26. Tal y como literalmente dispone el artículo 477 del Código civil cubano.

27. El término *influencias indebidas* es de un marcado origen anglosajón, con especial connotación en el Derecho norteamericano. VAQUER ALOY que ha hecho un perspicaz estudio sobre el tema, marca los elementos que le caracterizan, entre ellos la captación de voluntad. Se trata de voluntades captatorias de un sujeto sobre otro que por las peculiares circunstancias en que se encuentra, resulta fácilmente manipulable. Se afecta así la libertad de testar. Al citar la doctrina norteamericana, sitúa cuatro elementos que la jurisprudencia norteamericana toma en cuenta para apreciar las influencias indebidas, a saber:
    "a) una relación de confianza entre el testador y quien pretendidamente ejerce la influencia; b) la persona de confianza ha intervenido de alguna manera en la preparación o la redacción del testamento; c) el testador era susceptible de *undue influence*, lo que supone atender a su edad y condiciones mentales y físicas*;* d) el causante realiza alguna atribución 'no natural' a favor de la persona de confianza, de modo que cuanto más inesperable sea la atribución testamentaria efectuada más probabilidades de *undue influence* (…)". *Vid.* VAQUER ALOY, Antoni, "La protección del testador vulnerable", en *Libertad de testar y libertad para testar*, Ediciones Olejnik, Santiago de Chile, 2018, pp. 127-156 (pp. 130-131), y en especial también la crítica a esta doctrina que hoy día parece destinada a "importarse" por la jurisprudencia continental.

28. En tanto –como expresa VAQUER ALOY– si bien tienen capacidad para testar, la voluntad exteriorizada "por la influencia recibida, no es espontánea y completamente propia", de ahí su vulnerabilidad, "la idea central radica en el otorgamiento de un testamento en que alguien ha conseguido que se exprese una voluntad que no es la real del testador". *Vid.* VAQUER ALOY, A., "La protección del…", *cit.*, pp. 137-138 y 134, respectivamente.

personalísimos. Sólo el testador puede construir su testamento, que no significa en modo alguno que la construcción del testamento se realice por el testador sin el más mínimo auxilio de un tercero. Y no me refiero al notario, que como profesional del Derecho es el artífice de la envoltura técnico-jurídico del negocio testamentario. Autor indiscutible de la escritura pública que le contiene. El testamento muchas veces es el resultado de las cavilaciones familiares, de la consulta que hace el padre o la madre a su esposo o esposa, o a su pareja de hecho, a sus hijos, o a personas allegadas como amigos cercanos, incluso abogados de la familia. El testamento no siempre es una sorpresa para el heredero. Diría que lo contrario. Una buena parte de los herederos participan en la manera en la que el testador perfila la voluntad testamentaria. La designación de albacea es muchas veces "negociada" por el propio testador con personas cercanas a la familia y que incluso tienen ascendencia moral, espiritual, afectiva sobre los beneficiarios de la herencia, quienes incluso suelen a veces dar opiniones, ideas sustentadas en la equidad, el sentido común y de justicia distributiva, en ocasiones inadvertidas por el testador.

Esta idea general nos permite reflexionar que, si un testador sin discapacidad necesita de ciertos apoyos familiares, informativos, de asesoramiento para el otorgamiento de un testamento, nada priva de que –en esos términos–, y en aplicación de la CDPD se puede otorgar un testamento en el que para la toma de esta decisión en el acto mismo de otorgamiento, se haya valido el testador de los apoyos, bien instrumentados previamente por él, o en los casos en que resulte posible, a través de los apoyos dispuestos judicialmente. Como arguye la profesora ALFARO GUILLÉN –quien comparte este criterio–, "(e)l carácter personalísimo del acto a realizar por el sujeto (…), no debiere comprometer en modo alguno su asistencia. Las diferencias entre la representación y el apoyo estriban justamente en que en la primera se suple la voluntad del sujeto por la del representante para la toma de decisiones, mientras que lo segundo confiere el soporte, los medios necesarios para su adopción *per se* por el titular del derecho subjetivo a ejercitar mediante el acto de que se trate"[29].

Por ello, coincido con la doctrina española en la imposibilidad de que el tutor o el curador, en función de complemento del ejercicio de la capacidad jurídica, puedan intervenir en el otorgamiento del testamento[30]. Al decir de la profesora DE AMUNÁTEGUI RODRÍGUEZ "(e)l testamento se concibe como un acto personalísimo en el sentido de no caber la posibilidad de atribuir su otorgamiento por representación; por tanto, si no lo hace el propio sujeto nadie puede sustituirlo"[31]. La tutela

---

29. ALFARO GUILLÉN, Yanet, "El otorgamiento de testamento durante la vejez: recomendaciones de *lege data* para la autorización notarial en Cuba", en *Homenaje a José María Castán Vázquez. Liber amicorum*, tirant lo blanch– Consejo General del Notariado, Madrid, 2019 (pp. 1397-1431), p. 1416.

30. Así, entre otros, BERROCAL LAZAROT, Ana Isabel, "La capacidad y voluntad de testar dos pilares fundamentales en la sucesión testada", *Revista Crítica de Derecho Inmobiliario*, Año 94, No. 770, 2018 (pp. 3339 a 3371), p. 3348, quien expresa que "(e)l carácter personalísimo del testamento impide la posibilidad de suplir la falta de capacidad con la intervención de terceras personas –representante legal o persona que le asista–; por ello, la opción por dotar del más amplio reconocimiento a la capacidad de testar".

31. AMUNÁTEGUI RODRÍGUEZ, Cristina de, "Testamento otorgado por personas que sufren discapacidad psíquica o tienen su capacidad modificada judicialmente", en *Revista de Derecho Privado*, No. 4, julio-agosto 2018 (pp. 3-37), p. 6.

como institución de protección es el paradigma del modelo de sustitución de voluntades, en el que se nulifica cualquier actuación del pupilo o tutelado, de quien ni tan siquiera se toma en cuenta su historia de vida, preferencias o voluntad. El tutor suple toda voluntad. El curador –en su prístina configuración–, por otra parte, al complementar el ejercicio de la capacidad jurídica, se involucra en el negocio jurídico, la voluntad del testador en tales circunstancias, no es suficiente *per se*, se haría acompañar de la del curador, cuya concurrencia complementa, o sea, integra, perfecciona el negocio testamentario, lo cual rompe con su naturaleza personalísima[32]. El curador no se limitaría a informar, asesorar, asistir en la toma de decisiones, sino participa directamente en ella. Su participación es esencial para la perfección del negocio. Su voluntad se sumaría a la del testador al complementar el ejercicio de su capacidad jurídica. Y aunque el negocio se le atribuya al testador, la participación del curador se hace vital pues el testador no podría ejercitar *per se* la capacidad jurídica. La participación del curador presupondría por parte del testador un ejercicio a medias de la capacidad jurídica. Una capacidad jurídica incompleta, conculcando en todo caso los principios que informan la CDPD, sobre todo el de igualdad en el ejercicio mismo de la capacidad jurídica a que hace referencia el tantas veces referido por la doctrina y la jurisprudencia reciente, artículo 12.

Para poder entender la tesis que vengo defendiendo se hace necesario, sin dudas sumergirnos en el sistema de apoyos, y a tal fin precisar qué son los apoyos, cuál es su finalidad, que rol desempeñan, quién los determina. Ciertamente la CDPD en su artículo 12.3 establece que *"Los Estados Partes adoptarán las medidas pertinentes para proporcionar acceso a las personas con discapacidad al apoyo que puedan necesitar en el ejercicio de su capacidad jurídica".* Figura que ha sido interpretada por el Comité de los derechos de las personas con discapacidad en su Observación general No. 1 (2014) como *"un término amplio que engloba arreglos oficiales y oficiosos, de distintos tipos e intensidades".* En todo caso *"El apoyo en el ejercicio de la capacidad jurídica debe respetar los derechos, la voluntad y las preferencias de las personas con discapacidad y nunca debe consistir en decidir por ellas"* (párrafo 17). O sea, los apoyos constituyen los tentáculos que emplean las personas con discapacidad para ejercer su capacidad jurídica, de modo que –como también agrega la Observación general– podrán ser de diversos tipos[33] y de mayor o menor intensidad lo que *"variará notablemente de una persona a otra debido a la diversidad de las personas con discapacidad. Esto es acorde con lo dispuesto en el artículo 3 d), en el que se mencionan, entre los principios generales de la Convención, 'el respeto por la diferencia y la aceptación de las personas*

---

32. A diferencia del curador asistencial previsto hoy día en el Derecho español, tras la vigencia de la Ley 8/2021, de 2 de junio que adapta el ordenamiento civil y procesal a los dictados de la CDPD, quien ni complementa ni suple el ejercicio de la capacidad jurídica del titular del interés legítimo en juego, sino le acompaña, le asiste, le informa, le auxilia.

33. Según Agustina PALACIOS, estos pueden ser "aquellos que se requieran para la celebración de determinados actos formales; y aquellos que se requieran para realizar actividades de la vida cotidiana, que bien podrían denominarse también 'apoyos para la vida independiente'". Pueden ser también individuales o colectivos, según las necesidades propias de cada persona. *Vid.* PALACIOS, Agustina, "La configuración de los sistemas de apoyo en el contexto de la accesibilidad universal y los ajustes razonables", paper presentado en el Congreso internacional "Madrid sin barreras: Accesibilidad, ajustes y apoyos", A diez años de la promulgación de la Convención sobre los derechos de las personas con discapacidad 24 y 25 de mayo 2016, Universidad Carlos III de Madrid (Getafe), en www.madridsinbarreras.org, consultada el 14 de mayo de 2020.

con discapacidad como parte de la diversidad y la condición humanas'" (párrafo 18). Apoyo significa desarrollar una relación y formas de trabajar con otra u otras personas, hacer posible que una persona se exprese por sí misma y comunique sus deseos, en el marco de un acuerdo de confianza y respeto de la voluntad de esa persona. En modo alguno supone sustituir, suplantar, complementar, la voluntad de esa persona. En todo caso, contribuye a informar, a acompañar, a diseñar un plan para que la persona pueda llegar a formarse su propia voluntad, ajena a influencias indebidas, incluidas las influencias del propio apoyo. Al decir de la reciente Ley colombiana No. 1996/2019, de 26 de agosto, ya referenciada, los apoyos *"son tipos de asistencia que se prestan a la persona con discapacidad para facilitar el ejercicio de su capacidad legal. Esto puede incluir la asistencia en la comunicación, la asistencia para la comprensión de actos jurídicos y sus consecuencias, y la asistencia en la manifestación de la voluntad y preferencias personales"*. Mientras, como se aduce desde la orientación seguida por el nuevo Código civil y comercial de la Argentina "el 'apoyo' debe visualizarse durante todo el proceso previo al acto jurídico en sí, lo que significa que debe estar presente en cada instancia decisiva que, sumada a las demás, decante finalmente en la formalización de un acto jurídico determinado o no, pues justamente, la importancia de los apoyos radica en que vitaliza (no sustituye) el proceso de toma de decisión, quedando esta última siempre en la esfera de la PCD"[34], "el elemento trascendental del modelo de apoyos radica en su filosofía subyacente, que se materializa en el interés jurídico protegido, esto es: la autonomía y el ejercicio de los derechos de la persona"[35]. En fin, "(e)l nuevo paradigma, que consagra el modelo de 'voluntad con apoyo', para la capacidad jurídica, implica respetar los derechos, la voluntad y las preferencias de las personas con discapacidad y no debe consistir en decidir por ellas"[36]. "El modelo de apoyos estipulado en la CDPD parte de la premisa de que la persona no necesita una medida de protección que la prive del ejercicio de su capacidad jurídica, sino que se requiere medidas de promoción destinadas a proporcionar los apoyos necesarios para potenciar el ejercicio de dicha capacidad jurídica"[37]. Esta es la piedra filosofal con la que debemos entender los apoyos, su finalidad es afianzar la toma de decisiones, nunca decidir por las personas en situación de discapacidad[38].

Si este es el sentido con el que se interpreta la función de los apoyos, entonces en nada riñe la naturaleza personalísima del negocio testamentario con la posibilidad de que en su otorgamiento puedan intervenir los apoyos, al margen de las consideraciones

---

34. ALDERETE, Claudio Marcelo, "El sistema de apoyos en la toma de decisiones de las personas con discapacidad. Propuestas y comentarios", Infojus, 14 de septiembre de 2015, Id SAIJ: DACF150503, www.infojus.gov.ar, consultado el 10 de mayo de 2020.
35. PALACIOS A., "La configuración de los sistemas...", *cit.*
36. CISTERNA REYES, María Soledad, "Desafíos y avances en los derechos de las personas con discapacidad: una perspectiva global", *Anuario de Derechos humanos*, No. 11, 2015 (pp. 17-37), p. 27.
37. PALACIOS, A., "La configuración de los sistemas...", *cit.*
38. Resulta interesante tener en cuenta lo que se ha dispuesto en el proyecto de Ley presentado en la Cámara de Diputados de la Nación Argentina (expte. 4845-D-2017) para la implementación de un régimen legal para el acceso y conformación de un sistema de apoyos en favor de las personas con discapacidad, en relación con las transformaciones operadas en dicho campo a partir de la aprobación de la Convención sobre los derechos del niño, por Ley 23.849 (*B.O.* 22/09/1990), la CDPD, por Ley 26.378 (*B.O.* 9/6/2008) y con jerarquía constitucional por Ley 27.044 (*B.O.* 22/12/2014), la Ley nacional de salud mental 26.657 (*B.O.* 03/12/2010), reglamentada por el

que ulteriormente se hagan y sin negar, como ya lo han hecho algunos autores, al criticar la Observación general No. 1, las circunstancias en que puedan estar incursas ciertas personas con discapacidad intelectual o psicosocial que no les permite expresar su voluntad, para lo cual está prevista la presencia de apoyos intensos, con facultades de representación, aún con carácter excepcional. Supuestos en los que no será posible el otorgamiento de testamento, como tampoco de convertirse en codecisor o complemento en el ejercicio de la capacidad testamentaria.

En la actualidad, en el contexto latinoamericano solo un Estado ha regulado expresamente la posibilidad de que el testamento puede ser otorgado con apoyos. En efecto, la reciente reforma al régimen jurídico de la capacidad en el Código civil peruano, amén de sus aciertos y desaciertos[39], ha supuesto una posición vanguardista en este orden. Aun cuando en el Derecho argentino, tras la reforma que en este sentido ha conllevado el nuevo Código civil y comercial de la Nación, en materia de capacidad, entre otros muchos ejes temáticos, no establece expresamente la posibilidad del otorgamiento del testamento con apoyos, sin embargo una interpretación sistemática del Código, conforme además con los tratados internacionales del derechos humanos que ha ratificado la Nación haría pensar que las personas con discapacidad a través del sistema de apoyos pudieran otorgar testamento[40]. Empero, llama la atención el que la doctrina no se haya pronunciado al respecto.

Decreto 603/2013 y el Código Civil y comercial de la Nación, aprobado por Ley 26.994 (*B.O.* 08/10/2014).

Así en el artículo 5 proyectado se establece como funciones de los apoyos:

"a) actuar en beneficio de las personas con discapacidad como eje rector;

b) actuar respetando los deseos, metas e intereses conforme a la preferencia y manifestación de la persona, y su identidad cultural;

c) actuar de manera imparcial, asesorar, acompañar, establecer medios, modos de comunicación con la persona que requiere el apoyo para facilitar la toma de decisiones asegurando al máximo posible la accesibilidad al ejercicio de los derechos".

Según el artículo 14 proyectado los apoyos formales para el ejercicio de la capacidad jurídica comprenden *"la asistencia en la comunicación y comprensión de determinados actos jurídicos y sus consecuencias, tanto en el proceso previo como durante su celebración al manifestar la voluntad y preferencias personales".* Sobre el tema *vid.* IGLESIAS FRECHA, Juan Manuel, "Consideraciones jurídicas sobre la implementación legal de un sistema de apoyos a favor de las personas con discapacidad", en *Revista Latinoamericana en Discapacidad, Sociedad y Derechos Humanos,* volumen 2 (2), 2018, pp. 27-50.

39. Sobre el tema *vid.* TANTALEÓN ODAR, Reynaldo Mario, "La discapacidad. Anotaciones al Decreto Legislativo 1384", en *Derecho y cambio social,* No. 56, abril 2019, pp. 199-229; MEJÍA ROSASCO, Rosalía, "La reforma de la capacidad de la persona en la legislación civil y notarial en el Perú: La implementación de la Convención de los derechos de las personas con discapacidad", en *Derechos e integración,* Revista del Instituto de Derecho e integración, Colegio de escribanos de la provincia de Santa Fe, No. 14, año X, 2019, pp. 27-52; VARSI-ROSPIGLIOSI, Enrique, Marco Andrei TORRES MALDONADO, "El nuevo tratamiento del régimen de la capacidad en el Código civil peruano", en *Acta Bioethica,* No. 25 (2), 2019, pp. 199-213.

40. No obstante, quizás hubiera sido recomendable que los legisladores hubieran hecho especial pronunciamiento en torno a este tema por lo polémico que suele ser, en tanto el tratamiento especial que ha tenido en el Derecho comparado, en materia de ejercicio de la capacidad jurídica la capacidad para testar, dadas las particularidades del negocio jurídico testamentario. Tómese en cuenta, sin embargo, que el Código no le dedica precepto alguno a la capacidad para testar, siéndole aplicable entonces las normas de alcance general. Para ello funciona como puerta clave el artículo 2463, remisor a los artículos reguladores de los actos jurídicos, no solo en lo relativo al ejercicio de la capacidad jurídica. Y en ellos está previsto el ejercicio de la capacidad jurídica de las personas con discapacidad a través de apoyos y salvaguardias.

El artículo 696.2 del Código civil peruano, tras la reforma introducida por el artículo 1 del Decreto-Legislativo 1384/2018, de 3 de septiembre, establece la posibilidad de otorgar testamento con apoyos y ajustes razonables, lo cual lo limita al testamento abierto o notarial. O sea, conforme con los dictados de la CDPD toda persona con discapacidad podría otorgar testamento ante notario, siempre que el apoyo no ejercite una acción de sustitución. Se trataría de personas que a través del apoyo pueden formar su propia voluntad y tomar decisiones *per se*, tan solo asistidas por él[41].

Como esgrime GALVARINO "si hemos de encontrar un denominador común para internalizar qué entendemos por *apoyo* lo hallaríamos en la idea de 'ayuda', 'socorro', podríamos decir con el aditamento de la 'confianza'". El apoyo se erige en estos casos en un requisito de validez del acto jurídico testamentario. Su ausencia pudiera conllevar a la nulidad del acto. Y esta es la función que desempeñarán los testigos a ruego o el intérprete en la lengua de señas. El apoyo deberá concurrir al documento público notarial, identificarse en la comparecencia, en tanto que en la propia escritura el notario ha de expresar la razón por la que acude al acto como apoyo, o sea, en qué consiste su papel en la toma de decisiones del testador y en la voluntad testamentaria a otorgarse en dicho instrumento, dejando claro en todo caso que la voluntad es exclusiva del testador, verdadero y único protagonista del negocio testamentario[42].

---

41. TANTALEÓN ODAR, R. M., "La discapacidad...", *cit.*, p. 218, al estudiar la reforma introducida al Código civil, considera que "es entendible y loable pues justamente con apoyos o ajustes razonables el sujeto con discapacidad podría dar a conocer su última voluntad al notario".

42. Si bien, en ordenamientos como el español, tras la aprobación de la Ley 8/2021 la Comisión Permanente del Consejo General del Notariado español en su Circular informativa No. 2/2021 apuesta por una constatación sintética del juicio sobre el ejercicio de la capacidad jurídica, sin hacer distingos entre personas con discapacidad y quienes no la tengan, pero a su vez deja expedita la vía de un acta notarial en la que se haga constar el proceso de toma de decisiones de la persona con discapacidad, de manera tal que en ella se refleje cómo el notario pudo comunicarse con la persona con discapacidad, como este pudo llegar a la comprensión del acto o negocio jurídico que pretende instrumentar, a conocer sus efectos en Derecho, qué ajustes necesarios fueron requeridos, de qué apoyos se valió el notario.
    Posición asumida que no deja de ser discutible en el sentido técnico-jurídico. Duplicar los esfuerzos notariales para propiciar que el documento público en el que se contiene el negocio o acto jurídico del cual es autor una persona con discapacidad, no haga alusión a la manera en la que este pudo exteriorizar la voluntad con la ayuda de apoyos, con las salvaguardias debidas y los ajustes razonables, no creo que aporte mucho, pues a fin de cuentas la presencia de apoyos en el documento hace visible la situación de discapacidad de alguno o de todos los comparecientes. Ocultarlo no hace ganar más en un clima en el que se procura la protección de todas las personas con capacidades funcionales diferentes. Constatar este particular en una escritura pública de testamento, no hace de menos valor a la persona con discapacidad y sí, por el contrario, una garantía a los ojos de una posible impugnación judicial, amén de que en el documento se reflejaría uno de los actos propios del notario que contribuye a calificar como público, el documento que este autoriza.
    En la doctrina española más reciente, también se defiende el criterio que sigo. ECHEVARRÍA DE RADA apoya mi tesis al afirmar que "se considera conveniente que el notario haga constar en el testamento que se ha cerciorado del pleno discernimiento del otorgante en forma personal y singularizada, porque en nada perjudica a la intimidad del sujeto (...). No deja de ser una precaución para el futuro, al reflejarse en la misma escritura la diligencia observada por el notario para asegurarse de esa capacidad. Tampoco se aprecia inconveniente alguno en que en caso de que sean precisos apoyos externos (...) para la expresión de la voluntad, estos consten en el testamento, sin que ello suponga discriminación de la persona con discapacidad, sino, todo lo contrario, un testamento 'a medida' por razón de sus circunstancias". *Vid.* ECHEVARRÍA DE RADA, María Teresa, "La capacidad testamentaria de la persona con discapacidad a la luz de la

Aunque en fase de proyecto, en Cuba el nuevo Código de las familias, pendiente de aprobación definitiva por el Parlamento y del referéndum popular[43], en sus disposiciones finales pretende introducir una importante reforma al Código civil de 1987, sin dudas la de mayor trascendencia en la historia de este cuerpo normativo. Dicha reforma, entre otros propósitos, si bien no es el único, busca adaptar el Derecho interno cubano a la CDPD, de ahí el importante giro que se da en materia de ejercicio de la capacidad jurídica y la incidencia que ello tiene en los distintos libros del Código civil, incluido por supuesto el IV, relativo al Derecho de sucesiones. En él –siguiendo el hilo discursivo de la reforma peruana– también se admite la posibilidad del otorgamiento del testamento ante notario con la asistencia de apoyos. El legislador al reformar el artículo 484.2 del vigente Código civil propone que el testador en situación de discapacidad, de requerirlo para manifestar la voluntad se haga valer de apoyos. Ciertamente, la norma se refiere a la manifestación de voluntad, pero nada priva que esta manifestación de voluntad haya sido formada con la asistencia de tales apoyos, lo que en todo caso será controlado por el notario autorizante, quien deberá velar porque la voluntad testamentaria manifestada por la persona con discapacidad sea enteramente libre y se corresponda con su voluntad interna, sin que ello atente contra el personalismo testamentario, pues la voluntad formada y exteriorizada corresponderá al testador, con independencia de las personas que le auxiliaron, asistieron o informaron durante todo el *íter* de formación y externalización de la voluntad testamentaria. Los apoyos, se limitan a ello, no complementan ni suplen la voluntad del otorgante.

La norma proyectada echa manos también de los ajustes razonables[44] que en la materia que nos atañe pudiera ser *v.gr.*, admitir el otorgamiento del testamento notarial de una persona en situación de discapacidad adaptando a la situación particular el principio de unidad de acto formal, o con cualquier otra adaptación de las formas testamentarias habilitantes que faciliten el otorgamiento.

2. EL NOTARIO EN LA AUTORIZACIÓN DEL TESTAMENTO. ¿UN APOYO INSTITUCIONAL O UNA SALVAGUARDIA?

En el ámbito testamentario, no cabe dudas que el testamento abierto o notarial, al ser el de mayores garantías para el testador, resulta el más utilizado. En tal sentido, el notario ante el cual se otorgue un testamento con apoyos, será sin duda alguna la mejor salvaguardia posible. Su función no solo será de informar, asesorar, esculpir a

---

Ley 8/2021, de 2 de junio", en *El ejercicio de la capacidad jurídica por las personas con discapacidad tras la Ley 8/2021, de 2 de junio*, Montserrat Pereña Vicente y María del Mar Heras Hernández (directoras), María Núñez Núñez (coordinadora), tirant lo blanch, Valencia 2022, pp. 521-554.

43. Se trata de una de las normas jurídicas que más interés ha concitado en el país, por reformar las bases del Derecho familiar y dar un giro copernicano, al refrendar instituciones jurídicas hasta ahora no previstas, con especial énfasis en lo que concierne a este estudio en las personas en situaciones de discapacidad. El Proyecto contiene en cada institución del Derecho familiar reglas especiales tuitivas en este orden.

44. Definidos según el artículo 2 de la CDPD como "*las modifica-ciones y adaptaciones necesarias y adecua-das que no impongan una carga despro-porcionada o indebida, cuando se requieran en un caso particular, para garantizar a las personas con discapacidad el goce o ejercicio, en igualdad de condiciones con las demás, de todos los derechos humanos y libertades fundamentales*".

través de la mayéutica socrática la voluntad testamentaria sino también la de controlar que la indebida influencia del o de los apoyos sobre el testador, y no solo de los apoyos. El notario debe velar porque la manifestación de voluntad testamentaria se externalice libre de todo vicio. El testamento debe expresar la libre voluntad del testador.

"La intervención del notario es garantía para todas las personas del pleno respeto de su libertad y autonomía, en el campo de las relaciones jurídico privadas, evitando con su actuación influencias indebidas en la formación de la voluntad negocial"[45], es "medio idóneo para garantizar y hacer efectivos los derechos de las personas necesitadas de especial protección, a fin de que puedan ejercitar con garantías su autonomía e independencia individual, incluida la libertad de tomar sus propias decisiones"[46].

Como ya en otra ocasión he expresado "Precisamente la fe pública de la que están dotados los documentos en razón de su autor hace que el acto o negocio jurídico instrumentado tenga autenticidad formal y material, es un acto perfecto en un documento, igualmente perfecto. El notario crea un documento dotado de blindaje, solo destruible por razón de una falsedad declarada judicialmente. Esa fe pública impuesta por ley, es verdad oficial, en el sentido de que no se llega a ella por un proceso de convicción, de libre albedrío, sino por razón de un imperativo jurídico que compele a tener por ciertos e indubitados ciertos hechos o actos, sin que la sociedad pueda dubitar sobre la verdad objetiva ínsita en ellos"[47].El Derecho busca la garantía debida con la actuación notarial, nadie mejor que el notario para cumplir con el mandato de la Convención (artículo 12.4) en el sentido de *"impedir los abusos de conformidad con el derecho internacional de los derechos humanos"*. Por esa razón como expresa RODRÍGUEZ ADRADOS "Ni el legislador cuando ordena o fomenta la documentación notarial, ni los particulares cuando espontáneamente acuden al Notario, van buscando solamente un documento perfecto formalmente, sin importarles la eficacia o ineficacia, las virtudes o los vicios o defectos del negocio contenido en él (...) y esto es lo que el Notario y el documento notarial han de procurar darles; no sólo el *nomen verum* de la certeza formal, sino el *nomen bonum* de su contenido (...) Sólo así el Notario (...) podrá controlar en profundidad, desde dentro, la legalidad del negocio, en un sentido positivo, ser verdaderamente, como dicen los alemanes, *Rechtswahrer,* guardián del Derecho; y sólo así se conseguirá, incluso, que la misma fe pública no se convierta en mera caricatura, al acuñar una voluntad de las partes que sin duda 'es' su voluntad, pero que no 'sería' tal voluntad de haber estado debidamente informadas y asesoradas"[48], lo cual en sede de personas con discapacidad toma particular relieve.

De este modo en el testamento abierto o notarial, es el notario la mejor salvaguardia. Y ello no quiere decir, como se dice incluso en la *Guía notarial...*, que el notario no sea un apoyo institucional. Lo es, el concepto de apoyos es muy amplio. Y el

45. CAVALLÉ CRUZ, Alfonso, *El notario como garante de los derechos de las personas,* Jurista editores, Lima, 2012, p. 416.
46. *Ibidem,* p. 417.
47. PÉREZ GALLARDO, Leonardo B., "El notario: función de autoridad pública", en *Ensayos de Derecho Notarial,* Gaceta Notarial, Lima, 2011, p. 421.
48. RODRÍGUEZ ADRADOS, Antonio, "El notario: función privada y función pública. Su inescindibilidad", en *Revista de Derecho Notarial,* Colegios Notariales de España, año XVII, No. CVII, enero-marzo, 1980, pp. (pp. 255-409), pp. 272-273.

notario brinda una labor de asesoramiento, información e incluso puede contribuir a la formación de la voluntad testamentaria, alejando al testador de abusos o influencias indebidas. Pero, si el testador concurre ante él con apoyos extrajudiciales o incluso judicialmente dispuestos, el notario, más que como apoyo actúa como contralor o salvaguardia[49]. Es una garantía que ofrece el Estado para que la persona en situación de discapacidad pueda ejercer sus derechos y expresar su voluntad fundado conforme con sus preferencias y libre de cualquier influencia externa, incluida la que pudiera ejercer el propio apoyo. O sea, "la obligación general de salvaguardar el buen funcionamiento del sistema de apoyos –la inexistencia de abusos, y de influencia indebida, el respeto a la voluntad y preferencias de la persona apoyada– no sólo recae en los jueces y en el Ministerio Fiscal, sino también en diferentes autoridades, funcionarios u operadores –Notarios, Registradores (…)"[50]. La propia *Guía notarial...* reconoce también que actúa como salvaguardias en un doble sentido "*positivo, para respetar los derechos, voluntad y preferencias, y en un sentido negativo, para impedir abuso e influencia indebida*". Y entre sus recomendaciones establece que compete al notario –a mi juicio, como salvaguardia, más que como apoyo–, la "*comprobación de que el apoyo no es sustitutivo, ya sea porque fuerce o retuerza la voluntad de la persona con discapacidad, bien porque no intente ayudar a formar y expresar esa voluntad, y se convierta en una expresión unilateral de la persona que presta apoyo, ante una actitud ausente y desentendida por parte de la que tiene discapacidad*", el"*(c)ontrol (…) de que el apoyo sea aceptable y suficiente para que la persona con discapacidad se forme su propio consentimiento*" "*calificar el resultado final de la actuación con apoyos; en caso de juicio negativo puede y debe denegar su autorización si considera que no concurre una voluntad coherente, libre, consciente e informada*".

Extremos todos –los apuntados anteriormente– que en perfecta sintonía son aplicables en sede testamentaria. Y que con especial énfasis también explica ALFARO

---

49. Y ello no quiere decir –como algunos autores sostienen– que el notario sea el apoyo idóneo –a lo cual añadiría único– para que una persona con discapacidad intelectual pueda otorgar testamento. Supuesto en el cual, tendría el testador que carecer de apoyos, o despojarse de los apoyos que tiene, para otorgar el testamento, exclusivamente con el asesoramiento del notario como apoyo institucional. Todo ello sobre la base de una pretensa conculcación del personalismo testamentario, tesis que he ido refutando en este trabajo. Así, para CAROL ROSÉS "(e)l Notario es el apoyo ideal –por su preparación y prestigio (…)– para las personas discapacitadas y vulnerables (…) en el ejercicio de su capacidad jurídica, tal y como exige el artículo 12.3 de la Convención (…)". *Vid.* CAROL ROSÉS, Fernando, "Una revisión desde la doctrina y la jurisprudencia de la testamentifacción de las personas con la capacidad judicialmente modificada y con discapacidad", *Revista Crítica de Derecho Inmobiliario*, No. 764 (pp. 3242-3265), p. 3249.

Expresa DE AMUNÁTEGUI RODRÍGUEZ, quien no acepta –tal y como ha quedado expuesto precedentemente– el otorgamiento de testamento con apoyos, que no le "cabe duda alguna en que la posi-bilidad de facilitar el otorgamiento de tes-tamento al mayor número de personas con discapacidad tan solo podría entenderse a través de la colaboración notarial, mediante una labor de información (…), asesoramiento, evitación de influencias y constancia del deseo de testar, lo que solo posibilitaría re-currir al abierto". *Vid.* AMUNATEGUI RODRÍGUEZ, Cristina de, "Derecho de sucesiones y discapacidad. Retos y cuestiones problemáticas", en Cristina de Amunátegui Rodríguez y María Martínez Martínez, *Derecho de sucesiones y discapacidad. Retos y cuestiones problemáticas*, Fundación Coloquio Jurídico Europeo, Madrid, 2020 (pp. 11-105), p. 61.

50. CUENCA GÓMEZ, Patricia, "El sistema de apoyo en la toma de decisiones desde la Convención Internacional sobre los Derechos de las Personas con Discapacidad: principios generales, aspectos centrales e implementación en la legislación española", *REDUR* 10, diciembre 2012 (pp. 61-94), p. 81.

GUILLÉN –si bien en materia de testamento del anciano– al apuntar que compete al notario la "(v)igilancia de la supremacía de la autonomía de la voluntad: descartar las influencias captatorias por la proclividad a vicios en la manifestación de voluntad (…), mediante algunas alternativas de comprobación:

a) la indagación profunda del notario para evitar discordancias inconscientes entre lo que dispone el compareciente y su querer interno, con especial atención en las motivaciones del autor del acto.

b) preguntas de confirmación.

c) énfasis en los efectos del clausulado como parte de la función asesora"[51].

Todo ello sí, pero sobre la base de ser el principal guardián de la libertad y legalidad del acto testamentario, en tanto "(s)u formación profesional le permite además, verificar la única pauta que modula la actuación de la persona con discapacidad: la comprobación de su autonomía personal y la utilización precisa de los apoyos que sean menester"[52].

3. FORMAS TESTAMENTARIAS Y DISCAPACIDAD

Hoy día la diversidad de apoyos ha de ser un elemento que caracteriza a este sistema que favorece el ejercicio de la capacidad jurídica de las personas en situación de discapacidad. Como ha dicho el Comité de derechos de las personas con discapacidad en su Observación general No. 1 *"El apoyo también puede consistir en la elaboración y el reconocimiento de métodos de comunicación distintos y no convencionales, especialmente para quienes utilizan formas de comunicación no verbales para expresar su voluntad y sus preferencias"*. Nada priva que una persona con discapacidad pueda utilizar –según dispone el artículo 2 de la CDPD– cualquier medio de comunicación, lo que ha de entenderse que *"incluirá los lenguajes, la visualización de textos, el Braille, la comunicación táctil, los macrotipos, los dispositivos multimedia de fácil acceso, así como el lenguaje escrito, los sistemas auditivos, el lenguaje sencillo, los medios de voz digitalizada y otros modos, medios y formatos aumentativos o alternativos de comunicación, incluida la tecnología de la información y las comunicaciones de fácil acceso;*

"Por 'lenguaje' se entenderá tanto el lenguaje oral como la lengua de señas y otras formas de comunicación no verbal;". Se pretende así potenciar la comunicación de este sector poblacional como parte de la sociedad, propiciándose y fortaleciéndose una nueva dimensión del concepto tradicional del lenguaje. Se trata también de potenciar los apoyos tecnológicos que pueden ser de suma ayuda o auxilio para la exteriorización de la voluntad de las personas en situación de discapacidad no solo sensorial sino también intelectual.

Hay que entender entonces el braille, o los medios y formatos aumentativos o alternativos, o el lenguaje de señas, como otros idiomas, como otra manera, distinta de comunicar pensamientos, ideas, sentimientos y de exteriorizar voluntades, pero no

---

51.   ALFARO GUILLÉN, Y., "El otorgamiento de testamento…"., *cit.*, pp. 1419-1420.
52.   *Ibidem*, p. 1422.

menos eficaz desde el ámbito jurídico. El lenguaje que importa para el Derecho por ser la manera de expresar o exteriorizar una voluntad y con ello, de concertar actos y negocios jurídicos, hoy hay que entenderlo con este enfoque inclusivo. Tan válido puede ser un acto jurídico que se concierta en un país hispanohablante en idioma inglés, como por ejemplo, un contrato o un testamento ológrafo, como aquel que se exterioriza a través del lenguaje de señas, o por medio del braille, siempre que se pueda identificar plenamente al autor de esa voluntad exteriorizada a través de las señas o del conjunto de signos lingüísticos expresados a través de los puntos a relieve, en el caso del braille, por los invidentes y que dicha voluntad haya sido expresada sin coacción o vicio alguno.

De ahí que códigos civiles como el peruano, hayan incorporado en la reforma de 2018, contenida en el Decreto Legislativo 1384, en el artículo 141, un concepto amplio y abarcador de lo que se entiende por manifestación expresa de voluntad, a saber: aquella que se realiza *"en forma oral, escrita, a través de cualquier medio directo, manual, mecánico, digital, electrónico, mediante la lengua de señas o algún medio alternativo de comunicación, incluyendo el uso de ajustes razonables o de los apoyos requeridos por la persona"*, la que se ha tenido como referente en la reforma al artículo 50 del Código civil cubano. Fórmula con la que se pretende romper las barreras que tradicionalmente se han erigidos para impedir que personas con discapacidad visual o con discapacidades intelectuales puedan externalizar su voluntad, al insertar la posibilidad de utilización o empleos de dispositivos tecnológicos, aptos para facilitar la manifestación de voluntad de una persona.

Es dable apuntar que Perú a partir de 2012 se convirtió en el único país del continente que admitió el otorgamiento de testamentos ológrafo y cerrado en braille, por citar un ejemplo. Las personas invidentes a lo largo de la historia les ha sido cercenada la posibilidad de otorgar cualquier otro testamento distinto al notarial[53]. Pero también los aditamentos electrónicos pueden ser un herramienta útil para el otorgamiento incluso de un testamento ológrafo[54], de ahí la importancia de la fórmula que se ha

---

53. La Ley 29973 de 13 de diciembre de 2012, Ley general de la persona con discapacidad, de Perú, fue paso de avance muy significativo, al modificar en su momento los preceptos del Código civil, relativos a las formalidades del testamento cerrado y del ológrafo y permitir la posibilidad de que las personas con discapacidades visuales pudieran otorgar estos tipos testamentarios empleando el sistema de lectoescritura braille u otros medios o formatos alternativos de comunicación. De modo que, con esta modificación operada en el Código civil, Perú se convirtió en esa fecha en el único país iberoamericano que permitía en su regulación de Derecho civil la posibilidad de que las personas ciegas pudieran emplear, para disponer por causa de muerte, de tipos testamentarios dotados de más privacidad, hasta este momento inaccesibles para ellas en el resto de los ordenamientos jurídicos de nuestro entorno. Sobre el tema *vid.*, PÉREZ GALLARDO, Leonardo B., "Testamentos ológrafo y cerrado en braille en el Derecho peruano: Luces en el horizonte de las personas con discapacidad visual" en *Revista Gaceta Civil y procesal civil, registral y notarial*, Lima, tomo 37, julio 2016, pp. 241-267.
54. A modo de ejemplo, tómese en consideración el caso fallado por un tribunal italiano (Tribunal de Varese, decreto de 12 marzo de 2012, juez tutelar: G. Buffone) respecto de una persona que tenía diagnosticada una esclerosis lateral amiotrófica desde el 2005, a quien el 17 de enero de 2012, a través del Decreto No. 332/2012, se le estableció una administración de apoyo, según el Derecho italiano, designándose a tal efecto a su hermana, quien por tal razón le ayudaría en actividades administrativas y de gestión. En el año 2012, dicha persona se encontraba sujeta a respiración mecánica mediante traqueotomía y a nutrición enteral. No obstante, las investigaciones

empleado en estas reformas legales refereciadas que dan cobertura jurídica desde el Derecho de sucesiones a las personas en situación de discapacidad.

Aunque la fórmula que se propone en el artículo 50 del Código civil cubano, inspirada en la reforma al Código civil peruano, contenida en el Decreto Legislativo 1384, no supone explícitamente la utilización de medios mecánicos o digitales para la redacción del testamento ológrafo, al estar contenido dicho precepto en el Libro I del Código con alcance general para todos los negocios y actos jurídicos civiles, pudiera representar un fuerte argumento para defender, tras la aprobación de dicha reforma, la validez del otorgamiento de un testamento ológrafo en Braille o incluso en soporte digital. Máxime si el otorgante es una persona en situación de discapacidad, amparado en el artículo 89 de la Constitución de la República de 2019 que es el paragua protector de los derechos de las personas en situación de discapacidad y en la aplicación de la CDPD, amén de lo previsto en el artículo 8 de la Carta Magna según el cual *"Lo prescrito en los tratados internacionales en vigor para la República de Cuba forma parte o se integra, según corresponda, al ordenamiento jurídico nacional"*. No se olvide que de aplicarse directamente la CDPD habría que invocar su artículo 2, al cual ya se ha hecho referencia, que entre otros términos define de forma lata e innovadora qué incluye la comunicación y qué ha de entenderse por lenguaje.

4. LEGÍTIMAS Y DISCAPACIDAD: ¿HA DE SUSTENTARSE LA PROTECCIÓN LEGITIMARIA EN UNA SITUACIÓN DE DISCAPACIDAD O EN UNA DE VULNERABILIDAD ECONÓMICA?

Como ya se ha insistido, el Derecho de sucesiones no solo se enfoca en las situaciones jurídicas patrimoniales, sino también en las de naturaleza existencial. La tradicional rigidez estructural de esta materia del Derecho no debe conllevar inexorablemente a igual rigidez funcional. Como se defiende desde la doctrina brasilera, "(s)e parte de la hipótesis de que el Derecho sucesorio no debe promover la transmisión de la herencia, indiferentemente, a personas aptas que le garanticen económicamente una vida digna, cuando hay personas vulnerables económicamente, o sea, personas con

---

médicas arrojaron que dicha persona estaba perfectamente alerta, consciente y bien orientada. Sin embargo, presentaba tetraparesia grave, razón por la cual no podía usar sus extremidades. El 16 de febrero de 2011 es escuchado por el juez en su casa, lugar en el que se comprobó tenía un comunicador ocular que le permitía expresarse. En la ocasión declaró estar al tanto del procedimiento de apoyo que se estaba sustanciando y solicitó designar a su hermana como administradora, lo cual hace colegir que se trataba de una persona perfectamente capaz de comprender y querer y, gracias al apoyo de las nuevas tecnologías, también podía expresar su voluntad y comunicarla a terceros sin ningún problema. Por razón de su imposibilidad física, se veía impedido de otorgar testamento, por lo tanto, solicita que el beneficiario de sostén, en sustitución de él, pueda firmar su última voluntad a través del comunicador ocular, pero estando en sus deseos nombrar entre los herederos a su propia hermana, administradora de sostén, también propuso al juez evaluar la posible designación de un curador especial a tal fin. Petición a la que accede el Tribunal. Para un análisis más pormenorizado de este caso, *vid.*, BARBA, Vincenzo, "Testamento olografo scritto di mano dal curatore del beneficiario di amministrazione di sostegno", *Famiglia, Persone e Successioni,* No. 6, giugno 2012, pp. 436-447 y también PÉREZ GALLARDO, Leonardo B., "El testamento otorgado con apoyos por personas con discapacidad: ¿una quimera?" en *Revista Crítica de Derecho Inmobiliario,* Madrid, No. 782, año XCVI, noviembre – diciembre de 2020, pp. 3625-3671.

dependencia económica del *de cuius*, o que, dentro de los herederos legítimos, no puedan poseer su propio sustento"[55]. La legítima tiene que incardinar su cometido hacia fines de naturaleza social. La función social de la sucesión por causa de muerte no debe limitarse al pago de impuestos por concepto de transmisión de herencias y legados, y a la participación del Estado como heredero *ab intestato*. Con independencia del Derecho previsional, de la asistencia y seguridad social, el Derecho de sucesiones, como prolongación del Derecho de las familias, debe establecer mecanismos que permitan asistir a personas en situación de vulnerabilidad económica.

Desde un enfoque de derechos humanos ha de partirse de la necesidad de protección de los grupos en situación de vulnerabilidad, protección que el Derecho de sucesiones perfila desde un fin tuitivo patrimonial. La vulnerabilidad es un concepto que ha atravesado el umbral del Derecho público para insertarse también en los distintos subsectores del Derecho privado. La vulnerabilidad ha pasado a ser vista como una condición humana que puede ser violada en el contacto entre personas; de ahí que se ha abandonado la antigua visión limitada de la vulnerabilidad como adjetivo para asumir un sentido sustantivo, constitutiva de la persona. El Derecho de sucesiones debe prever las herramientas útiles para combatir la situación en la que pueden sumergirse ciertas personas que forman parte del círculo familiar del causante, cuya muerte puede agravar su situación de vulnerabilidad patrimonial, ya sea por su edad, por motivo de discapacidad inhabilitante o por otras razones que le enerven su aptitud para autofinanciarse. Por eso es que las normas jurídicas se deben alinear en la búsqueda de alternativas o paliativos que hagan dúctil la vida de dichas personas, sin que ello suponga tampoco cercenar a ultranza la libertad dispositiva de la persona, o limitar el ejercicio del libre desarrollo de la personalidad.

Si bien las personas en situación de discapacidad pueden devenir personas con vulnerabilidad económica, ambas categorías interactúan como círculos concéntricos. La vulnerabilidad económica es el género. No toda persona en razón de su discapacidad necesita del financiamiento patrimonial de un tercero y en esto radica la vulnerabilidad, no en la escasez de recursos económicos del pretenso beneficiario por sí sola, sino la especial situación en que se encuentra la persona que le imposibilita obtenerlos, procurarlos *per se*. En la propia medida en que las personas en situación de discapacidad se integran social y económicamente, en ese mismo sentido su situación patrimonial le permitirá atender sus más apremiantes necesidades. Proteger a las personas en situación de discapacidad por la sola razón de la discapacidad es tan discriminatorio como abstenerse de hacerlo.

Ciertamente, tras la entrada en vigor de la CDPD, las miradas hacia dichas personas han sido mucho más intensas. El enfoque de la discapacidad se hace desde los derechos humanos, con una proyección social hasta entonces no vista. El reconocimiento convencional del derecho de las personas en situación de discapacidad a heredar bienes (artículo 12.5) viene de la mano de la necesidad de reforzar la tutela en el orden sucesorio de este sector de la población, "de tal manera que asegure la superación de

---

55. CARDOSO BRASILEIRO BORGES, Roxana y Renata MARQUES LIMA DANTAS, "Direito das sucessões e a proteção dos vulneráveis econômicos", *Revista Brasileira de Direito Civil*, vol. 11, Belo Horizonte, jan./mar. 2017 (pp. 73-91), p. 74.

los riesgos que emanan del estado de discapacidad de las personas, ante la muerte de quien proveía a sus necesidades"[56]. Y es que la legítima se convierte en institución jurídica idónea para canalizar tal protección, eso sí una legítima –como apunta CAPPARELLI– tuitiva, en función de la necesidad[57]. Si la legítima se erige en un límite, obstáculo o restricción de la libertad de testar de las personas, en pos de proteger a los más propincuos parientes y al cónyuge o al compañero de hecho afectivo, nada más justo, racional y noble que la limitación hoy en día tenga una efectiva función social, como lo es darle un carácter asistencial o protector; la *pietas familiæ* se erige como un resorte, a nivel de principio, que hoy hace más razonable y proporcional la limitación a la libertad de testar de las personas, con un sentido más humano y a la vez social. No se trata de limitar, sin más, la libertad dispositiva por causa de muerte, sino que los derroteros de esta tengan una razón que justifique el propio sentido de la restricción, expresada a través de normas de *ius cogens*. Como afirma el profesor CÓRDOBA: "Reconociendo naturaleza asistencial a la institución sucesoria, que se identifica con otras con las que se relaciona por su incumbencia en las vinculaciones familiares y las del grupo con el Estado, tal el caso de los derechos y deberes alimentarios, es que resulta conveniente y por tanto útil atender el reclamo vigente que sostiene la necesidad de crear normas jurídicas exigibles que atiendan a los discapacitados (*sic*) y las instituciones de protección de los mismos en todos los ámbitos y, va de suyo, también en el sucesorio, ya que han estado en gran parte olvidados"[58]. Claro está –y en ello disiento de la posición tomada por el legislador argentino–, siempre que la discapacidad esté asociada con una situación de vulnerabilidad patrimonial de la persona. Es la vulnerabilidad resultado de esa discapacidad; no siempre ambas situaciones vienen de la mano.

Tomar como referentes en el horizonte jurídico una perspectiva u otra pudiera desnaturalizar la finalidad asistencial de la legítima, esto es, si su propósito es asistir a los familiares del causante en situación de vulnerabilidad, o solo por motivo de discapacidad, cualquiera que sea la naturaleza y entidad de esta, se convierta o no en un hándicap para la persona, su inserción en el mercado laboral y con ello la posibilidad o no de satisfacer *per se* las necesidades de contenido patrimonial.

Resulta oportuno –desde una visión comparada en el Derecho latinoamericano– al menos de modo sintético, ofrecer un parangón entre estas dos alternativas sucesorias, que no se afilian a la *family provision* anglosajona, y que a su vez constituyen variantes de los modelos clásicos de legítimas. Para el legislador cubano del Código civil de

---

56. ORLANDI, Olga, "Vulnerabilidad y Derecho sucesorio. La mejora al ascendiente y descendiente con discapacidad", disponible en http://www.google.es/url?url=http://aulavirtual.derecho.proed. unc.edu.ar/pluginfile.php/56950/mod_folder/content/0/13.%2520LEGITIMA%2520/ D%25202013-%2520Vulnerabilidad%2520y%2520derecho%2520sucesorio%2520%2520- ORLANDI.pdf%3Fforcedownload%3D1&rct=j&frm=1&q=&esrc=s&sa=U&ei=aXVkVYDZIsfIs ATChIOoDg&ved=0CBkQFjAB&sig2=_VKtsZglEd18NFtM52_l4Q&usg=AFQjCNHYpuMo7- 8o27hNAVecwKrM4dE8Yw, consultado el 26 de mayo de 2015.
57. CAPPARELLI, Julio César, "Colación y legítima en el proyecto de nuevo Código Civil y Comercial", MJ-DOC-5983-AR | MJD5983, 27 de diciembre de 2012, disponible en http://aldiaargentina. microjuris.com/2012/09/27/colacion-y-legitima-en-el-proyecto-de-nuevo-codigo-civil-y-comercial/, consultado el 26 de mayo de 2015.
58. CÓRDOBA, Marcos, "Utilidad social de la sucesión –asistencia– mejora específica", en Leonardo B. Pérez Gallardo (coordinador), *El Derecho de sucesiones en Iberoamérica. Tensiones y retos*, Temis, Ubijus, Reus, Zavalia, Bogotá, México D.F., Madrid, Buenos Aires, 2010, p. 156.

1987 siempre estuvo clara la permanencia de unos herederos forzosos, con una nueva visión, con un estilo distinto[59], tomado de modelos de Europa del Este[60], pero que en esencia respondía a un límite a la libertad de testar, si bien por excepción, pero límite al fin. Nunca se pensó en suprimir esta cortapisa a la libertad de testar. Se pasó de la regulación de unos herederos apegados en su *nomen* y en su contenido a los previstos por el legislador español, a otros en los que mutaba su esencia más asistencial que parental, constituyendo ambos, igual freno a la libertad testamentaria, pero se buscaba en este nuevo ensayo normativo la protección de ciertos parientes o del cónyuge, en razón de requerimientos a modo de *conditio iuris* que se iban agregando.

El Código civil de 1987 se caracterizó por el laconismo exacerbado de sus preceptos, el empleo de conceptos válvulas destinados a ser aplicados por jueces con una fértil "imaginación", a partir del empleo de los distintos métodos hermenéuticos, con los cuales develar el secreto de esos trazos de pintura abstracta de finales del siglo XX, cuya interpretación depende del perfil desde el cual se le mire. El legislador no completó la obra, la dejó en manos de los jueces y de los demás aplicadores del Derecho,

---

59. Marcado esencialmente por la función social que tiene la legítima, catalogada como asistencial, precisamente en razón de la protección que despliega hacia un cierto sector de la población, en esencia personas con vulnerabilidad económica.

60. Como exponen CZACHORSKI, Witold y Andrezj STELMACHOWSKI, "Evolución del Derecho Civil en los países socialistas", disponible en http://biblio.juridicas.unam.mx/libros/2/889/3. pdf, consultado el 2 de agosto de 2012, pp. 57 y 58, en Rusia y la ex Checoslovaquia eran llamadas a la sucesión del *de cuius* las personas que hubieran estado en dependencia económica con este por lo menos un año antes de su muerte.
  El actual Código civil ruso mantiene esta dirección. En efecto, el artículo 1148 regula la sucesión por personas con discapacidad, dependientes del testador.
  A su tenor: *"1. Los ciudadanos que se encuentran comprendidos entre los herederos legales, especificados en los artículos 1143-1145 del presente Código que se encuentran discapacitados en la fecha de apertura de la sucesión, pero que no están incluidos en la categoría de herederos llamados a la herencia, deben heredar, por ministerio de la ley, de conjunto y a partes iguales con los herederos de esa categoría, si eran dependientes del testador, al menos un año antes de su muerte, sin importar si residían o no con el testador.*
  "2. Los herederos legales no deben ser incluidos en el círculo de herederos especificados en los artículos 1142-1145 del Código, salvo que fueren discapacitados en el momento de apertura de la sucesión, y que fueren dependientes del testador al menos por un año antes de su muerte, habiendo residido con él. Si existen otros herederos legales deben heredar a partes iguales con los herederos de la categoría llamada a la herencia.
  "3. Si no hay otros herederos legales, los discapacitados dependientes del testador deben heredar por derecho propio como herederos de la octava categoría".
  Esta modalidad de legítima está regulada también hoy en los Códigos civiles de Estonia, Lituania, Eslovenia y Polonia.
  Según expresa VAQUER ALOY, Antoni, "Reflexiones sobre una eventual reforma a la legítima", *InDret*, 3/2007, disponible en http://www.indret.com/pdf/457_es.pdf, consultada el 6 de agosto de 2012, en Estonia se prevé que *"si el causante en testamento o contrato sucesorio ha desheredado a un ascendiente, descendiente o a su cónyuge llamado a suceder abintestato que está incapacitado para el trabajo, o ha reducido su cuota hereditaria en comparación con la cuota que le correspondería abintestato, esos parientes y el cónyuge tienen derecho a suceder en la legítima"* (§ 104 de la Ley de Derecho de Sucesiones). En tanto, en Lituania los hijos, parientes y el cónyuge del causante tienen derecho a la legítima siempre que *"necesiten ser mantenidos"* en el momento del fallecimiento del causante, siendo la cuantía de la legítima la mitad de la cuota intestada. En Eslovenia, los abuelos y hermanos del causante solo adquieren derecho a la legítima si son incapaces para el trabajo y carecen de medios económicos para satisfacer sus necesidades. Expresa el citado autor que en el 2001 "la Ley de Sucesiones eslovena fue modificada, estableciéndose que el cónyuge o los herederos privados de medios económicos suficientes para la vida pueden solicitar del juez un incremento de sus cuotas a costa de los restantes herederos". También en Polonia la cuantía de la legítima se incrementa hasta los dos tercios de la herencia si los legitimarios son menores de edad o incapaces para el trabajo.

en la que la doctrina científica ha desempeñado un rol significativo, tenida en cuenta incluso por el juzgador en algunas de sus sentencias relativas precisamente a este tema en las que se apoya en su argumentación jurídica[61].

Cabe entonces sustentar que los denominados "herederos" especialmente protegidos nacen a la palestra legal, como sustitutivos de los "herederos" forzosos reconocidos en el artículo 807 del Código civil español, a la postre, abrogado para el Derecho cubano. Tienden a proteger a personas con dependencia económica, en situación de vulnerabilidad económica, entre las cuales pudieran situarse aquellas personas que en razón de su discapacidad han devenido en dicha situación, dentro de un círculo parental y conyugal que no se distancia en nada del enunciado en el mencionado artículo 807, pero al introducir el legislador cubano los dos requerimientos a modo de *conditio iuris*, que más de una vez ha provocado un verdadero quebradero de cabeza, a saber: la dependencia económica del causante y la falta de aptitud para trabajar, deja en manos de los operadores del Derecho su exégesis (esencialmente de los jueces), quienes tienen que seguir completando trazos, para culminar la obra inconclusa del legislador. De esta manera la figura de los "herederos" especialmente protegidos no es únicamente de contornos o perfiles legales, sino también de constitución jurisprudencial, con el sentido que suele darle la academia cubana a este término, que no supone *recta vía* lo que en esencia es la jurisprudencia[62]. No se es especialmente protegido solo por determinación legal, sino esencialmente por determinación judicial e incluso notarial. Las bases de esta determinación las da la ley, pero su contenido se colma por la labor de los intérpretes. Los requerimientos de la figura, a modo de *conditio iuris*, han sido perfilados por los jueces desde la vigencia del Código civil, con el aditamento, nada pueril, de la doctrina científica, nacida en esencia desde la cátedra universitaria, que ha puesto lienzo y pincel en una obra pictórica de hondo calado humano.

Algo diferente, pero con matiz también asistencial sin pasar a un régimen de alimentos *post mortem*, ha acontecido en el Código civil y comercial de Argentina. En efecto, de la mano del insigne jurista y maestro del Derecho del país suramericano, el profesor Marcos M. CÓRDOBA, se introduce la mejora estricta a favor del heredero con discapacidad. Sin dudas, el ínclito profesor ha abrevado en las fuentes del Derecho español y del Derecho cubano –como, muy bien por cierto, refleja OLMO en un libro monográfico sobre el tema, al escudriñar en los antecedentes de esta figura jurídica[63]–. Del Código civil español rescata la figura de la mejora, fórmula transaccional entre la legítima hispánica en sentido estricto y la parte de libre disposición, a cuyo tenor el

---

61. *Vid.*, entre otras, en la interpretación del artículo 493 del Código civil, Sentencia No. 75 de 31 de marzo de 2009, segundo Considerando, Sala de lo Civil y de lo Administrativo del Tribunal Supremo (ponente: Díaz Tenreiro) y en sede de preterición (artículo 495 del Código civil); la Sentencia No. 317 de 12 de mayo del 2005, primer Considerando, Sala de lo Civil y de lo Administrativo, Tribunal Supremo (ponente: González García); Sentencia No. 828 de 23 de noviembre del 2004, único Considerando; y Sentencia No. 768 de 30 de noviembre del 2005, único Considerando, ambas de la Sala de lo Civil y de lo Administrativo, Tribunal Supremo (ponente: Díaz Tenreiro). Fuente: Legajos de sentencias de la Sala de lo civil y de lo administrativo del Tribunal Supremo.

62. *Rectius*, interpretación jurisprudencial.

63. OLMO, Juan Pablo, *Herederos con discapacidad. Teoría y práctica de la mejora estricta*, Astrea, Buenos Aires 2019, pp. 36-40.

testador puede beneficiar entre los descendientes (no necesariamente hijos), a aquel de los cuales podría atribuirle un tercio de los dos que la ley le obliga reservarles (o sea, extraer de la legítima amplia, que entre los descendientes es de dos tercios, uno de esos tercios para "mejorar" la participación de uno de ellos). Es decir, la mejora, si bien forma parte de la legítima en el Derecho español, comparte con la libre disposición el que su destinatario o beneficiario sea la persona escogida por el testador a su libre voluntad, con la diferencia que, para ser mejorado, necesariamente ha de ostentarse la condición de descendiente del testador, a diferencia del destinatario de la parte de libre disposición que lo puede ser cualquiera. Por otra parte, se toma del Derecho cubano –que a su vez abrevó en el Derecho ruso– el sentido asistencial o protector de la legítima, con las diferencias que el propio autor se encarga de reflejar en su obra. No obstante, tanto la legítima asistencial como la mejora estricta, que también tiene función asistencial, buscan la protección en el orden patrimonial-sucesorio de cierto sector de parientes del causante, ya sea en situación de vulnerabilidad, en el caso de la legítima asistencial cubana, o solo en razón de la discapacidad, como acontece con la mejora estricta del Derecho argentino.

La mejora estricta a favor del heredero con discapacidad obedece –sin temor a equivocarme– a la aplicación de los dictados de la CDPD, que en materia sucesoria tiene su reflejo en el ya citado artículo 12.5. Discapacidad y sucesiones tienen su expresión en el Código civil y comercial de la nación en el artículo 2448, lo que si bien es loable no es suficiente, pues el legislador perdió la oportunidad de construir un Derecho sucesorio conforme con los dictados de la Convención, de manera que en materia sucesoria se lograra la autonomía y el desarrollo de la personalidad de las personas con discapacidad, a tono con el modelo social y de derechos humanos que diseña la Convención, en un modelo de toma de decisiones y no de sustitución de voluntades[64].

La mejora estricta a favor de "herederos" con discapacidad es una medida que constituye un paliativo a la intangibilidad cuantitativa de la legítima, en tanto que su existencia aminora la cuantía que les compete a los legitimarios sin discapacidad. El tercio de mejora estricta se detrae de la legítima, de hecho –y también de Derecho–, la mejora estricta es parte de la legítima. Por mi parte, soy del criterio de que la libre disposición es una parte distinta a la mejora, pues la mejora estricta es un contenido de la legítima, no así la parte de libre disposición; de ahí que la una y la otra puedan tener –a discreción del testador– distintos destinatarios. En buena medida, el destinatario de la mejora estricta es un legitimario con discapacidad, no un heredero con discapacidad, en tanto que esa mejora estricta puede ser atribuida a título de herencia,

---

64. De ahí que se eche de menos en las normas sucesorias argentinas otras posibilidades de actuación de las personas con discapacidad como el testamento en braille para testadores con discapacidad visual, o utilizando *"otros modos, medios y formatos aumentativos o alternativos de comunicación, incluida la tecnología de la información y las comunicaciones de fácil acceso"*, como preconiza el artículo 2 de la mencionada Convención, o la posibilidad de que personas con discapacidad intelectual o psíquica puedan otorgar testamento con apoyos, según el dictado del artículo 12.3 de la propia Convención, u otras normas que tiendan a reforzar la protección de estas personas desde el prisma del Derecho sucesorio, como por ejemplo, el que la mera falta de atención al causante de la sucesión, máxime cuando este haya sido una persona con discapacidad, sea una causa de exclusión para concurrir a la sucesión de aquel, como lamentablemente no se regula de manera explícita entre las causales de la mal llamada "indignidad" sucesoria, enunciadas en el artículo 2281 del Código.

de legado, o a título de donación, o sea, el testador tiene distintas vías para atribuir la mejora estricta, elegidas *ad libitum* según el dictado del propio artículo 2448, cuando deja dicho que el testador puede utilizar a tal fin *"el medio que estime conveniente, incluso mediante un fideicomiso"*.

La mejora estricta ofrece una riqueza de supuestos, en la medida en que el artículo 2448 del Código sea aplicado, a partir de los testamentos otorgados. La figura se ubica entre aquellas que tienen naturaleza asistencial. La facultad de mejorar o no puede ser ejercitada por el testador a su mero arbitrio. Compete al testador la decisión de mejorar o no entre los legitimarios, siempre que al menos uno de ellos sea una persona con discapacidad y, a su vez, ascendiente o descendiente del testador. No sucede así con el cónyuge que fue excluido de tal beneficio sobre la base de otros, también regulados en el Código pero que en nada contravienen la posibilidad de hacerse favorecer con la mejora. Los argumentos hasta ahora esgrimidos no son convincentes. Que el cónyuge pueda ser atributario del derecho real de habitación o beneficiario de la vivienda de uso familiar, condice bien con su situación de persona con discapacidad y el beneficio de la mejora estricta. A fin de cuentas, hoy en día en el patrimonio que se transmite por causa de muerte está la contribución del consorte sobreviviente.

¿En qué consiste la asistencialidad de esta mejora?

La facultad de mejorar de la que se dota al testador *ex* artículo 2448 del Código civil y comercial de la Argentina puede ser concebida como una acción de discriminación positiva. Como dice OLMO, "se procura un beneficio de tinte asistencial"[65]; eso sí, no creo que sea necesariamente a favor de personas en situación de vulnerabilidad económica, en la manera en que se plantea por el artículo que le da vida. Y en esto la mejora estricta, que también tiene naturaleza asistencial, se distingue de la legítima asistencial cubana. En el Derecho argentino la variable empleada es persona con discapacidad; en el Derecho cubano, en cambio, se busca proteger –aunque explícitamente no se regule en el Código Civil (artículos 492 y 493)– a las personas en situación de vulnerabilidad económica. Para el Derecho argentino lo que prima es la condición de ser persona en situación de discapacidad; para el Derecho cubano cobra vida un juicio de razonabilidad, a los fines de precisar si la persona no apta para trabajar y dependiente económicamente del causante merece el beneficio de la especial protección legitimaria y con ello ser destinataria de la legítima asistencial. En el Derecho cubano las personas en situación de discapacidad pueden llegar a ser legitimarios asistenciales, pero el beneficio de la legítima asistencial les alcanza, en tanto personas en situación de vulnerabilidad económica, no en tanto personas en situación de discapacidad. En esto radica precisamente la crítica que puedo hacer al codificador argentino. La posibilidad de mejorar a un legitimario y con ello de reducir la participación del resto de los legitimarios en la legítima no debe radicar en la sola existencia de discapacidad, cualquier sea su naturaleza, en uno de los legitimarios. La sola discapacidad de un legitimario no justifica la facultad de mejorar, sino la vulnerabilidad económica. Sucede con la discapacidad lo que con la senectud. El solo hecho de ser persona adulta mayor no supone situación de vulnerabilidad en el orden económico, como tampoco la senectud es sinónimo de discapacidad. Es cierto que tanto las personas adultas mayores como las personas en

---

65. OLMO, J. P., *Herederos con..., cit.,* p. 10.

situación de discapacidad son sectores poblacionales con riesgo de vulnerabilidad o fragilidad económica, pero ello no es una ecuación matemática. Lo que justificaría –a mi juicio– la facultad de mejorar a un legitimario, rompiendo con el principio de participación igualitaria en la legítima, es su vulnerabilidad, no su discapacidad, probado, eso sí, casuísticamente. Afianzar este criterio sería a su vez asentar la discriminación de las personas en razón de sus capacidades diferentes[66].

Sin dudas, es dable tener en cuenta esta necesaria distinción entre situación de discapacidad y de vulnerabilidad económica para delimitar bien qué es lo que se pretende proteger con una legítima de corte asistencial. En países que como Chile hoy se redacta una nueva Constitución un autor de gran valía académica apoya la tesitura de una legítima asistencial (llamada por él alimenticia) destinada eso sí a proteger indistintamente a personas en situación de vulnerabilidad como pueden ser las personas menores de edad y a otras por razón de su discapacidad, sin otro motivo que atender. Nuevamente la situación de discapacidad de una persona se pretende erigir en razón suficiente para su protección legitimaria[67].

La mejora regulada por el Derecho argentino tiende a beneficiar en el orden patrimonial a uno o varios legitimarios. Ello es justo, pero no en razón tan solo de la discapacidad. Si la discapacidad en determinadas personas supone una aminoración de su rendimiento económico, una disminución de su potencialidad para el mercado laboral, entonces la facultad de mejorar se justifica con respecto de estas personas, pero no por la causa que es la discapacidad, sino por la consecuencia que es la vulnerabilidad económica en razón de esa discapacidad. El nuevo Derecho de sucesiones debe ser cada día más dúctil, más flexible, menos rígido, más dinámico y ajustado a las necesidades de las personas; un Derecho que fortalezca la solidaridad familiar inter y transgeneracional, a partir de una protección reforzada de parientes o cónyuges, o compañeros permanentes, sean de igual o diferente sexo, siempre que en todo caso sean personas en situación de vulnerabilidad económica, una de cuyas causas pudiera ser la discapacidad; de esta manera la vulnerabilidad ha de ser la *ratio esendi* de la protección legitimaria, no la discapacidad *per se*. Por ello coincido con la posición defendida desde el Derecho brasilero, de que "(l)a libertad de testar en cuanto situación jurídica

---

66. El propio OLMO en su libro –aun cuando elogia la solución dada por el legislador en el artículo 2448 del Código civil y comercial– deja entrever las posiciones adversas que objetan el ámbito de aplicación del artículo, en tanto la discapacidad no implica necesariamente vulnerabilidad o dependencia, incluso económica, "Utilizar la discapacidad como variable de aplicación de la norma reafirma estereotipos basados en la condición de inferioridad en la que se encontrarían las personas incluidas, lo cual no sería ajustado a los postulados de la Convención sobre los Derechos de las Personas con Discapacidad". *Vid.* OLMO, J. P., *Herederos con..., cit.,* pp. 10 y 11.
67. *Vid.* BARRÍA PAREDES, Manuel, "Familia, discapacidad y sucesión por causa de muerte. Algunas ideas para la nueva Constitución de Chile", en *Revista Chilena de Derecho Privado*, número temático, octubre 2021, pp. 143-181. Defiende el autor (p. 165) "que las asignaciones forzosas, especialmente la legítima y la mejora solo debieran estar reservadas para los integrantes de la familia que lo requieran, con lo cual se podría ampliar la libertad de dis-posición del causante, equilibrando esta citada libertad con la protección de la familia. Por ello, no solo los hijos menores requieren de la protec-ción sucesoria a través de las asignaciones forzosas, sino que, también, se requiere tutelar con este mecanismo a aquellos hijos que, siendo mayores, sufran alguna discapacidad, protección que se debe extender por toda su vida de ser necesario, manifestándose la solidaridad intergeneracional".

patrimonial apenas debe ser limitada en la medida de la realización de una función social o para asegurar condiciones existenciales"[68]. No se trata de forzar la protección de la familia sin más, sino de aquellos que dentro de la familia necesitan amparo patrimonial. Solo así la limitación sería coherente, pues tributaría a la protección de la dignidad de otras personas vinculadas afectiva y patrimonialmente con el causante de la sucesión. A esta función de la legítima se refiere también, desde el Derecho español, ROCA TRÍAS, para quien el hecho de que no exista un derecho moral a suceder a falta de designación expresa de la persona, luego devenida causante, no significa que la ley no pueda crear un derecho de ciertas personas a participar en la sucesión del causante, entre las cuales sitúa la doctrina moderna –al decir de la autora–, precisamente a las personas con necesidad –único supuesto con el que ella coincide– como beneficiarias de un derecho contra la herencia, manera de cumplir la exigencia constitucional prevista en el artículo 33 de la Constitución española, a saber: la función social de la herencia[69]; posición que ha defendido en su conferencia titulada "La libertad de testar: entre Constitución y familia", con la que inauguró el curso académico 2019-2020 en la Facultad de Derecho de la Universidad Autónoma de Madrid. En la ocasión, la también catedrática de Derecho civil ha dejado dicho que uno de los factores para que la herencia cumpla su función social es la familia, aunque no necesariamente a través de la legítima, sino haciendo primar la necesidad sobre el parentesco, "atribuyendo bienes de la herencia a colectivos familiares especialmente protegibles"[70].

5. CUIDADOS, CUIDADORES Y DERECHO DE SUCESIONES

Las estadísticas reflejan que en gran parte de Europa, Norteamérica y en algunos países de América Latina, amén de otros situados en otros lares de la geografía mundial, hay un incremento considerable de las personas adultas mayores[71], e incluso de personas mayores de 85 años, a lo cual también habría que adicionar el número de personas en situación de discapacidad, las que no necesariamente coinciden con aquellas que arriban a dicha franja etaria, si bien no puede dudarse de que la senectud es una

---

68. CARDOSO BRASILEIRO BORGES, R. y R. MARQUES LIMA DANTAS, "Direito das sucessões…", *cit.*, p. 90.

69. ROCA TRÍAS, Encarna, "Una reflexión sobre la libertad de testar", en "Legítimas y libertad de testar", en Andrés Domínguez Luelmo y María Paz GARCÍA RUBIO (directores), Margarita Oviedo Herrero (coordinadora), *Estudios de Derecho de sucesiones, Liber amicorum Teodora F. Torres García*, Wolter Kluwer, Madrid, 2014 (pp. 1245-1266), pp. 1264 y 1265.

70. Disponible en https://www.uam.es/Derecho/VII-Conferencia-Tom%C3%A1s-y-Valiente/1446790497489.htm?language=es&pid=1234889427753&title=VII%20Conferencia%20Tom?s%20y%20Valiente, consultada el 8 de enero de 2020.

71. En Cuba, aproximadamente el 18.3% de la totalidad de sus habitantes tiene más de 60 años, según los datos reflejados en su trabajo por HIDALGO MARTINOLA, Diana Rosa, Larissa TURTÓS CARBONELL, Ángela CABALLERO BATISTA, Juana Rosa MARTINOLA MELÉNDEZ, "Relaciones interpersonales entre cuidadores informales y adultos mayores", en *Novedades en población*, CEDEM, Universidad de La Habana, No. 24, año XII, julio-diciembre 2016 (pp. 77-83), p. 78.
Se trata –según nos alerta la investigadora Alina ALFONSO LEÓN– de lo que se ha dado en llamar "inversión de la pirámide de edades", donde aparece una cúspide más ancha (mayor proporción/porcentaje de personas de 60 años y más) y un estrechamiento de la base (disminución de la proporción/porcentaje de personas entre 0 y 14 años). *Vid.* ALFONSO LEÓN, Alina, "Un estudio piloto sobre los cuidadores de ancianos", en *Novedades en población*, CEDEM, Universidad de La Habana, No. 22, año XI, julio-diciembre 2015 (pp. 29-37), p. 36.

de las causas que incrementa el número de personas con discapacidades, ya sean intelectuales, sensoriales o físico-motoras. No puede dejarse de tomar en cuenta tampoco el aumento de la cronicidad de las enfermedades, como las neurodegenerativas, que llevan a largos periodos de tiempo en que la persona las padece, dado incluso, en algunas ocasiones, su prematuro diagnóstico. Todos estos factores conducen al aumento de personas dependientes de cuidados[72], donde las mujeres son el principal soporte de dichos cuidados al resultar en una alta proporción las cuidadoras principales[73].

Si bien la dependencia no es un fenómeno nuevo en cuanto siempre han existido personas dependientes, la convergencia de diferentes factores como son, entre otros, el envejecimiento demográfico, el aumento de la esperanza de vida y los cambios en la estructura familiar, han propiciado que se convierta en un fenómeno que requiere respuestas urgentes y adecuadas para hacerle frente desde los ámbitos políticos, tecnológicos, sociales, sanitarios, psicológicos, familiares y económicos y por supuesto también jurídicos. La persona dependiente requiere recibir una asistencia por parte de otros durante un periodo prolongado. No se trata del cuidado de una enfermedad puntual, sino que la cronicidad propia del mal estado de salud limita la independencia de la persona. Todo ello implica la necesidad de asistencia para aquellas actividades que una persona realiza diariamente, al ser el cuidado de naturaleza prolongada. Estos cuidados, constantes y perdurables, durante un largo lapso han sido denominados cuidados de larga duración, los que suponen una provisión de la asistencia con una intensidad progresiva, en la medida misma en la que se incrementa el grado de dependencia de la persona receptora del cuidado.

No puede perderse de vista que las enfermedades crónicas y las discapacidades pueden ir acompañadas de limitaciones funcionales y cognitivas, que resultan en la imposibilidad de realizar o dificultades para realizar las actividades de la vida diaria[74],

---

72. Cabe puntualizar que "la persona dependiente es aquella que, debido a múltiples factores –en especial la edad avanzada– precisa de la ayuda de otras personas para llevar a cabo las actividades habituales y diarias, necesarias para tener una vida digna". *Vid.* CARRETERO GÓMEZ, Stephanie, Jorge GARCÉS FERRER, Francisco RÓDENAS RIGLA, "La sobrecarga de las cuidadoras de personas dependientes: análisis y propuestas de intervención psicosocial", Colección Políticas de Bienestar Social, tirant lo blanch, Valencia, 2006, p. 28.
    Desde una visión más jurídica se ha entendido la dependencia "como la situación de una persona que no puede valerse por sí misma y que necesita la ayuda de otras para la movilidad o para la realización de sus actividades cotidianas como el autocuidado o la vida doméstica". *Vid.* DELGADO VERGARA, Teresa y Joanna PEREIRA PÉREZ, "El envejecimiento: un fenómeno demográfico con repercusiones jurídicas", en *Novedades en población*, CEDEM, Universidad de La Habana, No. 26, año XIII, julio-diciembre 2017 (pp. 24-39), p. 27.
73. A tal punto de CARRAL MIERA, Cristina, "Cuidadoras invisibles, derechos graciables. De cómo la redacción 'neutra' de las normas en una situación con amplia brecha de género perpetúa la desigualdad", *Tesis de doctorado*, bajo la dirección de Juan de Dios Izquierdo Collado y Alfredo Hidalgo Lavié, Departamento de Sociología, UNED, 2017, p. 350, disponible en http://e-spacio. uned.es/fez/eserv/tesisuned:CiencPolSoc-Ccarral/CARRAL_MIERA_Cristina_Tesis.pdf, consultada el 7 de julio de 2020, llega a referirse a los cuidadores en género femenino, y así lo hace saber expresamente en nota (2), p. 26.
74. Entre ellas cabe citar las demencias. Se calcula que 160 000 personas en Cuba padecen de demencia, número que se estima ascenderá para el 2030 a las 300 000 personas. De ellas, el 70% padecen de Alzheimer. Después de los 65 años, las demencias afectan al 10% del total de adultos mayores; a los 70 años al 20%, a los 75 años al 30% y después de los 90 años ese porcentaje supera el 50%. *Vid.* GARCÍA QUIÑONES, Rolando, "Cuba: envejecimiento, dinámica familiar y cuidados", en

necesarias para el cuidado personal, o aquellas instrumentales, necesarias para una vida independiente.

El cuidado familiar generalmente incluye elementos asociados con aquellas actividades que proveen de atención y asistencia a terceras personas vinculadas en el orden familiar. Se ha definido como "el proceso de ayudar a otra persona que no es capaz de actuar por sí misma de una manera 'integral' (física, mental, emocional y social) [...] facilitado por ciertos rasgos de carácter, emociones, habilidades, conocimientos, tiempo y una conexión emocional con la persona"[75]. La clave del cuidado familiar está en la disponibilidad física y emocional de una persona para dedicarse con regularidad a la atención de un familiar, llegando incluso a renunciar o disminuir sensiblemente sus capacidades productivas o laborales, en función de satisfacer los requerimientos o demanda del destinatario de sus servicios asistenciales.

Son muchos y variados los riesgos que asumen los cuidadores, sin dejar de perder de vista que las mujeres son en este orden, mayoría. Tal actividad les supone en el orden personal, una renuncia a desarrollar una vida adecuada o querida, conllevando no en pocas ocasiones angustia, estrés, depresión, ansiedad, así como el deterioro progresivo de su nivel de intimidad; en el orden social les implica un aislamiento, con el respectivo costo afectivo, pérdida de amistades y de proyección pública; y en el orden profesional, una renuncia a su capacidad productiva, el abandono total y en el mejor de los casos, parcial, de su proyecto de vida, de la profesión en la que se formó, con la pérdida además de habilidades y la desactualización de conocimientos técnicos. Y ni qué decir en el orden económico, por las erogaciones que muchas veces tiene que asumir y la pérdida de oportunidades laborales.

De ahí la necesidad de compensar tales pérdidas a través de –entre otras medidas de diversa naturaleza– incentivos sucesorios que además potencien el cuidado de las personas en situación de discapacidad, sean estas testadoras, o personas que el testador quiere dejar a buen recaudo al fallecimiento. Analicemos detenidamente tales incentivos que tienen como denominador común: garantizar el cuidado de la persona en situación de discapacidad, o de las personas adultas mayores. Entre ellos se propuso en la Argentina durante las XXII Jornadas de Derecho civil celebradas en 2009 en la Universidad Nacional de Córdoba, en la Comisión que conoció de los temas de Derecho de sucesiones que en las reformas al Código civil de VÉLEZ SARSFIELD se introdujera un precepto que flexibilizara las legítimas, permitiendo la posibilidad de mejorar al heredero en situación de discapacidad –al que se ha hecho referencia–, pero también a "aquellas personas que han visto restringida o limitada su capacidad productiva por haberse dedicado a la asistencia del causante, supuestos éstos en los que, con fundamento en la solidaridad, aun existiendo porciones forzosas, si éstas se vieran afectadas por el favor a personas en esas circunstancias, sus límites cedan flexibilizándose, provocando que el que esté en mejores condiciones tienda a equipararse

Novedades en población, CEDEM, Universidad de La Habana, volumen 15, No. 29, enero-junio 2019 (pp. 129-140), p. 138.

75. LITWIN y ATTIAS-DONFUT *cit. pos* MOLERO JURADO, M.ª del Mar, M.ª del Carmen PÉREZ-FUENTES, José Jesús GÁZQUEZ LINARES, "Cuidadores familiares, no profesionales o informales: Revisión de la terminología en publicaciones científicas", *Revista de la Facultad de Ciencias de la Salud*, UDES, Bucaramanga, volumen 3, No. 1, enero-junio 2016 (pp. 68-76), p. 69.

con el que se encuentra en una situación de mayor necesidad, como consecuencia de discapacidad o por haber sacrificado su propio beneficio económico en procura del bienestar de quien luego, al fallecer, lo recompensa o repara"[76]; idea atribuible al profesor Marcos CÓRDOBA[77], y que lamentablemente no fructificó en el Código civil y comercial, aprobado en el 2014.

La idea del profesor CÓRDOBA se inserta en la proposición de una mejora (como parte de la legítima hereditaria) a favor del heredero forzoso cuidador informal, de modo que dicha propuesta prevé el único caso en que el cuidador es uno de los herederos forzosos del causante, a quien se dedicó en prodigarle cuidados como cuidador informal. Es decir, se trata de uno de los hijos o demás descendientes o ascendientes del causante, a quienes el Código civil y comercial reconoce como herederos forzosos. Reconocimiento que se hace extensivo al cónyuge (el de considerarlo heredero forzoso), empero, aun así, el artículo 2448 –como se analizó– no le atribuye la condición de beneficiario de la mejora asistencial.

No obstante, abrazado a esta posición, el profesor CÓRDOBA ha seguido insistiendo en el Derecho argentino en la necesidad de reconocer una protección legitimaria especial a favor del heredero forzoso que ha renunciado a sus capacidades productivas, de modo que el testador pudiera beneficiarlo si así ejercitare su derecho, siempre que se trate de un familiar de los que he mencionado en el párrafo anterior, de manera que por esta vía serían excluidos otros familiares que no tributan a la condición de herederos forzosos, tal y como pudiera acontecer con aquellos hermanos y sobrinos que hubieren sido los cuidadores principales, aun habiéndole sobrevivido al causante herederos forzosos, o también aquellos parientes que aun siendo herederos forzosos, no tuvieren preferencia o prelación, de modo que el llamamiento como heredero forzoso no se actualiza a su favor con la muerte del testador, como pudieran ser los padres frente a los hijos. O sea, en la proposición de *lege ferenda* argentina, el padre o madre que se hubiere dedicado al cuidado de su hijo pudiera ser beneficiario de la parte de libre disposición (un tercio de la herencia), pero no mejorado por el testador si a su vez tuviere descendientes, pues serían estos los legitimarios a su muerte y no sus padres.

---

76.   CÓRDOBA, Marcos, M., "Derecho sucesorio. Normas jurídicas que atienden a los discapacitados", *La Ley*, 28/03/2011, 1, *La Ley* 2011-B., 872.
77.   Según lo refiere MILLÁN, Fernando, "El principio de solidaridad familiar como mejora a favor del heredero con discapacidad", *Derecho de familia y de las personas*, Buenos Aires, año IV, No. 6, julio 2012, pp. 245 y ss., cita online: AR/DOC/2895/2012. Explica el autor citado que en oportunidad de realizarse la Sesión Plenaria de la Comisión Federal de Juristas, el nombrado profesor, ante la Comisión de Legislación General de la Honorable Cámara de Diputados de la Nación Argentina, propuso la creación de una norma que permitiera la mejora estricta a favor del heredero forzoso que se hallare en inferioridad de condiciones para afrontar las necesidades de la vida, como por ejemplo, las que les corresponden a las personas con discapacidad.
      Sin embargo, a juicio de dicho autor, la institución propuesta por el Profesor CÓRDOBA era más amplia que la que al final recepcionó, primero el Anteproyecto, y luego el Código civil y comercial de la nación, por cuanto la misma no solo proponía la mejora para el heredero forzoso con discapacidad, sino también establecía una mejora a favor de aquellos herederos forzosos que se hubieren dedicado al cuidado y asistencia del causante y que, como consecuencia de ello, no hubieren logrado su propio desarrollo económico, supuesto este que al final no tuvo éxito.
      En igual sentido, MAQUIEIRA, Mercedes y Vilma R. VANELLA, "La legítima hereditaria. Voluntad presumida por la ley voluntad testamentaria", *Derecho de familia y de las personas*, Buenos Aires, año V, No. 11, diciembre 2013, pp. 111 y ss.

Aprobado el Código civil y comercial argentino y en vigor desde el 1 de agosto de 2015, tres años después, en marzo de 2018 se creó la Comisión para la modificación parcial de dicho texto legal, mediante el Decreto No. 182/18, que tuvo a su cargo la elevación al Poder ejecutivo nacional de un anteproyecto de ley en tal sentido. El 5 de julio de 2018 la Comisión recibió los aportes de los catedráticos Marcos M. CÓRDOBA y Francisco A. M. FERRER.

En la ocasión, la versión de reforma al artículo 2448 fue perfeccionada en el sentido de incorporarle al ya beneficio a los herederos con discapacidad de la posibilidad de ser mejorados por el testador, un segundo párrafo, destinado a incorporar también la mejora especial a favor del heredero forzoso que hubiere renunciado a sus capacidades productivas y profesionales para dedicarse a la asistencia del causante, siempre que acreditare tales presupuestos y, además, que otro interesado no probare que dicha asistencia ya hubiese sido compensada económicamente de modo equitativo, o sea, se pretende beneficiar con la mejora no a cualquier cuidador informal, sino a aquel que a su vez es heredero forzoso de la persona a la que cuida, que tiene además el perfil de cuidador principal y que respecto de él el resto de los herederos forzosos no puede probar con éxito que la asistencia brindada al causante fue compensada, pues de lo contrario, no tendría derecho a esta excepción a la intangibilidad cuantitativa de la legítima que dispensa el legislador a su favor, en tanto el sentido de equilibrio y de solidaridad que la norma persigue. Esta facultad de mejorar, atribuida al testador, se erige pues con un sentido o finalidad compensatoria. Luego, de haber existido dicha compensación en vida del receptor de los cuidados, se esfumaría esta concreta posibilidad que pretende erigir en norma positiva la más docta doctrina sucesoria argentina. El 13 de septiembre de 2018, la Comisión elevó el Anteproyecto al Ministro de Justicia y Derechos Humanos, insistiéndose en que la reforma propuesta al artículo 2448 del Código civil y comercial responde al principio integral de asistencia y solidaridad entre los miembros de la familia.

No deja de ser tampoco interesante como incentivo sucesorio a favor del cuidador principal informal la que propone la reforma al Código civil cubano –pendiente de aprobación por referéndum popular– el de atribuirle una participación en la herencia superior a la del resto de los coherederos, como vía de compensar el cuidado realizado al causante de la sucesión cuando este cuidado informal de un familiar le es exclusivamente imputable, o sea, no se ha sustentado en el sostenimiento económico del resto de los familiares al causante o al propio cuidador. Así, la propuesta de redacción del artículo 511.2 del Código civil beneficia al heredero cuidador con el doble de la cuota de participación que corresponde al resto de los coherederos.

En este sentido se hace referencia a los supuestos en los que el cuidador principal ha sido sin duda el principal sostén del cuidado del ya causante, con independencia de cierta ayuda que pudo haber recibido de otros familiares o cuidadores auxiliares temporarios.

La fórmula sucesoria, por tanto, exigirá probar la condición de cuidador principal, por cuya razón hubo renuncia de sus capacidades productivas para dedicarse a tiempo completo, con exclusividad al cuidado intenso y progresivo de su familiar cercano.

Se trataría por tanto de una atribución intestada preferencial a su favor, preferencia que estaría dada en la atribución de una participación mayor que la del resto de los herederos, expresado ello matemáticamente, en este caso el doble que los demás coherederos, ya se trate de uno de los herederos titulares del llamado (artículo 511.2) o incluso de un pariente ubicado en un llamado sucesorio posterior (*v. gr.*, de ser una sobrina, aun cuando le sobrevivan al causante hijos o demás descendientes o el cónyuge), supuesto en el cual tendría la condición de heredero concurrente, pero con idéntica atribución patrimonial, o sea, igualmente el doble de la cuota o participación.

Téngase en consideración que se parte de supuestos diferentes, en el primero el cuidador principal es un heredero llamado por ley, que tiene derecho a una cuota del caudal hereditario (en el caso de que sean varios herederos), en el segundo de los supuestos, el cuidador principal, aunque familiar (*v. gr.*, hermana o sobrina del causante) no tiene prelación sucesoria, de manera que no se defiere a su favor ningún derecho sucesorio, de modo que el incentivo sucesorio, digamos "compensatorio", de sus cuidados al causante será distinto, en el primero, lo es aumentar la cuota de participación en comparación con el resto de los coherederos, mientras que en el segundo el incentivo tiene doble dimensión: tener al cuidador como heredero al incluirlo como concurrente en un llamado en el que otros son los titulares, e igualmente atribuirle el doble de participación en la herencia que a los titulares. La razón es muy sencilla: se premia a quien sin tener un vínculo directo o más propincuo con el causante, le atendió en vida, procurándole asistencia y cuidado.

Como expone SIMMONS, a modo conclusivo de un interesante estudio, resulta de vital importancia tener en mira en la sucesión *ab intestato* el cumplimiento de los deberes familiares. Los costos asociados con la mayor incertidumbre por la posibilidad del incremento de disputas *post mortem* al tomarse en cuenta estos valores se compensan con las atribuciones hereditarias sustentadas precisamente en la conducta del heredero, sobre todo en el cuidado familiar, como una manera de recompensar la expresión de apoyo que recibió el causante en los últimos tiempos de su vida[78]. Se trata de desarrollar un Derecho sucesorio a partir de un modelo sustentado en el comportamiento o la conducta[79].

No menos interés concita también en la reforma al Código civil que introduce el Proyecto de Código de las familias de Cuba la posibilidad de incluir condiciones suspensivas o resolutorias relativas al cuidado y la asistencia del testador o de familiares cercanos a él a la institución de heredero o al legado.

La proximidad de las etapas más avanzadas de la vejez puede llevar a que se agudice la situación de dependencia. O, sin llegar a la vejez, el agravamiento de una situación de discapacidad también puede conducir a la persona a la misma situación. De ahí que la posibilidad de incluir un elemento accidental al negocio jurídico, tal cual pueden

---

78. SIMMONS, Thomas E., "A Chinese Inheritance", *Quinnipiac Probate Law Journal*, volume 30, Issue 2, 2017 (pp. 124-148), p. 148.

79. Para un estudio más agudo sobre los modelos sucesorios basados en el comportamiento o la conducta, *vid.* VAQUER ALOY, Antoni, "Freedom of Testation, Compulsory Share and Disinheritance based on lack of Family Relationship", November 2010, Research Gate (pp. 1-20), pp. 6-10, disponible en https://www.researchgate.net/publication/228143184, consultado el 7 de julio de 2020.

ser las condiciones, ya sean suspensivas o resolutorias, pudiera resultar una alternativa más para la protección de las personas en situación de vulnerabilidad. Al condicionar la atribución de la herencia o del legado al cumplimiento del cuidado o la asistencia del testador o de familiares cercanos, se desarrolle este cuidado incluso después del fallecimiento del testador, de tratarse de un tercero la persona cuidada, se crea un mecanismo protector del testador que supedita la adquisición del derecho hereditario o del legado (en el caso de la condición suspensiva) o su extinción (en el supuesto de la resolutoria), al cumplimiento de una situación determinada, en el caso bien particular, tal cual es el cuidado o la asistencia y que en el Derecho español ha llevado a la doctrina científica a desarrollar el arsenal dogmático que puede generarse con ella[80].

No obstante, amén de la urdimbre de configuraciones teóricas que puede generar la institución de heredero o la atribución de un legado supeditado al cumplimiento de una condición, la función social que puede desempeñar esta como un mecanismo tuitivo de naturaleza sucesoria, a la vez que incentivo del cuidado de personas en situación de vulnerabilidad, amerita sin dudas su funcionalidad, erigiéndose en una alternativa que debiera aconsejar el notario en su función asesora cuando las personas, sobre todo en situación dependencia o próximo a ella deciden otorgar testamento.

Cabría expresar que entre las ventajas que ofrece para el testador el imponer la condición de su cuidado o asistencia o de los familiares cercanos, se incluyen:

a) Potencia la autonomía privada, piedra angular en materia testamentaria, como parte de la libertad positiva, el testador puede aponer un elemento accidental al negocio testamentario, como determinación accesoria voluntaria. Sin dudas, como arguye la profesora HERAS HERNÁNDEZ, "la incorporación de los *accidentalia negotii* en los testamentos o accidentalidad testamentaria (…), supone no solo una clara manifestación de la libertad de disposición del testador para disponer de sus bienes *post mortem* (…), sino que la amplía y excepciona la regla *semel heres, semper heres*, en virtud de la cual el heredero no puede dejar de serlo"[81].

b) Deja al heredero o legatario en cierto estado de incertidumbre respecto a su derecho sucesorio, lo que beneficia al testador, dado que las condiciones suspenden o extinguen los derechos sucesorios, de manera que la persona llamada a título de heredero o de legatario tendría que cumplir con el cuidado y la asistencia para adquirir el

---

80. Sostiene la profesora HERAS HERNÁNDEZ que entre las razones que motivan la ordenación de la institución de heredero o de la atribución de legados sujetos al cumplimiento de la condición de cuidado y asistencia cabe incluir: "el incremento de la esperanza de vida y el progresivo envejecimiento de la población española, junto al correlativo incremento de la demanda de cuidados de larga duración a los que se dota de una cobertura insuficiente a través del Sistema Público de la dependencia (…).Las graves dificultades para financiar los elevados costes de cuidados mediante el sistema público de pensiones; la escasez de nacimientos e insuficiente relevo generacional; las transformaciones en la estructura de la familia y sus valores y el cambio de rol desempeñado hasta hoy por las mujeres en el mundo occidental. Todo ello aboca a acudir a la iniciativa privada y concretamente a las distintas alternativas legales que ofrece el Derecho de sucesiones con la finalidad de posibilitar la compensación de la tarea de cuidados y del inestimable tiempo y dedicación que a ellos se dedica no siempre de manera desinteresada (…)". *Vid.* HERAS HERNÁNDEZ, María del Mar, "Designación de heredero bajo la condición de cuidar al testador ¿Una disposición testamentaria al alza?, en *La Ley Derecho de familia*, No. 22, abril-junio 2019 – Cuestiones actuales del Derecho Sucesorio, p. 4.

81. *Ibidem*, p. 2.

derecho hereditario o el legado atribuido, o caso de incumplirlo, lo pierden; este se convierte en el requerimiento necesario a cumplimentar para recibir el beneficio sucesorio o para no perderlo, lo que se extiende además a un cuidado y una asistencia que obedezca a los cánones que socialmente se exigen para ser calificados de satisfactorios.

c) Es un recurso útil para que el testador garantice una persona que sea su cuidador, dentro o fuera de su familia, dado que en la sucesión testamentaria es el testador el que hace al heredero y al legatario y con ello viabilice una vejez con cuidados –material y afectivamente asegurados–, o la de sus familiares más próximos que o bien con su enfermedad o tras su muerte pudieran resultar notoriamente afectados.

De ahí que, dado que el Proyecto de Código de las familias potencia la labor de cuidado, a la que incluso hace referencia al regular el papel que han desempeñados los abuelos y abuelas en la formación de generaciones (artículo 8), además de fijarle un estatuto jurídico a las personas que se dedican al cuidado familiar (artículos 409 al 416), es justo que se prevea la posibilidad de condicionar la delación testamentaria a título de herencia o de legado al cumplimiento de esta labor de cuidado no solo respecto del testador sino también de familiares cercanos.

Sin dudas, hay un marcado interés de proteger a las personas en situación de vulnerabilidad que por razón de la edad, o de una situación de discapacidad necesitan de asistencia y cuidados. Por ese motivo, inspirado en el artículo 204 de la Ley de Derecho civil de Galicia, de 2006[82], se propone adicionar un apartado al artículo 481 (regulador de la institución de heredero), en el que, no obstante mantener la regla de la prohibición de las condiciones, la flexibilice admitiendo al menos la condición de cuidado y asistencia, ya sea del testador o de personas familiarmente cercanas, e igualmente en el artículo 498 (regulador de los legados) que remite a lo dispuesto en el artículo 481 en materia de institución de heredero respecto a la posibilidad del testador de imponer al legatario igual condición.

6. CONDUCTAS DISVALIOSAS RESPECTO DE LAS PERSONAS EN SITUACIÓN DE DISCAPACIDAD: LA REACCIÓN DEL DERECHO DE SUCESIONES A TRAVÉS DE LAS INCAPACIDADES SUCESORIAS

El Derecho sucesorio es una de las materias jurídicas más sensibles a los problemas sociales pues toca las fibras humanas vinculadas con la transmisión intergeneracional

---

82. Región española en la que tales condiciones testamentarias están verdaderamente arraigadas. Sobre los aspectos no solo jurídicos, sino también sociológicos de tal arraigo, *vid.* RUEDA PÉREZ, José María, "Comentario a los artículos 203 y 204 de la Ley de Derecho civil de Galicia", en *Derecho de Sucesiones y régimen económico familiar de Galicia, Comentarios a los Títulos IX y X de la Ley 2/2006, de 14 de junio,* vol. I, Colegio Notarial de Galicia, Colegios Notariales de España, Madrid, 2007 (pp. 203-298), pp. 205-207. Para NIETO ALONSO, Antonia, "La disposición testamentaria ordenada a favor de quien cuide al testador o a otras personas por él designadas", en *Estudios de Derecho de sucesiones. Liber amicorum Teodora F. Torres García* (directores Andrés Domínguez Luelmo y María Paz GARCÍA RUBIO, coordinadora Margarita Herrero Oviedo), Wolters Kluwer, Madrid, 2014 (pp. 1043-1066), p. 1052, la razón está motivada en que en Galicia se ha mantenido de manera insistente el interés de muchas personas por vincular las disposiciones testamentaria a la condición de cuidar al testador o a otras personas por él designadas, lo que se expresa en la frase "*facerlle testamento a quen mire polo testador*".

de la herencia y con ello con la determinación de los sucesores, sustentado esencialmente en los vínculos familiares –aun hoy con el advenimiento de nuevas construcciones familiares–[83]. Cualquiera sea el modelo familiar y aun reformándose las normas sucesorias para acompasar la evolución operada en tiempos recientes por el Derecho familiar, la sucesión se ha de basar en una relación armónica y estructurada sobre la base de valores como el afecto, la lealtad, la gratitud, la probidad moral, el cuidado familiar, la solidaridad, la reciprocidad como sustento de la dignidad humana. Si la sucesión por causa de muerte se basa precisamente en la dignidad de la persona y la libertad de testar tiene sus raíces en el libre desarrollo de la personalidad[84], el Derecho debe establecer medidas que tiendan a potenciar esa libertad testamentaria, fuera de influencias indebidas y de presiones psicológicas de terceros, incluidos los familiares más propincuos y fortalecer los vínculos de solidaridad y fraternidad entre los miembros de la familia, buscando antídotos frente a conductas de violencia en el seno familiar y sobre todo de cara a paliar comportamientos que supongan maltrato –aún más leves– hacia las personas en situación de vulnerabilidad, ya sea por razón del género, la edad o la situación de discapacidad. Se hace necesario una revisión de las causales de incapacidad para suceder, reconocidas también en el Derecho comparado como causales de indignidad sucesoria, con la crítica que respecto a dicho *nomen iuris* ya he hecho[85].

La actualización de las causales de incapacidad para suceder se ha hecho sentir desde la doctrina[86] y ha estado enfilada desde dos orientaciones: una estrictamente

83. *Vid.* PÉREZ GALLARDO, Leonardo B., "Familias ensambladas, parentesco por afinidad y sucesión *ab intestato*: ¿Una ecuación lineal?", en *Revista de Derecho de Familia y de las Personas,* año III, No. 7, agosto del 2011 (pp. 163-175); "Las nuevas construcciones familiares en la sucesión *ab intestato...* en pos de superar trazos hematológicos", en *Revista de Derecho Privado y Comunitario,* 2019-I Sucesiones – II, editorial Rubinzal-Culzoni, Buenos Aires – Santa Fe (pp. 11-49); VAQUER ALOY, Antoni y Noelia IBARZ LÓPEZ, "Las familias reconstituidas y la sucesión a título legal", en *Revista de Derecho Civil,* vol. IV, núm. 4 (octubre-diciembre, 2017), Ensayos (pp. 211-235), disponible en: http://nreg.es/ojs/index.php/RDC, consultada el 20 de octubre de 2021; FERRER, Francisco A. M., "Algunos aspectos de la transmisión sucesoria en los nuevos tiempos", en *Hacia un nuevo Derecho de sucesiones,* Leonardo B. Pérez Gallardo (coordinador), Editorial Ibáñez, Bogotá, 2019, pp. 87-142.
84. *Vid.* PÉREZ GALLARDO, Leonardo B., "El libre desarrollo de la personalidad en la interpretación del Derecho de sucesiones" en, *Claves para la interpretación de la Constitución cubana de 2019,* Carlos M. Villabella Armengol y Leonardo B. Pérez Gallardo (directores), Editorial Olejnik, Santiago de Chile, 2021 (pp. 223-259).
85. *Vid. supra,* nota (18).
86. La profesora ESPADA MALLORQUÍN se ha explayado en este orden, reclamando que en Chile se hace "necesaria y conveniente una reforma legal en el ámbito de Derecho sucesorio destinada a mejorar la regulación de las exclusiones de la herencia, por un lado haciéndolas más acorde con la realidad sociológica y familiar actual y, por otro, más coherentes con los cambios que en el ámbito de Derecho de familia se han llevado a cabo y que pueden repercutir de forma significativa en esta materia". *Vid.* ESPADA MALLORQUÍN, Susana, "El impedimento del ejercicio del derecho a una relación directa y regular entre abuelos y nietos como causal de desheredación e indignidad", en *Revista de Derecho,* vol. XXVIII, No. 2, diciembre 2015 (pp. 71-89), p. 78.
    Por su parte, GARCÍA RUBIO, María Paz y Marta OTERO CRESPO, "Capítulo 5. "Capacidad, incapacidad e indignidad para suceder", *Tratado de Derecho de sucesiones,* tomo I, María del Carmen Gete-Alonso y Calera (directora), Judith Solé Resina (coordinadora), Civitas, Thomson Reuters, Pamplona, 2011 (pp. 225-273), p. 251 dejan claro –apoyándose en la literatura jurídica precedente– la defectuosa regulación de las causas de "indignidad" sucesoria en el Código civil español y su escasa adaptación a la realidad social actual, así como la falta de claridad en la respuesta a los

legal, a partir de reformas al Derecho vigente[87] y otra por conducto jurisprudencial desde una interpretación más abierta y flexible de las causas de incapacidad para suceder, o como ha acontecido en España con las causas de desheredación[88].

Sucede que las causales de incapacidad para suceder quedaron retenidas en el tiempo y no han cubierto los sentidos vaivenes de la sociedad moderna, conductas que se han fomentado con el discurrir de los tiempos y que llevan aparejado los nuevos cánones de reglas éticas y morales junto al reproche social por comportamientos que distan de lo que la sociedad hoy reclama de las personas, además de suponer un vejamen para la dignidad del ser humano.

---

problemas que la figura plantea. Todo ello implica –a juicio de la autoras– la necesidad de una reforma normativa en este orden a los fines de superar la escasa aplicabilidad práctica que tiene la "indignidad" codificada de lo cual da cuenta la escasa jurisprudencia recaída sobre esta materia.

Desde el Derecho cubano, GONZÁLEZ FERRER se ha hecho eco de esa preocupación. A su juicio se hace necesario "incluir como causas de incapacidad para suceder en el artículo 469: los hechos constitutivos de violencia intrafamiliar, el padre o madre del causante que haya sido privado de la responsabilidad parental, la negativa injustificada a que los abuelos se comuniquen con los nietos, privándoles a estos del afecto y de la relación emocional con sus abuelos, de modo que en tal caso, a la muerte de los abuelos, el hijo o la hija que lo ha impedido pudiera ser declarado incapaz para suceder a su padre o madre, o a ambos (ello por los innumerables conflictos familiares que se han dado en la realidad cubana)". *Vid.* GONZÁLEZ FERRER, Yamila, *Discriminación por estereotipos de género. Herramientas para su enfrentamiento en el Derecho de las familias*, Ediciones Olejnik, Santiago de Chile, 2020, p. 134.

87.   Como aconteció en Argentina a través del Código civil y comercial, de manera que –tal y como expresa el profesor CÓRDOBA– "(l)a reforma ha ampliado los hechos que constituyen causales de indignidad, respecto de lo normado por el Código Civil derogado. Tal modificación responde a la producción doctrinaria nacional expuesta en los principales proyectos y anteproyectos legislativos de reforma del código civil y de aquellos que intentaron la unificación".

En consecuencia, "(l)a enunciación de las causales amplía los límites de las facultades interpretativas para la aplicación de las normas mediante el uso de fórmulas amplias y genéricas". *Vid.* CÓRDOBA, Marcos, M., "Introducción a nuevas normas del derecho sucesorio en el Código Civil y Comercial de la Nación", en *Suplemento especial Nuevo Código Civil y Comercial*, noviembre 2014, 17/11/2014, 225, TR LALEY AR/DOC/3914/2014.

88.   Así, respecto a la inclusión del maltrato psicológico como un supuesto del maltrato de obra. A tal fin, *vid.* la Sentencia de la Sala Primera del Tribunal Supremo de 3 de junio de 2014 (RJ 2014, 3900, ponente: Orduña Moreno) donde se señala que el hecho de que las causas de desheredación sean de enumeración taxativa sin posibilidad de analogía, *"no significa que la interpretación o valoración de la concreta causa, previamente admitida por la ley, deba ser expresada con un criterio rígido o sumamente restrictivo"*. Señala la referida sentencia que las causas de desheredación *"deben ser objeto de una interpretación flexible conforme a la realidad social, al signo cultural y a los valores del momento en que se producen"*. Y con la misma línea argumentativa la de 30 de enero de 2015 (RJ 2015, 77522), del mismo ponente, donde expresamente se reitera la doctrina jurisprudencial anteriormente señalada al afirmar que *"los malos tratos o injurias graves de palabra como causas justificadas de desheredación... que, de acuerdo con su naturaleza, deben ser objeto de una interpretación flexible conforme a la realidad social, al signo cultural y a los valores del momento en que se produce"*.

Con similar orientación, la Sentencia del Tribunal Supremo español, Sala 1.ª, No. 104/2019, de 19 de febrero (ponente Baena Ruiz), propone una interpretación flexible de las causas de desheredación conforme con la realidad social. Así, entre las iniciativas de revisión de la legítima, se tiende a la modernización de los casos legales de desheredación de los herederos forzosos, en el sentido de las situaciones de perdida de contacto entre progenitores e hijos. Deja dicho la Sentencia que *"la inclusión del maltrato psicológico sienta su fundamento en nuestro propio sistema de valores referenciado, principalmente, en la dignidad de la persona como germen o núcleo fundamental de los derechos constitucionales"*. Para un análisis crítico de esta, *vid.* RIBERA BLANES, Begoña, "La falta de relación afectiva entre padres e hijos mayores de edad como causa de extinción de la pensión de alimentos", en *Actualidad Jurídica Iberoamericana*, No. 13, agosto 2020 (pp. 482-529).

Se trata de desarrollar las bases de un Derecho sucesorio comportamental, o sea, basado en el comportamiento o la conducta de las personas, tanto para sancionar las conductas infractoras de la solidaridad familiar y los deberes jurídicos que nacen de las relaciones familiares, de manera que sea legalmente "un ejemplo o inducción a la corrección de la conducta provocada por el estímulo adverso consecuente de la pérdida de la vocación hereditaria"[89].

En el ámbito del Derecho comparado resalta la Ley No. 1893/2018 de Colombia, por la cual se modifica el artículo 1025 del Código civil, adicionando entre las nuevas causales de "indignidad" para suceder al causante, una (la 8.ª) dirigida al abandono del causante en situación de discapacidad, sin causa justa y a la no prestación de atenciones debidas, teniendo posibilidad para hacerlo, limitándose tan solo a tal circulo de personas y no a otras personas en situación de vulnerabilidad. El Código civil y comercial de Argentina en su artículo 2281 inciso b) entre las causales de "indignidad" regula, por su parte, el maltrato grave al causante[90], sin distinguir si se trata de un causante en estado de vulnerabilidad o no. Al calificar el maltrato como grave también se acorta el ámbito de aplicación de la norma, dado que quedarían ilesas conductas constitutivas de maltrato muchas veces psicológico o económico (también llamado financiero)[91] o incluso físico que sin ser graves conculcan la dignidad de la persona. La gravedad del maltrato se erige en un concepto jurídico indeterminado que quedará al albur de los jueces, quienes en cada caso determinarán la entidad del maltrato para considerarlo grave y en consecuencia excluir de la herencia al maltratador.

---

89. *Vid.* FERRER, Francisco A. M., "Artículo 2281", en *Código civil y comercial comentado. Tratado exegético*, 3.ª edición, actualizada y aumentada, Francisco A. M. Ferrer, Fulvio G. Santarelli, Alfredo M. Soto (directores del tomo), tomo XI (arts. 2277 a 2671), Ignacio E. Alterini (coordinador), Thomson Reuters – La Ley, Ciudad Autónoma de Buenos Aires, 2019 (pp. 137-148), p. 139.

90. Y que puede consistir en un sentido lato –según la doctrina del país austral "en una grave desatención de las necesidades afectivas o materiales del causante, (…) en un enfrentamiento público, en un desplante; (…) puede configurarse por una conducta omisiva del heredero, por el hecho de negarle al causante la posibilidad de alquilar un inmueble desocupado propiedad del heredero, por excluirlo injustificadamente de una invitación general, por negarse a visitar al causante enfermo o privado de su libertad, por un abandono psicológico y emocional, o por las infinitas y más variadas situaciones que en la vida pueden presentarse". *Vid.* MAZZINGHI, Jorge A. M., "Novedades acerca de las personas que pueden suceder, las causales de indignidad y la acción de petición de herencia", en *Revista Código civil y comercial*, julio 2020, 01/07/2020, 87, TR LALEY AR/DOC/1296/2020, disponible en: https://estudiomazzinghi.com.ar/publicaciones/novedades-acerca-de-las-personas-que-pueden-suceder-las-causales-de-indignidad-y-la-accion-de-peticion-de-herencia/, consultada el 21 de noviembre de 2021.

91. Sobre el maltrato financiero a las personas adultas mayores en el entorno cubano es dable consultar ALFONSO ROMERO Maritza, Victoria de la Caridad Ribot Reyes, Isabel Pilar Luis Gonzálvez, Juan Guarberto Robert Vicet, "Maltrato financiero a los adultos mayores. Policlínico "Carlos Manuel Portuondo", en *Revista habanera de ciencias médicas*, vol. 20, No. 1, 2021, disponible en: http://www.revhabanera.sld.cu/index.php/rhab/article/view/2911, consultado el 17 de noviembre de 2021. En este estudio se identificó maltrato financiero en un 53.1% de los adultos mayores que formaron parte del estudio descriptivo transversal. Entre estos, predominó el sexo femenino, las edades entre 70 y 79 años, el padecer al menos una enfermedad crónica no transmisible, los viudos y jubilados. Las principales manifestaciones de maltrato reportadas fueron los préstamos sin devolución, las compras no autorizadas, negación de acceso al dinero propio y la presión para realizar trámites legales. Fueron los hijos los señalados como maltratadores con más frecuencia. Imperó además el sexo femenino, las edades entre 40 y 59 años.

Más moderado ha sido el legislador puertorriqueño que ha incluido, tanto el abandono como el maltrato físico o psicológico al causante de la sucesión como primera causal de "indignidad" sucesoria en el artículo 1556 a) del Código civil, recientemente aprobado en 2020. A diferencia del argentino, no exige que sea grave, a la vez que distingue la conducta que supone un abandono de aquella que implica un maltrato, si bien ambas pueden ser manifestaciones de violencia intrafamiliar. Tampoco se alude al causante en situación de vulnerabilidad, ni se toma en cuenta las posibles discapacidades ni la edad. Empero, este entorno de la vulnerabilidad sin dudas es el más propicio para protagonizar tanto el abandono como el maltrato físico y el psicológico.

Por su parte, la fórmula proyectada en el Derecho cubano[92], si bien no se dirige a todo causante en situación de vulnerabilidad, en comparación con la colombiana, da una mayor cobertura porque no solo abarca a las personas en situación de discapacidad sino también a las personas adultas mayores. Responde esta causal al deber constitucional reconocido en el artículo 84, tercer párrafo, de la Carta Magna de 2019 que deja explícito el deber de los hijos de *"respetar, atender y proteger a sus madres, padres y otros parientes conforme con lo establecido en la ley"*. Si bien la causal propuesta en el inciso d) se restringe al abandono físico y emocional, habría que interpretarla en relación con alguna de las otras propuestas que cubriría otras manifestaciones de la violencia como la violencia patrimonial o económica.

En efecto, el inciso d) del proyectado artículo 469 protege a estos grupos en situación de vulnerabilidad en el supuesto de abandono físico y emocional, en tanto que la violencia física y sexual quedarían cubierta en la proposición contenida en el inciso a) del mencionado artículo y el resto de las manifestaciones de violencia intrafamiliar, no comprendidas en estos dos incisos se cubrirían por la genérica formulación del inciso f)[93].

No cabe dudas que el legislador –sin pretender ser reiterativo– intenta cubrir cualquier flanco que viabilice resultar ileso un comportamiento de violencia en el entorno

---

92. Artículo 469.1. "*Son incapaces para ser herederos o legatarios:*
     a) los que cometan presuntos hechos delictivos intencionales contra la vida y la integridad corporal, el honor, la indemnidad sexual, la libertad o los derechos patrimoniales del causante, sus descendientes, ascendientes, cónyuge, o pareja de hecho afectiva, hermanos, sobrinos y tíos, así como de hijos e hijas afines, padres y madres afines y otros parientes socioafectivos dentro del tercer grado de parentesco;
     b) los que hayan empleado engaño, fraude o violencia para obligar al causante a otorgar una disposición testamentaria o a cambiar o dejar sin efecto la otorgada;
     c) los que hayan negado alimentos o atención al causante de la sucesión;
     d) los que hayan propiciado el estado de abandono físico o emocional del causante de la sucesión, de tratarse de persona adulta mayor o en situación de discapacidad;
     e) el padre o la madre del causante que haya sido privado de la responsabilidad parental;
     d) los que hayan incurrido en situación de violencia familiar o violencia de género, en cualquiera de sus manifestaciones, sobre el causante de la sucesión;
     e) los hijos que, sin causa justificada, le hayan impedido al causante de la sucesión en su condición de abuelo, el ejercicio del derecho a comunicarse y relacionarse con sus nietos.
     2. En todos los supuestos enunciados, basta la prueba de que la persona que ha incurrido en tales circunstancias le es imputable el hecho lesivo, sin necesidad de condena penal.
     3. La incapacidad cesa por el perdón expreso o tácito del causante".
93. El artículo 469 del Código civil cubano quedaría redactado en estos términos, tras la aprobación de la reforma que se propone:
     "*Artículo 469.1. Son incapaces para ser herederos o legatarios:*
     a) los que cometan presuntos hechos delictivos intencionales contra la vida y la integridad corporal, el honor, la indemnidad sexual, la libertad o los derechos patrimoniales del causante, sus descendientes,

familiar. Hay además un especial énfasis en visibilizar las conductas asumidas por familiares que dejan en estado de abandono a personas adultas mayores o a personas en situación de discapacidad, grupos vulnerables especialmente protegidos por la Constitución cubana en sus artículos 88 y 89, respectivamente. Como expresa PÉREZ NÁJERA, el abandono es una de las formas de violencia sobre las personas adultas mayores[94], el cual tiene dos vertientes una que constituye el físico y que supone un continuo, perpetuo estado de desatención, desidia y que puede llevar a una situación calamitosa de la persona que afecta su apariencia personal y que incluso puede llevarle a un estado de enfermedad física y el emocional que incide subrepticiamente al suponer una prologada falta de comunicación y de vínculos afectivos con la persona, "implica la ausencia de relación familiar sea manifiesta y continuada, es decir que sea 'conocida' y 'no esporádica', lo que es igual a la práctica inexistencia de vínculos no sólo afectivos sino de contacto físico, que éstos sean 'notorios' para todos los de su entorno y que (…) el causante no haya sido la causa de este alejamiento"[95]. Tan dañino es el uno como el otro. El abandono emocional lleva a la persona en situación de vulnerabilidad a un estado de soledad, de pérdida afectiva de seres queridos e incluso de culpabilidad –muy recurrente en personas adultas mayores–[96]. No supone necesariamente un abandono físico, pero puede tener consecuencias tan dañinas como aquel al desasistir a la persona en flagrante incumplimiento de los deberes parentales y en especial lo previsto en el artículo 417 del Proyecto de Código de las familias respecto de las personas adultas mayores que establece el deber de la familia de la *"atención de sus necesidades tanto en el orden afectivo como patrimonial"*, de modo tal que se conculca la protección que como miembro de la familia le corresponde a los fines de propiciar su *"pleno desarrollo y satisfacciones de sus necesidades afectivas y patrimoniales"* (artículo 427).

---

ascendientes, cónyuge, o pareja de hecho afectiva, hermanos, sobrinos y tíos, así como de hijos e hijas afines, padres y madres afines y otros parientes socioafectivos dentro del tercer grado de parentesco;

b) los que hayan empleado engaño, fraude o violencia para obligar al causante a otorgar una disposición testamentaria o a cambiar o dejar sin efecto la otorgada;

c) los que hayan negado alimentos o atención al causante de la sucesión;

d) los que hayan propiciado el estado de abandono físico o emocional del causante de la sucesión, de tratarse de persona adulta mayor o en situación de discapacidad;

e) el padre o la madre del causante que haya sido privado de la responsabilidad parental;

f) los que hayan incurrido en situación de violencia familiar o violencia de género, en cualquiera de sus manifestaciones, sobre el causante de la sucesión;

g) los hijos que, sin causa justificada, le hayan impedido al causante de la sucesión en su condición de abuelo, el ejercicio del derecho a comunicarse y relacionarse con sus nietos.

2. En todos los supuestos enunciados, basta la prueba de que la persona que ha incurrido en tales circunstancias le es imputable el hecho lesivo, sin necesidad de condena penal.

3. La incapacidad cesa por el perdón expreso o tácito del causante".

94. NÁJERA PÉREZ, Celín, "Violencia familiar sobre los adultos mayores", en *ReCrim*, Revista del Instituto Universitario de investigación en Criminología y Ciencias Penales de la UV, 2012 (pp. 119-147), pp. 131 y 135, disponible en: http://www.uv.es/recrim/recrim12/recrim12a03. pdf, consultada el 14 de noviembre de 2021.

95. *Vid.* ORLANDI, Olga, E., "Alcance de las causales de indignidad. El maltrato emocional a personas mayores", en *Suplemento de Jurisprudencia Argentina*, 16/12/2015, 70–, TR LALEY AR/DOC/5526/20.

96. De ahí por qué se aboga por "(l)a inclusión del maltrato psicológico y maltrato emocional como una modalidad del maltrato de hecho –especialmente en adultos mayores–", de modo que "debe ser tenido presente en el contexto de las normas permitiendo declarar como indignos a sus descendientes cuando el adulto mayor sea objeto del mismo". *Ibidem.*

E igualmente respecto de las personas en situación de discapacidad se vulnera el derecho que tienen a una vida familiar con dignidad lo cual supone su inclusión familiar, comunitaria y social (artículo 430).

Desde la doctrina española se ha apuntado que el abandono emocional "surge en aquellos casos en los que el testador, mayor, necesita cuidados, atención y/o afecto de sus descendientes. Se identificaría por tanto con la falta de relación afectiva y comunicación, existiendo un evidente desinterés por el mayor pese a encontrarse en una situación material de dependencia"[97], supone "una ausencia manifiesta y continuada de relaciones familiares cualificada pues implica que existe una hiriente desatención personal por el ascendiente"[98]. Ciertamente aunque en la norma proyectada no se establece para que prospere esta causal de incapacidad para suceder, ha de ser evidente ese abandono físico y emocional, lo cual ha de ser el resultado de una conducta prolongada en el tiempo para que afloren las huellas de este actuar ingrato no solo de los descendientes, pues tratándose de personas en situación de discapacidad puede manifestarse en padres y madres respecto de sus hijos o hermanos y sobrinos respecto de otros colaterales en relación con los cuales pretendan suceder.

Es importante destacar que, si bien la norma proyectada se puede incardinar en casos de personas abandonadas por sus familiares que luego pretenden ser sus herederos, recordemos que las causales de incapacidad para suceder se aplican en todo tipo de sucesión, de ahí que también opere respecto a extraños –familiarmente hablando–, pero que hayan sido instituidos herederos o se les haya atribuido un legado. Si su conducta respecto del causante de la sucesión ha propiciado el abandono físico o emocional y se trata de personas en las situaciones de vulnerabilidad a que hace referencia la norma que se proyecta, también cabría la posibilidad de ser excluidos de la sucesión, siempre a instancia de quienes estuvieren legitimados para ello[99], a saber: a) el resto de los coherederos concurrentes[100] b) los herederos que supletoriamente concurrirían a la herencia de ser excluido el que propició el abandono del causante, tales como el sustituto vulgar si así fue previsto[101] o los presuntos herederos *ab intestato,* ya sean los del primer llamado en caso de que el excluido de la sucesión sea un heredero testamentario

97. *Vid.* ALGABA ROS, Silvia, "Maltrato de obra y abandono emocional como causal de desheredación", en *InDret,* Revista para el análisis del Derecho, No. 2, abril 2015, p. 10, disponible en: https://www.raco.cat, consultado el 15 de noviembre de 2021.

98. *Ibidem,* p. 16.

99. Respecto a la legitimación en el Derecho argentino, *vid.* ROLLERI, Gabriel, "La exclusión hereditaria en el nuevo Código Civil: fortalecimiento de la indignidad y supresión de la desheredación", en *Revista de Derecho de la familia y de las personas,* año VII, No. 4, mayo 2015 (pp. 105-112), pp. 109-110; ARIANNA, Carlos A. – Guillermo C. OCAMPO, "La acción de indignidad", en *La Ley,* 17 de septiembre de 2020, 1, TR LALEY AR/DOC/2546/2020.

100. Pues estaría latente un acrecimiento sucesorio, a menos que en la sucesión testamentaria se haya nombrado un sustituto vulgar (*vid.* artículo 471 en relación con el artículo 482, ambos del Código civil).

101. Siempre que el testador no haya excluido expresamente el supuesto de incapacidad para suceder para el nombramiento del sustituto. Aunque el Código civil no lo dice en el artículo 482, si se nombra sustituto vulgar y no se expresa en qué supuestos tendrá eficacia la delación sustitutoria, ha de entenderse que están comprendidos todos los supuestos reconocidos en este artículo entre los cuales se incluye el no poder aceptar, en el que se entiende incluidas las incapacidades para suceder.

o un legatario[102], o los de los llamados subsiguientes si el heredero llamado por ley es el único de ese orden o llamamiento[103].

III. A MODO DE EPÍTOME: HACIA UN DERECHO DE SUCESIONES SUSTENTADO EN LA CENTRALIDAD DE LA PERSONA

La aplicación de la CDPD y con ello la consiguiente adaptación del Derecho interno a sus principios y dictados es uno de los más importantes desafíos que tiene el Derecho latinoamericano. El Derecho civil, cuyo eje central es la persona humana, resulta necesariamente uno de los sectores vitales del Derecho que ha de exigir una relectura de sus normas jurídicas, de las que no escapan las reguladoras de las sucesiones por causa de muerte. Esa relectura debe estar enfilada a rescatar los más nobles y altos valores de las personas que enaltezcan su dignidad, con especial referencia de aquellas en situación de vulnerabilidad a favor de las cuales el Estado debe dictar normas de discriminación positiva enfiladas a propiciar su inclusión familiar, comunitaria y social. Si bien discapacidad y vulnerabilidad no tienen por qué ser situaciones homologas, ni tampoco las necesarias variables de una ecuación social, no puede negarse una realidad, a saber: que las situaciones de discapacidad pueden desembocar en situaciones de vulnerabilidad, aun cuando el estar en situación de discapacidad no lleva a la persona a tener una situación de vulnerabilidad económica y con ello a resultar merecedor de una atribución forzosa o legitimaria. La vulnerabilidad es un concepto que ha invadido el Derecho civil y con ello el sucesorio. La discapacidad en tanto suponga vulnerabilidad, merece que el legislador vuelva la mirada y refunde un Derecho civil cuya centralidad ha de ser la persona.

No es posible negar el valor de las situaciones jurídicas patrimoniales en el Derecho sucesorio, llamado a encauzar su destino tras la muerte de su titular. La acefalía ocasionada por aquella, genera el deber jurídico de determinar los herederos y en aras de la seguridad jurídica, precautelar el derecho de crédito constituido a favor de

---

102. Cuando se trate del único heredero instituido o de todos los instituidos y tampoco hubiere sustitutos vulgares nombrados, o habiéndose nombrado no pudieran o no quisieran suceder, ni tampoco operare el acrecimiento sucesorio a favor del resto de los coherederos o del resto de los colegatarios, de ser uno solo de ellos el excluido de la sucesión. En tales circunstancias, sería necesario abrir la sucesión *ab intestato* al amparo del artículo 509 c) del Código civil para proceder ulteriormente a la adjudicación de la herencia o del bien o derecho deferido a favor del fallido heredero o legatario y que ha quedado disponible por la incapacidad para suceder en la que está incurso este. Es dable aclarar que carecerían siempre de legitimación para invocar la causal de incapacidad sucesoria los que en su día fueron instituidos en virtud de un testamento anterior que ha quedado revocado por el subsiguiente en el que fue instituido el que ha devenido incapaz para suceder. Las incapacidades para suceder pueden provocar la inejecutabilidad de la última voluntad del causante, pero no su nulidad. Si, *v.gr.*, el único heredero instituido es incapaz para suceder, el testamento no se ejecuta en cuanto a las cláusulas de contenido patrimonial dispuestas a favor de dicha persona, pero en modo alguno es ineficaz *in totum*, ni nulo en ninguna de sus modalidades. El otorgamiento de ese testamento subsiguiente revoca al anterior *ex* artículo 479.2 del Código civil, a menos que el testador haya expresado su voluntad en sentido contrario.
103. Si la causal de incapacidad para suceder opera respecto de una persona que hubiera sido llamada a título de herencia por las reglas de la sucesión *ab intestato*. Si con ella se agota el llamamiento, estarían legitimados para invocar la causal de incapacidad sucesoria quienes devendrían en defecto de él, herederos, a saber: los ubicados en el llamado subsiguiente.

los acreedores del causante, así como la transmisión del acervo hereditario a favor de los más propincuos parientes y demás miembros de cada familia, afectivamente cercanos al *de cuius*. Pero el Derecho de sucesiones que se construye ha de ser un Derecho que potencie la protección de situaciones jurídicas existenciales que no son ajenas al fenómeno sucesorio. Las normas deben tener como brújula norteadora la inclusión de las personas, cualquiera sea su situación de discapacidad, fomentando el derecho de testar, la *testamentifactio* activa, el acceso a los distintos tipos testamentarios u otras fuentes negociales como los pactos sucesorios. Un Derecho sucesorio más personalista debe imponerse. Como apunta el profesor BARBA –apoyado en la doctrina Perlingeriana– el testamento, figura clásica y negocio jurídico por excelencia del Derecho de sucesiones, ordenador del fenómeno sucesorio "es un acto que ciertamente (si bien) tiene trascendencia patrimonial, no se puede obviar que tiene implicaciones personales muy marcadas que lo diferencian de todos los demás negocios jurídicos puramente patrimoniales. Por ello, no dudaría en considerar el testamento como un acto más cercano a los que afectan a situaciones existenciales que a los de carácter puramente patrimonial, con todas las consecuencias que conlleva"[104].

El panorama del Derecho sucesorio que se extiende en la geografía latinoamericana no es nada prometedor. Se requiere un despertar de los legisladores nacionales, aferrados aún a la arquitectura decimonónica o de principios del siglo XX a la que se adscriben sus códigos civiles. En aquellos Estados en los que se dan los primeros pasos en pos de adaptar el Derecho interno al convencional, el foco de atención se centra en el artículo 12 de la Convención en lo que al ejercicio de la capacidad jurídica concierne, pero sin ir más allá desde una visión de sistema, dejando a un lado la coherencia del ordenamiento jurídico. El Derecho de sucesiones en Latinoamérica sigue siendo esencial y exclusivamente patrimonialista. La protección a las personas en situación de discapacidad en materia sucesoria no es tema priorizado en las agendas de los políticos que, no obstante y para ser justos, desarrollan las normas legales desde los enfoques que el Derecho público exige. Es la doctrina científica y en algunos casos la jurisprudencia, la puerta de entrada de aquellos atisbos de protección desde el Derecho de sucesiones a las personas en situación de discapacidad. Los aportes desde la doctrina argentina y la reforma cristalizada en el Código civil y comercial de la Nación de 2014, aunque parca y fragmentada en este orden, no dejan de soliviantar a la doctrina foránea. No menos interés puede brindar la reforma de las normas sucesorias al Código civil peruano y la que se proyecta al Código civil cubano. En ambos casos como expresión de cirugías de mínimo acceso por la que se pretenden reformar temas puntuales en materia de protección a las personas en situación de discapacidad. En este orden cabe destacar las reformas a los artículos 466 y 476 del Código civil de Cuba. Al primero de los artículos citados (o sea, el 466) al reformarse su primer apartado y dejar sentado en él que constituye –por demás– el pórtico de las normas del Libro IV, destinado al Derecho de sucesiones en el Código civil que este *"comprende el conjunto de normas que regulan la transmisión del patrimonio y de otras situaciones jurídicas existenciales del causante*

---

104. BARBA, Vincenzo, "Capacidad para otorgar testamento, legitimarios y protección de la persona con discapacidad", en *La Ley Derecho de familia*, número temático dedicado a La reforma civil y procesal de la discapacidad. Un tsunami en el ordenamiento jurídico, No. 31, julio-septiembre 2021, p. 5.

después de su muerte", en plena coherencia con el otro de los artículos citados (el 476) al que se le adiciona un segundo apartado que sitúa como contenido del testamento *"disposiciones no patrimoniales, relativas a situaciones sustentadas en la existencia y centralidad de la persona"*, en las que ocupan un sitial significativo aquellas que puedan tener por cometido la tuición de las personas en situación de discapacidad. De este modo, cabe decir que aunque los vientos de este lado del Atlántico no soplan con la misma intensidad en la construcción de un nuevo Derecho de sucesiones, algunas rachas llegan.

IV. BIBLIOGRAFÍA

Fuentes doctrinales:

ACEDO PENCO, Ángel, *Derecho de sucesiones. El testamento y la herencia*, Dykinson, Madrid, 2014.

ALBALADEJO GARCÍA, Manuel, *Curso de Derecho civil V* – Derecho de sucesiones, 7.ª edición, Bosch, Barcelona, 1997.

ALDERETE, Claudio Marcelo, "El sistema de apoyos en la toma de decisiones de las personas con discapacidad. Propuestas y comentarios", Infojus, 14 de septiembre de 2015, Id SAIJ: DACF150503, www.infojus.gov.ar, consultado el 10 de mayo de 2020.

ALFARO GUILLÉN, Yanet, "El otorgamiento de testamento durante la vejez: recomendaciones de *lege data* para la autorización notarial en Cuba", en *Homenaje a José María Castán Vázquez. Liber amicorum*, tirant lo blanch– Consejo General del Notariado, Madrid, 2019 (pp. 1397-1431).

ALFONSO LEÓN, Alina, "Un estudio piloto sobre los cuidadores de ancianos", en *Novedades en población*, CEDEM, Universidad de La Habana, No. 22, año XI, julio-diciembre 2015 (pp. 29-37).

ALFONSO ROMERO Maritza, Victoria de la Caridad Ribot Reyes, Isabel Pilar Luis Gonzálvez, Juan Guarberto Robert Vicet, "Maltrato financiero a los adultos mayores. Policlínico "Carlos Manuel Portuondo", en *Revista habanera de ciencias médicas*, vol. 20, No. 1, 2021, disponible en: http://www.revhabanera.sld.cu/index.php/rhab/article/view/2911, consultado el 17 de noviembre de 2021.

ALGABA ROS, Silvia, "Maltrato de obra y abandono emocional como causal de desheredación", en *InDret*, Revista para el análisis del Derecho, No. 2, abril 2015, p. 10, disponible en: https://www.raco.cat, consultado el 15 de noviembre de 2021.

ÁLVAREZ CAPEROCHIPI, José A., *Derecho de sucesiones*, Instituto Pacífico, Lima, 2018.

AMUNÁTEGUI RODRÍGUEZ, Cristina de, "Derecho de sucesiones y discapacidad. Retos y cuestiones problemáticas", en Cristina de Amunátegui Rodríguez y María Martínez Martínez, *Derecho de sucesiones y discapacidad. Retos y cuestiones problemáticas*, Fundación Coloquio Jurídico Europeo, Madrid, 2020 (pp. 11-105).

AMUNÁTEGUI RODRÍGUEZ, Cristina de, "Testamento otorgado por personas que sufren discapacidad psíquica o tienen su capacidad modificada judicialmente", en *Revista de Derecho Privado*, No. 4, julio-agosto 2018 (pp. 3-37).

BARBA, Vincenzo, "Testamento olografo scritto di mano dal curatore del beneficiario di amministrazione di sostegno", *Famiglia, Persone e Successioni,* No. 6, giugno 2012 (pp. 436-447).

– "Il diritto delle successioni tra solidarietà e sussidiarietà", *Rassegna di Diritto civile,* XXXVII, 2, 2016 (pp. 345-371).

– "Ragionevolezza e proporzionalità nel diritto delle successioni", *Diritto delle successioni e della familia,* IV 3, 2018 (pp. 747-780).

– "Capacidad para otorgar testamento, legitimarios y protección de la persona con discapacidad", en *La Ley Derecho de familia,* número temático dedicado a La reforma civil y procesal de la discapacidad. Un tsunami en el ordenamiento jurídico, No. 31, julio-septiembre 2021.

BARRÍA PAREDES, Manuel, "Familia, discapacidad y sucesión por causa de muerte. Algunas ideas para la nueva Constitución de Chile", en *Revista Chilena de Derecho Privado,* número temático, octubre 2021 (pp. 143-181).

BARRIO GALLARDO, Aurelio, "Derecho a la herencia y sucesión forzosa en el art. 33 de la Constitución española", en *Conpedi Law Review,* vol. 4, no. 1, enero-junio 2018, Zaragoza (pp. 139-158).

BERROCAL LAZAROT, Ana Isabel, "La capacidad y voluntad de testar dos pilares fundamentales en la sucesión testada", *Revista Crítica de Derecho Inmobiliario,* Año 94, No. 770, 2018 (pp. 3339 a 3371).

CAPPARELLI, Julio César, "Colación y legítima en el proyecto de nuevo Código Civil y Comercial", MJ-DOC-5983-AR | MJD5983, 27 de diciembre de 2012, disponible en http://aldiaargentina.microjuris.com/2012/09/27/colacion-y-legitima-en-el-proyecto-de-nuevo-codigo-civil-y-comercial/, consultado el 26 de mayo de 2015.

CARDOSO BRASILEIRO BORGES, Roxana y Renata MARQUES LIMA DANTAS, "Direito das sucessões e a proteção dos vulneráveis econômicos", *Revista Brasileira de Direito Civil,* vol. 11, Belo Horizonte, jan./mar. 2017 (pp. 73-91).

CAROL ROSÉS, Fernando, "Una revisión desde la doctrina y la jurisprudencia de la testamentifacción de las personas con la capacidad judicialmente modificada y con discapacidad", *Revista Crítica de Derecho Inmobiliario,* No. 764 (pp. 3242-3265).

CARRAL MIERA, Cristina, "Cuidadoras invisibles, derechos graciables. De cómo la redacción 'neutra' de las normas en una situación con amplia brecha de género perpetúa la desigualdad", *Tesis de doctorado,* bajo la dirección de Juan de Dios Izquierdo Collado y Alfredo Hidalgo Lavié, Departamento de Sociología, UNED, 2017, p. 350, disponible en http://e-spacio.uned.es/fez/eserv/tesisuned:CiencPolSoc-Ccarral/CARRAL_MIERA_Cristina_Tesis.pdf, consultada el 7 de julio de 2020.

CARRETERO GÓMEZ, Stephanie, Jorge GARCÉS FERRER, Francisco RÓDENAS RIGLA, "La sobrecarga de las cuidadoras de personas dependientes: análisis y propuestas de intervención psicosocial", Colección Políticas de Bienestar Social, tirant lo blanch, Valencia, 2006.

CAVALLÉ CRUZ, Alfonso, *El notario como garante de los derechos de las personas*, Jurista editores, Lima, 2012.

CISTERNA REYES, María Soledad, "Desafíos y avances en los derechos de las personas con discapacidad: una perspectiva global", *Anuario de Derechos humanos*, No. 11, 2015 (pp. 17-37).

CÓRDOBA, Marcos, "Utilidad social de la sucesión –asistencia– mejora específica", en Leonardo B. Pérez Gallardo (coordinador), *El Derecho de sucesiones en Iberoamérica. Tensiones y retos*, Temis, Ubijus, Reus, Zavalia, Bogotá, México D.F., Madrid, Buenos Aires, 2010.

– "Introducción a nuevas normas del derecho sucesorio en el Código Civil y Comercial de la Nación", en *Suplemento especial Nuevo Código Civil y Comercial*, noviembre 2014, 17/11/2014, 225, TR LALEY AR/DOC/3914/2014.

– "Derecho sucesorio. Normas jurídicas que atiendan a los discapacitados", *La Ley*, 28/03/2011, 1, *La Ley* 2011-B., 872.

CUENCA GÓMEZ, Patricia, "El sistema de apoyo en la toma de decisiones desde la Convención Internacional sobre los Derechos de las Personas con Discapacidad: principios generales, aspectos centrales e implementación en la legislación española", *REDUR* 10, diciembre 2012 (pp. 61-94).

CZACHORSKI, Witold y Andrezj STELMACHOWSKI, "Evolución del Derecho Civil en los países socialistas", disponible en http://biblio.juridicas.unam.mx/libros/2/889/3.pdf, consultado el 2 de agosto de 2012.

DELGADO ECHEVARRÍA, Jesús, "El fundamento constitucional de la facultad de disponer para después de la muerte", en Diario *La Ley*, no. 7675, Sección Tribuna, año XXXII, Editorial La Ley.

DELGADO VERGARA, Teresa y Joanna PEREIRA PÉREZ, "El envejecimiento: un fenómeno demográfico con repercusiones jurídicas", en *Novedades en población*, CEDEM, Universidad de La Habana, No. 26, año XIII, julio-diciembre 2017 (pp. 24-39).

DÍAZ ALABART, Silvia, *La protección de los datos y contenidos digitales de las personas fallecidas*, Reus, Madrid, 2020.

ECHEVARRÍA DE RADA, María Teresa, "La capacidad testamentaria de la persona con discapacidad a la luz de la Ley 8/2021, de 2 de junio", en *El ejercicio de la capacidad jurídica por las personas con discapacidad tras la Ley 8/2021, de 2 de junio*, Montserrat Pereña Vicente y María del Mar Heras Hernández (directoras), María Núñez Núñez (coordinadora), tirant lo blanch, Valencia 2022 (pp. 521-554).

ESPADA MALLORQUÍN, Susana, "El impedimento del ejercicio del derecho a una relación directa y regular entre abuelos y nietos como causal de desheredación e indignidad", en *Revista de Derecho*, vol. XXVIII, No. 2, diciembre 2015 (pp. 71-89).

ESPÍN CÁNOVAS, Diego, *Manual de Derecho civil español*, volumen V – Sucesiones, Editorial Revista de Derecho Privado, Madrid, 1957.

FERNÁNDEZ ARCE, César, *Manual de Derecho sucesorio*, Fondo editorial de la Pontificia Universidad Católica del Perú, Lima, 2014.

FERRER, Francisco M., *Cuestiones de Derecho civil. Familia y sucesiones*, con la colaboración de Francisco A. M. Ferrer, Rubinzal Culzoni, Santa Fe, 1979.

– "Artículo 2281", en *Código civil y comercial comentado. Tratado exegético*, 3.ª edición, actualizada y aumentada, Francisco A. M. Ferrer, Fulvio G. Santarelli, Alfredo M. Soto (directores del tomo), tomo XI (arts. 2277 a 2671), Ignacio E. Alterini (coordinador), Thomson Reuters – La Ley, Ciudad Autónoma de Buenos Aires, 2019 (pp. 137-148).

FERRER, Francisco A. M., "Algunos aspectos de la transmisión sucesoria en los nuevos tiempos", en *Hacia un nuevo Derecho de sucesiones*, Leonardo B. Pérez Gallardo (coordinador), Editorial Ibáñez, Bogotá, 2019 (pp. 87-142).

GARCÍA QUIÑONES, Rolando, "Cuba: envejecimiento, dinámica familiar y cuidados", en *Novedades en población*, CEDEM, Universidad de La Habana, volumen 15, No. 29, enero-junio 2019 (pp. 129-140).

GARCÍA RUBIO, María Paz y Marta OTERO CRESPO, "Capítulo 5. "Capacidad, incapacidad e indignidad para suceder", *Tratado de Derecho de sucesiones*, tomo I, María del Carmen Gete-Alonso y Calera (directora), Judith Solé Resina (coordinadora), Civitas, Thomson Reuters, Pamplona, 2011 (pp. 225-273).

GONZÁLEZ FERRER, Yamila, *Discriminación por estereotipos de género. Herramientas para su enfrentamiento en el Derecho de las familias*, Ediciones Olejnik, Santiago de Chile, 2020.

HERAS HERNÁNDEZ, María del Mar, "Designación de heredero bajo la condición de cuidar al testador ¿Una disposición testamentaria al alza?, en *La Ley Derecho de familia*, No. 22, abril-junio 2019 – Cuestiones actuales del Derecho Sucesorio.

HIDALGO MARTINOLA, Diana Rosa, Larissa TURTÓS CARBONELL, Ángela CABALLERO BATISTA, Juana Rosa MARTINOLA MELÉNDEZ, "Relaciones interpersonales entre cuidadores informales y adultos mayores", en *Novedades en población*, CEDEM, Universidad de La Habana, No. 24, año XII, julio-diciembre 2016 (pp. 77-83).

LACRUZ BERDEJO, José Luis, *et al., Elementos de Derecho civil V – Sucesiones*, 4.ª edición, revisada y puesta al día por Joaquín Rams Albesa, Dykinson, Madrid, 2009.

LANATTA, Rómulo E., *Derecho de sucesiones*, tomo II, 3.ª edición, editorial Desarrollo, Lima, 1993.

LEIVA FERNÁNDEZ, Luis F. P., "La personalidad pretérita. No es lo mismo estar muerto que no haber vivido", en *La Ley* 22/10/2018, 8 – LA LEY2018-E, 1114 – ADLA2018-12, 3, cita on line: AR/DOC/2014/2018.

LIMA GOMES, Felipe, "O direito fundamental à herança: âmbito de proteção e consequências de sua constitucionalização", Tese submetida ao Programa de Pós-Graduação em Direito da Universidade Federal do Ceará, como requisito parcial para obtenção do grau de Doutor em Direito, Orientador: Prof. Dr. Hugo de Brito

Machado Segundo, Fortaleza, 2015, p. 78, en http://www.repositorio.ufc.br/handle/riufc/2381, consultada el 7 de septiembre de 2020.

LITWIN y ATTIAS-DONFUT *cit. pos* MOLERO JURADO, M.ª del Mar, M.ª del Carmen PÉREZ-FUENTES, José Jesús GÁZQUEZ LINARES, "Cuidadores familiares, no profesionales o informales: Revisión de la terminología en publicaciones científicas", *Revista de la Facultad de Ciencias de la Salud*, UDES, Bucaramanga, volumen 3, No. 1, enero-junio 2016 (pp. 68-76).

LÔBO, Paulo, "Direito constitucional à herança, saisine e liberdade de testar", *Anais do IX Congresso Brasileiro de Direito de Família Famílias: Pluralidade e Felicidade* (pp. 35-46), p. 44, en https://www.ibdfam.org.br, consultada el 7 de septiembre de 2020.

MAZZINGHI, Jorge A. M., "Novedades acerca de las personas que pueden suceder, las causales de indignidad y la acción de petición de herencia", en *Revista Código civil y comercial*, julio 2020, 01/07/2020, 87, TR LALEY AR/DOC/1296/2020, disponible en: https://estudiomazzinghi.com.ar/publicaciones/novedades-acerca-de-las-personas-que-pueden-suceder-las-causales-de-indignidad-y-la-accion-de-peticion-de-herencia/, consultada el 21 de noviembre de 2021.

MAQUIEIRA, Mercedes y Vilma R. VANELLA, "La legítima hereditaria. Voluntad presumida por la ley voluntad testamentaria", *Derecho de familia y de las personas*, Buenos Aires, año V, No. 11, diciembre 2013 (pp. 111 y ss.).

MEJÍA ROSASCO, Rosalía, "La reforma de la capacidad de la persona en la legislación civil y notarial en el Perú: La implementación de la Convención de los derechos de las personas con discapacidad", en *Derechos e integración*, Revista del Instituto de Derecho e integración, Colegio de escribanos de la provincia de Santa Fe, No. 14, año X, 2019.

MILLÁN, Fernando, "El principio de solidaridad familiar como mejora a favor del heredero con discapacidad", *Derecho de familia y de las personas*, Buenos Aires, año IV, No. 6, julio 2012 (pp. 245 y ss.), cita online: AR/DOC/2895/2012.

MONJE BALMASEDA, Óscar, "La delación testamentaria. El testamento como negocio jurídico y la capacidad para testar", en *Sistema de Derecho civil. Sucesiones*, Francisco Lledó Yagüe – Ramón Herrera Campos (directores), Oscar Monje Balmaseda (coordinador), Dykinson, Madrid, 2002 (pp. 73-93).

NÁJERA PÉREZ, Celín, "Violencia familiar sobre los adultos mayores", en *ReCrim*, Revista del Instituto Universitario de investigación en Criminología y Ciencias Penales de la UV, 2012 (pp. 119-147), pp. 131 y 135, disponible en: http://www.uv.es/recrim/recrim12/recrim12a03.pdf, consultada el 14 de noviembre de 2021.

NIETO ALONSO, Antonia, "La disposición testamentaria ordenada a favor de quien cuide al testador o a otras personas por él designadas", en *Estudios de Derecho de sucesiones. Liber amicorum Teodora F. Torres García* (directores Andrés Domínguez Luelmo y María Paz García Rubio, coordinadora Margarita Herrero Oviedo), Wolters Kluwer, Madrid, 2014 (pp. 1043-1066).

O'CALLAGHAN MUÑOZ, Xavier, *Compendio de Derecho civil*, tomo V– Derecho de sucesiones, 2.ª edición, corregida y puesta al día, Editorial Revista de Derecho privado,
EDERSA, Madrid, 1987.

OLMO, Juan Pablo, *Herederos con discapacidad. Teoría y práctica de la mejora estricta*, Astrea,
Buenos Aires 2019.

ORLANDI, Olga, "Vulnerabilidad y Derecho sucesorio. La mejora al ascendiente y descendiente con discapacidad", disponible en http://www.google.es/url?url=http://
aulavirtual.derecho.proed.unc.edu.ar/pluginfile.php/56950/mod_folder/content/0/
13.%2520LEGITIMA%2520/D%25202013-%2520Vulnerabilidad%2520y%2520
derecho%2520sucesorio%2520%2520-ORLANDI.pdf%3Fforcedownload%
3D1&rct=j&frm=1&q=&esrc=s&sa=U&ei=aXVkVYDZIsflsATChIOoDg&ved=
0CBkQFjAB&sig2=_VKtsZglEd18NFtM52_l4Q&usg=AFQjCNHYpuMo7-8o27hNA
VecwKrM4dE8Yw, consultado el 26 de mayo de 2015.

– "Alcance de las causales de indignidad. El maltrato emocional a personas mayores", en *Suplemento de Jurisprudencia Argentina*, 16/12/2015, 70–, TR LALEY AR/
DOC/5526/20.

PALACIOS, Agustina, "La configuración de los sistemas de apoyo en el contexto de la
accesibilidad universal y los ajustes razonables", paper presentado en el Congreso
internacional "Madrid sin barreras: Accesibilidad, ajustes y apoyos", A diez años de
la promulgación de la Convención sobre los derechos de las personas con discapacidad 24 y 25 de mayo 2016, Universidad Carlos III de Madrid (Getafe), en www.
madridsinbarreras.org, consultada el 14 de mayo de 2020.

PÉREZ GALLARDO, Leonardo B. (coordinador), *El Derecho de sucesiones en Iberoamérica. Tensiones y retos*, Temis, Ubijus, Reus, Zavalia, Bogotá, México, D.F., Madrid, Buenos Aires, 2009.

– "El notario: función de autoridad pública", en *Ensayos de Derecho Notarial*, Gaceta
Notarial, Lima, 2011.

– "Familias ensambladas, parentesco por afinidad y sucesión *ab intestato*: ¿Una ecuación
lineal?", en *Revista de Derecho de Familia y de las Personas,* año III, No. 7, agosto del
2011 (pp. 163-175).

– "Testamentos ológrafo y cerrado en braille en el Derecho peruano: Luces en el horizonte de las personas con discapacidad visual" en *Revista Gaceta Civil y procesal civil,
registral y notarial*, Lima, tomo 37, julio 2016 (pp. 241-267).

– "El testamento otorgado con apoyos por personas con discapacidad: ¿una quimera?"
en *Revista Crítica de Derecho Inmobiliario*, Madrid, No. 782, año XCVI, noviembre –
diciembre de 2020 (pp. 3625-3671).

– "Las nuevas construcciones familiares en la sucesión *ab intestato*… en pos de superar
trazos hematológicos", en *Revista de Derecho Privado y Comunitario*, 2019-I Sucesiones
–II, editorial Rubinzal-Culzoni, Buenos Aires– Santa Fe (pp. 11-49).

– "El libre desarrollo de la personalidad en la interpretación del Derecho de sucesiones" en, *Claves para la interpretación de la Constitución cubana de 2019*, Carlos M.

Villabella Armengol y Leonardo B. Pérez Gallardo (directores), Editorial Olejnik, Santiago de Chile, 2021 (pp. 223-259).

RIBERA BLANES, Begoña, "La falta de relación afectiva entre padres e hijos mayores de edad como causa de extinción de la pensión de alimentos", en *Actualidad Jurídica Iberoamericana*, No. 13, agosto 2020 (pp. 482-529).

ROCA TRÍAS, Encarna, "Una reflexión sobre la libertad de testar", en "Legítimas y libertad de testar", en Andrés Domínguez Luelmo y María Paz García Rubio (directores), Margarita Oviedo Herrero (coordinadora), *Estudios de Derecho de sucesiones, Liber amicorum Teodora F. Torres García*, Wolter Kluwer, Madrid, 2014 (pp. 1245-1266).

RODRÍGUEZ ADRADOS, Antonio, "El notario: función privada y función pública. Su inescindibilidad", en *Revista de Derecho Notarial*, Colegios Notariales de España, año XVII, No. CVII, enero-marzo, 1980 (pp. 255-409).

ROLLERI, Gabriel, "La exclusión hereditaria en el nuevo Código Civil: fortalecimiento de la indignidad y supresión de la desheredación", en *Revista de Derecho de la familia y de las personas*, año VII, No. 4, mayo 2015 (pp. 105-112), pp. 109-110; ARIANNA, Carlos A. – Guillermo C. OCAMPO, "La acción de indignidad", en *La Ley*, 17 de septiembre de 2020, 1, TR LALEY AR/DOC/2546/2020.

ROMERO COLOMA, Aurelia María, "El testador anciano y los problemas de la testamentifacción activa", en *Revista Crítica de Derecho Inmobiliario*, año 85, No. 713, 2009 (pp. 1213-1234),

RUEDA PÉREZ, José María, "Comentario a los artículos 203 y 204 de la Ley de Derecho civil de Galicia", en *Derecho de Sucesiones y régimen económico familiar de Galicia, Comentarios a los Títulos IX y X de la Ley 2/2006, de 14 de junio*, vol. I, Colegio Notarial de Galicia, Colegios Notariales de España, Madrid, 2007 (pp. 203-298).

SALOMÓN, Marcelo J., "La regulación de la legítima en el Código proyectado: Constitución Nacional, orden público y autonomía personal", en *Revista Derecho Privado*, Año II, No. 6, septiembre 2013, Editorial del Ministerio de Justicia y Derechos Humanos de la Nación (pp. 279-296)

SERRANO DE NICOLÁS, Ángel, *Derecho de familia y sucesiones*, ediciones Olejnik, Santiago de Chile, 2016.

SIMMONS, Thomas E., "A Chinese Inheritance", *Quinnipiac Probate Law Journal*, volume 30, Issue 2, 2017 (pp. 124-148).

SUÁREZ FRANCO, Roberto, *Derecho de sucesiones*, 2.ª edición, Temis, Bogotá, 1996. TANTALEÓN ODAR, Reynaldo Mario, "La discapacidad. Anotaciones al Decreto Legislativo 1384", en *Derecho y cambio social*, No. 56, abril 2019.

VALVERDE Y VALVERDE, Calixto, *Tratado de Derecho civil español*, tomo V – Derecho de sucesión mortis causa, Talleres Tipográficos Cuesta, Valladolid, 1916.

VAQUER ALOY, Antoni, "Reflexiones sobre una eventual reforma a la legítima", *InDret*, 3/2007, disponible en http://www.indret.com/pdf/457_es.pdf, consultada el 6 de agosto de 2012.

– "La protección del testador vulnerable", en *Libertad de testar y libertad para testar*, Ediciones Olejnik, Santiago de Chile, 2018, pp. 127-156 (pp. 130-131).

– "Freedom of Testation, Compulsory Share and Disinheritance based on lack of Family Relationship", November 2010, Research Gate (pp. 1-20), pp. 6-10, disponible en https://www.researchgate.net/publication/228143184, consultado el 7 de julio de 2020.

VAQUER ALOY, Antoni y Noelia IBARZ LÓPEZ, "Las familias reconstituidas y la sucesión a título legal", en *Revista de Derecho Civil*, vol. IV, núm. 4 (octubre-diciembre, 2017), Ensayos (pp. 211-235), disponible en: http://nreg.es/ojs/index.php/RDC, consultada el 20 de octubre de 2021.

VARSI-ROSPIGLIOSI, Enrique, Marco Andrei TORRES MALDONADO, "El nuevo tratamiento del régimen de la capacidad en el Código civil peruano", en *Acta Bioethica*, No. 25 (2), 2019 (pp. 199-213).

VILLAFUERTE CLAROS, Armando, *Derecho de sucesiones*, tomo II – Parte especial, Imprenta Riverijos Ltda, La Paz, 1995.

ZANNONI, Eduardo A., *Manual de Derecho de las sucesiones*, 4.ª edición, actualizada y ampliada, Astrea, Buenos Aires, 1999.

ZÁRATE DEL PINO, Juan B., *Curso de Derecho de sucesiones*, Palestra editores, Lima, 1998.

Páginas webs:

https://www.uam.es/Derecho/VII-Conferencia-Tom%C3%A1s-y-Valiente/1446790497489.htm?language=es&pid=1234889427753&title=VII%20Conferencia%20Tom?s%20y%20Valiente, consultada el 8 de enero de 2020.

Fuentes legales:

Convención sobre los derechos de las personas con discapacidad, aprobada en Nueva York, el 13 de diciembre de 2006, disponible en: https://www.un.org, consultada el 24 de abril de 2022.

Código Civil y Comercial de la República de Argentina, Ley No. 26994 de 8 de octubre de 2014, disponible en: http://www.saij.gob.ar, consultado el 02 de mayo de 2022.

Código Civil de la República de Bolivia, Decreto Ley N.º 12760 de 6 de agosto de 1975, edición de 1998.

Ley 10/2008, de 10 de julio, del libro IV del Código civil de Cataluña, relativo a las sucesiones, disponible en: https://www.boe.es/buscar/act.php?id=BOE-A_2008-13533, consultada el 23 de octubre de 2021.

Código Civil de la República de Chile de 14 de diciembre de 1855, con citas de jurisprudencia, anotaciones y concordancias, actualizada al 15 de enero del 2009, a cargo de Javier BARRIENTOS GRANDÓN, Legal Publishing, Abeledo Perrot, Editorial Jurídica Santiago de Chile, 2009.

Código Civil de la República de Colombia, sancionado el 26 de mayo de 1873 y puesto en vigor por Ley 57 de 1887, 3.ª edición, Legis Editores, 1999; *Código Civil de la*

República de Costa Rica de 26 de abril de 1886 (revisado y actualizado), 9.ª edición, Porvenir, San José, 1996.

Código Civil de la República de Cuba, Ley N.º 59 de 16 de julio de 1987 (anotado y concordado por Leonardo B. PÉREZ GALLARDO) ONBC, La Habana, 2019;

Código Civil de la República de Ecuador, con legislación conexa, concordancias y jurisprudencia, tomo I, actualizado a 1 de enero del 2007, editado por Corporación de Estudios y Publicaciones, Quito, 2007.

Código Civil de la República de El Salvador, decretado el 23 de agosto de 1859, ordenada su promulgación por Decreto Ejecutivo de 10 de abril de 1860, publicado en el Diario Oficial el 14 de abril de 1860, actualizado con sus reformas, Ricardo Mendoza Orantes, editor, Editorial Jurídica salvadoreña, 2006;

Código civil del Reino de España, Real Decreto de 24 de julio de 1889, actualizado con la Ley 8/2021, de 2 de junio, por la que se reforma la legislación civil y procesal para el apoyo a las personas con discapacidad en el ejercicio de la capacidad jurídica, disponible en: https://www.boe.es/pdf/1889/BOE-A-1889-4763-consolidado.pdf, consultada el 23 de octubre de 2021.

Código Civil de la República de Guatemala, sancionado por Decreto-Ley N.º 106 de 14 de septiembre de 1963, en vigor desde el 1.º de julio de 1964, AYALA and JIMÉNEZ Editores, Guatemala, C. A., 1991.

Código Civil de la República de Honduras, sancionado por Decreto N.º 76 de 19 de enero de 1906, Graficentro Editores, Tegucigalpa. s. f.; *Código Civil de los Estados Unidos Mexicanos para el Distrito y Territorio Federales en materia común y para toda la República en materia federal,* de 30 de agosto de 1928, edición a cargo de Jorge OBREGÓN HEREDIA (concordado), Porrúa, México, 1988.

Código Civil de la República de Nicaragua, 4.ª edición, Editorial Jurídica, 1999; *Código Civil de la República de Paraguay*, Ley N.º 1183, en vigor desde el 1.º de enero de 1987, 3.ª edición, Intercontinental Editora, Asunción, Agosto de 1993.

Código Civil de la República del Perú, promulgado por Decreto Legislativo N.º 295 de 24 de junio de 1984, en vigor desde el 14 de noviembre de 1984, edición actualizada, Jurista editores, Lima, 2011.

Código Civil de Puerto Rico. Ley No. 55 de 1 de junio de 2020, disponible en: https://bvirtualogp.pr.gov, consultado el 02 de mayo de 2022.

Código Civil de la República Dominicana, 8.ª edición, preparada por el Dr. Plinio TERRERO PEÑA, Editora Corripio, C. por A., Santo Domingo, 1987.

Código Civil de la República Oriental del Uruguay sancionado en 1914, concordado, edición a cargo de Gustavo Ordoqui Castilla, Ediciones del Foro, Montevideo, 2010.

Código Civil de la República de Venezuela, reformado en julio de 1982, Editorial PANAPO, 1986.

Ley No. 5, sobre discapacidad, promulgada el 15 de enero de 2013, de la República Dominicaana, disponible en: https://repositorio.msp.gob.do/handle/123456789/1191, consultada el 02 de mayo de 2022.

Ley No. 9379, de 18 de agosto de 2016, "Ley para la promoción de la autonomía personal de las personas con discapacidad" de Costa Rica, disponible en: https://costarica.unfpa.org, consultada el 02 de mayo de 2022.

Ley No. 1996 de 26 de agosto de 2019 "Por medio de la cual se establece el régimen para el ejercicio de la capacidad legal de las personas con discapacidad mayores de edad", de Colombia, disponible en: https://www.funcionpublica.gov.co, consultada el 02 de mayo de 2022.

Decreto No. 672, de 26 de agosto de 2020, contentivo de la "Ley especial de inclusión de las personas con discapacidad" de El Salvador, disponible en: http://www.conaipd.gob.sv/, consultada el 02 de mayo de 2022.

Decreto Legislativo 1384, de 03 de septiembre de 2018, que reconoce y regula la capacidad jurídica de las personas con discapacidad en igualdad de condiciones, de la República del Perú, publicado en el Diario *El Peruano*, de 04 de septiembre de 2018, disponible en: https://www.gob.pe/institucion/conadis/noticias/21984-publican-decreto-legislativo-1384-que-reconoce-plena-capacidad-juridica-en-las-personas-con-discapacidad-y-elimina-la-interdiccion, consultada el 02 de mayo de 2022.

Observación general N.º 1 (2014) Comité sobre los Derechos de las Personas con Discapacidad, 11.º período de sesiones, 31 de marzo a 11 de abril de 2014, disponible en: http://www.convenciondiscapacidad.es/wp-content/uploads/2019/01/Observaci%C3%B3n-1-Art%C3%ADculo-12-Capacidad-jur%C3%ADdica.pdf, consultada el 03 de noviembre de 2021.

Guía notarial de buenas prácticas para personas con discapacidad, Comisión de derechos humanos de la Unión Internacional del Notariado. Disponible en: http://www.notariado.org, consultada el 31 de octubre de 2021.

11

La capacidad para otorgar testamento en derecho italiano

VINCENZO BARBA

Catedrático de Derecho Civil
Universidad de Roma "La Sapienza"

I. INTRODUCCIÓN

La capacidad para otorgar testamento está regulada en el ordenamiento jurídico italiano en el art. 591 CC, que, tras establecer la regla general de que pueden testar las personas no declaradas incapaces por la ley, y tras establecer que no tienen capacidad para otorgar testamento las personas menores de edad, los incapacitados por razón de demencia y las personas que no tienen la capacidad de entender y querer, establece que el testamento otorgado por una persona incapaz puede ser anulado a petición de cualquier interesado en el plazo de cinco años desde que se otorgó la disposición testamentaria[1].

---

1. GANGI, C., *La successione testamentaria nel vigente diritto italiano*, vol. I, 2ᵃ ed., Giuffré, Milano, 1952, pp. 96 y ss. Recuerda cómo en el texto del Código Civil italiano de 1865 se dudaba de si

El precepto comentado, más allá de los numerosos problemas que plantea desde el punto de vista interpretativo y teórico-aplicativo, más allá de que constituye una premisa para la propia libertad testamentaria[2], más allá de que parece considerar la capacidad de disponer por testamento como una capacidad especial, pone de manifiesto que el ordenamiento jurídico italiano no sólo no ha adaptado su derecho interno a la Convención de Nueva York sobre los Derechos de las Personas con Discapacidad de 2006 (en adelante, CDPD[3]), que ratificó en 2009, sino que sigue estableciendo severas limitaciones en materia de *testamenti factio* activa[4], según la lógica binaria de capacidad-incapacidad de obrar.

Aunque es un principio compartido por la doctrina[5] y la jurisprudencia[6] que la capacidad testamentaria es la regla y se presume, mientras que la incapacidad es la excepción y, por tanto, debe probarse, por cualquier medio, pero de forma rigurosa y específica, el ámbito de la incapacidad para otorgar testar sigue siendo especialmente amplio y coloca a la persona menor de edad y al discapacitado en una situación jurídica especialmente desventajosa.

un testamento hecho por una persona incapacitada debía considerarse nulo. Aunque el nuevo Código civil de 1942 ha especificado que es anulable, el autor sostiene que sería preferible hablar de nulidad. "A me sembra infatti che il sistema più logico e quindi preferibile sarebbe stato quello di considerare il testamento fatto dagli incapaci contemplati nell'art. 591 nullo in modo assoluto, e non già semplicemente annullabile … en tal caso nel testamento manca la volontà del testatore, che è requisito essenziale di esso".

2. Por todas y todos, las consideraciones de quienes siempre han reconocido la centralidad de la voluntad. BONILINI, G., "Autonomia testamentaria, fondamenti costituzionali e bilanciamento dei principi", en *Libertà di disporre e pianificazione ereditaria. Atti del 11° Convegno Nazionale 5-6-7 maggio 2016*, Edizioni Scientifiche Italiane, Napoli, 2017, p. 23; ID., *Autonomia testamentaria e legato. I legati così detti atipici*, Milano, 1990, pp. 1 y ss.; ID., "Dei legati. Artt. 649-673", en *Cod. civ. Comm.* Schlesinger, 2ª ed. Milano, 2006, pp. 116 ss.; ID., "Testamento", en *Dig. disc. priv., Sez. civ.*, XVII, Torino, 1999, pp. 338 y ss.

3. Sobre la CDPD, TORRÉS COSTAS, M. E., *La capacidad jurídica a la luz de la Convención de Naciones Unidas sobre los Derechos de las personas con discapacidad*, Madrid, 2020 pp. 3 y ss.; LÓPEZ BARBA, E., *Capacidad jurídica. El artículo 12 de la Convención sobre los derechos de las personas con discapacidad y las medidas no discriminatorias de defensa del patrimonio*, Madrid, 2020, pp. 11 y ss.; BARBA, V., "Principios generales de las medidas de apoyo en el marco de la Convención de Nueva York", en CERDEIRA BRAVO DE MANSILLA, G., GARCÍA MAYO, M. (dirs.), GIL MEMBRADO, C., PRETEL SERRANO, J. J. (coord.), *Un nuevo orden jurídico para las personas con discapacidad*, Bosch, Las Rozas (Madrid), 2021, pp. 79-99; BARBA, V., "El art. 12 de la Convención sobre los derechos de las personas con discapacidad de Nueva York, de 13 de diciembre de 2006", en DE VERDA Y BEAMONTE, J. R. (Dir.), CHAPARRO MATAMOROS, P., BUENO BIOT, A. (COORDS.), *La reforma en materia de discapacidad: una visión integral de la ley 8/2021, de 2 de junio*, Tirant lo Blanch, Valencia, 2022, pp. 23-54.

4. Sobre el significado y el uso de la expresión *testamenti factio activa*, por todas y todos, v. VALLET DE GOYTISOLO, J., *Panorama del derecho de sucesiones*, II, *Perspectiva dinámica*, Civitas, Madrid, 1984, p. 24, "en el derecho romano clásico, la expresión *testamenti factio* significaba genéricamente –como explica Iglesias Santos– "la capacidad del testador, sea con respecto de sí mismo y en ordine a otorgar testamento … sea con referencia al válido llamamiento de una concreta persona como heredero, legatario o tutor …o como testigo … en la época postclásica, el lenguaje "abusivo o corrompido" refirió la expresión … "también a las personas contempladas en el testamento" … Con esa base, los juristas del *ius commune* denominaron *testamenti factio activa* a la capacidad de testar, y *testamenti factio pasiva* a la capacidad de recibir por testamento".

5. Ya D'AVANZO, W., *Delle successioni*, t. II, Parte speciale, S.A. G. Barbera Editore, Firenze, 1941, p. 657.

6. Ahora, Cass., 19 de febrero de 2021, n. 4518, en *Leggi d'Italia*, pero antes Cass., 10 de julio de 1986, n. 4499, en *Leggi d'Italia*.

Además, aunque en el ordenamiento jurídico italiano existen medidas de protección de la persona con discapacidad, que no conducen a la incapacidad absoluta y, por tanto, en principio no excluyen la capacidad de otorgar testamento, siempre existe la posibilidad de que la autoridad judicial prive a la persona de esta capacidad, y también es siempre posible que se anule el testamento invocando la norma relativa a la llamada incapacidad natural.

Esto plantea, por tanto, un problema importante en la interpretación de la norma sobre la llamada incapacidad natural para evitar que se convierta en una herramienta con la que se prive de validez al testamento de la persona con discapacidad.

II. CAPACIDAD NATURAL, CAPACIDAD DE OBRAR Y CAPACIDAD DE DOTORGAR TESTAMENTO

1. LA CAPACIDAD DE ENTENDER Y QUERER COMO PREMISA DE LA CAPACIDAD DE OBRAR. LAS INCAPACIDADES DE OBRAR

Históricamente, casi todos los ordenamientos jurídicos de derecho civil, partiendo de la base de que una persona sólo puede regular sus propios intereses cuando es capaz de comprender el significado de su comportamiento y evaluar sus posibles repercusiones positivas o negativas, y también es capaz de controlar sus impulsos y actuar según el motivo que le parezca más razonable, han traducido esto en el concepto de capacidad de entender y querer[7].

La necesidad de racionalizar y simplificar el ordenamiento jurídico, también con vistas a garantizar la seguridad de los negocios jurídicos, ha sugerido la conveniencia de establecer de forma abstracta y a priori, con independencia del caso concreto, cuándo debe presumirse que una persona esté dotada de capacidad de entender (se da cuenta del valor social de sus actos) y de querer (es capaz de controlar sus impulsos). Por ello, los ordenamientos jurídicos identifican una edad a partir de la cual se puede presumir que una persona tiene capacidad de entender y querer, y de ahí el concepto de mayoría de edad como el momento en que la persona adquiere la capacidad de obrar.

La persona mayor de edad, al estar dotada de capacidad de obrar, es decir, de capacidad de querer y entender, puede autorregular sus propios intereses y, por tanto, el ordenamiento jurídico considera que los actos y negocios jurídicos que realiza son potencialmente válidos.

De esta premisa surge la idea de que la condición de capacidad de querer y entender es la situación "normal" y que la condición de incapacidad de querer y entender, cuando no está conectada a la condición fisiológica de minoría de edad, es una situación "anormal" o "patológica", que está conectada a una deficiencia cognitiva o a una enfermedad psicofísica ̈.

---

7. Precisa TRABUCCHI, A., *Ancora sulla capacità a far testamento*, en *Giurisprudenza italiana*, 1961, I, 1, c. 1304, que la capacidad de querer está ligada a la capacidad de entender, porque sin esta última no se puede querer con juicio maduro.

La persona que carece de capacidad de querer y entender, como persona en estado patológico, no puede proveer a la protección de sus propios intereses y, por lo tanto, la única forma de protegerla, también para evitar incertidumbres en el sistema de los tráficos jurídicos, les ha parecido a los ordenamientos jurídicos decimonónicos, excluirla del sistema de producción. Por ello, se desarrolló el concepto de incapacitación, como medida judicial o legal por la que se priva a una persona de la capacidad de obrar cuando, a pesar de ser mayor de edad, carece de capacidad de entender o de querer.

Sin embargo, los instrumentos de incapacitación no parecían ser suficientes, ya que los ordenamientos jurídicos, según una opinión consensuada, pretendían ofrecer protección también a aquellas personas que, aunque no estuvieran sujetas a una medida judicial de incapacitación, fueran incapaces de querer y entender en el momento en el que celebraban un acto o negocio jurídico. De ahí la importancia que se dio a la capacidad natural, estableciendo, bajo ciertas condiciones[8], la invalidez del acto jurídico realizado por la persona naturalmente incapaz.

La incapacidad natural es una medida de protección que, lejos de caracterizarse por la abstracción propia de la capacidad de obrar que se adquiere con la mayoría de edad, tiene un valor concreto y, por tanto, se presta a ser un instrumento de gran ductilidad y utilidad, aunque, obviamente, corre el riesgo de complicar el mercado del tráfico jurídico.

No tiene sentido ocultar que todos estos instrumentos tienen como referente principal a la persona en condición de discapacidad, así como es evidente que la respuesta que se ofrece se basa en un enfoque del tema de la discapacidad que es, como es evidente, médico o de beneficencia, de manera que se considera que la persona con discapacidad tiene una enfermedad o patología y el ordenamiento jurídico debe prever su protección[9].

È inutile nascondere che tutti questi strumenti hanno come referente principale la persona in condizione di disabilità, al pari di come è palese che la risposta offerta è fondata su un approccio al tema della disabilità che è, come emerge chiaramente,

---

8. Cabe señalar que en el ordenamiento jurídico italiano la anulabilidad de los actos realizados por una persona naturalmente incapaz está sujeta a normas diferentes según el tipo de acto. En el caso de los actos no sólo patrimoniales, sino también existenciales, existen normas menos estrictas que las que se aplican en el caso de un contrato o negocio jurídico patrimonial unilateral. En el caso del matrimonio (cf. art. 120 CC), testamento (cf. art. 591.2 CC), donaciones (cf. art. 775 CC), es necesario y suficiente para la anulación probar la condición de incapacidad natural de la persona en el momento de la realización del acto. En el caso de un contrato, para su anulación no basta con probar que la persona estaba incapaz de querer y entender en el momento en que celebró el contrato, sino que se requiere también la mala fe de la otra parte contratante (v. art. 428.2 CC). Para la anulación de un negocio jurídico unilateral entre vivos con contenido patrimonial, no basta con la incapacidad natural de su autor, sino que es necesario que la persona sin la capacidad de querer y entender sufra un perjuicio grave (v. art. 428.1 CC).

9. Resulta muy útil consultar el material de formación elaborado por el Comité sobre los Derechos de las Personas con Discapacidad (en adelante ACNUDH) creado por la CDPD: https://www.ohchr.org/es/disabilities/ohchr-training-package-convention-rights-persons-disabilities (consultado el 10/07/2022). En la guía de formación, que ofrece una imagen muy clara de la evolución del concepto de discapacidad, se pone de manifiesto la diversidad de los distintos enfoques.

quello medico[10] o di beneficienza, tale per cui la persona con disabilità presenta una malattia o una patologia e l'ordinamento deve provvedere a una sua tutela.

El enfoque médico o caritativo del tema de la incapacidad exige dicta que la única solución posible es excluir o limitar la capacidad de la persona con discapacidad o, en un caso residual, anular sus actos jurídicos. La CDPD, más allá de las obligaciones que impone concretamente a los Estados Partes para que adapten su legislación a sus principios básicos, impone, en primer lugar, un cambio radical de mentalidad, porque la discapacidad debe analizarse según un enfoque social y de derechos humanos. Un enfoque que obliga a repensar las soluciones tradicionales y las categorías conceptuales de referencia de forma global y radical, que impone casi a desaprender lo que hemos aprendidos a lo largo de siglos, hasta el punto de que María Paz García Rubio ha hablado de un "tsunami normativo" o de un "giro copernicano"[11].

2. LA CAPACIDAD PARA TESTAR Y LA CAPACIDAD DE OBRAR

De la lectura de la norma del artículo 591 CC se desprende que el legislador italiano consideró la capacidad de otorgar testamento como un aspecto especial de la capacidad de obrar o, más exactamente, como una capacidad especial de obrar[12].

La razón es histórica, pero no se justifica adecuadamente en la actualidad.

En la redacción original del Código civil italiano de 1942, la capacidad de obrar, entendida como la aptitud de una persona para realizar válidamente negocios jurídicos para los que no se establece otra edad, se fijaba en los 21 años (art. 2 CC)[13].

---

10. V., por ejemplo, el razonamiento llevado a cabo por BUTERA, A., *Il codice civile italiano commentato secondo l'ordine degli articoli, Libro delle successioni per causa di morte e delle donazioni*, Unione Tipografico – Editrice Torinese, Torino, 1940, p. 235, con referencia al testamento del con riferimento al caso del monomaniático. "Il testamento fatto dal monomaniatico, cioè da colui che è colpito da pazzia parziale, da alcuni è quindi ritenuto valido, da altri nullo; da altri, infine, valido o nullo secondo le circostanze. La scienza psichiatrica tende a ritenerlo nullo e questa appariše l'opinione preferibile, perché il monomaniatico perde la percezione delle cose. Con l'*insania mentis* non si deve confondere la semplice stranezza od eccentricità di carattere del testatore". No de otra manera, GIANNATTASIO, C., *Delle successioni. Successioni testamentarie*, Unione Tipografico – Editrice Torinese, Torino, Torino, 1968, p. 57, "oltre all'infermità in senso clinico, può produrre l'incapacità d'intendere e di volere anche una particolare alterazione psichica dipendente da un fatto eccezionale". GANGI, C., *La successione testamentaria nel vigente diritto italiano*, cit., p. 84, "a mio avviso, l'opinione preferibile è quella che ritiene che la monomania, presupposto, ben s'intende, che di vera e propria monomania si tratti, e quindi di parziale infermità di mente, è causa di nullità del testamento per incapacità del testatore solo quando si possa provare che questi, nel dettare disposizioni, era sotto il dominio della sua idea fissa, e non aveva quindi la capacità di intendere o di volere".
11. GARCÍA RUBIO, M. P., "Algunas propuestas de reforma del Código Civil como consecuencia del nuevo modelo de discapacidad. En especial en materia de sucesiones, contratos y responsabilidad civil", en *Revista de Derecho Civil*, vol. 5, núm. 3, julio-septiembre, p. 174. "Se da un giro copernicano a uno de los conceptos básicos de cualquier ordenamiento jurídico, cual es el de capacidad jurídica".
12. ALLARA, M., *Principi di diritto testamentario*, Torino, 1957, p. 32, afirma que la incapacidad para testar "è una sottocategoria della categoria della *incapacità negoziale*, a sua volta configurata come specie di una categoria più ampia: la *incapacità di agire*".
13. El texto original del artículo 2 del Código Civil italiano era el siguiente: "La maggiore età è fissata al compimento del ventunesimo anno. 2. Con la maggiore età si acquista la capacità di compiere tutti gli atti per i quali non sia stabilita un'età diversa".

La capacidad para otorgar testamento se reguló, en cambio, en el art. 591 CC, que tras establecer que podían disponer por testamento todas aquellas personas que no fueran declaradas incapaces por la ley, especificó que en esa condición se encontraban: los que no hubieran cumplido los dieciocho años, los incapacitados por razón de demencia y los incapaces naturales[14].

En la redacción original del Código Civil de 1942, la capacidad para disponer de los bienes por testamento era, por tanto, una capacidad de obrar especial, ya que para hacer un testamento válido no era necesario tener la capacidad de obrar general, que se adquiría al cumplir los veintiún años, sino que bastaba con haber cumplido los dieciocho años[15].

Esta especialidad se perdió con la Ley n. 39 de 8 de marzo de 1975, que entró en vigor el 10 de marzo de 1975 (en adelante: Ley 39/1975), que adelantó la mayoría de edad de los veintiunos a los dieciocho años[16].

La modificación del art. 2 CC, en materia de capacidad general de obrar, y la confirmación sustancial del art. 591 CC, que sólo cambia en su redacción literal, sin reducir, como hubiera sido conveniente, la edad para otorgar testamento a los dieciséis años ha eliminado cualquier particularidad de la *testamenti factio* activa.

También hay más. La Ley 39/1975 modificó parcialmente el texto del artículo 591 CC sustituyendo la expresión "los que no hayan cumplido dieciocho años" por la de "los que no hayan alcanzado la mayoría de edad".

---

14. El texto original del artículo 591 del Código Civil italiano era el siguiente "Possono disporre per testamento tutti coloro che non sono dichiarati incapaci dalla legge.
Sono incapaci di testare:
1) coloro che non hanno compiuto l'età di diciotto anni;
2) gli interdetti per infermità di mente;
3) quelli che, sebbene non interdetti, si provi essere stati, per qualsiasi causa, anche transitoria, incapaci d'intendere o di volere nel momento in cui fecero testamento.
Nei casi d'incapacità preveduti dal presente articolo il testamento può essere impugnato da chiunque vi ha interesse. L'azione si prescrive nel termine di cinque anni dal giorno in cui è stata data esecuzione alle disposizioni testamentarie".

15. CICU, A., *Testamento*, 2ª ed., Giuffré, Milano, 1951, p. 105 s., señala que "nel diritto comune e nelle legislazioni moderne la capacità a testare si consegue prima della maggiore età". Sin embargo, es difícil identificar la razón política de esta exención. Según el autor "la ragione del conservarsi attraverso i secoli della norma sia da ricercare nel fatto che il testamento non ammette rappresentanza, e nel *favor testamenti*, per cui si considerò la successione legittima come un surrogato della testamentaria". Obviamente, el A., defensor de la teoría institucional del matrimonio, un convencido de que existe un interés de la familia como entidad institucional que está por encima de todos los miembros de la familia, no vio con buenos ojos esta exención. Dice así: "Meno facile è quindi spiegare come il nuovo legislatore che nella chiamata dei familiari alla successione ha visto un aspetto di tutela dell'istituto familiare, e quindi di un interesse superiore, non abbia considerato che non vi è un interesse sociale a favorire la libertà di testare, mentre la tutela della famiglia richiede che la capacità di disporre dei propri beni per dopo la morte sia non inferiore a quella che è richiesta in chi è chiamato a curare interessi altrui". Es fuerte mi desacuerdo con la teoría del interés familiar institucionalizado. Estoy totalmente de acuerdo con la tesis de ROCA TRIAS, E., "Familia, familias y derecho de la familia", en *Anuario del Derecho Civil*, 1990, 4, p. 1069 ss., según la cual el concepto de interés de la familia sólo sirve para proteger a los miembros de la familia de las decisiones arbitrarias de uno de ellos.

16. BIGLIAZZI GERI, L., *Il testamento*, en *Trattato di diritto privato*, dir. da Rescigno, Pietro, 2 ed., Utet, Torino, 1997, p. 50.

Esta modificación, aparentemente más coherente con el nuevo texto del artículo 2 CC, es desde un punto de vista dogmático no sólo insostenible, sino incluso mucho menos racional de lo que puede parecer a primera vista.

Hubiera sido preferible reducir la edad para hacer testamento a los dieciséis años, manteniendo así una especialidad que también se justifica por el carácter no meramente personal sino existencial del testamento[17]. En cualquier caso, aunque la intención hubiera sido preservar la capacidad para otorgar testamento a los dieciocho años, hubiera sido preferible mantener la redacción original y evitar que la misma disposición legal diga en el primer párrafo que "podrán otorgar testamento quienes no hayan sido declarados incapaces por la ley", sugiriendo una especial capacidad de obrar, e inmediatamente después diga en el segundo párrafo que "no podrán otorgar testamento quienes no hayan alcanzado la mayoría de edad". La capacidad para testar presenta aspectos que no permiten, si no con cierto forzamiento, equipararla con la mera capacidad negocial[18] e históricamente, también por la importancia, no sólo patrimonial sino existencial, del testamento[19], la prima debería ser más amplia.

Más allá de todo esto, el hecho es que la ley italiana es excesivamente restrictiva en este sentido, ya que hoy en día no se puede justificar que una persona menor de dieciocho años no pueda hacer válidamente un testamento, ni siquiera en forma pública.

III. LA CAPACIDAD PARA TESTAR COMO REGLA Y OLAS INCAPACIDADES COMO EXCEPCIONES

La norma del artículo 591 CC, al establecer que las personas que no son declaradas incapaces por la ley y al detallar los tres casos en los que una persona es incapaz de

---

17. GANGI, C., *La successione testamentaria nel vigente diritto italiano*, cit., p. 69, consideró plenamente justificada la norma sobre la capacidad especial de testar. "E le ragioni fondamentali che, secondo me, stanno a fondamento di tale opinione sono le seguenti: che la legge fissa, in regola, l'età minima per contrarre matrimonio a sedici anni per l'uomo e a quattordici per la donna; che il testamento è un atto personalissimo, che non può essere compiuto né con l'assistenza di altre persone, né per mezzo di rappresentante; che il testamento è un atto che può essere sempre revocato; che infine il testamento è un atto di disposizione a causa di morte e pertanto con esso il testatore non può recare a sé alcun danno".

18. BONILINI, G., "Il testamento dell'infermo di mente", en *Un altro diritto per il malato di mente. Esperienze e soggetti della trasformazione*, a cura di P. Cendon, Napoli, 1988, pp. 511 y ss., ahora en ID., *Il testamento. Lineamenti*, cit., pp. 90 y ss., de ahí las citas, quien, no sin haber advertido que "testamento" y "capacidad" deben ir de la mano, como lo demuestra, además, toda la experiencia jurídica y lo atestigua el perverso juego etimológico que evoca la propia palabra "testamento": "il problema della capacità di testare, ovviamente, si stempera nel più generale problema della capacità negoziale, mostrando, tuttavia, una singolarità: in ogni altra attività negoziale, la presenza della capacità non risponde soltanto alla purezza di un principio logico, ma all'esigenza di prevenire un rischio economico, ovvero di porre rimedio ad un effettivo pregiudizio, o, ancora, di tutelare i terzi; nel testamento, invece, siffatte esigenze sono assenti: in nessun caso quel negozio può pregiudicare il suo autore, ed è inesatta, e comunque insufficiente, la giustificazione che il testatore deve essere capace per non arrecare danno alle aspettative degli eredi legittimi".

19. BARBA, V., *Contenuto del testamento e atti di ultima volontà*, Edizioni Scientifiche Italiane, Napoli, 2018, pp. 3 y ss.

hacer testamento, no deja lugar a dudas de que la capacidad de otorgar testamento constituye la regla y que las incapacidades constituyen excepciones[20].

Esta afirmación se consolida en la jurisprudencia italiana, que desde 1982[21] y hasta la fecha[22] ha sido constante en esta afirmación, aunque, como veremos, no siempre desprende de este principio todos los corolarios necesarios y que de ella se deberían desglosar según la teoría general de la interpretación[23].

De la excepcionalidad de los casos de incapacidad debe derivarse, pues, en primer lugar, el principio de taxatividad de los supuestos de incapacidad para otorgar testamento[24]; en segundo lugar, el principio de interpretación estricta, de modo que deben interpretarse de forma muy rigurosa; finalmente, el principio de rigor probatorio, en conjunción con el principio de que en caso de duda interpretativa o de resultado probatorio incierto debe preferirse siempre la interpretación a favor de la capacidad para testar.

1. EXCEPCIONALIDAD DE LAS CAUSAS DE INCAPACIDAD Y PROHIBICIÓN DE APLICACIÓN ANALÓGICA

De los tres aspectos mencionados, sólo el primero es el que la jurisprudencia italiana observa con cierto rigor, excluyendo la aplicación analógica de los supuestos de incapacidad para testar.

La cuestión se ha referido principalmente al caso de la interdicción, ya que los otros dos supuestos (mayoría de edad e incapacidad natural) ni siquiera pueden prestarse a una interpretación analógica.

En cambio, la cuestión de la interdicción por razón de demencia es diferente, ya que en abstracto el problema de su aplicación analógica podría haberse planteado tanto en referencia a los supuestos de inhabilitación (que constituye una forma de incapacidad relativa) como en referencia a la figura de la administración de apoyo,

---

20. VENTURELLI, A., "La capacità di disporre per testamento", en BONILINI, G. (dir.), *Trattato di diritto delle successioni e donazioni*, Vol. II, *La successione testamentaria*, Giuffré, Milano, 2009, pp. 83-145.
21. Cass., 11 de agosto de 1982, n. 4561, en *Leggi d'Italia*; Cass., 05 de noviembre de 1987, n. 8169, en *Leggi d'Italia*.
22. Cass., 18 de febrero de 2018, n. 3934, en *Leggi d'Italia*; Cass., 19 de diciembre de 2017, n. 30485, en *Leggi d'Italia*; Cass., 23 de diciembre de 2014, n. 27351, en *Leggi d'Italia*; Cass., 11 de enero de 2012, n. 166, en *Leggi d'Italia*; Cass., 18 de abril de 2005, n. 8079, en *Leggi d'Italia*; Cass., 23 de enero de 1991, n. 652, en *Leggi d'Italia*.
23. Según PADOVINI, F., "Incapacità di disporre per testamento fra disciplina positiva e prospettive di riforma", en VOLPE, F. (a cura di), *Il testamento: fisiologia e patologie*, Edizioni Scientifiche Italiane, Napoli, 2015, p. 57, sería conveniente replantearse la incapacidad de testar en términos más rigurosos, ya que "l'annullamento della scheda testamentaria è stato disposto in un numero limitato di casi, dove l'incapacità era estrema e conclamata … non ha senso immaginare l'introduzione di limiti assoluti alla capacità di testare fondati su criteri meccanici come l'età o la presenza di determinate patologie … non merita, insomma, immaginare una radicale rivisitazione delle regole positive sulla capacità a testare … bastando predicarsene una applicazione coerente, sì da garantire che l'accertamento della capacità o no avvenga in modo puntuale".
24. CICU, A., *Testamento*, cit., p. 104: "si vuole con ciò vietare all'interprete di creare col sussidio dell'analogia o dei principi generali casi di incapacità che non siano espressamente previsti dalla legge".

que se introdujo en el ordenamiento jurídico italiano a partir de 2004, con la reescritura de las normas de los artículos 404-413 CC.

Si con referencia a la inhabilitación no se planteó sustancialmente la duda sobre la posibilidad de aplicar analógicamente la regla en materia de interdicción para afirmar que la persona bajo curatela era también incapaz de hacer testamento, pues se dijo que se trata de dos formas distintas de incapacidad (la interdicción es una incapacidad absoluta, mientras que la inhabilitación es una incapacidad relativa) y que el legislador, si hubiera querido, podría haberlo previsto expresamente, la cuestión se plantea con referencia al caso de la administración de apoyo.

Cuando se introdujo la figura de la administración de apoyo, teniendo en cuenta que no se decía nada con respecto a la posibilidad de otorgar testamento, se planteó la cuestión de si debía aplicarse o no la norma sobre la interdicción. A pesar de los intentos realizados en este sentido, la jurisprudencia de legitimidad descartó que la norma pudiera aplicarse analógicamente precisamente por su carácter excepcional[25], aunque sí precisó que el testamento de la persona sujeta a una administración de apoyo puede ser anulado, haciendo una aplicación directa del supuesto de incapacidad natural, si se prueba que la persona no era incapaz de entender y querer en el momento de otorgar testamento.

Por otra parte, si bien es cierto que se ha descartado la posibilidad de una aplicación analógica de la norma recogida en materia de interdicción, no debe obviarse que la nueva regulación de la administración de apoyo prevé, en el art. 405.5 CC, que la autoridad judicial, tanto en el momento en que designa el titular del apoyo, como posteriormente, también de oficio, puede ordenar una limitación de la capacidad para otorgar testamento[26], con lo que se deja básicamente a la apreciación de la autoridad judicial la posibilidad de que la persona con discapacidad pueda hacer o no testamento. Esto demuestra aún más la grave incompatibilidad de la legislación italiana con la CDPD.

2. INTERPRETACIÓN EXTENSIVA DE LAS NORMAS SOBRE INCAPACIDAD. LA OBJETABLE TEORÍA DE LA PRESUNCIÓN DE INCAPACIDAD Y LA PRUEBA DEL INTERVALO LÚCIDO

La excepcionalidad de los supuestos de hecho que determinan una incapacidad para testar hubiera exigido una interpretación restrictiva de cada uno de los casos, con la consecuencia de que siempre hubiera sido necesario ofrecer una prueba rigurosa de la condición concreta de incapacidad y que en caso de duda se hubiera tenido que afirmar siempre la capacidad para testar de la persona.

Por el contrario, la jurisprudencia italiana, con una sentencia que se remonta al menos a 1979[27] y cuyo principio jurídico se ha arrastrado acríticamente hasta nuestros

---

25. Cass., 28 de agosto de 2020, n. 18042, en _Leggi d'Italia_; Cass., 21 de mayo de 2018, n. 12460, en _Leggi d'Italia_.
26. Cass., 28 de agosto de 2020, n. 18042, cit.; Cass., 21 de mayo de 2018, n. 12460, cit.
27. Cass., 12 de diciembre de 1979, n. 6481, en _Leggi d'Italia_; Cass., 24 de noviembre de 1980, n. 6236, en _Leggi d'Italia_; Cass., 08 de enero de 1981, n. 162, en _Leggi d'Italia_; Cass., 29 de julio de 1981,

días[28], ha trastocado sustancialmente estos dos principios a través de la famosa teoría del llamado intervalo lúcido, permitiendo no sólo una interpretación extensiva de los supuestos normativos que dan lugar a la incapacidad para testar, sino también incidiendo muy fuertemente en el terreno probatorio.

La cuestión se centra en el supuesto de incapacidad natural, es decir, el caso de una persona mayor de edad (si fuera menor, habría operado la incapacidad prevista para los menores de edad) que no está incapacitada (en cuyo caso hay un supuesto específico) y que se demuestra que estaba en condiciones de incapacidad de querer y entender en el momento en que hizo el testamento.

En la generalidad de los casos, la jurisprudencia italiana establece que la parte interesada en solicitar la anulación de un testamento por incapacidad natural debe probar rigurosamente que el testador estaba incapaz de querer y entender en el momento en que otorgó el testamento y, por tanto, que el testador se encontraba en una condición en la que no podía conformar o manifestar su voluntad o que no comprendía el alcance de las disposiciones testamentarias.

Este principio es coherente con la idea de que la capacidad para testar es la regla y la incapacidad la excepción, y también es coherente con la idea de que la incapacidad debe ser probada por la persona que tiene interés en solicitar la anulación del testamento, que debe, por tanto, probar el hecho de la incapacidad. Dado que la capacidad para otorgar testamento es la norma, se considera que toda persona tiene *testamenti factio* activa hasta que se demuestre lo contrario, y ésta debe ser aportada por la persona que la niega. De acuerdo con el conocido principio sobre la distribución de la carga de la prueba, que hace recaer la carga de probar el hecho subyacente a su pretensión en la persona que quiere hacer valer el derecho (véase el art. 2969 CC).

La jurisprudencia italiana, sin embargo, introduce un correctivo a este principio básico y afirma que en el caso de que se demuestre que la persona padece una incapacidad total y permanente, debe presumirse la condición de incapacidad para testar, con independencia de la prueba concreta y específica, con la consecuencia de que el testamento se presume inválido salvo que los sucesores testamentarios del testador prueben que éste lo hizo en un intervalo de lucidez[29].

Esta tesis no puede ser aceptada[30] por varias razones: en primer lugar, porque ofrece una interpretación de las normas sobre capacidad para testar que acaba negando

---

n. 4856, en *Leggi d'Italia*; Cass., 04 de mayo de 1982, n. 2741, en *Leggi d'Italia*; Cass., 11 de agosto de 1982, n. 4561, en *Leggi d'Italia*; Cass., 17 de junio de 1983, n. 4171, en *Leggi d'Italia*.

28. Cass., 22 de octubre de 2019, n. 26873, en *Leggi d'Italia*; Cass., 10 de octubre de 2018, n. 25053, en *Leggi d'Italia*; Cass., 19 de febrero de 2018, n. 3934, cit.; Cass., 19 de diciembre de 2017, n. 30485, cit.; Cass., 23 de diciembre de 2014, n. 27351, cit.; Cass., 11 de enero de 2012, n. 166, cit.; Cass., 03 de marzo de 2010, n. 5091, en *Leggi d'Italia*; Cass., 06 de mayo de 2005, n. 9508, en *Leggi d'Italia*; Cass., 18 de abril de 2005, n. 8079, cit.; Cass., 24 de octubre de 1998, n. 10571, en *Leggi d'Italia*; Cass., 05 de noviembre de 1987, n. 8169, cit.; Cass., 10 de julio de 1986, n. 4499, cit.

29. BIGLIAZZI GERI, L., *Il testamento*, cit., pp. 56 y ss.

30. Para interesantes reflexiones críticas sobre esta orientación, véase, por todas y todos, GENOVESE, A., "Annullamento del testamento per incapacità naturale e onere della prova", in *Diritto delle successioni e della famiglia*, 2015, 2, pp. 585, 593 y ss., 595, "a fronte dell'impugnazione del testamento per incapacità naturale, graverà sempre su chi intende ottenere l'annullamento dell'atto non

la relación norma-excepción en materia de *testamenti factio* activa; en segundo lugar, porque introduce un supuesto de incapacidad para otorgar testamento que la ley no contempla, ya que se crea la presunción de incapacidad; en tercer y último lugar, porque tal interpretación debe considerarse fuertemente contraria y contradictoria con el espíritu de la CDPD, que ha sido transpuesta al derecho italiano y constituye, por tanto, un derecho vigente, aunque olvidado.

La tesis del llamado intervalo lúcido o, mejor dicho, de la presunción de incapacidad para testar, genera una inversión en la relación entre capacidad e incapacidad, afirmando que la incapacidad se convierte en la regla y la capacidad en la excepción, con el resultado paradójico de que se determina una inversión de la carga de la prueba, haciendo recaer sobre el testador (o mejor disco: sobre sus herederos testamentarios) la carga de probar que él tenía capacidad natural en el momento de otorga el testamento. Todo ello sin olvidar que la jurisprudencia también establece la dudosa ecuación de que la persona con discapacidad se encuentra por esa sola razón en condición de incapacidad de querer y entender.

La incapacidad natural es un supuesto que determina la incapacidad, pero siempre debe probarse que existía en el momento de otorgar el testamento y, además, debe probarse rigurosamente. Si se afirma que la enfermedad permanente o habitual determina una presunción de incapacidad general, se introduce subrepticiamente una forma de incapacidad de hecho, que no sólo es contraria a los principios de la CDPD, sino que incluso es capaz de generar una gran inseguridad jurídica.

El ordenamiento jurídico, aunque con todas las críticas que se pueden y deben hacer en la perspectiva abierta por el CDPD, tiene la función de garantizar la seguridad de las relaciones jurídicas y esto se consigue al afirmar que la persona incapacitada por razón de demencia está privada de capacidad y por tanto no puede realizar válidamente ningún negocio jurídico desde el momento en que se publica la sentencia de incapacitación, mientras que la persona que no está incapacitada tiene plena capacidad jurídica y todos los actos jurídicos que realiza son válidos, salvo que se demuestre fehacientemente que la persona no tenía capacidad para entender o querer en el momento en que celebró un acto o negocio jurídico[31].

La teoría de que la prueba de la incapacidad habitual implica una presunción general de incapacidad, que afecta a todos los negocios jurídicos realizados por la persona, introduce un grave riesgo en la circulación jurídica, ya que la presunción de anulabilidad de todos los negocios jurídicos realizados por la persona se afirma a posteriori, transformando la capacidad natural, que es una constatación fáctica concreta, en una incapacidad *ex post* de la persona.

Al contrario, sobre todo en la época contemporánea, el ordenamiento jurídico debería definir mecanismos orientados a una mayor estabilidad y seguridad del tráfico

---

solo la prova relativa alle caratteristiche della patologia accertata, anche in ordine alla possibilità che la stessa conosca ipotesi di lucidi intervalli, ma anche quella che, alla luce dell'insieme delle circostanze, quella stessa patologia abbia influito rendendo possibile la formazione dell'atto, pur in difetto della necessaria consapevolezza critica da parte del testatore".

31.   Por lo que respecta al ordenamiento jurídico italiano, véase la nota n. 7.

jurídico, previendo no sólo que todas las personas tienen capacidad, sino que la prueba de la incapacidad sea objeto de valoraciones muy rigurosas.

En definitiva, la teoría que la jurisprudencia italiana viene afirmando desde 1979 debe considerarse no sólo contraria al espíritu y a la letra de la norma del art. 691 CC, no solo fuertemente contraria al principio que ella misma afirma en materia de capacidad e incapacidad, así como fuertemente contraria al espíritu del CDPD, sino también muy peligrosa por las repercusiones partico-aplicativas que puede determinar en todo el sistema de circulación jurídica. En otras palabras, podría decirse que esta interpretación está sujeta a una verdadera heterogénesis de fines, porque nacida con el objetivo de garantizar una mayor seguridad en las relaciones jurídicas, ha acabado consiguiendo exactamente el resultado contrario.

La jurisprudencia italiana debería tomar conciencia de que esta teoría, que tal vez tenía alguna justificación en el momento en que se formuló, es hoy, también a la luz del nuevo marco normativo, absolutamente inaceptable y sobre todo muy peligrosa por las consecuencias concretas que determina. No sólo es constitucionalmente ilegítima, porque acaba aplicando un principio que la CDPD niega categóricamente, es decir, que la persona con discapacidad cognitiva habitual está, por esta sola razón, privada de la capacidad de otorgar testamento, sino que es terriblemente peligrosa por las consecuencias que genera en las relaciones jurídicas.

IV. LOS SUPUESTOS DE INCAPACIDAD PARA TESTAR

El artículo 591.2 del Código Civil italiano prevé los supuestos en los que una persona no tiene capacidad para testar. Se trata del caso del menor de edad, del interdicto por enfermedad de mente y de la persona incapaz natural[32].

La norma es muy criticable por su rigidez y en las siguientes páginas intentaré dar una visión general de las principales cuestiones que rodean a cada una de estas hipótesis.

La cuestión más complicada es la relativa a las medidas de incapacitación y protección de las personas con discapacidad, respecto a la cual el ordenamiento jurídico italiano no ha hecho ningún esfuerzo para adaptar la legislación nacional a los principios de la CDPD.

No menos cuestiones se plantean con referencia a la posición de la persona menor de edad, considerando que la fuerte limitación existente en materia testamentaria no sólo es inadecuada con respecto a la realidad social, sino también contraria a los

---

32. Señala BENEDETTI, A. M., "Il testamento dell'incapace naturale", in S. PAGLIANTINI, A.M. BENEDETTI (a cura di), *Profili sull'invalidità e la caducità delle disposizioni testamentarie*, Edizioni Scientifiche italiane, Napoli, 2013, p. 70, que la incapacidad para testar no da lugar a una preclusión de la persona para realizar el acto, sino a un vicio capaz de provocar su invalidez. "È vero che l'art. 591 si esprime, anche per chi è privo della capacità di intendere e volere senza essere interdetto, in termini di "incapacità" quasi alludendo a un'assenza della legittimazione a disporre, ma, nella sostanza, questa incapacità emerge (come quella legale), attraverso un'azione di annullamento promossa dagli aventi titolo e/o interesse".

principios afirmados por la Convención de Nueva York de 1989 sobre los Derechos del Niño (CDN).

1. LA PERSONA MENOR DE EDAD

La ley italiana establece que la capacidad de obrar se adquiere al alcanzar la mayoría de edad, es decir, al cumplir los dieciocho años[33]. Todavía fuertemente arraigado en el binomio capacidad de obrar – incapacidad de obrar, establece que cualquier negocio jurídico realizado por una persona menor de edad es anulable.

La única excepción o, si se prefiere, la única forma de capacidad jurídica especial a favor de una persona menor de dieciocho años se refiere al matrimonio, previendo la posibilidad de que el joven de dieciséis años pueda emanciparse y, por tanto, ser autorizado por la autoridad judicial a contraer matrimonio. Además, el joven de dieciséis años siempre puede reconocer a un hijo nacido fuera del matrimonio (art. 250.5 CC) y, en supuestos excepcionales, la autoridad judicial también puede autorizar el reconocimiento de un hijo a persona menor de dieciséis años.

Más allá de estas hipótesis, un menor de dieciséis años es incapaz de obrar, con la consecuencia de que todos los negocios jurídicos celebrados por él son siempre anulables.

La norma tampoco sufre ninguna excepción en materia testamentaria, con la consecuencia de que una persona menor de dieciocho años no puede hacer ningún tipo de testamento, ni siquiera público[34]. Esto significa que, hasta que alcance la mayoría de edad, su sucesión sólo puede ser intestada, ya que no existe en Italia una institución análoga a la sustitución pupilar (cf. art. 775 CC ES). Y lo que es peor, el menor de edad

---

33. Sólo cabe recordar que la doctrina clásica ha cuestionado el problema, que me parece hoy en día de escuela, de si para contar los dieciocho años hay que tener en cuenta el cómputo natural (*a momento ad momentum*), o el cómputo civil (*ad dies numeratio*). Para una clara explicación, véase VALLET DE GOYTISOLO, J., *Panorama del derecho de sucesiones*, II, *Perspectiva dinámica*, cit., p. 28. El Autor aclara que la segunda tesis puede, a su vez, darse en dos formas: "a partir del inicio del día del nacimiento, con lo cual se es capaz el día del cumpleaños, aún antes de la hora del nacimiento; y a partir del día siguiente, es decir, sin que quepa contraerlo el día de cumplir los anos requeridos". En derecho italiano la primera tesis es mantenida por D'AVANZO, W., *Delle successioni*, cit., pp. 665 y ss.; GANGI, C., *La successione testamentaria nel vigente diritto italiano*, cit, p. 73; mientras la segunda por CICU, A., *Testamento*, cit., p. 106; GIANNATTASIO, C., *Delle successioni. Successioni testamentarie*, cit., p. 49.
34. Cabe destacar que GANGI, C., *La successione testamentaria nel vigente diritto italiano*, cit, pp. 71 y ss., no sólo consideraba adecuado que el ordenamiento jurídico otorgara al menor de 16 años la capacidad para testar, sino que criticaba aquellos ordenamientos que, aun admitiendo la capacidad del menor, preveían limitaciones (por ejemplo, según el código francés, el menor de 16 años podía disponer de sus bienes por testamento, pero sólo de la mitad, mientras que según el código alemán, el menor de 16 años podía disponer de sus bienes por testamento, pero sólo de forma pública). "Se la si ammette sia pure parzialmente, vuol dire che si riconosce che a quell'età l'uomo ha già acquistato la capacità di intendere e di volere, e se si riconosce ciò, si deve anche logicamente ammettere che egli possa liberamente disporre di tutti i suoi beni, e non già solo di una parte di essi. Analogamente si dica per quanto riguarda la forma del testamento: se si riconosce che ad una data età la persona ha acquistato la capacità di intendere e di volere, si deve anche ammettere che essa possa testare in qualunque forma ammessa dalla legge".

no podrá disponer *post mortem* ni siquiera de sus intereses no patrimoniales[35]: no podrá, por ejemplo, decidir si quiere ser cremado o enterrado, decidir sobre sus obras intelectuales, artísticas, musicales o literarias, establecer el destino de sus cuentas o redes sociales y, en general, de sus activos digitales[36].

La norma en el derecho italiano es simple y firme, por lo que no deja lugar a dudas interpretativas ni a una interpretación evolutiva o derogatoria.

Ni que decir tiene que esta postura del derecho italiano no sólo no puede ser compartida, sino que debe considerarse contraria a los principios expresados en la CDN.

Como es sabido, la CDN en su art. 5 y en los arts. 3 y 12 afirma el principio de respeto a la autonomía progresiva de la niña y del niño, según el cual todos los Estados Partes se comprometen a reconocer la posibilidad de que la niña y el niño ejerza sus derechos, de acuerdo con el desarrollo de su personalidad y teniendo en cuenta su autonomía.

En la CDN se opta por un modelo de protección de la niña y del niño basado en los derechos humanos[37], con la consecuencia de que hay que construir una nueva concepción de la niña y del niño y de sus relaciones con la familia, la sociedad y el Estado. Esta nueva concepción se basa en el reconocimiento de la persona menor de edad como sujeto de derecho en oposición a la idea predominante de un menor definido, como sigue siendo en Italia, sobre la base de su incapacidad de obrar.

El nuevo régimen prescinde del binomio capacidad – incapacidad y se basa en el principio convencional (art. 3 CDN) de la autonomía progresiva[38] de la persona menor

---

35. Para superar este problema, al menos en parte, he argumentado que existen otros actos de última voluntad además del testamento y que los únicos actos que deben realizarse necesariamente en un testamento son las instituciones de herederos y la ordenación de legados. En cambio, todos los demás intereses *post mortem* que no afecten inmediata y directamente a delación hereditaria pueden realizarse mediante actos de última voluntad distintos del testamento. Esto permite afirmar que dichos actos no requieren capacidad de obrar, sino, simplemente la capacidad de querer y entender y pueden, por lo tanto, ser realizados válidamente por un menor.
    BARBA, V., *Contenuto del testamento e atti di ultima volontà*, Edizioni scientifiche italiane, Napoli, 2018, p. 3 ss.; BARBA, V., "El contenido atípico del testamento en el derecho italiano. Superación del concepto y acto de última voluntad", en *Revista de derecho privado*, 2021, n. 1, pp. 101-136; BARBA, V., "Testamento y actos de última voluntad en el derecho italiano", en *Derecho Privado y Constitución*, 2019, 35, pp. 11-55.
36. Cabe señalar que esto también plantea serios problemas, especialmente en lo que respecta a las plataformas digitales que permiten a sus usuarios la posibilidad de nombrar un contacto legado, es decir, la posibilidad de nombrar a una persona para decidir el destino de la propia red social.
37. Los derechos humanos se encuentran fundados sobre tres principios fundamentales: la dignidad humana, la libertad u la igualdad. El Enfoque Basado en Derechos Humanos (EBDH) es un marco conceptual que busca contribuir al proceso de desarrollo humano y orientar las acciones necesarias para dar cumplimiento a los derechos de las personas. Pues, los derechos humanos son el referente y fin último de las políticas públicas y estas, a su vez, son el instrumento o medio más idóneo para su realización. La aplicación del EBDH implica realizar transformaciones sociales, a fin de corregir las prácticas discriminatorias y el injusto reparto del poder que obstaculizan un desarrollo igual para toda persona.
38. PÉREZ GALLARDO, L. B., "Autonomía progresiva y capacidad para testar de las personas menores de edad", en GARCÍA MAYO, M., PÉREZ GALLARDO, L. B., CERDEIRA BRAVO DE MANSILLA, G. (dir.), *Capacidad y protección de las personas menores de edad en el derecho*, Olejnik, Santiago de Chile, 2021, pp. 295-312. PÉREZ GALLARDO, L. B., "Autonomía progresiva y capacidad para testar de las personas menores de edad", en *Revista de derecho privado*, Año n° 105, 2021, pp. 43-60; KEMELMAJER

de edad para el ejercicio de sus derechos, en condiciones de igualdad y respetando su interés superior[39].

La nueva concepción impondría un cambio radical en el ordenamiento jurídico italiano, a través del reconocimiento de la capacidad de obrar de la persona menor de acuerdo con su edad, contemplando la posibilidad de que la persona de 14 años pueda, al menos, otorgar testamento y que tenga capacidad para celebrar todos aquellos negocios de la vida corriente propios de su edad.

Aunque estoy perfectamente convencido de que el ordenamiento jurídico italiano, en este aspecto, es incluso inconstitucional, por violación directa de la CDN y, por tanto, por violación indirecta de la Constitución, no creo que este resultado pueda alcanzarse por vía interpretativa. Por lo tanto, creo que una reforma en este sentido es indispensable y urgente.

En cuanto a la _testamenti factio_ activa, antes de una modificación normativa, una persona menor de dieciocho años no tiene capacidad para hacer testamento.

2. LA INTERDICCIÓN POR DEMENCIA. DIFERENCIA ENTRE INTERDICCIÓN E INHABILITACIÓN. LA INCONSTITUCIONALIDAD DE LA PROHIBICIÓN DE TESTAR DE LA PERSONA BAJO TUTELA Y, EN GENERAL, LA INCONSTITUCIONALIDAD DE LA INTERDICCIÓN Y LA INHABILITACIÓN

El segundo supuesto de incapacidad absoluta para testar recogido en el art. 591.2 CC es el de la persona incapacitada o, mejor dicho, de la persona enferma de mente que ha sido privada de la capacidad de obrar.

Hay que señalar inmediatamente que, aunque Italia ratificó la CDPD en 2009, el derecho civil italiano está totalmente en desacuerdo con los principios establecidos por la Convención[40], dado que todavía se prevén dos formas de incapacitación (interdicción e inhabilitación) y que la figura de protección de la persona introducida en 2004, la llamada administración de apoyo, aunque marca un paso adelante, no es en absoluto coherente con los principios de la Convención de Nueva York.

Históricamente en el derecho italiano existen dos figuras de incapacitación: la interdicción y la inhabilitación (cf. art. 414-432 CC), que no son muy diferentes de la

---

DE CARLUCCI, A., MOLINA DE JUAN, M. F., "La participación del niño y el adolescente en el proceso judicial", _RCCyC_, 2015 (noviembre), 3, en http://www.colectivoderechofamilia.com/akc-mmj-la-participacion-del-nino-y-el-adolescente-en-el-proceso-judicial/ (consultado 20.06-2022); OLIVA BLÁZQUEZ, F., "El menor maduro ante el derecho", en _Rev. de la fundación de ciencias de la salud_, 2014, pp. 28 y ss.

39. La referencia principal es a la CDN, que consagra ese principio en su art. 3.1. Cabe destacar que el Comité de los Derechos del Niño en su Observación General nº 14 (2013), afirma que el interés superior de la niña o del niño es un concepto triple: a) un derecho sustantivo, b) un principio jurídico interpretativo fundamental, c) una norma de procedimiento. Por todas y todos, GARCÍA RUBIO, M. P., "¿Qué es y para qué sirve el interés del menor?", en _Actualidad Ibérico Americana_, n. 13, agosto 2020, pp. 14-49.

40. Para más detalles, véase BARBA, V., "La protección de las personas con discapacidad en el derecho civil italiano a la luz del art. 12 de la Convención sobre los derechos de las personas con discapacidad", en _Revista Cubana de Derecho_, 2021, vol. 1, enero-julio, pp. 274-307.

tutela y la curatela existentes en España antes de la modificación realizada por la L. 8/2021 de 2 de junio, por la que se reforma la legislación civil y procesal para el apoyo a las personas con discapacidad en el ejercicio de su capacidad jurídica (en adelante: L. 8/2021).

La interdicción se ordena en el caso de una persona que se encuentra en una condición de habitual "enfermedad de mente", que la hace incapaz de velar por sus propios intereses, mientras que la inhabilitación se ordena en el caso de una persona "enferma de mente" cuya condición no es tan grave como para dar lugar a la interdicción, también en los casos de una persona excesivamente pródiga, en los casos de una persona que por el abuso de alcohol o drogas se expone a sí misma o a su familia a un grave perjuicio económico y, por último, en los casos de una persona ciega o sorda de nacimiento si no ha recibido una educación suficiente.

La persona bajo tutela (interdicción) queda totalmente privada de su capacidad de obrar y la autoridad judicial nombra un tutor que realiza todos los actos jurídicos en lugar de la persona discapacitada, velando por su interés superior. A partir de la publicación de la sentencia, el incapacitado no puede celebrar válidamente ningún acto jurídico por sí solo, ni siquiera los de la vida corriente, y todos los actos realizados por el mismo pueden ser anulados. Se trata, por tanto, de una incapacitación total. Obviamente, la persona inhabilitada no puede contraer matrimonio (art. 119 CC), no puede hacer donaciones (art. 774 CC) ni testamento (art. 591 CC[41]).

La persona inhabilitada, en cambio, conserva la capacidad para realizar todos los actos jurídicos de administración ordinaria, mientras que para la realización de actos de administración extraordinaria se requiere el consentimiento del curador y, en determinados casos, la autorización de la autoridad judicial. Se trata, por tanto, de una incapacidad relativa. Para la realización de actos jurídicos para los que se requiera el consentimiento del curador y/o la aprobación de la autoridad judicial, deben tomar siempre la decisión que más convenga al interés de la persona incapacitada.

Mientras que la persona bajo tutela (supuesto de interdicción) no puede hacer testamento, ya que existe una prohibición expresa (art. 591.1, n.° 2 CC), el incapacitado, si bien no puede hacer donaciones (art. 776 CC), conserva la *testamenti factio* activa, ya que no existe una prohibición expresa y no se puede aplicar analógicamente la prohibición establecida pare el supuesto de interdicción[42]. Queda, por supuesto, el caso de que deba probarse que la persona inhabilitada se encontraba en estado de incapacidad natural en el momento de otorgar el testamento o, peor aún, que deba probarse que el incapaz se encontraba en estado de incapacidad habitual, con la cosegeunza de

---

41. Observa VENTURELLI, A., *La capacità di disporre per testamento*, cit., pp. 97 y ss., que la nueva redacción del artículo 427 CC IT otorga al juez una apreciación más amplia y le permite indicar los actos que el interdicto puede realizar sin la intervención o asistencia del tutor. "Per quanto le condizioni che giustificano la pronuncia di interdizione siano solitamente sufficienti a smentire ogni idoneità dell'infermo a testare, non si può escludere che egli manifesti soltanto una difficoltà a procedere autonomamente alla redazione dell'atto e in questo caso il giudice potrebbe nominare un curatore speciale per aiutarlo ovvero imporre il ricorso ad una determinata forma testamentaria".

42. V. párrafo "*III.1 Excepcionalidad de las causas de incapacidad* y prohibición de aplicación analógica".

que, según la jurisprudencia señalada en el párrafo anterior[43], la carga de la prueba se invierte.

En definitiva, el ordenamiento jurídico italiano establece que el interdicto no puede hacer ningún testamento, ni siquiera público[44], mientras que el inhabilitado puede, en principio, otorgar testamento, con la advertencia de que si se demuestra que estaba en condiciones de incapacidad natural, su testamento es anulable.

El conjunto de normas de interdicción e incapacitación son totalmente contrarias a los principios de la CDPD y, por tanto, deben ser consideradas, en mi opinión, constitucionalmente ilegítimas, por violación directa de la CDPD y, por tanto, por violación indirecta de la Constitución italiana.

Las razones de la contrariedad son bastante obvias: en primer lugar, porque brindan una protección de la persona no inspirada en el modelo de los derechos sociales; en segundo lugar, porque prevén una forma de incapacitación absoluta y/o relativa de la persona con discapacidad, discriminando por razón de la discapacidad; en tercer lugar, porque prevén una representación sustitutiva y no un apoyo colaborativo y, finalmente, porque responden al modelo de toma de decisiones en interés superior de la persona con discapacidad y no atendiendo al interés preferido, es decir, respetando su voluntad, sus deseos y sus preferencias[45].

La interdicción y la incapacitación responden a un modelo de protección del patrimonio de la persona y no de la persona y se basan en un enfoque que sigue siendo médico y no de derechos humanos.

Cabe destacar que la CDPD cambia radicalmente la perspectiva al no considerar la discapacidad como una enfermedad, sino simplemente como interacción entre una circunstancia personal de una persona y factores del entorno que dan lugar conjuntamente a la discapacidad y afectan a la participación de ese individuo en la sociedad. El enfoque médico y de beneficencia se sustituye totalmente por un enfoque social basado en los derechos humanos. La discapacidad es un producto social, una consecuencia de la interacción de la persona con un entorno que no da cabida a sus diferencias, lo que dificulta su participación en la sociedad. La discapacidad no es un error, sino un elemento de la diversidad de la persona y es, por tanto, una construcción social. Las barreras de la sociedad, precisamente porque impiden la participación de las personas con discapacidad, son discriminatorias y el Estado tiene la obligación de

---

43. V. notas nn. 25, 26.
44. Sobre la improcedencia de la norma, BONILINI, G., *Il testamento dell'infermo di mente*, cit., p. 93, quien señala que la presunción absoluta de incapacidad es una medida excesiva. Porque no se puede descartar que incluso el enfermo mental interdicto haya sido, en el momento de hacer el testamento, perfectamente capaz de querer y entender. Por ello, el autor considera más acertada la opción legislativa que se había hecho en el código albertino, que en su artículo 701 establecía una incapacidad para testar los interdictos "salvo [...] che, cogli argomenti desunti dall'atto e dalla qualità delle disposizioni, concorra la prova che essi fossero sani di mente nel tempo in cui fecero testamento". El autor aboga por una mera norma que vincule la incapacidad para testar sólo a quienes se demuestre que estaban incapaz de querer y entender en el momento de otorgar testamento. En la misma línea, RUSCELLO, F., *Amministrazione di sostegno e tutela dei disabili. Impressioni estemporanee su una recente legge*, en *Studium Iuris*, 2004, p. 155.
45. Sobre el art. 12 CDPD, v. nota n. 3.

eliminarlas para garantizar que las personas con discapacidad puedan participar en la sociedad en plena igualdad con todas las demás.

Una persona con discapacidad no puede ser privada de su capacidad jurídica y los Estados Partes, en virtud de las obligaciones que asumieron al ratificar la CDPD, deben comprometerse a garantizar a toda persona la posibilidad de ejercer su capacidad con los apoyos que sean necesarios, eliminando toda norma jurídica que pretenda privar a la persona de su capacidad.

La CDPD exige a todos los Estados Partes que pasen de un modelo de representación sustitutiva basado en el interés superior de la persona con discapacidad a un modelo de apoyo colaborativo basado en el interés preferido de la persona con discapacidad. Esto significa que la persona no sólo no puede ser privada de su capacidad, sino que debe ser apoyada para que pueda tomar sus propias decisiones y, en cualquier caso, para que pueda siempre ser respetada su voluntad, sus deseos y preferencias.

Sobre la base de estos argumentos está claro que las medidas de interdicción e inhabilitación deben considerarse constitucionalmente ilegítimas, por violación directa de la CDPD e indirecta de la Constitución italiana.

Lo cierto es que más allá de esta consideración, que exigiría una lectura derogatoria de la norma del art. 591.1, núm. 2 CC, y más allá de mi firme convicción de que ésta es la única solución plausible que la doctrina y la jurisprudencia deben perseguir a la espera de que el legislador italiano despierte del letargo cultural en el que está inmerso, esta norma establece que el interdicto no puede hacer testamento.

La solución propuesta, aunque me parece la única razonable y coherente con el sistema de las fuentes de derecho y los valores normativos de los que son expresión, no permite afirmar con certeza que en el supuesto de interdicción la persona pueda otorgar testamento, tanto porque es posible que el notario en presencia de esta norma no autorice a otorgar testamento público, como porque se corre el riesgo de que una jurisprudencia poco atenta al sistema de las fuentes, dé por válida esta norma y considere anulable el testamento del incapacitado (el supuesto de interdicción).

3. OTRAS MEDIDAS DE PROTECCIÓN PARA LA PERSONA CON DISCAPACIDAD. LA ADMINISTRACIÓN DE APOYO NO CONLLEVA UNA INCAPACIDAD GENERAL PARA TESTAR. INCUMPLIMIENTO DE LA MEDIDA CON LOS PRINCIPIOS DE LA CDPD

La Ley n° 6 de 9 de enero de 2004 (en adelante Ley 6/2004) introdujo la figura de la administración de apoyo en Italia, que ahora se recoge en los artículos 404-413 CC[46]. Se trata de una medida de protección de las personas con discapacidad que, si bien supone un avance considerable con respecto a la interdicción y la inhabilitación, dista mucho de ser coherente o de ajustarse a los principios de la CDPD, hasta el punto de que incluso esta institución requiere un importante esfuerzo de adaptación.

---

46. Por todas y todos, BONILINI, G. y TOMMASEO, F., "Dell'amministratore di sostegno", en *Cod. civ. Comm.* Schlesinger, Milano, 2008.

En primer lugar, se critica fuertemente que el legislador italiano en 2004 no sintiera la necesidad de derogar las instituciones jurídicas de la interdicción e incapacitación, dado que, incluso antes del CDPD, la mejor doctrina italiana había señalado la contrariedad de estas medidas con los principios constitucionales italianos[47]. La derogación también habría sido sencilla y no habría creado ningún vacío legal, teniendo en cuenta que la figura de la administración de apoyo está destinada a solaparse sustancialmente con la de la interdicción de la inhabilitación y es inclusive potencialmente susceptible de una aplicación aún más amplia.

La razón de la no derogación de los institutos de interdicción e inhabilitación es mucho más grave y depende del marco normativo de la nueva medida, que prevé la posibilidad de que la autoridad judicial pueda extender al beneficiario de la administración de apoyo determinados efectos, limitaciones previstas para la interdicción o la inhabilitación (v. art. 411.4 CC)[48].

Puede ordenarse una administración de apoyo a favor de una persona que, como consecuencia de "una enfermedad mental" o de un impedimento físico o psíquico se encuentre imposibilitada, incluso parcial o temporalmente, para proveer a sus propios intereses. Por lo tanto, es una medida que no sólo es potencialmente capaz de cubrir el ámbito de la interdicción y la inhabilitación, sino que también es adecuada para una aplicación más amplia. Mientras que la interdicción y la inhabilitación son medidas de protección del patrimonio del enfermo mental, la administración de apoyo tiene la aspiración de ser una medida de protección de la persona con discapacidad.

En principio, la administración de apoyo no debe suponer una limitación general de la capacidad de la persona, y es la autoridad judicial la que determina tanto la duración, que también puede ser indefinida, como los actos que el titular del apoyo debe realizar en lugar de la persona con discapacidad, así como los actos que el beneficiario de la medida puede realizar con la asistencia del titulare del apoyo (véase el art. 405.5 CC).

Aunque se establece (art. 409.2 CC) que el beneficiario de la administración de apoyo puede realizar en todo caso los actos necesarios para satisfacer las necesidades de su vida diaria, no cabe duda de que la administración de apoyo puede dar lugar a limitaciones de la capacidad de la persona. El artículo 409.1 CC establece claramente que el beneficiario conserva la capacidad de obrar para todos los actos que no requieran la representación exclusiva o la asistencia necesaria del titular de apoyo. Esto significa que, aunque no exista una limitación general de la capacidad de obrar, no cabe duda de que la autoridad judicial puede ordenar limitaciones específicas, cuando, como ocurre muy a menudo, no extiende el mismo régimen legal de la interdicción o inhabilitación, transformando de hecho la administración de apoyo en una incapacitación encubierta.

---

47. LISELLA, G., *Interdizione "giudiziale" e tutela della persona. Gli effetti della incapacità legale*, Napoli, 1984, pp. 78 y ss.

48. BONILINI, G., *Le norme applicabili all'amministratore di sostegno*, cit., pp. 436 e s.; BONILINI, G., "La capacità di disporre per testamento del beneficiario di amministrazione di sostegno", en BONILINI, G. (dir.), *Trattato di diritto delle successioni e donazioni*, Vol. II, *La successione testamentaria*, cit., pp. 155 y ss., que advierte del riesgo de sobreextensión.

En principio, la persona sometida a una administración de apoyo puede otorgar testamento[49], salvo que la autoridad judicial lo haya excluido expresamente. No existe una prohibición expresa de hacer testamento, ni se puede aplicar analógicamente la norma en materia de interdicción, pero sí existe la posibilidad de que la autoridad judicial prive a la persona de *testamenti factio* activa[50]. La circunstancia de que la persona no esté privada de la capacidad para otorgar testamento no excluye la posibilidad de solicitar su anulación si se demuestra que la persona se encontraba en una condición de incapacidad natural en el momento de otorgarlo.

Ni que decir tiene que, aunque esta medida debe considerarse ciertamente mejor que la interdicción y la inhabilitación, requiere una fuerte adaptación a los principios de la CDPD. No sólo porque en esta normativa sigue subyaciendo el enfoque médico y no el de los derechos humanos, sino sobre todo porque prevé, a nivel general, la posibilidad de ordenar limitaciones, aunque sean específicas, a la capacidad de obrar y porque contempla un modelo de toma de decisiones en función del interés superior de la persona y no de su interés preferido.

En primer lugar, sería necesario establecer explícitamente que las medidas de apoyo deben estar informadas por el principio de necesidad y proporcionalidad.

En segundo lugar, hay que afirmar que la persona no puede ser privada de su capacidad debido a su discapacidad y que las medidas de apoyo están destinadas a permitir el pleno desarrollo de su personalidad y su desenvolvimiento jurídico en igualdad de condiciones.

En tercer lugar, hay que afirmar que las personas que prestan apoyo deben actuar siempre de acuerdo con la voluntad, deseos y preferencias de la persona, ayudándola a tomar sus propias decisiones.

En cuarto lugar, dejar claro que las medidas de representación sustitutiva sólo pueden contemplarse de forma excepcional cuando objetivamente no sea posible que la persona tome una decisión de forma autónoma, incluso con el apoyo adecuado y necesario, precisando que en tal supuesto el titular del apoyo debe, en todo caso, tomar una decisión que respete la voluntad, los deseos y las preferencias de la persona, también en lo que respecta a su trayectoria vital. En este sentido, es importante señalar que la representación sustitutiva no puede ser dispuesta cuando es difícil que la persona tome una decisión de forma autónoma, ya que en tal supuesto es necesario proporcionar

---

49. Claramente, BONILINI, G., *La capacità di testare e di donare del beneficiario dell'amministrazione di sostegno*, en *Famiglia persone successioni*, 2005, pp. 14 y ss.

50. BONILINI, G., *Le norme applicabili all'amministratore di sostegno*, en BONILINI, G. y TOMMASEO, F., *Dell'amministratore di sostegno. Artt. 404-413*, cit., pp. 434-438, e spec. p. 437 aclara que el beneficiario tiene plena capacidad para disponer *mortis causa*. "Messo in luce che l'elencazione dei casi di incapacità di testare, affidata all'art. 591 cod. civ., è tassativa, quindi non è estensibile dall'interprete; messo in luce che il beneficiario dell'amministrazione di sostegno, al di fuori degli atti che richiedono la rappresentanza esclusiva, o l'assistenza necessaria, dell'amministratore di sostegno –che, ovviamente, non è possibile riguardo al testamento, essendo un atto strettamente personale– "conserva la capacità di agire" per tutti gli altri atti (art. 409, primo comma, cod. civ.), si può concludere nel senso della piena capacità di testare del beneficiario di amministrazione di sostegno, salvo che, appunto, il giudice tutelare non abbia ritenuto di estendere, a detto soggetto, l'incapacità *ex* art. 591, n. 2 del secondo comma, cod. civ".

el apoyo necesario para que la persona sea ayudada a tomar sus decisiones. Es necesario evitar los mecanismos perversos por los que se sigue considerando la discapacidad, especialmente la cognitiva, como una condición que objetivamente impide a la persona tomar una decisión informada, dando paso a una representación sustitutiva siempre que la decisión de la persona parezca no ser en su mejor interés. No basta con escuchar a la persona con discapacidad o intentar acomodar sus deseos, sino que hay que respetarlos plenamente, por mucho que parezcan contrarios a su interés superior.

Por último, hay que dar más importancia a las decisiones previas adoptadas por la persona, para que prevalezca la voluntariedad de la medida. Esto se refiere no sólo a la elección de la persona que debe prestar apoyo, sino también al contenido de la medida y a todas las posibles guardas. Es decir, hay que dar más espacio a la autodeterminación de la persona, para que la medida judicial sea siempre complementaria a la voluntaria y que cada persona pueda tanto construir su propia medida de apoyo para el tiempo en que se encuentre en condición de discapacidad, como indicar las decisiones de mayor interés y las medidas de protección que quiere.

Estas adaptaciones son, en mi opinión, imprescindibles para que la medida de la administración de apoyo sea coherente con los principios marcados en la CDPD.

4. LA INCAPACIDAD NATURAL

El último supuesto de incapacidad para testar recogido en el art. 591.2 nº 3 CC se refiere a la incapacidad natural[51], es decir, al caso de una persona mayor de edad que no está incapacitada y que se encuentra en situación de incapacidad de querer y entender en el momento[52] de otorgar el testamento[53].

---

51. Conviene recordar que, según CICU, A., *Testamento*, cit., p. 112, la incapacidad de querer es una verdadera hipótesis de vicio de la voluntad. "Come nei casi di errore, violenza e dolo, si ha anche qui una causa perturbatrice del normale funzionamento del processo intellettivo e volitivo, che può arrivare a togliere la coscienza di ciò che si dice, ma che può influire sulla determinazione della volontà cosciente: quando questa influenza è tale per cui si possa ritenere che senza di essa la volontà non si sarebbe determinata o si sarebbe determinata in diverso modo, il testamento è annullabile". En este sentido, PERLINGIERI, G., "La rilevanza del testo nell'individuazione dell'incapacità naturale di testare", en *Rassegna di diritto civile*, 1, 2005, p. 275; BENEDETTI, A. M., *Il testamento dell'incapace naturale*, cit., p. 75. En sentido contrario, GANGI, C., *La successione testamentaria nel vigente diritto italiano*, cit., pp. 81, 83, "Ma, a mio avviso, se si deve riconoscere che nel caso dell'incapacità naturale non si ha una capacità della stessa natura di quella della incapacità legale o giudiziale, non perciò si deve anche ammettere che essa non sia una vera e propria capacità".
52. En la anterior formulación de la norma, se hacía referencia al "tiempo", mientras que ahora se hace referencia al "momento" en que se hizo el testamento. CARIOTA FERRARA, L., "Quando deve esistere la capacità di testare", en *Giur. comp. dir. civ.*,1941, pp. 14 y ss.; STOLFI, G., "Sull'art. 591 n. 3 del codice civile", en *Temi*, 1946, pp. 433 y ss. Sobre la importancia del cambio, VENTURELLI, A., *La capacità di disporre per testamento*, cit., pp. 129 y ss.; BENEDETTI, A. M., *Il testamento dell'incapace naturale*, cit., pp. 74 y ss. "Tra "tempo" e "momento" c'è una differenza quantitativa e qualitativa (che si riflette, manco a dirlo, sull'onere della prova): è evidente, infatti, che non basta più accertare che nel periodo in cui si può collocare il testamento il testatore fosse genericamente o astrattamente incapace … è richiesto un accertamento che va collocato al momento in cui l'atto è stato posto in essere dal testatore (o perfino durante la "redazione" dello stesso)".
53. ROMERO COLOMA, A. M., *La capacidad de testar*, Boch, Barcelona, 2007, p. 97 afirma que cabal juicio constituye una situación fáctica y no jurídica, que impide la posibilidad de otorgar testamento al sujeto que se encuentra en dicha condición. ALBALADEJO GARCÍA, M. *Comentarios*

El verdadero problema que se esconde tras el concepto de capacidad natural está relacionado con su ideología subyacente y la estratificación de la interpretación que se ha hecho de él a lo largo de los años. Baste decir, a este respecto, que la jurisprudencia italiana, pero creo que el discurso puede extenderse también a otros ordenamientos de *civil law*, sigue ofreciendo hoy la misma definición que hace sesenta años[54].

El problema se remonta a la idea de que la incapacidad natural es una condición patológica dependiente de una enfermedad psicofísica, una perturbación mental o una enfermedad de mente y, por lo tanto, se aborda sustancialmente desde una perspectiva médico-asistencial. Por otra parte, aunque en el lenguaje de los juristas las expresiones persona demente o enfermedad mental se sustituyen por la fórmula lingüística "persona con discapacidad", es fácil comprobar que este cambio constituye a menudo una mera operación lingüística de adhesión a lo "políticamente correcto", pero no expresa una adhesión sustancial al nuevo modelo cultural. Esto queda claro si se piensa que el concepto de incapacidad natural no ha cambiado en absoluto en el discurso de los juristas y en las páginas de las sentencias, que siguen utilizando el mismo paradigma especulativo para establecer cuándo debe anularse el acto jurídico, aunque en lugar de hablar de enfermo mental o perturbado psíquico, hacen alusión, por mera respetabilidad cultural, a la persona con discapacidad.

También a la luz de los principios y valores expresados por la CDPD, que imponen un cambio de perspectiva en el análisis de la discapacidad, desde el modelo médico asistencial al modelo social y de derechos humanos, es imprescindible desvincular definitivamente la discapacidad de la incapacidad y replantear críticamente el propio concepto de capacidad de entender y querer. Especialmente cuando se refiera a la *testamenti factio* activa.

Además, a la vista del concepto de discapacidad que acoge la Convención, es aconsejable evitar cualquier forma de clasificación o cualquier enfoque que, aunque sea desde una perspectiva multidisciplinar, acabe refiriéndose a patologías médico-clínicas[55], ya que el concepto de discapacidad es (y debe ser) amplio, porque debe incluir todas las condiciones de la persona que en relación con su entorno constituyen barreras que impiden su plena inclusión social en igualdad de condiciones con los demás[56].

---

    artt. 662-666, Comentario al Código civil y compilaciones forales, dir. por ALBALADEJO GARCÍA, M. Tomo IX, Vol. 1-A, artt. 657-693, Edersa, 1990, pp. 66 y ss.

54. En Italia, la jurisprudencia se basa en el mismo principio de derecho que ya se había enunciado en Cass., 10 de noviembre de 1960, n. 3010, en *Giurisprudenza italiana*, 1961, I, 1, c. 1304 s., según el cual: "è necessario che, a cagione di un'infermità o di altra causa, sia pure transitoria, che turbi profondamente il normale processo intellettivo e volitivo, il soggetto sia privo in modo assoluto, nel momento della *testamenti factio*, della coscienza dei propri atti, oppure dell'attitudine ad autodeterminarsi, sì da versare in condizioni analoghe a quelle che, in concorso con l'estremo dell'abitualità, legittimano la pronunzia di interdizione".

55. V. PATTI, F. P., "Valutazione delle capacità del testatore e forma del testamento*", en *Nuovi modelli di Diritto Successorio: prospettive interne, europee e comparate. Atti del convegno*, EUT Edizioni Università di Trieste, Trieste, 2020, p. 49 "non sembra sufficiente il riferimento a disabilità cognitive di origine neurologica, essendo necessario considerare fragilità decisionali di natura psichiatrica, disturbi neuropsicologici da dipendenza ambientale, nell'autocontrollo e nel ragionamento sociale, nonché l'esistenza della 'consapevolezza di sé' ".

56. Se lee en el preámbulo de la CDPD: "la discapacidad es un concepto que evoluciona y que resulta de la interacción entre las personas con deficiencias y las barreras debidas a la actitud y al entorno

Este concepto amplio abarca tanto las discapacidades físicas como las sensoriales y las cognitivas, especificando que la persona con discapacidad, sea cual sea, debe gozar de plena capacidad y debe poder ejercerla de forma independiente y con los apoyos que eventualmente necesite y que deben prestarse según el principio de necesidad y proporcionalidad.

Una interpretación de la incapacidad natural que permanezca anclada en los viejos paradigmas debe ser considerada constitucionalmente ilegítima por violación directa de la CDPD e indirecta de la Constitución; en cambio, una interpretación evolutiva que sepa dar plena expresión a la CDPD y al nuevo enfoque se presta a ser un instrumento de extraordinaria utilidad e importancia en la protección de la persona.

Se requiere, por tanto, un gran esfuerzo por parte de la doctrina civil, para que pueda asumir este difícil reto cultural y ofrecer una interpretación de la incapacidad natural coherente con los nuevos paradigmas normativos.

La incapacidad natural debe considerarse como una situación de excepción y, por tanto, no sólo debe descartarse que la persona con discapacidad sea, por tanto, la única incapaz, sino que también debe tenerse en cuenta que la capacidad natural, especialmente en lo que se refiere a cuestiones testamentarias, debe considerarse cumplida si la persona puede conformar y expresar su voluntad, comprendiendo el alcance de su acto.

Este nuevo modelo exige, en primer lugar, superar la idea de que se puede presumir la incapacidad natural, es decir, el principio, ampliamente seguido por la jurisprudencia italiana, según el cual "una vez demostrada una condición de demencia permanente y estable en el período inmediatamente posterior a la redacción del testamento, corresponde a quien hace valer la validez del mismo probar que fue redactado en un intervalo lúcido"[57].

El concepto de incapacidad natural en su nueva dimensión implica que debe probarse rigurosamente la existencia de esta circunstancia en el momento exacto en que la persona otorgó efectivamente el testamento. Ya no se puede tolerar la idea de una presunción de incapacidad natural permanente de la persona y, por tanto, que sus herederos testamentarios deben probar que el testamento fue otorgado en un intervalo lúcido.

Esta forma de razonar altera de forma irracional e injustificada la relación regla-excepción que debe existir en materia de capacidad, pues en lugar de presumir la capacidad de la persona, mientras no se demuestre lo contrario, presume la incapacidad. Incluso a la luz de los principios expresados por la CDPD y en vista de las obligaciones que su artículo 12 impone a todos los Estados Partes, esta presunción de incapacidad

_____

que evitan su participación plena y efectiva en la sociedad, en igualdad de condiciones con las demás". Además, es especialmente valiosa la noción que ofrece el art. 1.2 CDPD: "Las personas con discapacidad incluyen a aquellas que tengan deficiencias físicas, mentales, intelectuales o sensoriales a largo plazo que, al interactuar con diversas barreras, puedan impedir su participación plena y efectiva en la sociedad, en igualdad de condiciones con las demás".

57. Así, Cass., 22 de octubre de 2019, n. 26873, cit. Véase, más ampliamente, el párrafo: "III.2 interpretación extensiva de las normas sobre incapacidad. La objetable teoría de la presunción de incapacidad y la prueba del intervalo lúcido".

no puede tolerarse, porque se convierte en una limitación generalizada y discriminatoria de las personas con discapacidad, lo que constituye una interpretación ilegítima e incluso inconstitucional.

Desde otro punto de vista, ya no se puede afirmar, como ha hecho la jurisprudencia italiana durante más de cincuenta años[58], que debe considerarse que existe incapacidad natural cuando se demuestra que "debido a una enfermedad transitoria o permanente, o a otra causa perturbadora, el sujeto está absolutamente privado, en el momento de redactar el acto de última voluntad, de la conciencia de sus actos o de la capacidad de autodeterminación"[59].

Es necesario superar la idea de que la incapacidad natural depende de una enfermedad mental[60], mientras que la idea de que la incapacidad natural implica que la persona no es capaz de autodeterminarse es plenamente respaldada, siempre que se aclare el alcance real de esta expresión y se desvincule definitivamente de la enfermedad mental.

La capacidad de autodeterminación debe referirse a una situación en la que la persona no puede conformar y manifestar su voluntad, es decir, a una condición en la que es objetivamente imposible que la persona tome una decisión por sí misma. En todos los casos en los que la persona con discapacidad puede, no obstante, expresar su voluntad, aunque con los apoyos adecuados, aunque la expresión sea difícil, no se puede negar que tiene capacidad de autodeterminación y, en consecuencia, no se puede negar la validez de su testamento.

Hay que superar la idea de que una persona, sobre todo en materia testamentaria, sólo es capaz de autodeterminarse cuando no tiene ninguna discapacidad y, si la tiene, sólo si hace un testamento con un contenido que la comunidad en su conjunto comparte o podría compartir, mientras que se excluye dicha capacidad en cualquier caso contrario[61]. El juicio sobre la capacidad de autodeterminación suele estar influido por la idea del interés superior y, por tanto, por la idea de que la persona con discapacidad,

---

58. V. nota n. 51.
59. Così, Cass., 29 de abril de 2019, n. 11358, en *Leggi d'Italia*; Cass., 19 de febrero de 2018, n. 3934, cit.; Cass., 19 de diciembre de 2017, n. 30485, cit.; Cass., 16 de diciembre de 2016, n. 26093, en *Leggi d'Italia*; Cass., 02 de octubre de 2015, n. 19767, en *Leggi d'Italia*; Cass., 23 de diciembre de 2014, n. 27351, cit.; Cass., 11 de enero de 2012, n. 166, cit.; Cass., 15 de abril de 2010, n. 9081, en *Leggi d'Italia*; Cass., 11 de abril de 2007, n. 8728, en *Leggi d'Italia*; Cass., 06 de mayo de 2005, n. 9508, cit.; Cass., 18 de abril de 2005, n. 8079, cit.; Cass., 30 de enero de 2003, n. 1444, en *Leggi d'Italia*; Cass., 06 de diciembre de 2001, n. 15480, en *Leggi d'Italia*; Cass., 24 de octubre de 1998, n. 10571, cit.; Cass., 22 de mayo de 1995, n. 5620, en *Leggi d'Italia*; Cass., 05 de noviembre de 1987, n. 8169, cit.; Cass., 10 de julio de 1986, n. 4499, cit.; Cass., 11 de mayo de 1979, n. 2692, en *Leggi d'Italia*; Cass., 10 de enero de 1967, n. 97, en *Leggi d'Italia*. La tesis se reproducida servilmente por GIANNATTASIO, C., *Delle successioni. Successioni testamentarie*, cit., pp. 51 y ss.
60. MESSINEO, F., *Manuale di diritto civile e commerciale*, VI, *Diritto delle successioni per causa di morte*, 9ª ed., Milano, 1962, p. 141, "perché si abbia, tecnicamente, incapacità naturale di testare, occorre che l'infermità dio mente abbia tale grado di intensità, da privare, anche se temporaneamente, il testatore del discernimento (o della coscienza), o della volontà; non basta il mero indebolimento, o la menomazione delle facoltà mentali".
61. Coincido con la afirmación de ALBALADEJO GARCÍA, M., "Comentarios artt. 662-666", *Comentario al Código civil y compilaciones forales*, dir. por ALBALADEJO GARCÍA, M., Tomo IX, Vol. 1-A, artt. 657-693, Edersa, 1990, p. 77, "'cabal juicio' es una expresión todo lo *imprecisa* o no *técnica* o

debido a su condición, está tomando una decisión que no habría tomado de otro modo. Por el prejuicio de que la existencia de cualquier discapacidad lleva a tomar decisiones perjudiciales, respecto a las cuales se requieren medidas correctoras.

La capacidad de autodeterminación no debe ir más allá de la mera posibilidad de conformar o expresar su propia voluntad, es decir, comprender el sentido y el alcance de las disposiciones testamentarias.

De acuerdo con esta nueva perspectiva, también adquiere relevancia el contenido y el alcance concreto del testamento[62], como reconocen algunas sentencias italianas[63], aunque sólo en términos abstractos y con una finalidad diferente, ya que no se puede exigir el mismo grado de capacidad en el caso de un testamento simple o de un testamento complejo[64].

Si bien es cierto que el concepto de capacidad natural debe entenderse como referido a la posibilidad de que la persona pueda conformar y expresar su voluntad, entendiendo por tal el alcance de sus disposiciones, es imprescindible tener en cuenta el contenido del testamento. Esto no significa, por supuesto, hacer una valoración del contenido del testamento, para llegar al paradójico resultado de que un testamento

---

inadecuada que se quiera, pero que deja ver bien clara la idea de que el legislador permite testar a quien goza de un juicio adecuado o suficiente para el acto".

Precisa TRABUCCHI, A., *Ancora sulla capacità a far testamento*, cit., c. 1304, "l'età avanzata può giustificare qualche stravaganza senza essere causa di incapacità".

62. PERLINGIERI, G., *La rilevanza del testo nell'individuazione dell'incapacità naturale di testare*, cit., pp. 282 y ss., "anche per la individuazione dui elementi di prova per l'incapacità naturale bisogna quanto mai dare prevalenza al testo (al contenuto dell'atto), con le sue peculiarità e le sue eventuali stravaganze, al fine di individuare indizi da estendere solo successivamente al contesto". Véase, para un mayor desarrollo, aunque referido a los vicios de la voluntad, PERLINGIERI, G., "L'"errore sul motivo" nel testamento. Ancora sulla rilevanza del testo per l'individuazione dei vizi di invalidità negli atti di liberalità", en *Rassegna di diritto civile*, 3, 2008, pp. 867 y ss. VENTU-RELLI, A., *La capacità di disporre per testamento*, cit., p. 121, "se, infatti, oggetto della valutazione giudiziale è il discernimento del *de cuius*, essa non potrà che muovere dal contenuto e dalla forma della scheda testamentaria. Ciò non significa che la mera bizzarria della disposizione o l'arbitrio delle scelte del testatore, volte a derogare in modo ingiustificato le regole dell'attribuzione fissate dalla successione legittima, possano essere ritenute sufficienti ad annullare il testamento".

63. En este sentido, de forma compartible, véase Cass., 28 de marzo de 2019, n. 8690, en *Leggi d'Italia*, que sostuvo que la cuestión de si el testador estaba o no en su sano juicio en el momento de redactar el testamento debe implicar una valoración del contenido del acto de última voluntad en relación con la seriedad, la normalidad y la coherencia de las disposiciones pertinentes y los sentimientos y propósitos que parecen haberlas inspirado. Además, afirma que: "Nell'ambito di tale valutazione, il dato clinico, comunque necessario, costituisce uno degli elementi su cui il giudice deve basare la propria decisione, non potendosi mai prescindere dalla considerazione della specifica condotta dell'individuo e della logicità della motivazione dell'atto testamentario". En este sentido, ya, Cass., 05 de enero de 2011, n. 230, en *Leggi d'Italia*; Cass., 15 de abril de 2010, n. 9081, cit.; Cass., 22 de mayo de 1995, n. 5620, cit.

64. En general, la doctrina italiana se centra en el problema de la coherencia interna, para decir que, en el caso de un testamento lógicamente coherente, es difícil presumir que el autor estaba incapacitado, y para decir que la rareza o la incoherencia del testamento no prueban automáticamente la incapacidad, sino que son índices presuntivos. En este sentido, para la completez de su investigación, véase: VENTURELLI, A., *La capacità di disporre per testamento*, cit., pp. 120 y ss. Non mi pare, invece che abbia assunto rilevanza la complessità del testamento. Por otro lado, no me parece que la complejidad del contenido del testamento se haya adecuadamente considerado. Esto depende de que la capacidad natural se entienda como la plena capacidad de entender y querer y no como la capacidad de manifestar y conformar la propia voluntad.

extravagante, o un testamento que excluya a los parientes más próximos, o que tenga un contenido inesperado sea, por tanto, inválido[65], sino simplemente decir que la capacidad de la persona debe medirse también en consideración a la complejidad del contenido del acto.

Introducir un criterio que tenga en cuenta el contenido del testamento, su sencillez y racionalidad, no debe llevar en ningún caso a la conclusión de que un testamento extravagante o de contenido inesperado (por parte de los familiares) es por tanto el resultado de una situación de incapacidad, pues siempre hay que recordar que el testamento, más que cualquier otro negocio jurídico, es el lugar donde pueden y deben encontrar su sitio los sentimientos de una persona[66], siendo el acto por el que ésta se despide legalmente de la vida.

Peligroso e incluso contrario al principio de libre desarrollo de la personalidad es cualquier razonamiento que quisiera derivar inductivamente la invalidez del testamento de la posible extravagancia de su contenido, ya que el tema de la capacidad natural debe limitarse a valorar si la persona puede conformar y manifestar su voluntad, entendiendo el alcance de las disposiciones realizadas. Y será diferente entender el alcance de un testamento que solo instituye a herederos que el alcance de un testamento con un contenido mucho más complejo.

Se trata, por tanto, de una reinterpretación integral de la capacidad natural para que esta disposición normativa pueda considerarse realmente un instrumento de protección de la persona y no una herramienta de protección de sus familiares más cercanos. La persona con discapacidad no necesita una norma que invalide su testamento, cuando lo ha redactado entendiendo el alcance de sus disposiciones, sino como máximo un apoyo en el ejercicio de sus derechos.

En esta perspectiva, juega un papel decisivo el notariado, que debería, con mayor valentía y sin necesidad de solicitar siempre un certificado médico, recibir la voluntad de la persona con discapacidad cuando compruebe que, aunque con todas las dificultades posibles, es capaz de conformar y expresar su voluntad. El notariado debe asumir la responsabilidad de ofrecer a las personas con discapacidad el apoyo necesario que puedan requerir a la hora de redactar sus testamentos, realizando las actividades de asesoramiento y asistencia necesarias, que el ordenamiento jurídico les confiere, también en razón de su función de seguridad jurídica y fe pública.

---

65. En este sentido, comparto las claras palabras de TRABUCCHI, A., *Ancora sulla capacità a far testamento*, cit., c. 1304, "il testamento deve essere considerato come il regno dell'arbitrio, e una disposizione che favorisca un capriccio non è meno valida, e giuridicamente giustificata, della disposizione più santa. In realtà poi si può osservare che spesso questi eredi legittimi, che sono i parenti privati delle loro illusioni dagli intenti benefici del testatore, non si accorgono che la stessa loro azione è in contrasto con la tesi affermata dalla irrazionalità del testatore: il quale avrebbe praticamente indovinato il … disinteresse anche del postumo omaggio che gli eredi legittimi avrebbero reso alla sua memoria!". Véase ahora, también BENEDETTI, A. M., *Il testamento dell'incapace naturale*, cit., pp. 82 y ss., "se, in definitiva, la protezione della libertà testamentaria … passa attraverso un controllo probatorio rigoroso a carico di chi vuol far valere la incapacità del *de cuius*, i contenuti sostanziali (non quelli formali) del testamento … debbono rimanere fuori dall'indagine che il giudice è chiamato a svolgere".

66. Por todas y todos, BONILINI, G., *Dei legati*, cit., pp. 4 y ss., par. 1: "Legato, e sentimenti dell'uomo"; Id, *Legato*, en *Dig. IV, Sez. civ.*, vol. X, Torino, 1993, p. 509.

El acceso al testamento público, por las garantías que ofrece, debe ser accesible a todos y tener, como ocurre en muchos países, un coste bajo que cualquiera pueda asumir. Además, el uso de testamentos públicos debería ser mucho más masivo. Sin embargo, es extravagante constatar que en Italia el número de testamentos públicos es muy limitado en comparación con los testamentos ológrafos, y que en muchos casos el notario es sólo el depositario del testamento ológrafo, aunque éste tenga un contenido muy técnico.

El nuevo modelo de protección de las personas con discapacidad lleva a conceder una mayor y renovada importancia al testamento público, no por mera deferencia a la forma y al formalismo jurídico, sino por la función sustancial que el Notario debe desempeñar concretamente. La importancia de la función conlleva inevitablemente importantes responsabilidades, que deben ser asumidas con plena conciencia del nuevo modelo a favor de las personas con discapacidad. El Notario se convierte en la perspectiva marcada por la CDPD en un apoyo a favor de la persona con discapacidad y en lugar de denegar la autorización a otorgar el testamento o solicitar un certificado médico que acredite que la persona está "en su cabal juicio", debe prestar a la persona con discapacidad el apoyo necesario, con un asesoramiento adecuado, ayudándola en la comprensión y el razonamiento para que, con todos los medios necesarios, la persona pueda expresar su voluntad sus deseos y preferencias.

Aunque en Italia se necesita urgentemente una reforma del derecho de las personas, en lo que respecta a la capacidad para testar, el cambio que he propuesto puede lograrse ya en el plano de la interpretación. Basta con tomar conciencia del nuevo modelo de protección de los derechos de las personas con discapacidad y ofrecer una interpretación que, como he intentado proponer, sea coherente con este nuevo paradigma.

V. EL TESTAMENTO DE LA PERSONA VULNERABLE: BOSQUEJO. NO ES UNA CUESTIÓN DE CAPACIDAD DE LA PERSONA

También hay que mencionar el difícil tema del testamento de la persona vulnerable, que por su complejidad e importancia requeriría una reflexión de largo alcance y hondo calado que no se puede realizar aquí[67]. Me limitaré, pues, a esbozar sólo algunas ideas, para dejar claro que esta cuestión debe desvincularse de la de la capacidad y que probablemente deba abordarse desde la perspectiva de los vicios de la voluntad,

---

67. Para profundizar mas el tema, véase FUSARO, A., *L'atto patrimoniale della persona vulnerabile,* Jovene, Napoli, 2019. Anteriormente al trabajo monográfico, véase CINQUE, M., "Il ruolo del notaio nel testamento pubblico e il problema della capacità naturale dell'ageing testator", en *Nuova giur. civ. comm.*, 2011, 10, pp. 30 y ss.; CINQUE, M., "Capacità di disporre per testamento e "vulnerabilità" senile", en *Diritto delle successioni e della fam.*, 2015, 2, pp. 361 y ss.; SPOTTI, F., "L'annullabilità del testamento redatto da una persona fragile", en *Fam. e dir.*, 2014, pp. 658 y ss.; GIROLAMI, M., "I testamenti suggeriti", en *Riv. dir. civ.*, 2016, 2, pp. 562 y ss.; VAQUER ALOY, A., "La proteccion del testador vulnerable", en VAQUER ALOY, A., *Libertad de testar y libertad para testar*, Olejnik, Santiago de Chile, 2018, pp. 127 y ss.; ZURITA MARTÍN, I., "La protección de la libertad de testar de las personas vulnerables", en VAQUER ALOY, A., SÁNCHEZ GONZÁLEZ, M. P., BOSCH CAPDE-VILA, E., *La libertad de testar y sus límites*, Marcial Pons, Madrid, 2018, pp. 83 y ss.

ofreciendo una nueva teoría capaz de garantizar la autodeterminación libre e independiente de la persona.

En primer lugar, es fundamental despejar el campo de la idea de que la cuestión de la vulnerabilidad, especialmente en lo que respecta al tema del testamento, tiene que ver con la persona mayor, es decir, la idea de que existe una especie de ecuación entre vulnerabilidad y senilidad. Ciertamente no se niega que existan casos de personas mayores en situación de vulnerabilidad, pero niego rotundamente que todas las personas mayores deban ser consideradas vulnerables y, más aún, que por la potencial vulnerabilidad se puedan o deban tomar medidas restrictivas, como la de que la persona mayor sólo pueda hacer testamento público[68].

El concepto de vulnerabilidad es mucho más amplio, ya que se refiere a una condición humana particular y es, en principio, independiente de la edad, con la consecuencia de que una persona mayor puede no ser vulnerable, mientras que una persona joven puede estar en una condición claramente vulnerable[69]. A todo el mundo le resultará fácil imaginar a una persona mayor que no es nada vulnerable y a una persona joven que es muy vulnerable.

La vulnerabilidad, al igual que el concepto de incapacidad natural, debe ser valorado en el caso concreto, ya que la condición de vulnerabilidad, como la propia etimología de la palabra indica, se refiere a una persona que puede, en determinadas circunstancias, ser lesionada o perjudicada[70]. Por lo tanto, pretende referirse a la condición de una persona de especial sensibilidad emocional, en función de circunstancias

---

68. La tesis de que la persona vulnerable sólo puede hacer un testamento público es apoyada por muchos y, entre todas y todos, también por razones cronológicas, DE NOVA, G., "Autonomia privata e successioni mortis causa", en *Jus*, 1997, pp. 277 y ss. PATTI, S., "Il testamento olografo nell'era digitale", en *Riv. dir. civ.*, 2014, II, 992, p. 1007, llega a afirmar que debería haber un límite de edad a partir del cual la persona ya no puede hacer un testamento ológrafo. Aunque puedo entender las razones de esta propuesta tan radical, me encuentro en desacuerdo, por la sencilla razón de que la senilidad no siempre va unida a la vulnerabilidad y no creo que sea conveniente limitar la posibilidad de hacer un testamento ológrafo, sobre todo en un país como Italia, donde los testamentos públicos son tan caros. Más bien, es necesario encontrar un instrumento que pueda proteger a la persona vulnerable cuyo testamento no es el fruto de una voluntad libre e independiente. Cabe destacar que, volviendo al tema ya indagado, DE NOVA, G., *Il testatore anziano e la forma del testamento*, en *Jus civile*, 2017, 5, pp. 382 y ss., tras poner en duda la legitimidad de una norma que limita el uso del testamento ológrafo a las personas hasta una determinada edad, afirma que sería muy posible que el testador hiciera una disposición testamentaria que excluyera la posibilidad de hacer un testamento posterior con una determinada forma. La pregunta a la que ofrece una respuesta afirmativa a través de una relectura de algunos clásicos es la siguiente: "Mi chiedo cioè se il testatore anziano possa, ad esempio, redigere un testamento olografo quando ancora le sue condizioni sono tali da assicurarne la validità sul piano della capacità di intendere e di volere, ed in esso prevedere che ogni proprio eventuale futuro testamento, che dovesse voler porre in essere per modificare il precedente, debba necessariamente essere nella forma del testamento pubblico, al fine di meglio garantire che anche il futuro eventuale testamento risponda alla sua effettiva volontà".

69. V. VAQUER ALOY, A., *La proteccion del testador vulnerable*, cit., p. 127 s., y allí las interesantes referencias a las teorías de Peisah e di Singer.

70. ZURITA MARTÍN, I., *La protección de la libertad de testar de las personas vulnerables*, cit., p. 83, "aunque el término "vulnerabilidad" no es un concepto originariamente jurídico puede decirse que el Derecho haya adoptado dicha expresión para referirse a todas aquellas situaciones que hacen que una persona o un colectivo merezca una protección jurídica especial, precisamente por encontrarse en una posición de fragilidad por razones económicas, de edad, enfermedad, minoría o maltrato".

endógenas o exógenas, que le hace estar especialmente expuesta al riesgo de ser influenciada por otra persona[71].

Para mantenernos en el ámbito jurídico, nos referimos a la condición emocional de la persona que, por circunstancias objetivas o subjetivas, es fácilmente influenciable por otras personas que ejercen una fuerte influencia sobre la persona vulnerable o que constituyen el único punto de referencia para esa persona.

La condición de vulnerabilidad no es, por tanto, la mera condición de quien, para obtener a sabiendas el afecto o la mera cercanía de otra persona, está dispuesto a hacer un sacrificio económico o a sacrificar, aunque sea parcialmente, parte del patrimonio familiar, máxime si es bien consciente y conocedor de este mecanismo, sino la condición más compleja desde el punto de vista emocional de quien, por razones objetivas o subjetivas, se encuentra condicionado por otra persona, que ejerce su influencia indebida, hasta el punto de que la autodeterminación de aquél ya no puede considerarse fruto de una decisión libre e independiente.

Para que la condición de vulnerabilidad adquiera relevancia jurídica y constituya un elemento de valoración a efectos de juzgar la validez de un testamento, es necesario establecer que la persona se encuentra en una condición emocional de vulnerabilidad o de dependencia psicológica sustancial tal que cualquier decisión tiene como finalidad única y exclusiva asegurar la proximidad o el apoyo de la persona que puede, directa o indirectamente, influir indebidamente en sus decisiones.

Por ello, propongo una interpretación bastante estricta, ya que no basta la condición objetiva de vulnerabilidad, ni la posible influencia que puedan ejercer otros, ni que el testador pretenda consentir a sabiendas, aunque sea por complacencia, los deseos de otros allegados, sino que es necesario que en relación con la vulnerabilidad de la persona otros ejerzan una influencia tal que la voluntad de aquél no pueda considerarse libre y autónoma. Esto significa que el vicio no afecta necesariamente al testamento en su totalidad, ya que puede afectar también, dada la naturaleza del mismo[72], a una o varias disposiciones testamentarias[73].

En vista de ello, no considero que sean recursos eficaces y adecuados ni los relativos a la capacidad de obrar ni los relativos a la capacidad de recibir por testamento. Los primeros no, porque no se trata de un problema general de la capacidad de la

---

71.   No se puede estar de acuerdo con la teoría de la *undue influence* del derecho norteamericano, sobre la que véase VAQUER ALOY, A., *La proteccion del testador vulnerable*, cit., pp. 129-133. Comparto plenamente las críticas que la doctrina contemporánea propone respecto a esta teoría y, más aún, la conclusión de VAQUER ALOY: "Los tribunales norteamericanos, en cambio, en un sistema sin legítima a favor de los descendientes, son mucho más proclives al reparto igualitario y a que los bienes quedan para la familia; podría decirse que por la vía de la impugnación del testamento por *undue influence* garantizan la legítima en un sistema que la desconoce. En todo caso, lo que sí ha quedado meridianamente claro es que los derechos civiles españoles disponen de suficientes resortes para proteger al testador vulnerable, y que los tribunales se muestran dispuestos a aplicar dichos mecanismos en los casos que deben dilucidar. Y este es un resultado mucho más venturoso que el que ofrece el derecho norteamericano, que aparenta ser el paradigma de la libertad de testar per que, sin embargo, en realidad la coarta con pronunciamientos con frecuencia más morales que jurídicos como ha denunciado la doctrina de aquel país".

72.   BARBA, V., *La nozione di disposizione testamentaria*, in *Rassegna di diritto civile*, 2013, p. 963 y ss.

73.   GIROLAMI, M., *I testamenti suggeriti*, cit., p. 564.

persona, sino simplemente de una condición en la que es posible que la decisión de la persona no sea libre e independiente debido a la influencia indebida ejercida por otros. Los segundos no, porque, aunque se quisiera hacer una interpretación extensiva de las normas sobre la incapacidad del tutor y del protutor[74], extendiendo la prohibición a quien cuida de la persona, el problema no sólo no se resolvería, sino que se endurecería innecesariamente. No se resolvería, en primer lugar, porque la cuestión de la vulnerabilidad también puede ser ajena al cuidado en sentido propio, de modo que la persona que ejerce la influencia indebida no es necesariamente también la que cuida a la persona "vulnerable" y, en segundo lugar, porque llevaría a una extensión injustificada, que acabaría convirtiéndose en una limitación irrazonable de la libertad testamentaria.

Aunque sigo convencido de que el caso merece una atención específica por parte del legislador, a través de la previsión de un remedio *ad hoc*, me parece que, tal y como están las cosas, el espacio de protección debe encontrarse recurriendo a la materia de los vicios de la voluntad, aunque es evidente que son necesarias ciertas adaptaciones ya que la regulación actual no es suficiente para ofrecer una protección adecuada, ya que ni el dolo ni la violencia, en su concepción e interpretación tradicional, son instrumentos adecuados de protección para el caso que nos ocupa.

Se trata, pues, de releer tanto las normas sobre la violencia como las relativas al dolo, destacando no tanto el mero perfil objetivo que caracteriza al vicio en sí mismo, sino la relevancia que asume en el proceso de formación de la voluntad, atendiendo a la condición de vulnerabilidad de la persona.

En otras palabras, no se trata de encontrar un nuevo vicio de la voluntad, sino de reinterpretar los existentes, teniendo en cuenta que el dolo, al igual que la violencia, no puede entenderse de forma desconectada de la condición subjetiva de la persona.

Si bien la violencia o el dolo dirigidos a una persona que no es vulnerable deben seguir determinándose con el rigor con el que se ha hecho hasta ahora, será necesario considerarlos de manera diferente en el caso de persona vulnerable. No porque cambie el contenido objetivo del dolo o de la violencia, sino porque cambia el punto de referencia de la persona. Una conducta que no podría considerarse dolosa o violenta si se dirigiera a una persona no vulnerable, por el contrario, podría considerarse un vicio de la voluntad si se dirigiera a la persona vulnerable. La sugestión, el artificio o la amenaza de un mal injusto no tienen siempre la misma relevancia, sino que deben valorarse de forma diferente en función de la condición subjetiva de la persona afectada. Por otra parte, esto queda expresamente claro en la propia norma italiana sobre la violencia, que exige que se tenga en cuenta la condición de la persona.

---

74. La tesis ha sido propuesta con autoridad, con referencia exclusiva a las personas mayores por DÍAZ ALABART, S., *El testamento ológrafo de las personas mayores dependientes problemas y posibles soluciones*, Reus, Madrid, 2018, p. 50 ss. Aunque es consciente de las dificultades de esta ampliación y está convencida de que es necesaria una regulación específica, la Autora propone esta ampliación. "Con todo, entiendo que la aplicación analógica mencionada podría defenderse, en particular, porque se trata de unas normas cuyo principio jurídico subyacente común es la protección de alfo esencial en el Derecho de sucesiones, como es la libertad del testador en situaciones de especial riesgo para la misma". *De lege ferenda* "no habría una prohibición de instituir como sucesores a los cuidadores, pero sí de hacerlo en testamento ológrafo".

Quizá deba asumirse que la amenaza de un mal injusto no sólo puede expresarse en una amenaza directa e inequívoca, sino también, especialmente si se dirige a una persona vulnerable, de forma indirecta, mediante sutiles sugerencias de forma alusiva o, en cualquier caso, con modalidades y formas que, en un contexto típico de aplicación de la norma no serían relevantes, pero que en el contexto de aplicación de la norma a una persona vulnerable podrían adquirir una importancia decisiva.

Además, hay que ser conscientes, también a la luz del sistema de valores y principios que inspiran el llamado derecho constitucional europeo, de que un mal injusto no es sólo el que atenta contra la vida o los bienes de una persona, sino que es ciertamente también el que ataca la esfera de los afectos y las situaciones existenciales. La amenaza de exponerse a un mal injusto debe necesariamente referirse también al ataque al proyecto de vida de la persona[75], al complejo de sus afectos y, más generalmente, a cualquier situación existencial.

Desde otro punto de vista, el dolo no puede referirse a las personas vulnerables, como un mero artificio o engaño que sirve para inducir en error, porque también podría adoptar una forma menos rígida y tomar la forma de velado chantaje emocional a través del cual se induce a una persona a hacer una elección en lugar de otra[76].

Los vicios de la voluntad y, en particular, la violencia, si se interpretan a la luz del nuevo derecho constitucional europeo, dando un adecuado y justo protagonismo a la condición de la persona, como, por otra parte, establece la norma del Código Civil italiano, pero como es imprescindible, más allá de esta disposición, según la teoría general de la violencia, constituye una herramienta útil con la que se puede ofrecer una adecuada protección a la persona vulnerable. Sin embargo, es indispensable que se trate de una verdadera protección de la persona vulnerable y no de sus bienes en interés de sus legitimarios y herederos legítimos.

La protección de la persona vulnerable presupone que la persona, debido a la influencia indebida ejercida por otros, expresa una voluntad que no es libre ni independiente. Fuera de este caso, y suponiendo que la persona es plenamente consciente del alcance de sus disposiciones testamentarias, no puede admitirse la invocación de la protección de la persona vulnerable por el mero hecho de que el contenido del testamento perjudique los intereses de los herederos legítimos o de los legitimarios. Y se hace importante, en este supuesto, comprobar también el contexto familiar en el que se desarrolla esa voluntad testamentaria, ya que es muy plausible que una persona que no recibe el afecto de sus familiares más cercanos, aunque fueran legitimarios, quiera efectivamente no dejarles, dentro de lo posible, nada y disponer de sus bienes a favor

---

75. Sobre la importancia del concepto de proyecto de vida, véase FERNÁNDEZ SESSAREGO, C., *Il diritto come libertà. Lineamenti per una determinazione ontologica del diritto*, a cura di BARBA, V., Quodlibet, Roma, 2022, pp. 3 y ss.

76. Así, CINQUE, MADDALENA, *Capacità di disporre per testamento e "vulnerabilità" senile*, cit., p. 375, "perché il *deceptor* dovrebbe prendersi la briga di porre in essere un raggiro complesso, quando il *deceptus* è così vulnerabile da "cadere" facilmente con semplici lusinghe, richieste o bugie?". GIROLAMI, MATILDE, *I testamenti suggeriti*, cit., p. 573.

de aquella persona que, sea cual sea el motivo oculto o verdadero, cuida de la persona. Es decir, no podemos considerar vulnerable a la persona que quiere compensar con su testamento a su cuidador, en base al prejuicio de que ha sido, seguramente, engañada.

Una vez más, es necesario determinar lo que realmente corresponde a la voluntad, los deseos y las preferencias de la persona y, a partir de ahí, garantizar que esa voluntad pueda encontrar la protección jurídica adecuada cuando sea libre e independiente.

II. Comunicaciones

12

Las disposiciones testamentarias en beneficio de la persona con discapacidad: la sustitución fideicomisaria[1]

HENAR ÁLVAREZ ÁLVAREZ

Profesora Titular de Derecho Civil
Universidad de Valladolid

SUMARIO: I. INTRODUCCIÓN. II. LA SUSTITUCIÓN FIDEICOMISARIA. III. LA REFORMA DEL ARTÍCULO 782 DEL CÓDIGO CIVIL. IV. LA REFORMA DEL ARTÍCULO 808 DEL CÓDIGO CIVIL. 1. *Personas favorecidas por la sustitución fideicomisaria.* 2. *Extensión y modalidad de la sustitución fideicomisaria.* 3. *Prueba.* V. RÉGIMEN TRANSITORIO DE LAS SUSTITUCIONES. VI. CONCLUSIONES. VII. BIBLIOGRAFÍA.

Resumen

La Ley 8/2021 ha reorganizado sistemáticamente los preceptos del Código Civil que se ocupan de regular la sustitución fideicomisaria a favor de las personas en situación de discapacidad (en concreto, los art. 782 y 808). La reforma del año 2003 en materia de discapacidad era escasa y subsistían numerosos interrogantes. La Ley 8/2021 pretende aclarar tales cuestiones, pero ha originado otras diferentes.

El objeto del presente trabajo es incidir en las deficiencias de ambas reformas, así como intentar resolver las cuestiones que plantea, atendiendo sobre todo a la condición de las personas que pueden resultar favorecidas con la sustitución fideicomisaria, la cuestión relativa a la extensión y modalidad de dicha sustitución, así como la reforma introducida en materia de prueba recogida en el último párrafo del art. 808 CC.

---

1. *Este trabajo ha sido realizado en el marco del Proyecto de Investigación "Derecho transitorio, retroactividad y aplicación en el tiempo de las normas jurídicas" (Ref.: PID2019-107296GB-I00) financiado por el Ministerio de Ciencia e Innovación (IP Andrés Domínguez Luelmo y Henar Álvarez Álvarez) y el GIR de la Universidad de Valladolid "Nuevo derecho de la persona, de los contratos y de daños" (Director Santiago Hidalgo García).*

Abstract

Law 8/2021 has systematically reorganized the precepts of the Civil Code that regulate the trustee substitution in favor of people with disabilities (specifically, articles 782 and 808). The 2003 reform on disability was scarce and numerous questions remained. Law 8/2021 aims to clarify such issues, but has given rise to different ones.

The purpose of this paper is to focus on the deficiencies of both reforms as well as to try to resolve the issues raised, paying particular attention to the condition of the people who may benefit from the trustee substitution, the issue relating to the extension and modality of the trustee substitution, as well as the reform introduced in terms of evidence contained in the last paragraph of art. 808 CC.

I. INTRODUCCIÓN

El ordenamiento jurídico español ha debido adaptarse a los postulados de la Convención de Nueva York de 2006, sobre los derechos de las personas con discapacidad, reformando nuestro ordenamiento jurídico a los efectos de recoger formalmente los postulados y los principios de dicha Convención. La Convención entró en vigor en nuestro ordenamiento en el año 2008 (el 3 de mayo), pese a lo cual hemos tenido que esperar al año 2021 para que se produzca una reforma en la legislación civil y procesal. Ello implica un cambio de mentalidad porque está inspirada en unos principios diferentes. La reforma se sustenta en prestar apoyos a la persona en situación de discapacidad, que en todo caso debe ser necesarios, proporcionales y subsidiarios[2].

La Ley 8/2021 supone un cambio en nuestro ordenamiento jurídico, calificada como radical, transversal y compleja por GARCÍA RUBIO[3]. Con la reforma del año 2021, sobre la base de los postulados de la Convención de Nueva York, la resolución de los problemas que surjan en el ejercicio de la capacidad jurídica de las personas con discapacidad no puede realizarse restringiendo sus derechos, sino facilitando los apoyos que sean necesarios para superar las barreras existentes para su ejercicio efectivo[4]. Las personas en situación de discapacidad tienen reconocido el ejercicio de la plena capacidad jurídica en igualdad de condiciones que las demás. Para ello es preciso adoptar las medidas necesarias para proporcionarles el apoyo que necesiten en el ejercicio de la capacidad jurídica, respetando los principios de necesidad y proporcionalidad. El principio rector que inspira la reforma es el respeto a la voluntad de

---

2. El TS ha tenido ocasión de pronunciarse aplicando la reforma en varias sentencias. Destacan las primeras tras la entrada en vigor en el mes de septiembre de 2021 de la Ley 8/2021. Son las siguientes: STS de 8 de septiembre de 2021 (RJ 2021, 4002); STS de 19 de octubre de 2021 (RJ 2021, 4847); STS de 2 de noviembre de 2021 (RJ 2021, 4958); y STS de 14 de marzo de 2022 (RJ 2022, 1163).

3. GARCÍA RUBIO, M.P., "La reforma operada por la Ley 8/2021 en materia de apoyo a las personas con discapacidad: planteamiento general de sus aspectos civiles", en *El nuevo Derecho de las capacidades. De la incapacitación al pleno reconocimiento*, VV. AA., Dir. LLAMAS POMBO, E., MARTÍNEZ RODRÍGUEZ, N., TORAL LARA, E., La Ley Wolters Kluwer, Madrid, 2022.

4. TORAL LARA, E., "Las medidas de apoyo voluntarias en el nuevo sistema de provisión de apoyos del Código Civil", en *El nuevo Derecho de las capacidades. De la incapacitación al pleno reconocimiento*, VV. AA., Dir. LLAMAS POMBO, E., MARTÍNEZ RODRÍGUEZ, N., TORAL LARA, E., La Ley Wolters Kluwer, Madrid, 2022, p. 83.

la persona, alejándose del carácter paternalista y protector que hasta este momento había caracterizado toda la regulación de esta cuestión. Se reconoce la capacidad jurídica a todas las personas, y se incluye tanto la titularidad de derechos como su ejercicio en el concepto capacidad jurídica. En definitiva, la capacidad no puede ser suprimida, ni siquiera modificada, porque es inherente a la condición de persona. La capacidad la tiene siempre la persona, pese a su discapacidad, por lo que no se puede sustituir en la adopción de decisiones[5].

Además, la Ley 8/2021, de 2 de junio, por la que se reforma la legislación civil y procesal para el apoyo a las personas con discapacidad en el ejercicio de su capacidad jurídica, ha llevado a cabo una reordenación de los preceptos del Código Civil que se ocupan de la regulación de la sustitución fideicomisaria en beneficio de los legitimarios en situación de discapacidad, en concreto, los art. 782 y 808 CC. Se produce una reforma de aspectos meramente formales, pero lo que reviste una mayor modificación es el contenido de tales preceptos.

Con anterioridad, y con la finalidad de favorecer a las personas en situación de discapacidad, la Ley 41/2003, de 18 de noviembre, de protección patrimonial de las personas con discapacidad y de modificación del Código Civil, de la Ley de Enjuiciamiento Civil y de la Normativa Tributaria con esta finalidad, permitió imponer sobre la legítima estricta de los descendientes una sustitución fideicomisaria, siendo fiduciarios los hijos "judicialmente incapacitados", y siendo gravados los restantes legitimarios. Por tanto, la Ley 8/2021 no es pionera en este sentido.

Pero la reforma del año 2003 era escasa y planteaba numerosos interrogantes[6], como qué se entiende por discapacidad a los efectos de los art. 782 y 808 CC; si es suficiente con que el discapacitado sea descendiente (mediato o inmediato) del testador o si debe ser uno de los legitimarios, o si se podía imponer un fideicomiso de residuo.

Es cierto que la modificación del año 2021 ha pretendido aclarar tales cuestiones, pero sin embargo ha planteado otras nuevas, por ejemplo, qué sucede en el caso de que el fiduciario deje de tener el grado de discapacidad que contempla la Disposición Adicional Cuarta del CC[7], o si debe necesariamente nombrar fiduciarios a todos los

5.   MARTÍNEZ RODRÍGUEZ, N., "Discapacidad y derecho de familia. Nuevos principios, nuevas normas", en *El nuevo Derecho de las capacidades. De la incapacitación al pleno reconocimiento*, VV. AA., Dir. LLAMAS POMBO, E., MARTÍNEZ RODRÍGUEZ, N., TORAL LARA, E., La Ley Wolters Kluwer, Madrid, 2022, pp. 307 y 309.

6.   DOMÍNGUEZ LUELMO, A., "La reforma del derecho de sucesiones en la Ley 8/2021: derecho sustantivo y derecho transitorio", en *El nuevo Derecho de las capacidades. De la incapacitación al pleno reconocimiento*, VV. AA., Dir. LLAMAS POMBO, E., MARTÍNEZ RODRÍGUEZ, N., TORAL LARA, E., La Ley Wolters Kluwer, Madrid, 2022, p. 404.

7.   El objetivo principal de la Disposición Adicional 4.ª del CC es esclarecer al operador jurídico qué tipo de discapacidad se precisa en la aplicación de diferentes normas del CC, dependiendo del objetivo de la norma de que se trate. Por lo que se refiere a los preceptos que el CC se refieren a la sustitución fideicomisaria, englobará a las personas con discapacidad de la Ley 41/2003, de 18 de noviembre, de protección patrimonial de la persona con discapacidad, y a las que se encuentren en situación de dependencia de grados II y III, con independencia de que estén o no provistas de medidas de apoyo, las necesiten o no. ÁLVAREZ LATA, N., *Comentarios a la Ley 8/2021 por la que se reforma la legislación civil y procesal en materia de discapacidad*, VV. AA., GUILARTE MARTÍN-CALERO, C. (Directora), Thomson Reuters Aranzadi, Cizur Menor, 2021pp. 1069 y ss.

legitimarios discapacitados, si cabe el derecho de acrecer entre los fiduciarios o si el testador tiene la obligación de grabar la mejora y el tercio de libre disposición con la sustitución fideicomisaria.

El objeto de la comunicación presentada en el "Congreso Internacional la persona con discapacidad en el derecho de sucesiones" es incidir en la reforma producida, sobre todo atendiendo a la condición de las personas que pueden resultar favorecidas con la sustitución fideicomisaria, la cuestión relativa a la extensión y modalidad de la sustitución fideicomisaria que contempla, así como la reforma introducida en materia de prueba recogida en el último párrafo del art. 808 CC.

II. LA SUSTITUCIÓN FIDEICOMISARIA

Antes de entrar en el estudio de la reforma producida sobre la sustitución fideicomisaria, conviene tener presente unas nociones básicas de esta institución del derecho sucesorio. De acuerdo con lo previsto en el art. 781 CC, *"las sustituciones fideicomisarias en cuya virtud se encarga al heredero que conserve y transmita a un tercero el todo o parte de la herencia, serán válidas y surtirán efecto siempre que no pasen del segundo grado, o que se hagan en favor de personas que vivan al tiempo del fallecimiento del testador"*. Hay que tener en cuenta que ambos, tanto el primero como el segundo llamado son herederos del testador. Las personas que intervienen en la sustitución fideicomisaria son las siguientes: causante (el que establece en testamento la sustitución); fiduciario (es el primer heredero, adquiere los bienes con el encargo de transmitirlos a los llamados ulteriormente); fideicomisario (último de los llamados, que adquiere los bienes sin ningún tipo de carga)[8].

La sustitución fideicomisaria implica una vinculación temporal de unos determinados bienes que hay que conservar para después transmitir. El número de llamamientos está limitado a dos, salvo que las personas vivan al tiempo del fallecimiento del testador, y debe realizarse de manera expresa en el testamento[9].

Del mismo modo, la sustitución fideicomisaria supone una excepción a la regla general de que no puede gravarse la legítima, pero se admite cuando se trate de legitimarios descendientes y recae sobre el tercio destinado a mejora (art. 782 CC). También se puede gravar la legítima estricta, pero si se hace a favor de uno o varios legitimarios del testador que se encuentren en situación de discapacidad (art. 808 CC). En ese caso, se gravaría la legítima estricta de los legitimarios sin discapacidad siendo fiduciarios

---

8. DOMÍNGUEZ LUELMO, A., ÁLVAREZ ÁLVAREZ, H.: *Manual de Derecho Civil. Volumen VI. Derecho de sucesiones*, La Ley Wolters kluwer, Madrid, 2021, pp. 312 y ss.

9. En el ordenamiento jurídico español se puede grabar la legítima con una sustitución fideicomisaria a favor del discapacitado. Pero en algunos de los ordenamientos de nuestro entorno no es posible, por ejemplo, en Portugal. La prohibición de imponer gravámenes sobre la legítima se establece en el art. 2163 CC portugués. Otra diferencia es que en España puede haber un fiduciario y dos llamamientos más. En Portugal solo se puede realizar un llamamiento. La sustitución fideicomisaria se regula en los art. 2286 a 2296 del CC portugués. (MORAIS, D., "Comentario de los art. 2286 a 2296", *Código Civil anotado, Libro V, Direito das Sucessoes*, VV. AA., ARAÚJO DIAS, C. (Coord.), Almedina, Coimbra, 2018, pp. 432 a 453; ARAÚJO DIAS, C., *Liçoes de Direito das Sucesoes*, Almedina, Coimbra, 2021, pp. 127 y ss.; MOTA, H., "Comentario del art. 2163", *Código Civil anotado, Libro V, Direito das Sucessoes*, VV. AA., ARAÚJO DIAS, C. (Coord.), Almedina, Coimbra, 2018, pp. 223 y 224).

los hijos o descendientes con discapacidad, y fideicomisarios el resto. Lo que recibe el legitimario fiduciario queda gravado con una sustitución fideicomisario de residuo a favor del resto de legitimarios que han visto gravada su legítima estricta. De tales bienes el fiduciario no podrá disponer ni a título gratuito ni por acto mortis causa, como se verá después. Además, el testador tiene libertad para gravar la legítima estricta con un fideicomiso de residuo o bien con una sustitución fideicomisaria ordinaria.

III. LA REFORMA DEL ARTÍCULO 782 DEL CÓDIGO CIVIL

Como se verá a continuación, la reforma producida por la Ley 8/2021 del art. 808 CC lleva aparejada también la reforma del art. 782 del mismo cuerpo legal. La redacción previa del art. 782 CC español era la siguiente: *"Las sustituciones fideicomisarias nunca podrán gravar la legítima, salvo que graven la legítima estricta en beneficio de un hijo o descendiente judicialmente incapacitado en los términos establecidos en el art. 808. Si recayeren sobre el tercio destinado a mejora, sólo podrán hacerse en favor de los descendientes"*. Por su parte, la redacción tras Ley 8/2021 del art. 782 CC es la que expongo a continuación: *"Las sustituciones fideicomisarias nunca podrán gravar la legítima, salvo cuando se establezcan, en los términos establecidos en el artículo 808, en beneficio de uno o varios hijos del testador que se encuentren en una situación de discapacidad"*.

Si la sustitución fideicomisaria recayere sobre el tercio destinado a mejora, solo podrá establecerse a favor de los descendientes".

La nueva redacción del precepto mantiene la obligación de que sobre el tercio de mejora la sustitución solo podrá beneficiar a los descendientes. A simple vista se observa que además de la división del precepto en dos párrafos, ha sido preciso realizar una modificación terminológica de algunas cuestiones del mismo, a los efectos de adaptarlo a los postulados de la Convención de Nueva York sobre los derechos de las personas con discapacidad de 13 de diciembre de 2006 y a lo previsto según la nueva redacción del art. 808 CC. Así, la referencia al *"hijo o descendiente judicialmente incapacitado"* es objeto de una necesaria sustitución que lo reemplaza por la *"situación de discapacidad"*.

A esa situación de discapacidad se refiere la Disposición Adicional 4.ª actual del CC, que especifica qué persona se encuentra en situación de discapacidad a los efectos de la aplicación de la sustitución fideicomisaria; como existe una remisión expresa a lo previsto en el art. 808 CC, salvo disposición en contrario del testador, la sustitución que grave la legítima estricta se entenderá como fideicomiso de residuo. Además, los beneficiados por la sustitución pueden serlo *"uno o varios"* hijos del testador, a los que deberá afectar la situación de discapacidad. De todo ello me ocuparé a continuación.

IV. LA REFORMA DEL ARTÍCULO 808 DEL CÓDIGO CIVIL

Hay que indicar en primer lugar que se producen unas reformas meramente formales del precepto, en el sentido de que el último párrafo, que se refiere a la parte de libre disposición, pasa a ser el párrafo tercero, y también se modifica la referencia anterior al *"padre"* y a la *"madre"* por la de los *"progenitores"*.

En cuanto al contenido del precepto relativo a la distribución de la legítima de los descendientes, no se produce ninguna variación. Su cuantía sigue siendo las 2/3 partes del haber hereditario del causante (párrafo 1.º art 808 CC); se mantiene la facultad de que una de las 2/3 partes que constituyen la legítima se constituya como mejora a favor de los hijos o descendientes (art. 808, párrafo 2.º CC), en cuyo caso, de utilizarse, 1/3 sería de legítima estricta; finalmente el tercio restante sigue siendo de libre disposición, pudiendo destinarse a extraños (párrafo 3.º art. 808 CC).

En cambio, donde se produce un cambio reseñable es en el contenido del antiguo párrafo 3.º art. 808 CC, que pasa a ser el párrafo 4.º en la nueva redacción del precepto. Para favorecer a las personas en situación de discapacidad, la Ley 41/2003, de 18 de noviembre, de protección patrimonial de las personas con discapacidad y de modificación del CC, de la LEC y de la normativa tributaria había permitido por primera vez grabar la legítima estricta de los descendientes mediante una sustitución fideicomisaria. Aunque con anterioridad a esta reforma, se permitía grabar la mejora con una legítima estricta siempre y cuando beneficiase a los descendientes. Pero tenía que ser en el tercio de mejora, no en el de legítima estricta. Ello se deduce de lo que dispone el art. 824 CC: *"No podrán imponerse sobre la mejora otros gravámenes que los que se establezcan a favor de los legitimarios o sus descendientes"*.

Por ello, pese a que el art. 813.1 CC prohíbe al testador imperativamente desde su redacción original privar de su legítima a los legitimarios (salvo los casos previstos en la ley), y la imposibilidad de imponer sobre la legítima gravámenes, condiciones y sustituciones de cualquier especie (ap. 2.º art. 813 CC), precisamente (junto al usufructo del viudo) desde la reforma de 2003 se puede gravar el tercio de legítima estricta con una sustitución fideicomisaria, siendo fiduciarios los hijos o descendientes judicialmente incapacitados y fideicomisarios los demás legitimarios[10].

Sin embargo, la reforma de 2003 era escasa y planteaba numerosos interrogantes, tal y como señalé anteriormente, que han sido aclarados por la reforma de 2021, aunque también ha provocado otros nuevos. Básicamente, la Ley 8/2021 reforma el art. 808 CC afectando a tres aspectos del mismo:

En primer lugar, a las personas que pueden resultar favorecidas mediante la sustitución fideicomisaria.

En segundo lugar, la modalidad de la sustitución fideicomisaria que se puede realizar.

En tercer lugar, como novedad se añade un quinto párrafo relativo a cuestiones de prueba.

1. PERSONAS FAVORECIDAS POR LA SUSTITUCIÓN FIDEICOMISARIA

Por lo que respecta a las personas que pueden ser favorecidas por la sustitución fideicomisaria, el art. 808 CC se refería antes de la reforma de 2021 a los *"descendientes judicialmente incapacitados"*. Era necesario modificar terminológicamente lo establecido

---

10.   DOMÍNGUEZ LUELMO, cit., p. 404.

en el art. 808 CC sustituyéndolo por la referencia al término discapacitado. Por ello la Ley de 2021 se refiere a la *"situación de discapacidad"* (párrafo 4.º art. 808 CC).

la reforma de 2003 planteaba el interrogante de si el fiduciario debía estar incapacitado por sentencia al tiempo de la apertura de la sucesión del testador fideicomitente o si era suficiente con que existiera la mera declaración del grado de discapacidad; y si bastaba con que el incapacitado fuera descendiente del testador o si debía ser uno de los legitimarios[11].

La modificación de la DA 4.ª CC aclara qué se entiende por discapacidad en los art. 782 y 808 CC, lo que implica la ampliación de los posibles sujetos que se pueden beneficiar de la sustitución fideicomisaria. La referencia a la discapacidad se entiende hecha al concepto definido en la Ley 41/2003 (las afectadas por una discapacidad psíquica igual o superior al 33%, o las afectadas por una discapacidad física o sensorial igual o superior al 65%), y a las personas que están en situación de dependencia de grado II o III de acuerdo con la Ley 39/2006, de 14 de diciembre, de Promoción de la Autonomía Personal y Atención a las personas en situación de dependencia[12].

Es criticable que se amplíen los posibles destinatarios o beneficiarios como fiduciarios de la sustitución fideicomisaria, pues aumenta las situaciones en las que se puede ver gravada la legítima estricta. Se produce una "administrativización" en la determinación de los fiduciarios, que produce una desigualdad en la tramitación que se realiza en cada Comunidad Autónoma, pues cada Comunidad utiliza unos criterios diferentes, lo cual provocará un trato desigual a las personas con discapacidad, dependiendo de su lugar de residencia, así como una apreciación de las categorías o grados de dependencia diferentes por parte de los tribunales, que producirá inseguridad jurídica[13].

A los efectos de la discapacidad, recientemente el TS ha declarado que discapacidad e incapacidad laboral no son equiparables. En efecto, la STS de 19 de febrero de 2020[14] ha señalado que no se puede realizar la equiparación automática entre la incapacidad permanente total y la minusvalía del 33%. Entiende el Alto Tribunal que la declaración del 33% de discapacidad "a todos los efectos" que se contiene en el art. 4.2 del RDL 1/2013, de 29 de noviembre, por el que se aprueba el Texto Refundido de la Ley General de derechos de las personas con discapacidad, carece de eficacia jurídica desde su entrada en vigor, pues se produjo con exceso de la delegación legislativa. El reconocimiento de una pensión de incapacidad permanente total, absoluta o incluso

---

11. DOMÍNGUEZ LUELMO, cit., p. 404.
12. Grado II: dependencia severa: cuando la persona necesita ayuda para realizar varias actividades básicas de la vida diaria dos o tres veces al día, pero no requiere el apoyo permanente de un cuidador o tiene necesidades de apoyo extenso para su autonomía personal.
    Grado III: gran dependencia: cuando la persona necesita ayuda para realizar varias actividades básicas de la vida diaria varias veces al día y, por su pérdida total de autonomía física, mental, intelectual o sensorial, necesita el apoyo indispensable y continuo de otra persona o tiene necesidades de apoyo generalizado para su autonomía personal.
13. AMUNÁTEGUI RODRÍGUEZ, C. de, "Comentario del art. 782 CC", en *Comentarios al Código Civil*, VV. AA., Coord. BERCOVITZ RODRÍGUEZ-CANO, R., Thomson Reuters Aranzadi, Cizur Menor, 5.ª ed., 2021, p. 1040.
14. (RJ 2020, 1141).

una gran invalidez no implica el reconocimiento automático del 33% de discapacidad. El RDL 1/2013 incurrió en exceso de competencia como legislación delegada.

El art. 4.2 del RDL establece lo siguiente: *"Además de lo establecido en el apartado anterior, y a todos los efectos, tendrán la consideración de personas con discapacidad aquellas a quienes se les haya reconocido un grado de discapacidad igual o superior al 33 por cinto. Se considerará que presentan una discapacidad en grado igual o superior al 33 por ciento los pensionistas de la Seguridad Social que tengan reconocida una pensión de incapacidad permanente en el grado de total, absoluta o gran invalidez y a los pensionistas de clases pasivas que tengan reconocida una pensión de jubilación o de retiro por incapacidad permanente para el servicio o inutilidad"*.

La jurisprudencia menor había dictado sentencias contradictorias al respecto, pero el TS entiende tanto en la Sentencia de 19 de febrero de 2020 como en la de 29 de noviembre de 2018[15] que la equiparación al 33% de discapacidad lo es *"solo a los exclusivos efectos de esa ley"*, y no en todos los ámbitos. Cuando el art. 4.2 del RDL 1/2013 concede una eficacia con carácter general a la declaración del 33% de discapacidad, se extralimitó en su delegación legislativa. El art. 4.2 del RDL es ineficaz, no puede aplicarse a todos los efectos la equiparación de los pensionistas de clases pasivas que tengan reconocida una pensión de jubilación o de retiro por incapacidad permanente para el servicio o inutilidad con el grado de discapacidad del 33%. Se ha incurrido en un exceso en la delegación legislativa que contraviene el mandato de la Ley 26/2011, de 1 de agosto en la que se sustenta.

Como se ha excedido, el TS entiende que carece de eficacia jurídica lo previsto en el RDL, por lo que debe limitarse la declaración de minusvalía del 33% a los efectos de la propia ley. Ello implica que cuando a un trabajador se le reconozca la incapacidad permanente y reciba como consecuencia de ello una pensión de la Seguridad Social, ello no implica automáticamente la concesión de un certificado de minusvalía del 33%, a los efectos de obtener una serie de beneficios adicionales. Debe ser evaluado y valorado por los profesionales de la Administración de acuerdo con el baremo que establece el Real Decreto 1971/1999, que establece la regulación de este porcentaje de discapacidad, porque la concesión de la incapacidad permanente no implica automáticamente la concesión de la minusvalía del 33%.

Pero la nueva regulación de los art. 782 y 808 CC siguen sin aclarar lo que sucede en el caso de que el fiduciario deje de tener el grado de discapacidad a que se refiere la DA 4.ª CC. En ese caso, DOMÍNGUEZ LUELMO defiende que lo razonable es entender que la sustitución fideicomisaria se extingue, al desaparecer la causa que justificaba el gravamen sobre la legítima. Ello implica reconocer a los legitimarios, hasta entonces fideicomisarios, la posibilidad de recuperar los bienes objeto de fideicomiso en pago de su legítima estricta[16].

Del mismo modo, podemos plantearnos qué ocurre si el fiduciario no tiene declarado o reconocido el grado de discapacidad a que se refiere la DA 4.ª CC.

Lo que es evidente es que si se quiere proteger a la persona con discapacidad, pese a que no tenga tal declaración, lo imprescindible es que exista al tiempo del

---

15.   (RJ 2018, 6053).
16.   DOMÍNGUEZ LUELMO, cit., p. 405.

fallecimiento del causante, aunque aún no se haya declarado. Por tanto, no existe ningún obstáculo para que se pueda ser fiduciario a la espera de que se produzca esa declaración de discapacidad, porque lo fundamental es que exista la situación de discapacidad al momento del fallecimiento. Ahora bien, lo más conveniente es que el testador exprese con total claridad qué ocurre en estas situaciones. Pues podría darse el caso de que la situación de discapacidad se produzca con posterioridad no solo al otorgamiento del testamento, sino también a la muerte del causante, una vez realizada la partición y recibidos los bienes por los herederos. En ese caso si ya se ha repartido el caudal hereditario, a los herederos no les puede afectar una situación que grava a la herencia, pero no a los bienes que son ya propiedad de los herederos y que no pertenecen a la herencia. Por el contrario, si el discapacitado recupera la capacidad, una vez desaparecida la situación que justificaba el gravamen sobre la legítima, los bienes sujetos a sustitución pararían directamente a los herederos fideicomisarios. La recuperación de la capacidad por parte del fiduciario opera como condición resolutoria del gravamen, que desaparece. La doctrina opta en este caso por entender que no estamos ante un supuesto de nulidad parcial del testamento, sino más bien, ante un supuesto de ineficacia sobrevenida por incumplimiento de la condición resolutoria, es decir, la recuperación de la capacidad por el fiduciario, por lo que no puede mantenerse la sustitución fideicomisaria[17].

En otro orden de cosas, respecto a si es suficiente con que el discapacitado sea descendiente del testador o si debe ser uno de los legitimarios, la reforma de 2021 del art. 808 CC plantea la posibilidad de realizar dos interpretaciones: una restrictiva, basada en que el art. 808 CC supone una excepción al sistema de legítimas; otra amplia, sustentada en que con este precepto se pretende la protección de las personas con discapacidad (art. 10 y 49 CE). La excepción que el art. 808 CC supone al sistema de legítimas únicamente se justifica en la medida que implique una protección para el legitimario discapaz, y solo a este, por lo que queda excluido cuando directamente no le favorezca y únicamente pueda beneficiar a sus herederos. Es decir, ahora se exige que el fiduciario sea efectivamente legitimario, sin que pueda incluir a los nietos en vida de sus padres, terminando con la polémica existente con anterioridad. Los beneficiados como fiduciarios solo podrán serlo los hijos del causante, no nietos ni otros descendientes, aunque se encuentren en situación de discapacidad. Solo cuando los nietos sean legitimarios por derecho de representación podrán ser fiduciarios. En caso contrario, el ascendiente de segundo grado solo podrá favorecer a sus nietos por vía de mejora sin que pueda afectar a las legítimas estrictas de los demás[18]. En contra se ha señalado que los fiduciarios pueden serlo los hijos y descendientes, incluyendo a

---

17. ORTEGA DOMÉNECH, cit., pp. 124 y 128.
18. AMUNÁTEGUI RODRÍGUEZ, C. de, *Comentarios a la Ley 8/2021 por la que se reforma la legislación civil y procesal en materia de discapacidad*, VV. AA., GUILARTE MARTÍN-CALERO, C. (Directora), Thomson Reuters Aranzadi, Cizur Menor, 2021, pp. 940 y ss.; APARICIO VAQUERO, J.P., "Comentario de los art. 782, 808 y 813.II del CC", en *Comentario articulado a la reforma civil y procesal en materia de discapacidad*, VV. AA., GARCÍA RUBIO, M. P. y MORO ALMARAZ, M. J. (Dir.), Civitas Thomson Reuters, 2022, Cizur Menor, 2022, p. 568. La mayoría de la doctrina y de la jurisprudencia admiten la posibilidad de mejorar a los nietos en vida de sus padres. Pero en ese caso los nietos no son legitimarios, sino destinatarios de bienes en concepto de mejora. DOMÍNGUEZ LUELMO, A., "Comentario del art. 808 CC", en *Comentarios al Código Civil*, VV. AA., DOMÍNGUEZ LUELMO (Director), Lex Nova, Valladolid, 2010, p. 926.

los nietos o bisnietos no legitimarios, pues no se requiere el fallecimiento previo del progenitor[19].

La norma se refiere al *"legitimario en situación de discapacidad"*, expresión que sustituyó durante la tramitación parlamentaria a la de *"hijo"*, que contenía el Proyecto presentado por el Gobierno, lo que claramente implica la voluntad de extenderlo a descendientes de grado ulterior, siempre que sean legitimarios, lo que deberá apreciarse al tiempo de apertura de la sucesión. Es cierto que el último párrafo del art. 808 CC sigue refiriéndose a "hijos", pero debe interpretarse sistemáticamente con el resto del precepto y entender que se refiere al legitimario en situación de discapacidad.

Con la reforma de 2021 se contempla expresamente la posibilidad de que sean varias personas las que, estando en situación de discapacidad, resulten favorecidas en cuanto fiduciarios (párrafo 4.º art. 808 CC). Pero no queda claro si el testador debe designar o no como fiduciarios a todos los hijos en situación de discapacidad. Si el testador solo eligiese a alguno de ellos se podría gravar la legítima estricta de los demás hijos discapacitados. La doctrina se ha planteado en esos casos la posibilidad de establecer un llamamiento sucesivo a los varios hijos discapacitados.

Sin embargo, DOMÍNGUEZ LUELMO considera de la literalidad del art. 808 CC que hay que hacer un llamamiento conjunto como fiduciarios a todos los hijos con discapacidad, pues se refiere a que *"el testador podrá disponer a su favor de la legítima estricta de los demás legitimarios sin discapacidad"*. Con ello se limitan las facultades dispositivas del testador, pues tiene que establecer una sustitución fideicomisaria en beneficio de todos los hijos con discapacidad, o de lo contrario no puede gravar las legítimas de sus hijos. Habría sido preferible permitir que el testador pudiera designar como fiduciarios solo a alguno de sus hijos con discapacidad, y no a todos. Ello supondría gravar la legítima de esos otros hijos discapacitados, pero el precepto sería más flexible y permitiría proteger de manera especial a alguno de los hijos con discapacidad, pues puede suceder que el grado de discapacidad entre los hijos sea diferente, y porque su situación patrimonial también puede serlo[20].

Cuando son varios los hijos con discapacidad designados como fiduciarios, plantea AMUNÁTEGUI la posibilidad de aplicar entre ellos el derecho de acrecer. De ser así, de acuerdo con la regulación del derecho de acrecer en los art. 982 y 985 CC, debe ser el propio testador el que lo establezca de manera voluntaria[21]. Si el testador designa como fiduciarios a varios hijos con discapacidad, gravando la legítima estricta de los demás legitimarios, manifiesta claramente con ello su voluntad de que aquellos sean fiduciarios y estos últimos reciban solo su legítima estricta. Por ello, si queda vacante la porción de alguno de los fiduciarios y concurren los requisitos del acrecimiento (o si, no concurriendo, así lo ha previsto expresamente el testador), aquella acrecerá a los demás.

19. CERVILLA GARZÓN, M. D., "La sustitución fideicomisaria y la protección de las personas con discapacidad", en *Un nuevo orden jurídico para las personas con discapacidad,* VV. AA., CERDEIRA BRAVO DE MANSILLA, G. y GARCÍA MAYO, M., Wolters Kluwer, Madrid, 2021, p. 692.
20. DOMÍNGUEZ LUELMO, cit., p. 406.
21. AMUNÁTEGUI RODRÍGUEZ, *Comentarios…,* cit., pp. 940 y ss.; DOMÍNGUEZ LUELMO, cit., p. 406.

El fiduciario además está obligado a formar inventario, pero no está obligado a prestar fianza[22].

2. EXTENSIÓN Y MODALIDAD DE LA SUSTITUCIÓN FIDEICOMISARIA

La reforma de los art. 782 y 808 CC de 2021 sigue sin resolver uno de los interrogantes que más se ha discutido en la doctrina: si para que el testador pueda ordenar la sustitución fideicomisaria es necesario que el hijo o hijos en situación de discapacidad sean destinatarios del tercio de mejora, y en su caso, del de libre disposición. El art. 808 CC se refiere a la posibilidad de gravar la *"legítima estricta de los demás legitimarios sin discapacidad"*, pero no impone necesariamente la necesidad de mejorar a los fiduciarios. Aunque si lo que se quiere es proteger y beneficiar a los hijos con discapacidad en la práctica así se hará. En principio todo hace pensar que si el testador quiere proteger al discapacitado, lo mejorará, pero el legislador no se obliga a ello. No obstante, el precepto se refiere a la *"legítima estricta"*, por lo que no impone la necesidad de atribuir el tercio íntegro de mejora a los hijos discapacitados[23].

Para otro sector doctrinal, es preciso que si se grava la legítima estricta, también debe destinarse la mejora al discapacitado, porque el gravamen excepcional de la legítima estricta solo tiene justificación para obtener una protección patrimonial mayor, pues no tendría sentido admitir la sustitución fideicomisaria sobre la legítima estricta cuando el testador no dispone de la mejora para el discapacitado[24].

DOMÍNGUEZ LUELMO y DÍAZ ALABART consideran que el testador no tiene la obligación de atribuir el tercio de libre disposición a sus hijos discapacitados designados como fiduciarios[25]. En contra, AMUNATEGUI, quien entiende que si se trata de beneficiar a las personas con discapacidad mediante una excepción absoluta a los principios que disciplinan las legítimas, cuesta entender que se posibiliten las disposiciones a favor de extraños a costa de los derechos de los legitimarios. Considera que la excepcionalidad del gravamen solo podría justificarse en el caso de que se dejase

---

22. BUSTO LAGO, J. M., "Comentario del art. 808 del CC", en *Comentarios al Código Civil,* VV. AA., Coord. BERCOVITZ RODRÍGUEZ-CANO, R., Thomson Reuters Aranzadi, Cizur Menor, 5.ª ed., 2021, p. 535. Al respecto AMUNÁTEGUI afirma que no está clara esta cuestión, y que en principio habría que estar a la voluntad del causante, aunque parece lógico al menos poder exigir inventario. Eso sí, la cláusula con la sustitución fideicomisaria es susceptible de inscripción en el Registro de la Propiedad, conforme a lo previsto en el art. 82 RH. AMUNÁTEGUI RODRÍGUEZ, *Comentarios...,* cit., p. 952, nota al pie 1296.
23. El tercio de mejora posibilita desigualar a los legitimarios. Solo tendrá la consideración de mejora la parte del tercio utilizada efectivamente para desigualar. El resto tiene la consideración de legítima y debe ser objeto de reparto por igual entre todos los legitimarios descendientes. Solo puede utilizarse como máximo un tercio en concepto de mejora, y se habla de tercio de legítima estricta como la parte absolutamente indisponible de la legítima de los descendientes, que debe ser objeto de reparto igualitario, y que no es susceptible de gravamen, salvo lo previsto en art. 782 y 808 CC. Además, el cónyuge viudo es legitimario y concurre con hijos o descendientes, aunque su legítima es en usufructo y grava el tercio destinado a mejora.
24. Así lo manifiesta CERVILLA GARZÓN, cit., p. 694.
25. DOMÍNGUEZ LUELMO, cit., pp. 406 y 407; DÍAZ ALABART, S., "La sustitución fideicomisaria sobre el tercio de legítima estricta a favor de hijo o descendiente incapacitado judicialmente. Art. 808 CC, reformado por la Ley 41/2003, de 18 de noviembre", RDP, 2004, pp. 267 y 268; Vid. también en este sentido CERVILLA GARZÓN, cit., p. 694.

la totalidad de la herencia a la persona con discapacidad, no permitiéndose que el testador anteponga sus intereses personales a los de los legitimarios, privándoles de su derecho para beneficiar a otros, al encontrarnos ante un rígido y riguroso sistema de legítimas en nuestro ordenamiento jurídico[26]. Por mi parte considero que el tercio de libre disposición puede disponerse a favor de extraños, no es preciso que el testador lo destine a los legitimarios en situación de discapacidad, pese a que se grave la legítima del resto de legitimarios.

Otro de los interrogantes que dejaba el régimen tan escaso establecido por la ley de 2003 era si el testador podía establecer un fideicomiso de residuo con plenas facultades dispositivas a favor del fiduciario incapacitado (a través de su representante), o si ello suponía la posibilidad de dejar vacías de contenido las legítimas estrictas de los demás legitimarios.

Antes de la reforma de 2021 había prevalecido en la doctrina la opinión desfavorable al fideicomiso de residuo con fundamento en el principio de interpretación restrictiva de las sustituciones, en el sentido de que no sería posible disponer de la legítima estricta a la que tienen derecho los hijos y descendientes en perjuicio de ellos, porque podría darse el caso de que no recibieran nada, si el fiduciario dispusiera de toda la legítima estricta del resto de legitimarios por necesitarlo. Se optaba por defender que el testador no podía crear un fideicomiso de residuo con plenas facultades dispositivas a favor del fiduciario incapacitado, entendiendo que era mejor realizar una interpretación lo más restrictiva posible de la sustitución fideicomisaria para no vaciar totalmente de contenido, y solo aplazar, las legítimas de los otros hijos o descendientes del causante[27].

Pero un sector minoritario de la doctrina consideraba todo lo contrario. DOMÍNGUEZ LUELMO entendió que el art. 808 CC permitía gravar la legítima estricta con un fideicomiso de residuo, permitiendo al fiduciario con capacidad modificada judicialmente la disposición de todos los bienes en caso de necesidad[28]. La reforma del art. 808 CC de 2021 ha sumido esta postura del Prof. DOMÍNGUEZ. En efecto, el legislador entiende que si no existe una previsión expresa del testador, existe fideicomiso de residuo (puede disponer de los bienes pero a título oneroso, no a título gratuito –ni intervivos ni mortis causa–). Solo la disposición contraria del testador hace que debamos entender que estamos ante una sustitución fideicomisaria ordinaria sin que el fiduciario pueda disponer de los bienes.

El testador está facultado para configurar una sustitución fideicomisaria ordinaria, en la que al legitimario beneficiado le incumbe la obligación de conservar y transmitir a los demás legitimarios los bienes recibidos en virtud de la disposición que, sobre la legítima estricta hubiera realizado el testador. No habiéndose ejercitado la citada facultad, habrá de interpretarse que lo recibido por el legitimario en situación de discapacidad mediante la disposición de la legítima estricta efectuada a su favor por el testador queda gravado con una sustitución fideicomisaria de residuo a favor de los legitimarios, a quienes, por razón de la sustitución, se les perjudica.

---

26. AMUNÁTEGUI RODRÍGUEZ, *Comentarios...*, cit., pp. 943 y ss.
27. CÁMARA LAPUENTE, S., "Comentario del art. 782 del CC", en *Comentarios al Código Civil*, VV. AA., DOMÍNGUEZ LUELMO (Director), Lex Nova, Valladolid, 2010, p. 896.
28. DOMÍNGUEZ LUELMO, cit., pp. 407 y ss.

De configurarse como un fideicomiso de residuo, al legitimario beneficiado no le incumbe la obligación de conservar los bienes, pero no puede disponer de ellos a título gratuito ni por acto mortis causa (solo puede disponer intervivos a título oneroso). Incluso el testador podría indicar ante qué tipo de fideicomiso de residuo nos encontramos *"de eo quod supererit"* "de lo que quede" (el fideicomisario debe recibir necesariamente algunos de los bienes fideicomitidos) o *"si aliquid supererit"* "si queda algo" (no hay limites a la facultad de disposición del fiduciario, por lo que el fideicomisario podría no recibir nada). Incluso el testador puede restringir los actos de disposición permitidos (autoriza por ejemplo a disponer inter vivos pero solo a título oneroso, no a título gratuito, o autoriza los actos de disposición pero solo en caso de necesidad). Ahora bien, la jurisprudencia exige que las facultades dispositivas del fiduciario se otorguen de manera expresa, y son de interpretación restrictiva[29].

En principio por tanto el fiduciario podrá realizar por acto intervivos todos aquellos actos y negocios jurídicos que no sean gratuitos, por ejemplo, enajenar mediante precio o contraprestación, constituir derechos reales de garantía para asegurar préstamos o créditos que se le concedan; constituir una renta vitalicia; realizar una dación en pago; constituir derechos reales limitados; extinguir condominios; ejercitar derechos y acciones, etc.[30].

El precepto establece que *"En tal caso, salvo disposición contraria del testador, lo así recibido por el hijo beneficiado quedará gravado con sustitución fideicomisaria de residuo"*. La expresión *"salvo disposición contraria del testador"* puede ser objeto de varias interpretaciones a priori. En primer lugar, que fideicomisarios sean solo algunos de los legitimarios que se ocupan del discapacitado; en segundo lugar, que pueda disponer el fiduciario a título gratuito o por acto mortis causa; en tercer lugar, que pueda establecer el testador una sustitución fideicomisaria ordinaria. Es decir, se plantean dudas sobre cual puede ser la voluntad del fideicomitente a la hora de establecer la sustitución fideicomisaria.

Pero realizando una interpretación literal y una lectura detenida del precepto, debe entenderse que a lo que se está refiriendo el testador cuando señala que salvo disposición contraria del testador, es a la posibilidad de establecer una sustitución fideicomisaria ordinaria, no a que el fiduciario pueda disponer mortis causa o a título gratuito. Podría por tanto establecer el testador que el fideicomiso no sea de residuo, pero lo que no podría hacer es establecer que el fiduciario pudiera disponer de los bienes a título gratuito, ni inter vivos ni mortis causa. Solo contempla la posibilidad de excepcionar que se trate de un fideicomiso de residuo. Esa ha sido la intención del legislador, o al menos eso se desprende de la reforma interpretada en su conjunto. Y tampoco cabría la posibilidad de excepcionar que solo pueda gravarse con el fideicomiso a algunos de los legitimarios, porque en ese aspecto el legislador es claro.

De todo lo anterior se deduce que es posible que toda la herencia pueda disponerse a favor del discapaz y el resto de legitimarios no recibirían nada, puesto que la sustitución fideicomisaria que grava la legítima se puede constituir como un fideicomiso de

---

29. DOMÍNGUEZ LUELMO, cit., p. 408.
30. LORA-TAMAYO RODRÍGUEZ, I., *Reforma civil y procesal para el apoyo a personas con discapacidad*, Francis Lefebvre-El Derecho, Madrid, 2021, p. 173.

residuo, y en el caso de que el discapacitado dispusiera de los bienes fideicomitidos, el resto de legitimarios no percibirían nada. Lo que no podría gravarse sería la legítima estricta de un legitimario en situación de discapacidad, por aplicación de lo previsto en los art. 782 y 808 CC.

Al configurarse como un fideicomiso de residuo, lo que el legitimario en situación de discapacidad recibiese tras la disposición por título oneroso sería una subrogación real, lo recibirían los demás legitimarios en caso de que no dispusiera el discapacitado de la totalidad[31]. Ahora bien, como lo que se pretende es beneficiar al discapacitado, decepcionándose el sistema de legítimas, no existe ningún problema en que el discapacitado en vida consuma la totalidad de los bienes fideicomitidos.

Eso sí, para no vulnerar el principio de la intangibilidad cuantitativa de la legítima, los hermanos del discapacitado deben recibir el gravamen por igual. En efecto, en virtud de lo previsto en el art. 813 CC, el testador "no podrá privar a los herederos de su legítima sino en los casos expresamente determinados por la ley", pudiendo el heredero forzoso pedir el complemento de la legítima si se ha recibido por cualquier título menos de lo que le corresponde por legítima (ex. art. 815 CC). Ello es debido a que en nuestro ordenamiento jurídico rige el principio de intangibilidad de la legítima, por lo que los herederos forzosos no pueden ser privados de la misma (art. 806 CC). Y de acuerdo con el principio de intangibilidad cualitativa de la legítima, el testador no puede imponer sobre la misma gravamen, ni condición ni sustitución de ninguna especie, salvo lo relativo al usufructo de cónyuge viudo. Además, en virtud del art. 763 CC, *"el que tuviere herederos forzosos solo podrá disponer de sus bienes en la forma y con las limitaciones que se establecen en la sección quinta de este capítulo"*, es decir, de acuerdo con lo previsto en los art. 806 a 822 CC, donde se encuentra precisamente la regulación de la sustitución fideicomisaria a favor de los legitimarios con discapacidad.

Ahora bien, el cambio de regulación ha hecho que nos encontremos ante lo que se ha denominado "tangibilidad de la legítima", en el sentido a que en sede de discapacidad no solo nos encontramos ante un gravamen, sino ante una auténtica privación de la legítima. Discusiones doctrinales a parte, lo cierto es que para el resto de legitimarios del testador la sustitución fideicomisaria no deja de ser un gravamen sobre la legítima, al limitar su porción hereditaria, sobre todo teniendo en cuenta que puede configurarse, salvo que el testador disponga lo contrario, como un fideicomiso de residuo, pudiendo entenderse la porción de legítima estricta como una mera expectativa de derecho sucesorio que puede que no se materialice en bienes concretos en el futuro[32].

---

31. CÁMARA LAPUENTE, S., "Comentario del art. 781 del CC", en *Comentarios al Código Civil*, VV. AA., DOMÍNGUEZ LUELMO (Director), Lex Nova, Valladolid, 2010, p. 894.

32. ORTEGA DOMÉNECH, J., "Constitución de una sustitución fideicomisaria a favor del heredero con discapacidad sobre el tercio de legítima estricta: cuestiones y problemas a la luz de la reforma introducida por la Ley 8/2021, de 2 de junio", en *Modificaciones sucesorias, discapacidad y otras cuestiones. Una mirada comparativa*, VV. AA., REPRESA POLO, M. (Coord.), Reus, Madrid, 2022, pp. 105 y 106; PEREÑA VICENTE, M., "El derecho sucesorio como instrumento de protección del discapacitado", Diario La Ley, año XXV, n.º 5957, 2004, pp. 1 y ss.; MARTÍN MELÉNDEZ, M. T., *La sustitución fideicomisaria sobre la legítima estricta en presencia de incapacitados*, Dykinson, Madrid, 2010, pp. 143 y ss.

Vistos los problemas que plantea la sustitución fideicomisaria, parte de la doctrina opta por plantearse la supresión de la misma o el establecimiento de otra que elimine las carencias que tiene. Así, la Propuesta de Código Civil presentada por la Asociación de Profesores de Derecho Civil en el año 2018 suprime la figura, y opta por un legado de usufructo, en el art. 467.19.3. En él se establece que *"No comporta vulneración de la regla de intangibilidad de la legítima el legado de usufructo recayente sobre ella cuyo beneficiario sea el cónyuge viudo, o un hijo o descendiente con discapacidad o cuya capacidad esté modificada en el momento de la apertura de la sucesión"*[33].

No obstante, junto con la sustitución fideicomisaria, existen otros mecanismos de protección de la persona en situación de discapacidad que no debemos olvidar, como por ejemplo, la constitución de un patrimonio protegido, la realización de donaciones a favor del discapacitado, atribuirle bienes o legados al discapacitado en testamento fuera de lo que le corresponda como legitimario, o delegar en el cónyuge la facultad de mejorar.

3. PRUEBA

Como novedad de la reforma operada por la Ley 8/2021, se ha introducido un nuevo párrafo en el art. 808 CC (el quinto), que se refiere a unas cuestiones de prueba, para el caso de que surjan dudas sobre el gravamen de la legítima estricta de los legitimarios. El contenido del quinto párrafo del precepto es el siguiente: *"Cuando el testador hubiere hecho uso de la facultad que le concede el párrafo anterior, corresponderá al hijo que impugne el gravamen de su legítima estricta acreditar que no concurre causa que la justifique"*.

La redacción del párrafo AMUNÁTEGUI la califica de "inquietante". No se mención que sea preciso que el fiduciario esté en estado de necesidad para poder disponer de los bienes. Así, si tuviera capacidad de trabajo, tuviera un patrimonio protegido que pudiera satisfacer sus necesidades, o su recibiera subvenciones o ayudas públicas, en principio no estaría justificado que se gravase la legítima del resto de legitimarios. Si no hubiera estado de necesidad, los demás legitimarios podrían impugnarlo. Los legitimarios gravados podrán impugnar el gravamen acreditando que no concurre el estado de necesidad, pese a que no lo establezca expresamente el precepto. Evidentemente, la disposición en caso de necesidad se refiere a lo que recibe el discapacitado como fiduciario y que constituye la legítima de sus hermanos, pero no a lo que adquiera en propiedad a consecuencia de la sucesión[34].

Los legitimarios gravados con la sustitución fideicomisaria deberán probar que no concurre la situación de discapacidad que recoge la DA 4.ª CC a los efectos de que no tenga efecto la sustitución fideicomisaria impuesta en el testamento. Aunque si se ha acreditado la discapacidad con la correspondiente resolución administrativa, o si se han dictado medidas de apoyo dentro de un procedimiento judicial, será prácticamente

---

33. ORTEGA DOMÉNECH, cit., p. 159.
34. AMUNÁTEGUI RODRÍGUEZ, "Comentario del art. 782 CC", cit., p. 1041; AMUNÁTEGUI RODRÍGUEZ, *Comentarios...*, cit., pp. 949 y 950, quien intuye que *"la intención del texto está en que se pudiera llegar a demostrar que no hay necesidad en el fiduciario a la hora de enajenar los bienes que forman el fideicomiso, y que en tal caso resultaría excesivo que se gravase a sus colegitimarios".*

imposible que el gravado pueda impugnar la discapacidad del fiduciario. Eso sí, si revierte la situación de discapacidad, es decir, si se recuperan las facultades por parte del fiduciario, la sustitución fideicomisaria se extinguiría[35]. Evidentemente, el gravado no debe encontrarse en esa situación de discapacidad, porque si no, no podría ser gravado con la misma. Ello en relación con lo señalado con anterioridad en el sentido de que del tenor literal del precepto los fiduciarios deben serlo los legitimarios que se encuentren en situación de discapacidad.

V. RÉGIMEN TRANSITORIO DE LAS SUSTITUCIONES

Me voy a referir a continuación a lo que sucede con aquellas sustituciones fideicomisarias establecidas a favor de los hijos o descendientes judicialmente incapacitados con anterioridad a la reforma del año 2021.

Antes de la reforma de 2021 podían ser fiduciarios los *"hijos o descendientes judicialmente incapacitados"*. Nada se decía sobre la posibilidad de constituir un fideicomiso de residuo, y además los posibles fiduciarios han variado tras la reforma.

No hay previsión específica en la Ley 8/2021, por lo que hay que acudir a las Disposiciones Transitorias 2.ª y 12.ª CC (los derechos que una persona pueda tener en la herencia de otra se rigen por la ley vigente en el momento de apertura de la sucesión). Se aplica la legislación anterior si la sucesión se abrió antes de entrar en vigor la nueva ley[36].

También es preciso hacer una breve alusión al régimen de la sustitución fideicomisaria de residuo aplicable cuando el sustituto fallece después de la entrada en vigor de la Ley 8/2021. Hay que estar a lo previsto en la Disposición Transitoria 4.ª: la sustitución ejemplar se entenderá como una sustitución fideicomisaria de residuo. No se puede suplir la voluntad de la persona sustituida. Únicamente puede comprender los bienes transmitidos por el sustituyente al discapacitado. Pero no se aclara ante qué tipo de sustitución fideicomisaria nos encontramos. Si se trata de la prevista en los art. 782 y 808 CC, solo podría aplicarse cuando en el testamento del sustituyente se hubiera designado como sustitutos (ahora fideicomisarios) a otros legitimarios de aquel, y no en otros casos.

Las sustituciones ejemplares realizadas bajo el imperio de la normativa anterior solo se van a aplicar si el fallecimiento del sustituido se produjo antes del 3 septiembre 2021 (entrada en vigor de la reforma)[37]. Lo cual no deja de ser inadecuado, pues se están aplicando efectos retroactivos a una sucesión (la del sustituyente) abierta antes de la entrada en vigor del texto, vulnerándose las disposiciones testamentarias de una persona que no ha podido modificar el testamento al no conocer el contenido de la nueva ley 8/2021 y poder adoptar una previsión adecuada a su voluntad.

---

35. Lo cual, podría tener lugar, por ejemplo, si se disminuye el porcentaje de discapacidad o la situación de dependencia mediante técnicas quirúrgicas, rehabilitadoras, tratamientos especializados, tratamientos farmacológicos, etc. Lo cual, que duda cabe, plantearía grandes problemas al tener que rehacerse la sucesión del fideicomitente. Vid. al respecto AMUNÁTEGUI RODRÍGUEZ, *Comentarios...*, cit., p. 952.
36. DOMÍNGUEZ LUELMO, cit., pp. 409 y ss.
37. DOMÍNGUEZ LUELMO, cit., pp. 414 y ss.

Habría sido mejor, como señala AMUNÁTEGUI, que para no mantenerse las sustituciones ejemplares contenidas en testamentos ya otorgados, debería establecerse que la muerte del sustituyente fuera posterior a la entrada en vigor de la norma, dando la oportunidad al testador de cambiar sus disposiciones. Pero que se pueda aplicar a sucesiones ya abiertas, supone una clara conculcación de los derechos adquiridos, e incluso los sustitutos pueden haber cumplido las disposiciones del causante inicial, pudiendo quedar privados de una buena parte del caudal hereditario pese a ello[38].

VI. CONCLUSIONES

El legislador tras la reforma producida por la Ley 8/2021 ha querido dejar claras algunas de las dudas que habían surgido con la modificación del año 2003 en materia de discapacidad. En este sentido, no es precisa la necesidad de una incapacitación judicial o modificación judicial de la capacidad (ahora persona con discapacidad) sino que basta la declaración administrativa de discapacidad. Además, salvo que el testador disponga lo contrario, el fideicomiso será de residuo; el fiduciario deberá ser un legitimario, y no es preciso que el testador beneficie con la sustitución fideicomisaria al legitimario en situación de discapacidad gravando el tercio destinado a mejora ni el tercio de libre disposición. También es perfectamente posible que se produzca el derecho de acrecer si se dan los requisitos para ello o si lo dispone el testador, cuando quede vacante la porción de alguno de los fiduciarios. Eso si, el gravamen sobre la legítima sigue teniendo carácter facultativo: es el testador el que decide si lo impone o no.

Pero no aclara convenientemente la reforma si el fiduciario debe tener el grado de discapacidad a que se refiere la DA 4.ª CC en el momento de abrirse la sucesión del causante. Al respecto entiendo que en ese caso si desaparece la causa que propicia el gravamen sobre la legítima, porque ya no hay discapacidad, la sustitución sería ineficaz. En este sentido a efectos prácticos sería conveniente que el testador expresara qué ocurre para el caso de que la situación de discapacidad aparezca con posterioridad al otorgamiento del causante, porque si ya se produjo el fallecimiento y los bienes fueron repartidos entre los herederos, a estos no puede afectarles el gravamen sobre la parte de la herencia que recibieron.

Tampoco el legislador ha establecido lo que sucede en el caso de que existan varios legitimarios en situación de discapacidad: si el testador debe establecer la sustitución fideicomisaria a favor de todos ellos o no. Haciendo una interpretación literal de lo previsto en el art. 808 CC la conclusión a la que debe llegarse es que pese a que se limita la facultad dispositiva del testador, debe hacerse un llamamiento conjunto a todos los legitimarios en situación de discapacidad.

Por todo lo anterior, es necesario que se produzca una nueva modificación legislativa que aclare los interrogantes que plantea la reforma operada por la Ley 8/2021. Es una reforma que no es clara y debería haberse realizado con mayor rigor. Los preceptos

---

38.   AMUNÁTEGUI RODRÍGUEZ, C. de, "Sustitución ejemplar: su errónea e injustificada desaparición y los problemas de interpretación de la disposición de derecho transitorio cuarta del Código Civil", en *Modificaciones sucesorias, discapacidad y otras cuestiones. Una mirada comparativa*, VV. AA., REPRESA POLO, M. P. (Coord.), Reus, Madrid, 2022, pp. 178 y ss.

se han redactado de una manera tan compleja que muchas veces es difícil su comprensión, dando lugar a posibles interpretaciones diferentes. Al tratarse de cuestiones tan trascendentes, ojalá el legislador proceda a ello a la mayor brevedad posible.

VII. BIBLIOGRAFÍA

ÁLVAREZ LATA, N., *Comentarios a la Ley 8/2021 por la que se reforma la legislación civil y procesal en materia de discapacidad*, VV. AA., GUILARTE MARTÍN-CALERO, C. (Directora), Thomson Reuters Aranzadi, Cizur Menor, 2021.

AMUNÁTEGUI RODRÍGUEZ, C. de, "Comentario del art. 782 CC", en *Comentarios al Código Civil*, VV. AA., Coord. BERCOVITZ RODRÍGUEZ-CANO, R., Thomson Reuters Aranzadi, Cizur Menor, 5.ª ed., 2021.

AMUNÁTEGUI RODRÍGUEZ, C. de, *Comentarios a la Ley 8/2021 por la que se reforma la legislación civil y procesal en materia de discapacidad*, VV. AA., GUILARTE MARTÍN-CALERO, C. (Directora), Thomson Reuters Aranzadi, Cizur Menor, 2021.

AMUNÁTEGUI RODRÍGUEZ, C. de, "Sustitución ejemplar: su errónea e injustificada desaparición y los problemas de interpretación de la disposición de derecho transitorio cuarta del Código Civil", en *Modificaciones sucesorias, discapacidad y otras cuestiones. Una mirada comparativa*, VV. AA., REPRESA POLO, M.P. (Coord.), Reus, Madrid, 2022.

APARICIO VAQUERO, J. P., "Comentario de los art. 782, 808 y 813.II del CC", en *Comentario articulado a la reforma civil y procesal en materia de discapacidad*, VV. AA., GARCÍA RUBIO, M. P. y MORO ALMARAZ, M.J. (Dir.), Civitas Thomson Reuters, 2022, Cizur Menor, 2022.

BUSTO LAGO, J. M., "Comentario del art. 808 del CC", en *Comentarios al Código Civil*, VV. AA., Coord. BERCOVITZ RODRÍGUEZ-CANO, R., Thomson Reuters Aranzadi, Cizur Menor, 5.ª ed., 2021.

CÁMARA LAPUENTE, S., "Comentario del art. 781 CC", en *Comentarios al Código Civil*, VV. AA., DOMÍNGUEZ LUELMO (Director), Lex Nova, Valladolid, 2010.

CÁMARA LAPUENTE, S., "Comentario del art. 782 CC", en *Comentarios al Código Civil*, VV. AA., DOMÍNGUEZ LUELMO (Director), Lex Nova, Valladolid, 2010.

CERVILLA GARZÓN, M. D., "La sustitución fideicomisaria y la protección de las personas con discapacidad", *Un nuevo orden jurídico para las personas con discapacidad*, VV. AA., CERDEIRA BRAVO DE MANSILLA, G. y GARCÍA MAYO, M., Wolters Kluwer, Madrid, 2021.

DÍAZ ALABART, S., "La sustitución fideicomisaria sobre el tercio de legítima estricta a favor de hijo o descendiente incapacitado judicialmente. Art. 808 CC, reformado por la Ley 41/2003, de 18 de noviembre", RDP, 2004.

DOMÍNGUEZ LUELMO, A., "La reforma del derecho de sucesiones en la Ley 8/2021: derecho sustantivo y derecho transitorio", en *El nuevo Derecho de las capacidades. De la incapacitación al pleno reconocimiento,* VV. AA., Dir. LLAMAS POMBO, E., MARTÍNEZ RODRÍGUEZ, N., TORAL LARA, E., La Ley Wolters Kluwer, Madrid, 2022.

DOMÍNGUEZ LUELMO, A., "Comentario del art. 808 CC", en *Comentarios al Código Civil,* VV. AA., DOMÍNGUEZ LUELMO (Director), Lex Nova, Valladolid, 2010.

DOMÍNGUEZ LUELMO, A., ÁLVAREZ ÁLVAREZ, H.: *Manual de Derecho Civil. Volumen VI. Derecho de sucesiones,* La Ley Wolters kluwer, Madrid, 2021.

GARCÍA RUBIO, M. P., "La reforma operada por la Ley 8/2021 en materia de apoyo a las personas con discapacidad: planteamiento general de sus aspectos civiles", en *El nuevo Derecho de las capacidades. De la incapacitación al pleno reconocimiento,* VV. AA., Dir. LLAMAS POMBO, E., MARTÍNEZ RODRÍGUEZ, N., TORAL LARA, E., La Ley Wolters Kluwer, Madrid, 2022.

LORA-TAMAYO RODRÍGUEZ, I., *Reforma civil y procesal para el apoyo a personas con discapacidad,* Francis Lefebvre-El Derecho, Madrid, 2021.

MARTÍN MELÉNDEZ, M. T., *La sustitución fideicomisaria sobre la legítima estricta en presencia de incapacitados,* Dykinson, Madrid, 2010.

MARTÍNEZ RODRÍGUEZ, N., "Discapacidad y derecho de familia. Nuevos principios, nuevas normas", en *El nuevo Derecho de las capacidades. De la incapacitación al pleno reconocimiento,* VV. AA., Dir. LLAMAS POMBO, E., MARTÍNEZ RODRÍGUEZ, N., TORAL LARA, E., La Ley Wolters Kluwer, Madrid, 2022.

MORAIS, D., "Comentario de los art. 2286 a 2296", en *Código Civil anotado, Libro V, Direito das Sucessoes,* VV. AA., ARAÚJO DIAS, C. (Coord.), Almedina, Coimbra, 2018, p. 432 a 453; ARAÚJO DIAS, C., *Liçoes de Direito das Sucesoes,* Almedina, Coimbra, 2021.

MOTA, H., "Comentario del art. 2163", en *Código Civil anotado, Libro V, Direito das Sucessoes,* VV. AA., ARAÚJO DIAS, C. (Coord.), Almedina, Coimbra, 2018.

ORTEGA DOMÉNECH, J., "Constitución de una sustitución fideicomisaria a favor del heredero con discapacidad sobre el tercio de legítima estricta: cuestiones y problemas a la luz de la reforma introducida por la Ley 8/2021, de 2 de junio", en *Modificaciones sucesorias, discapacidad y otras cuestiones. Una mirada comparativa,* VV. AA., REPRESA POLO, M.P. (Coord.), Reus, Madrid, 2022.

PEREÑA VICENTE, M., "El derecho sucesorio como instrumento de protección del discapacitado", Diario La Ley, año XXV, n.º 5957, 2004.

TORAL LARA, E., "Las medidas de apoyo voluntarias en el nuevo sistema de provisión de apoyos del Código Civil", en *El nuevo Derecho de las capacidades. De la incapacitación al pleno reconocimiento,* VV. AA., Dir. LLAMAS POMBO, E., MARTÍNEZ RODRÍGUEZ, N., TORAL LARA, E., La Ley Wolters Kluwer, Madrid, 2022.

13

Funcionabilidad y construcción de la disposición testamentaria de la legítima estricta en favor de la persona con discapacidad[1]

JOAQUÍN MARÍA RIVERA ÁLVAREZ

Profesor Contratado Doctor
Departamento de Derecho Civil
Universidad Complutense

SUMARIO: I. PROBLEMAS EN LA CONSTRUCCIÓN NORMATIVA DE LOS ARTS. 782 Y 808, 4.º PÁRRAFO DEL CÓDIGO CIVIL. II. HACIA UNA INTERPRETACIÓN SISTEMÁTICA Y ADAPTADA A LOS ANTECEDENTES DE LA NORMA DEL ART. 808.4.º PÁRRAFO DEL CC QUE PERMITA RECONSIDERAR SU EXTENSIÓN, ALCANCE Y CONTENIDO. III. CONSTRUCCIÓN DE LA DISPOSICIÓN TESTAMENTARIA COMO MEDIO DE SALVAR LOS PROBLEMAS DE INTERPRETACIÓN Y APLICACIÓN DE LAS NORMAS. IV. A MODO DE CONCLUSIÓN. V. BIBLIOGRAFÍA.

I. PROBLEMAS EN LA CONSTRUCCIÓN NORMATIVA DE LOS ARTS. 782 Y 808, 4.º PÁRRAFO DEL CÓDIGO CIVIL

La reforma de los arts. 782 y 808, 4.º párrafo del CC, realizada por la Ley 8/2021, de 2 de junio, contiene claramente dos normas; la primera permisiva, en sentido fuerte o concluyente[2], en tanto que admite la disposición en testamento de la totalidad

---

1. Esta comunicación se ha realizado dentro del marco de la Proyecto de Investigación del Ministerio de Ciencia e Innovación PID2020-115993RB-I00 titulado:" Soledad y Bienestar en las personas mayores en España: Covid 19 y redes de apoyo social en tiempos de incertidumbre".

2. Tal como se califica a este tipo de normas en la Filosofía analítica del Derecho –ver RUIZ MANERO, J.: "Diez Observaciones y un cuadro final sobre permisos y normas permisivas. (A propósito de un aspecto de la teoría del derecho de Eugenio Bulygin)", *Journal for Constituional Theory and Philosophy of Law*, vol. 36 (2018), 8 pp. y BULYGIN, E.: "Sobre la equivalencia pragmática entre permiso y no prohibición", *Doxa, Cuadernos de Filosofía del Derecho*, 33 (2010), pp. 283 a 296 –partiendo de la realidad previa de una norma prohibitiva, la norma permisiva es excepción prescriptiva; lo cual determina que debamos tratarla como norma excepcional, y darle algunas

de la herencia, incluida la legitima estricta, por el causante en favor de sus hijos e hijas con discapacidad en el grado señalado en la Disposición Adicional Cuarta del Código Civil; en adelante utilizaremos el término "suficiente" para evitar tener que extenderse demasiado en la descripción del sujeto sobre el que se puede disponer[3]. Dicha norma permisiva altera funcional y privilegiadamente la prohibición de disponer la legitima estricta, derivada del principio de la intangibilidad cualitativa; en tanto debería dividirse a partes iguales entre sus hijos o sus descendientes[4] ésta y, por ello, fuera del presente supuesto, sigue manteniendo su virtualidad y relevancia el principio. También se introduce otra norma dispositiva; ésta entiende que hecha dicha declaración, salvo disposición en contrario del testador, supondrá la constitución de una sustitución fideicomisaria de residuo "a favor de los que hubieren visto afectada su legítima estricta y no podrá aquel disponer de tales bienes ni a título gratuito ni por acto *mortis causa*".

Estas líneas no tratan de hacer un completo examen y desarrollo exegético de las nuevas normas de los Arts. 782 y 808.IV del CC creadas a raíz de la Ley 8/2021, de 2 de junio, sino que pretenden centrarse en los aspectos sistemáticos de estas dos nuevas normas, planteando su relación con la funcionalidad y la construcción de la declaración de voluntad testamentaria, a los efectos de intentar reconducir lo que creemos que es una defectuosa construcción normativa.

Inicialmente, en apariencia no hay contradicción entre las dos normas, la permisiva y la norma dispositiva, dado que ambas penden de la voluntad del testador. Sin embargo, identificamos una serie de dificultades en la interpretación y aplicación de las nuevas reglas: a) En relación al alcance y extensión de la voluntad testamentaria, desde un aspecto semántico, destaca la excesiva extensión de los términos del Art. 808.4.º párrafo, del CC, en tanto que, en su primera frase, permite sin aparente limite la disposición testamentaria sobre la legitima estricta en favor de los hijos e hijas con discapacidad, y sin embargo la segunda frase, con carácter dispositivo, sólo refiere a la sustitución fideicomisaria de residuo como institución "tipo" para arbitrar dicha disposición. Luego, puede o extenderse a otras disposiciones de mayor recorrido, como la de instituirle como heredero del causante, o limitarse, por ejemplo, instituyéndolos como fiduciario, en una sustitución fideicomisaria ordinaria –tal como permitía,

---

características propias de la misma, como la inaplicación de la analogía como medio integrativo (Art. 4.2 del CC). Sin embargo, como veremos, estas líneas pueden justificar algo que ya tradicionalmente nos indicaba M. ALBALADEJO, *Derecho Civil, I*, 15.ªed., Librería Bosch s.l., Barcelona, 2002, pp. 31-32 y es que "es falso que, como algunos creen– el Derecho excepcional no sea interpretable extensivamente; lo es, ya qué –como a su tiempo se verá– la interpretación extensiva sólo muestra que el verdadero espíritu –que es el que debe prevalecer– del precepto es más amplio de lo que parecía".

3.   Al no centrarme en el trabajo en el problema de los sujetos beneficiarios de esta disposición, utilizó estos términos simples para evitar reproducir, conforme a la Disposición Adicional Cuarta del Código Civil, las normas administrativistas del Art. 2 Ley 41/2003, de 18 de noviembre, y de la Ley 39/2006, de 14 de diciembre, en su referencia a los grados II y III de dependencia que harían incomoda la lectura de estas líneas.

4.   DELGADO ECHEVERRIA, J.: ¿Qué reformas cabe esperar en el Derecho de Sucesiones del Código Civil? (un ejercicio de prospectiva), *El Cronista del Estado Social y Democrático de Derecho*, núm. 3, 2009, pp. 26-35 ya lo entendía así en la anterior redacción de los Arts. 782 y 808 del CC, conforme a la Ley 41/2003.

anteriormente el Código Civil, en su redacción de la Ley 41/2003[5]–. En este punto, también tangencialmente se nos plantea un problema surgido ya desde el año 2003: si la disposición de la legítima estricta puede hacerse sin considerar el destino de los otros dos tercios; b) Respecto a la remisión a la sustitución fideicomisaria de residuo, como norma supletoria, salvo que se diga otra cosa, provoca una serie de problemas dado que la institución no tiene unos perfiles absolutamente trazados, ni legislativa, ni dogmática, ni jurisprudencialmente, tal como se reconoce por la doctrina[6]. De forma que sorprende la elección de la institución protectora cuando tradicionalmente no ha habido una preocupación por trazar más claramente sus normas[7]. A estos efectos, como ejemplo, dentro del examen del contenido de la institución veremos el problema de la vigencia del principio de subrogación real; c) Finalmente, la norma dispositiva en sí plantea dificultades a la hora de hacerla "operativa" o efectiva; es decir, para que se pueda hacerse valer al integrarse con la voluntad testamentaria expresa, se debería identificar una cláusula de sustitución en la voluntad testamentaria. Esto tiene plena efectividad práctica cuando se debe procurar el acceso al Registro de los documentos e instrumentos públicos en donde se reciba la voluntad del testador.

Este aspecto normativo y heterodeterminado que tiene la norma dispositiva se "integra" en la disposición testamentaria, a partir de la creencia de que la voluntad testamentaria no ha sido completamente fijada[8]. Pero, curiosamente, no puede eludirse la relación que mantiene con la norma permisiva, sobre todo cuando debemos tratar de su extensión y alcance. Veremos como todos estos problemas están relacionados entre sí; así si consideramos que no es admisible, por ejemplo, disponer a título de herencia la totalidad de la misma en favor de la persona con discapacidad –por prohibirlo el principio de intangibilidad cualitativa de la legítima que sólo puede ser gravada con una sustitución–, dicha prohibición "debería reconducir" integrativamente la voluntad

---

5. Entre los diferentes polémicas doctrinales de la Ley 41/2003, estaba la de si se permitía en la redacción del 808, no sólo la sustitución fideicomisaria normal, o posibilitaba otras, como era la de residuo. Para ver una exposición completa de la doctrina: BOTELLO HERMOSA, P.: *La sustitución fideicomisaria especial introducida por la Ley 41/2003. Inicial de la tangibilidad de la legítima estricta y origen de la desigual liberta de testar existente en España,* Tirant lo Blanch, Valencia 2017, pp. 160 y ss. En un trabajo anterior, ya indicamos que la literalidad y la funcionalidad del precepto lo permitía, si bien desde la perspectiva sistemática, deberíamos ser más estrictos (RIVERA ÁLVAREZ J. M.: " La reforma de la sustitución fideicomisaria en la Ley de protección patrimonial de las personas con discapacidad y la indisponibilidad de la legítima estricta a favor de los hijos o descendientes" en *Libro Homenaje al profesor Manuel Albadalejo Garcia,* tomo I, Colegio de Registradores de la Propiedad y Mercantiles de España/Servicio de Publicaciones de la Universidad de Murcia, Murcia, Pp. 4185 a 4278).
6. Por todos, la excelente monografía, NIETO ALONSO, A.: *Sustitución fideicomisaria de residuo, usufructo testamentario de disposición y donación. La atribución de facultades dispositivas y la repercusión de la situación de necesidad,* La Ley, Madrid 2014.
7. ORTEGA DOMENECH, J.: "Constitución de una sustitución fideicomisaria a favor del heredero con discapacidad sobre el tercio de legítima estricta: cuestiones y problemas a la luz de la reforma introducida por la Ley 8/2021, de 2 de junio", en *Modificaciones sucesorias, Discapacidad y otras cuestiones. Una mirada comparada,* Ed. Reus, Madrid 2022, p. 89 y 158-159 nos lo refiere a las normas de administración, facultades de disposición, por comparación con el Código Civil de Cataluña, como veremos a continuación.
8. GARCÍA AMIGO, M.: "La Integración del Testamento", en *Libro Homenaje al profesor Manuel Albadalejo Garcia,* tomo I, Colegio de Registradores de la Propiedad y Mercantiles de España/Servicio de Publicaciones de la Universidad de Murcia, Murcia, pp. 1834 y ss.

testamentaria, a la sustitución fideicomisaria de residuo (integración de norma imperativa). ¿Pero es posible hacer esto si no identificamos una cláusula de sustitución? ¿Es un resultado acertado reconducir el problema a la prohibición extrema de disposición de la legítima estricta que se da en los demás casos de personas sin discapacidad? Por otro lado, si entendemos que si es posible la disposición en concepto de heredero de la totalidad de la herencia, veremos que la "aplicación" de la norma dispositiva tiene sus propios limites; y ello en tanto que, de no localizar la cláusula de sustitución, no cabe "reconducir" integrativamente la voluntad testamentaria por la norma dispositiva de la sustitución fideicomisaria de residuo (integración de norma dispositiva o interpretación integradora de la voluntad testamentaria).

En este punto, como veremos a continuación, el esfuerzo de la doctrina civilista en la interpretación de las normas, en una línea metodológica de corte exegético, reporta unos resultados sorprendentes, por la variabilidad de sus conclusiones. Se dice, de forma correcta, por quienes tienen mayor autoridad, que no se puede plantear una reforma legislativa para provocar, a consecuencia de dicha falta de concordancia, una alta litigiosidad. Desde esta perspectiva, la de la racionalidad legislativa[9], debe criticarse la reforma en tanto puede considerarse que tiene serios defectos de construcción normativa que dificultará su aplicación y comprensión; esencialmente identificaremos problemas de racionalidad lingüística, derivados de la existencia de ambigüedades sintácticas, y de racionalidad jurídico-formal, consecuencia de la falta de sistematicidad[10]. El propósito de estas líneas es ver si, a partir de los elementos de funcionalidad y construcción, podemos dar una interpretación sistemática y coherente con sus antecedentes de las normas nuevas que permita hacerla plenamente operativa o funcional.

II. HACIA UNA INTERPRETACIÓN SISTEMÁTICA Y ADAPTADA A LOS ANTECEDENTES DE LA NORMA DEL ART. 808.4.º PÁRRAFO DEL CC QUE PERMITA RECONSIDERAR SU EXTENSIÓN, ALCANCE Y CONTENIDO

1. Desde ahora, debemos dejar claro que la supresión del principio de intangibilidad de la legitima estricta referida en el Art. 808.4.º párrafo del CC es una medida excepcional y privilegiada que permite reforzar la protección económica de estas personas, más allá del principal objetivo de la reforma del 2021. Así APARICIO VAQUERO dice: "No se trata, por lo tanto, de un ataque frontal a la tradicional intangibilidad, sino de una decisión de política legislativa que, en el marco de una normativa reconocedora de la autonomía y dignidad de las personas con discapacidad, otorga al causante una herramienta más con la que asegurar, en la medida de lo posible y a juicio siempre del testador (que es quien en mejor situación estará para hacerlo), el futuro de un hijo en tal situación"[11]. Partiendo de esta idea, AMUNÁTEGUI piensa que la filosofía de la reforma

9.   ATIENZA, M.: *Contribución a una teoría de la legislación*, Editorial Civitas, S.A., Madrid 1997 pp. 29 a 36.
10. Por todos, AMUNÁTEGUI RODRÍGUEZ, C. de: "Comentario a los arts. 782,808 y 813.II", en: *Comentarios a la Ley 8 / 2021 por la que se reforma la legislación civil y procesal en materia de discapacidad*, 2021, Ed. Aranzadi, Cizur Menor, p. 935 identifica los problemas de claridad y rigor.
11. APARICIO VAQUERO, J. P.: "Comentario a los Arts. 782, 808 y 813.II", en *Comentario Articulado a la Reforma Civil y Procesal en Materia de Discapacidad*, Thomson Reuters-Civitas, Cizur Menor, 2022,

de 2021 puede chocar frontalmente con la de la reforma de 2003[12]; de su argumentación nos interesa quedarnos con una reflexión: entiende la autora que la primera reforma en el tiempo buscaba la inmovilización patrimonial, mientras que la de 2021 busca que la persona con discapacidad pueda, en el uso de sus capacidades, ejercitar todo tipo de actuaciones, incluso las dispositivas. Es más, con evidente realismo, critica el mantenimiento del sistema de las sustituciones fideicomisarias, como sistema tipo, dada su escasa utilización en la práctica y la dificultad que su aplicación comporta[13]. En este punto, hubiera sido razonable a la hora de redactar la nueva normativa partir del éxito o fracaso, como institución, de la sustitución fideicomisaria del Art. 782 como medio de protección de la persona incapacitada judicialmente –tal como se configuró en la Ley 41/2003, sobre Patrimonio Protegido de las Personas con Discapacidad, en adelante LPPPD–[14]. Probablemente, si se hubiera hecho, no se volvería a centrar la excepción del Art. 808.4.º párrafo en la institución de la sustitución fideicomisaria.

No obstante, la intención de nuestro legislador ha ido por otro camino. No podemos deducir que en la mente de éste se plantee más que un retoque normativo para aclarar la ambigüedad pasada de la regulación del 2003; es más, del tratamiento de los problemas de las nuevas normas, nos surge inmediatamente la conexión de la nueva redacción con sus antecedentes; así, es razonable indicar que aquellas normas clarifican, una vez más, las diversas polémicas doctrinales, existentes en la interpretación de los Arts. 782 y 808.3.º párrafo del CC, conforme a la Ley 41/2003. Teniendo presente el objeto de estas líneas, la discusión ha sido si era o no admisible la sustitución fideicomisaria de residuo a la hora de disponer de la legítima estricta del causante. Esta polémica permite introducirnos en el problema de la funcionalidad de las dos normas, permisiva y dispositiva.

Como hemos dicho, las dos normas parten de mejorar la protección económica de las personas con discapacidad; posibilitando que puedan tener no sólo el uso y disfrute, sino la disposición de los bienes que reciben. AMUNÁTEGUI duda si se puede o no exigir para poder disponer que el fiduciario tenga "necesidad"; es decir que la persona con discapacidad tenga que disponer para satisfacer las necesidades de vida, ya básicas o no[15]. A partir de lo dispuesto en la última frase del Art. 808, su 5.º párrafo,

---

p. 572. En el mismo sentido, si bien considerando esta sustitución fideicomisaria como especial –en atención a los sujetos y a la finalidad de la institución– y singular –en tanto mantiene en general el principio de intangibilidad cualitativa de la legítima– antes de la reforma: BOTELLO HERMOSA, *Ob. cit.,* 2017, p. 30 y 82.

12. AMUNÁTEGUI RODRÍGUEZ, *Ob. cit.,* p. 938.

13. AMUNÁTEGUI, *Ibidem.*

14. Por desgracia, en la base de datos del Consejo General del Notariado de España (Estadísticas al completo), no hay desagregación de datos sobre los testamentos que incluyen esté tipo de instituciones; por el contrario, podemos conocer el número de escrituras de constitución, aportación o modificación de Patrimonio Protegido o donaciones del uso o habitación o poderes preventivos. Sin embargo, ya sea por el número de casos que deciden los tribunales, ya por la práctica notarial, se deduce que dichas instituciones de la sustitución fideicomisaria del Art. 782 del CC, anterior redacción, no han sido muy utilizadas. El conocimiento de la eficacia social/uso de los instrumentos asignados por el legislador es relevante para conocer el impacto de las reformas, como nos indica DELGADO ECHEVERRIA, *Ob. Cit.,* p. 28.

15. AMUNÁTEGUI RODRÍGUEZ, *Ob. cit.,* p. 939 y 951 plantea la ambigüedad del texto de la frase final del 5.º párrafo del Art. 808 del CC, cuando trata de la posibilidad de impugnación cuando "no existe causa que (la)justifique la facultad de disposición".

del CC, podríamos considerar que si se exige cuando se nos dice: "Cuando el testador hubiere hecho uso de la facultad que le concede el párrafo anterior, corresponderá al hijo que impugne el gravamen de su legítima estricta acreditar que no concurre causa que la justifique". Esta postura fuerza la literalidad del precepto ya que se centra en la falta de causa en la disposición de la legítima estricta, no de dicha ausencia en el negocio jurídico dispositivo que el fiduciario acomete con posterioridad para sufragarse sus necesidades vitales. Ahora bien, una cosa es que no se pueda utilizar dicha norma y otra que no se deba recurrir a las instituciones generales de la dogmática civil para imponer una cierta justificación a las disposiciones del fiduciario: entendiendo por estas las de la contratación y las causas de su invalidez –como parece deducirse de CERVILLA GARZÓN–[16]. OSSORIO MORALES consideraba que "en el caso de poner si lo necesitase, sin más condición ni limitación, debe entenderse que el testador ha confiado en la honorabilidad y buena fe del beneficiado, el cual podrá realizar actos de enajenación sin que pueda serle exigible la prueba de tal necesidad, ya que ello supondría imponerle una restricción o con la que el testador no ha querido gravarle. Lo cual no significa ciertamente que las enajenaciones por él realizadas no pueden ser objeto de impugnación cuando se consideren abusivas, hechas de mala fe, o simulando una necesidad inexistente. Lo que ocurre es que en tales casos la prueba del abuso o extralimitación, como hecho constitutivo de la acción, corresponderá a quienes sostengan la falta de veracidad con que se procedió en la enajenación[17]". También LORA TAMAYO dice que "si la misma (la transmisión) tuviera por finalidad defraudar las legítimas de los fideicomisarios, tendría una causa ilícita que, en caso de existir mala fe en el adquirente podrá provocar su nulidad y, en todo caso, el ejercicio por el fiduciario de la facultad dispositiva de forma abusiva puede dar lugar a la aplicación del CC, Art. 7"[18]. Estas argumentaciones recogen preceptos generales que deben compaginarse con la voluntad real del disponente[19].

Ya, en la reforma de 2003, indicamos que a partir de una consideración teleológica de la norma general protectora de la Ley 41/2003, la institución debería arbitrarse como un medio, sin limitación, para conseguir atender completamente las necesidades vitales de la persona "incapacitada", al permitir la disposición a título oneroso e "intervivos" de los bienes fideicomitidos en la sustitución fideicomisaria de residuo[20].

---

16. "La sustitución fideicomisaria y la protección de las personas con discapacidad", en *Un nuevo orden jurídico para las personas con discapacidad*, Wolters-Kluwer, Madrid 2021, p. 702 y 703, cuando nos dice, a partir de la orientación protectora de la reforma: ello nos lleva a afirmar que quedaría excluido de la facultad dispositiva todo acto cuya finalidad no sea atender a la "necesidad" del discapacitado; interpretando tal término de acuerdo con el amplio concepto de alimentos debidos al menor de edad (sujeto protegido como lo es el discapaz) y teniendo en cuenta, por supuesto, el importe del capital afectado, y el nivel de vida que hubiera disfrutado el hijo discapaz cuando convivía con su progenitor o de los medios que este le facilitaba. Y sólo cuando ello suceda, podrán ser impugnados por el legitimario fideicomisario la validez de los negocios dispositivos que no se atengan a estas particularidades, asumiendo la carga de la prueba el que los impugna.

17. *Manual de Sucesión Testada*, Instituto de Estudios Políticos, Madrid 1957, p. 313.

18. *Guía rápida de la Reforma Civil y Procesal para el apoyo a Personas con Discapacidad*, Editorial Francis Lefebvre, Madrid, 2021 p. 174.

19. ALONSO NIETO, *Ob. cit.*, pp. 192-193.

20. RIVERA ÁLVAREZ *Ob. cit.*, pp. 4185 a 4278. Dicha posición puede considerarse dentro de una intermedia que se puede observar y es acogida en MORENO FLOREZ, R. M.: "La sustitución fideicomisaria a favor del incapacitado", en *Estudios de derecho de sucesiones: Liber amicorum Teodora*

Esta postura fue criticada desde la perspectiva sistemática, entendiendo que deberíamos hacer siempre una interpretación restrictiva de las normas si considerábamos la naturaleza excepcional de la norma respecto del principio de intangibilidad cualitativa[21]. Parte relevante de la doctrina se oponían a que se pudiera establecer dicha sustitución fideicomisaria de residuo en tanto, dispuesta, permitía la disposición de los bienes en fraude de los derechos de los fideicomitentes o al objeto de evitar o vaciar los derechos de los demás legitimarios[22]. Pero, salvada la posibilidad de que se configure la sustitución fideicomisaria como de residuo en la reforma legal de 2021, vemos como esta redacción nueva solucionaba este problema, "ajustando" la norma a la funcionalidad que se pretendía con la institución. Cosa que no evita que pueda utilizarse una serie de recursos, como el fraude de ley o la causa ilícita para evitar sus abusos.

2. A continuación vamos a tratar de la extensión de la disposición de la legítima estricta. Como se ha manifestado, anteriormente, en los primeros comentarios a la Ley, nos encontramos sorprendentemente con una variabilidad absoluta de posiciones respecto a este problema a partir de la interpretación de la norma del Art. 808.4.º párrafo del Código Civil.

Así, se nos indica, por un lado, que las nuevas normas permiten todo tipo de disposiciones con mayor o menor extensión cualitativa sobre la totalidad de la herencia. APARICIO VAQUERO[23] nos dice, a partir de la literalidad del precepto que "el alcance de su afectación… es ahora mayor que antes, pudiendo llegar a ser absoluta. Efectivamente, cabe señalar lo siguiente: la legitima de los descendientes, como las demás, es intangible (cuantitativa y cualitativamente) salvo en los casos previstos por el legislador. *Entre estos,* se prevé la posibilidad de que el testador establezca una sustitución fideicomisaria en favor de sus hijos …". Frente a estas posiciones, LORA TAMAYO[24] y PÉREZ

F. Torres García, Wolters Kluwer, Madrid 2014, pp. 1023-1024 y en *El fiduciario favorecido con la sustitución fideicomisaria especial,* Ed. Dykinson, Madrid 2019, pp. 176 y ss que coherentemente estaba completado con la idea de que no era posible disponer a título gratuito ni" mortiis causa" y que no se podía hacer sin agotar el tercio de mejora y libre disposición en las pp. 180-181.

21. ALBALADEJO, M.: "El gravamen con una sustitución fideicomisaria a favor del descendiente incapacitado de la legitima estricta de los demás descendientes" *Anales de la Real Academia de Jurisprudencia y Legislación*, núm. 35, p. 42 o ESPEJO LERDO DE TEJADA, M.: "Comentario al Art. 808" en *Código Civil Comentado*, vol. II, 1.º ed., Thomson Reuters, Cizur Menor 2011, p. 793 que entiende que el legislador debería haberlo expresamente autorizado o SERRANO GARCÍA, I: *Protección Patrimonial de las personas con discapacidad. Tratamiento sistemático de la Ley 41/2003*, Iustel, Madrid 2008, pp. 448, 457 y 462 465.

22. En relación a la primera opinión en DÍAZ ALABART, S.: "La sustitución fideicomisaria sobre el tercio de legitima estricta a favor de hijos o descendiente incapacitado judicialmente (Art 808 CC, reformado por la Ley 41/2003, de 18 de Noviembre)" *Revista de Derecho Privado*, núm. 5-6, 2004, Mayo, pp. 262-263 y en el segundo caso, CÁMARA LAPUENTE, S.: "Comentario al Art. 782", *Código Civil Comentado*, 1.º ed., 2011, Thomson Reuters, Cizur Menor, p. 726.

23. APARICIO VAQUERO, *Ob. cit.*, p. 570. También BOTELLO HERMOSA, P. I.: "La importante modificación que propone en el derecho sucesorio español el anteproyecto de ley de reforma de la legislación civil y procesal en materia de discapacidad", *Revista Crítica de Derecho Inmobiliario*, Año n.º 95, N.º 776, 2019, pp. 2793-2794 o ORTEGA DOMENECH, *Ob. cit.*, p. 144, lo expresa respecto a la posibilidad de que se disponga "mortiis causa" o "intervivos" a título gratuito.

24. LORA-TAMAYO *Ob. Cit.*, p. 172, dice: "Por ejemplo, si que podrá disponer que la sustitución no sea de residuo, restringir los supuestos en que se pueda transmitir a título oneroso, fijar un término o una condición a sus subsistencia, pero lo que *no creemos que pueda es atribuir al fiduciario*

RAMOS[25] entienden que no es posible esta extensión pretendida anteriormente. Así, el ultimo autor nos dice: "¿Cómo interpretar la expresión 'salvo disposición contraria del testador'? Dos son las posibilidades: a) El testador podrá ampliar el fideicomiso de residuo, puesto que así resulta del tenor del precepto y de que el mismo se dispone en beneficio de la persona con discapacidad y por ello debe interpretarse ampliamente. b) Lo máximo que puede ordenar el testador es un fideicomiso de residuo limitado a los actos a título oneroso, por lo que puede ordenar un fideicomiso de residuo más restringido, por ejemplo no permitiendo todos los actos onerosos sino alguno de ellos (como por ejemplo, solo vender o hipotecar), o limitado a parte de los bienes fideicomitidos y no a todos ellos"; a partir de ello, deduce. Esta creo que es la interpretación correcta puesto que *es la más respetuosa con el respeto a las legítimas sin traicionar el tenor literal del precepto, y además que el testador pudiera ampliar el fideicomiso de residuo no implicaría mejorar la posición del fiduciario discapaz puesto que no se entiende en que puede beneficiar a su protección económica el que pueda disponer a título gratuito.* La disposición en contrario del testador considero que no le autoriza para poder limitar los fideicomisarios que puedan recibir los bienes fideicomitidos tras el fallecimiento del fiduciario persona con discapacidad, ni imponer un modo testamentario, como que lo recibirá aquel legitimario que cuide de su hermano o sobrino discapaz, puesto que no podemos olvidar que en última instancia se les está limitando e incluso en ocasiones privando de su legítima a los demás herederos forzosos no discapacitados. Aunque sí podrá hacerse en la parte de los bienes fideicomitidos que correspondan a parte libre, e incluso mejora si el fideicomisario favorecido es otro hijo o descendiente". Una posición que sólo alude implícitamente al problema es la de CERVILLA GARZÓN[26] cuando entiende que el Art.808, 4.º párrafo del Código Civil prohíbe las disposiciones "intervivos" y, en cualquier caso, las "mortiis causa". Lo que, indirectamente, podría suponer que sólo se considerara como máximo que se pueda disponer una sustitución fideicomisaria de residuo con facultades de disposición onerosa "intervivos".

Conviene indicar que, tradicionalmente, se ha visto la norma del Art. 813 del CC como disposición en donde se manifestaba la primacía de la ley imperativa sobre la regla testamentaria[27]. En este punto, en la actualidad dicha norma nos dice que "El testador no podrá privar a los herederos de su legítima sino en los casos expresamente determinados por la ley. Tampoco podrá imponer sobre ella gravamen, ni condición, ni sustitución de ninguna especie, salvo lo dispuesto en cuanto al usufructo del viudo y lo establecido en los artículos 782 y 808". Como vemos la norma no es conclusiva, dado que, por un lado, claramente tanto el Art. 782, como el 808.4.º párrafo, del CC se refieren expresamente a la privación a los herederos forzosos[28], sin discapacidad, de su derecho a la legítima, permitiendo que venga deferida a los hijos con discapacidad

---

facultades de disponer a título gratuito o, por actos mortis causa, pues iría más allá del gravamen cualitativo a la legítima; tampoco podrá atribuir los bienes en pleno dominio".

25. PÉREZ RAMOS, C.:" Incidencia de la Ley 8/2021 sobre las sustituciones hereditarias". *El Notario del Siglo XXI,* Septiembre-Octubre, núm. 99 (2021).
26. *Ob. cit.,* p. 703.
27. GARCÍA AMIGO, Ob. Cit., pp. 1835.
28. Utilizamos el término genérico heredero forzoso, siendo consciente que las legítimas se pueden atribuir también a título de legado o donación; por todos TORRES GARCÍA, T. F-DOMÍNGUEZ LUELMO, A. "La Legítima en el Código Civil (I), en *Tratado de Derecho de Sucesiones,* Tomo II, 2.º ed., Ed. Aranzadi, Cizur Menor, 2016, pp. 356 y 359 y ss.

suficiente; por otro lado, también cabe la posibilidad, separada del primer supuesto, de que, sobre dicha vocación, haya una sustitución[29]. Consecuentemente, a través de la norma, no podemos indicar que haya un freno a la extensión de la disposición de la legítima estricta en beneficio de las personas con discapacidad.

Sólo, a través de una interpretación correctora de las disposiciones, especialmente, de la del Art. 808.4.° párrafo del Código civil que restrinja el tenor literal de la norma, podemos mantener la prohibición de extender, más allá del caso de las sustituciones fideicomisarias, la disposición de la legitima estricta en beneficio de los hijos o hijas con discapacidad suficiente. Y esta interpretación restrictiva exige identificar algunos elementos en la "voluntas legislatoris". En este punto, no ayuda el exiguo tratamiento del Preámbulo de la Ley 8/2021 ni tampoco los documentos prelegislativos (Ante-proyecto, Proyecto de Ley, y desarrollo legislativo); en estos últimos, no hay discusión alguna respecto a los problemas que estamos refiriendo. De modo que, debemos ir al significado de la reforma comparándola con el anterior texto del Código Civil, en su redacción de la Ley 41/2003. A partir de él, claramente, se deduce que la única institución permitida para saltarse la prohibición del principio de intangibilidad cualitativa de la legitima era la sustitución fideicomisaria, tal como aparece claramente en la antigua redacción del Art. 782 y 808.3.° párrafo del CC, redacción anterior a la reforma; especialmente, cuando éste indicaba: "Cuando alguno de los hijos o descendientes haya sido judicialmente incapacitado, el testador podrá establecer una sustitución fideicomisaria sobre el tercio de legítima estricta, siendo fiduciarios los hijos o descendientes judicialmente incapacitados y fideicomisarios los coherederos forzosos". Si se tiene presente la discusión doctrinal sobre la extensión de dicha sustitución, parece clara la intención del legislador de 2021 de "resolver" aquella y, por lo tanto, aclarar una interpretación restrictiva de la norma del 2003, que sólo entendía aplicable la sustitución fideicomisaria "ordinaria", permitiendo ahora ya como tipo la de residuo con facultad de disposición "intervivos" a título oneroso. Y ello en tanto que se desea extender la protección económica de estos sujetos a los efectos de que no sólo puedan usar o disfrutar de los bienes transmitidos sino también poder disponer de ellos, obteniendo con la contraprestación los medios para cubrir sus necesidades. De hecho, ya anteriormente habíamos entendido que la lógica de una interpretación extensiva era que sólo la disposición de dichos bienes permitía satisfacer plenamente las necesidades que tuviera en vida el fiduciario[30]. Es más, si consideramos que sólo ésta es la institución permitida por la norma, la sustitución fideicomisaria, ya sea ordinaria,

---

29. Si bien, la extensión del texto originario del Art. 813 del CC, a partir de la Ley 41/2003, si tiene una explicación en dicha reforma, pues parte de una enmienda, la número 38 del Grupo Parlamentario Popular en el Congreso al Proyecto de Ley (Boletín Oficial de las Cortes Generales, Congreso de los Diputados, VII Legislatura, Serie A, Proyectos de Ley, 10 de septiembre de 2003, Núm. 154-5) en cuya justificación se decía: "La propuesta de enmienda tiene por finalidad evitar la contradicción entre la nueva redacción que se da en el texto al artículo 808, que regula la legitima de los hijos descendientes, y el art. 813, en el que se establece la prohibición con carácter general de que el testador prive de la legitima a los herederos salvo los casos expresamente establecidos en la Ley, así como la prohibición de establecer gravamen, condición o sustitución sobre dicha legítima. En la nueva redacción, del artículo 813, además de la excepción del usufruto del viudo, incluye la posibilidad de establecer la sustitución incluida en el tercer párrafo del 808". De forma que, había un relación estructural entre la sustitución referida en el 808 que era la única permitida frente a la prohibición del segundo párrafo".

30. RIVERA ÁLVAREZ, *Ob. cit.,* p. 4187.

ya sea la de residuo, es razonable que la norma dispositiva que permite la integración, sólo parta de la realidad del llamamiento sucesivo. Ahora bien, no escondemos que el argumento teleológico e histórico no hace totalmente a la cuestión de la razón por la que hay tal extensión en la literalidad de la disposición del Art. 808.4.º párrafo del CC y tiene un componente práctico evidente: la de permitir la relación clara entre norma permisiva y norma dispositiva.

Frente a lo dicho, de admitirse una interpretación no correctora o, incluso extensiva, no cabe duda que la disposición en favor de la sustitución fideicomisaria de residuo no podrá operar salvo que expresamente venga mínimamente determinada la cláusula de sustitución en sus elementos propiamente esenciales o resultará de la voluntad real del disponente. Esencialmente, se trata de poder identificar el segundo llamamiento ya porque expresamente se indique que estamos ante una sustitución fideicomisaria ya porque se diga que primer llamado está obligado a entregar los bienes a un segundo o que éstos pasan a él a su muerte o declaración de fallecimiento[31]. Cualquiera sustitución es propiamente lex testamenti y, por ello, la introducción de la norma dispositiva del 808, 4.º párrafo del CC produce una cierta alteración de su naturaleza si no se parte de que esta es la única institución posible para disponer de la legítima estricta. No es necesario expresar cuales son los sujetos que, propiamente, puedan identificarse como fiduciarios, ya que en todo caso son los hijos o hijos con discapacidad del causante, y los que pueden ser fideicomisarios ya que lo son los demás hijos o descendientes del causante. Lo que no creo que pueda salvarse es la necesidad de que expresamente se incorpore una manifestación inequívoca por la que se identifica un llamamiento sucesivo si no se parte de una interpretación correctora. Así lo exige ORTEGA DOMENECH[32] cuando nos dice: "que se recojan con dicho nombre o que resulte claramente su existencia de la redacción del testamento". Todo ello a partir de los Arts. 783 y 785.1.º del CC; este último nos dice "No surtirán efecto: 1.º Las sustituciones fideicomisarias que no se hagan de una manera expresa, ya dándoles este nombre, ya imponiendo al sustituido la obligación terminante de entregar los bienes a un segundo heredero".

Pero, encontrado dicho llamamiento sucesivo, no deberá identificarse en la voluntad testamentaria, declaración alguna limitativa de facultades de disposición de conformación legal[33]. Y ello para que propiamente pueda hacerse efectivo lo que nos dice el Art. 808.4.º párrafo del CC: "salvo disposición contraria del testador, lo así recibido

---

31. En la formula clásica de OSSORIO MORALES, Ob. Cit., p. 279: CÁMARA LAPUENTE, S.: "Comentario al Art. 783" en *Ob. cit.,* p. 726 nos dice: "ello no significa que deba emplearse en el testamento los términos 'sustitución fideicomisaria' mientras que la voluntad conste". Del mismo modo ESPEJO LERDO DE TEJADA, *Ob. cit.,* p. 793. También los tribunales tienen una visión abierta. Paradigmática es la Sentencia del Tribunal Supremo (Sala Civil 1.º) de 18 de marzo de 2011, Aranz.-2011\3323, en donde fue ponente Encarna Roca. Si se ven los fundamentos jurídicos cuarto y quinto, se hace una labor más allá de la literalidad de los términos del testamento, para hallar la "verdadera" voluntad del causante, en un caso en donde, a pesar de identificar a la madre, hija del testador. como usufructuaria del tercio de mejora, no logra identificarse quienes son los "nudos propietarios", de modo que se deduce, integrativamente, a partir del Art. 787 del CC, que estamos en presencia de una sustitución fideicomisaria de los nietos condicionada a tener hijos ("si sine liberis decesserit").

32. *Ob. cit.,* 89.

33. APARICIO VAQUERO, *Ob. Cit.,* p. 571.

por el hijo beneficiario quedará gravado con sustitución fideicomisaria de residuo"; de lo que se deduce que el testador puede o limitar o restringir o ampliar, en el caso de interpretaciones declarativas, las capacidades futuras de disponer –ya sea "intervivos" o "mortiis causa", ya de modo gratuito u oneroso– del fiduciario. Pero, y esto es relevante, sin identificar el llamamiento sucesivo, no es correcto "modificar" la voluntad testamentaria, para crear una sustitución fideicomisaria, cuando no ha sido así deferido el llamamiento a los herederos.

No obstante lo dicho, si partimos de una interpretación restrictiva de la disposición de la legítima estricta, debemos considerar que la necesidad de que expresamente identifiquemos de modo claro la existencia del segundo llamamiento o de una voluntad real de hacerlo es un falso problema. Sin embargo, como hemos dicho, no hay una razón absolutamente concluyente para no admitir otras instituciones de parecido tenor que permiten llevar·al mismo resultado; por ejemplo, la designación como usufructuario con facultad de disponer onerosa e inter vivos de la persona o personas con discapacidad. No sería necesaria forzar nuestra dogmática que se centra en la voluntad real la "lex testamenti". Sin embargo, podría decirse que si admitimos otras instituciones pudiera estarse vulnerando la excepcionalidad de la regla dispositiva y, por ende, suponer una infracción del Art. 4.2 del CC, en tanto permite incorporar otra institución, no contemplada en la norma. Pero esto no es completamente cierto, la norma permisiva del 808.4.º párrafo del CC es ambigua; precisamente por la falta de determinación del modo de disponer de la legitima estricta. Sólo si unimos está a la norma dispositiva y hacemos una interpretación sistemática podría deducirse dicha conclusión para salvar los problemas de construcción del derecho supletorio[34]. Pero, de nuevo, no es una razón de peso dentro del esquema del derecho regular/ derecho excepcional que exige centrarse en la razón por la que se ha de distinguir entre dos situaciones y no utilizar instrumentalmente este dogma para salvar los problemas de una mala construcción legal, por lo que decimos que no es conclusivo el argumento. Más cuando la ambigüedad permite la interpretación extensiva de la regla excepcional.

3. Vamos a examinar, a continuación, algunas complicaciones derivadas de la elección normativa de la sustitución fideicomisaria de residuo como regla dispositiva. Como dijimos, un elemento que pudiera considerarse natural en la sustitución fideicomisaria de residuo es el principio de subrogación real, en tanto, al permitir la disposición de los bienes transmitidos, la obtención de cada contraprestación pudiera determinar no el consumo de la misma, sino la adquisición de otro bien que, inicialmente, debe permanecer en el patrimonio del fideicomiso. En este punto, nada habría que objetar cuando el testador impone el principio, pero de nuevo tenemos que ver los casos de voluntad hipotética. De nuevo, no hay total acuerdo en la doctrina sobre si debe considerarse implícitamente dicho elemento integrado en la voluntad testamentaria y, de nuevo, aparecen buenos argumentos en favor y en contra de ello. Lo interesante del asunto es que, curiosamente, quienes son amigos de una interpretación más extensa del Art. 808.4.º párrafo del CC, son los que no "necesitan" del principio

---

34.   Antes de la reforma ESPEJO LERDO DE TEJADA, *Ob. cit.,* p. 793 desaconsejaba la utilización de otras instituciones, por ejemplo, el usufructo con facultad de disposición para evitar afrontar el riesgo de impugnación. Y ello dado que no puede hablarse de identidad, sino de semejanza entre esta figura y la sustitución fideicomisaria de residuo; ver NIETO ALONSO, *Ob. cit.,* pp. 165 y ss.

de subrogación real, mientras que, por el contrario quienes son más "restrictos" en la interpretación –en el sentido de que, como máximo, se puede instituir una sustitución fideicomisaria de residuo–, si "utilizan" el principio de subrogación real para acortar la capacidad del fiduciario de disponer, sacando del patrimonio fideicomisario el bien transmitido.

Previamente a mostrar las posturas, es interesante ver la relación entre los dos tipos de sustitución fideicomisaria de residuo – "si aliquid supererit" y "de eo quod supererit"– y la exigencia de necesidad en la transmisión, con el principio de subrogación real. En cuanto a la última, es aparentemente sencillo indicar que la exigencia del requisito de necesidad en la disposición –recuérdese que entendemos inicialmente que no está exigida para nuestras normas por el Código Civil– si puede hacer superflua la exigencia del principio de subrogación real, en tanto que, operando con el mismo, se sobreentiende que lo dispuesto es para el consumo en atenciones de la vida ordinaria, siendo normalmente el sobrante irrelevante. Pero, curiosamente, no siempre es considerado así[35]. Del mismo modo, la doctrina no es unánime en estimar que, en todo tipo de sustitución fideicomisaria se encuentra "implícito", como elemento natural el principio de subrogación real. Esta postura es, de hecho minoritaria, como reconoce CERVILLA GARZÓN[36]; si bien indica que dicho elemento conservaticio tiene diferentes intensidades en cada tipo de sustitución fideicomisaria. Por contrario, NIETO ALONSO[37] indica que se debe partir de la voluntad real del testador; de modo que sólo considera la presencia del principio de subrogación real en el supuesto de la sustitución fideicomisaria de residuo "eo quod supererit –aunque debilitado–, no en el caso de 'si aliquid supererit' por sobreentenderla al conceder facultades omnímodas al fiduciario". Y ello, en tanto si se dispuso amplias facultades de disposición, no cabe, salvo que así se indique, el principio de subrogación real. Sin embargo, de nuevo esta posición es rechazada en algunos casos en la jurisprudencia[38].

Llevada la polémica a la nueva normativa, vemos, como hemos indicado antes, que las posiciones que procuran "restringir" la disposición de la legítima estricta en favor

---

35. No así, en el caso del usufructo con facultad de disposición, en el Art. 561-24.2 del CC de Cataluña y en la Sentencia del Tribunal Supremo (Sala Civil) de 3 de marzo de 2000, Aranz.-2000\1501. Si bien, cuando en Cataluña se regula la sustitución fideicomisaria de residuo, con capacidad de disponer en caso de necesidad, no exige la reposición (Art. 426-52 b) del CC de Cataluña).

36. CERVILLA GARZÓN, Ob. cit., p. 700.

37. *Ob. cit.,* P. 72 y ss. También las Sentencias del Tribunal Supremo, de 7 de noviembre de 2008, Aranz.-2008/7696, fundamento tercero, o de 28 de enero de 2009, Aranz.-2009\1356, fundamento tercero, o de la de 22 de junio de 2010, Aranz.-2010\4900 si bien interpretando la voluntad real del testador de excluir el principio de subrogación real. No así, cuando expresamente se tiene presente, como en la Sentencia del Tribunal Supremo de 30 de junio de 2009, Aranz.-2009\4246.

38. En contra de esta "discriminación" está la Sentencia de 22 de julio de 1994, Aranz.– 1994\6578 que, a pesar de ser un caso de "si aliquid supererit", entiende vigente el principio de subrogación real; o la sentencia del Tribunal Supremo de 30 de Octubre de 2012, Aran.-2013\2274, de la que cabe incluir un párrafo del Fundamento segundo: "De lo afirmado se infiere que el mecanismo de la subrogación real respecto del correspectivo de la disposición realizada debe operar con normalidad en el fideicomiso de residuo, inclusive en su modalidad 'si **aliquid** superit' (si algo queda), cuando el testador haya limitado la facultad de disposición a los actos onerosos, es decir, los realizados a cambio de una contraprestación económica, de suerte que la subrogación real permite la finalidad conservativa del fideicomiso, siempre acorde con la voluntad querida por el testador".

de las personas con discapacidad suficiente, son partidarios de limitar dicha disposición mediante el mecanismo del principio de subrogación real. En concreto LORA TAMAYO[39] y PÉREZ RAMOS[40] lo consideran aplicable. Así el ultimo señala que: "¿Qué ocurrirá con la contraprestación obtenida si el fiduciario enajena el bien fideicomitido? Creo que el fideicomiso se extenderá al mismo porque el fideicomiso del artículo 808 CC es 'de eo quod supererit'. La razón es clara: la protección de las legítimas de los legitimarios gravados, pero también la propia ratio del artículo 808 CC. Este precepto se ha gestado para salvaguardar los intereses económicos y la mejor protección de los discapaces pero no se entiende qué beneficio supone para los mismos el que el fideicomiso no se extienda a la contraprestación no consumida, puesto que si no se extiende a quien se beneficia no es al legitimario con discapacidad sino a sus herederos". Es decir, sólo aquellas contraprestaciones obtenidas en la transmisión que fueran consumidas –por consecuencias de las necesidades alimenticias, las derivadas de la obtención de servicios para la atención de la persona con discapacidad y otras de parecida naturaleza– son el objeto de lo que puede disponer la persona con discapacidad sobre la legitima estricta sin que estén afectas a dicho principio[41].

Frente a ellos, los que quieren extender la disposición, califican la sustitución fideicomisaria instituida –recuérdese con capacidad de disposición "intervivos" onerosa– del tipo "si aliquid supererit". La posibilidad de "usar, consumir y enajenar", a título oneroso que permite el Art. 808., 4.º párrafo del CC, se interpreta como si la cláusula de sustitución, dispositivamente ordenada, configura un sustitución "si aliquid supererit" por APARICIO VAQUERO[42] –inclusive aunque no lo necesite para sobrevivir– y BOTELLO HERMOSA[43]. Lo cual permite que se considere la inaplicación de la subrogación real. Todo ello, puede considerarse una falsa polémica, pues lo esencial será la voluntad real y su interpretación. La calificación de la modalidad y la exigencia de necesidad para disponer no es concluyente para examinar, cuando no hay claridad en la voluntad testamentaria, si rige o no el principio de subrogación real. Lo cual nos lleva de nuevo, a entender esencial la construcción de la cláusula para, en tanto sea clara y terminante, permita conocer la vigencia o no de dicho principio, norma instrumental a los fines de ver el deseo o no del testador de mantener dentro del patrimonio fideicomitido los bienes que sustituyen los dispuestos. En este punto, CERVILLA GARZÓN[44] se aleja de esta "lógica" antes descrita, puesto que entiende que no hay elemento conservaticio en la sustitución fideicomisaria de residuo a favor de las personas con discapacidad, absorbido por el interés que protege la norma, que ya no es el de confianza en el fiduciario, sino el de favorecer patrimonialmente a su hijo con discapacidad. Por lo tanto, indirectamente, no rige el principio de subrogación real; así, finalmente dice: "dada la excepcionalidad de la medida, el gravamen impuesto a la legitima debe ser el menor posible para atender al fin superior de protección patrimonial del hijo vulnerable".

39. *Ob. cit.*, p. 173.
40. PÉREZ RAMOS, C.: Incidencia de la Ley 8/2021 sobre las sustituciones hereditarias. El Notario del Siglo XXI, Septiembre-Octubre, núm. 99 (2021).
41. CABEZUELO ARENAS, "El fideicomiso de residuo del art. 808.IV CC: Cambio de condiciones subjetivas del fiduciario", *Revista Aranzadi Doctrinal*, N.º 8, 2021.
42. APARICIO VAQUERO, *Ob. cit.*, P. 571. También ORTEGA DOMENECH, *Ob. cit.*, p. 143.
43. *Ob. cit.*, 2019, p. 2799.
44. *Ob. cit.*, pp. 701-702.

4. Por último, una última cuestión relacionada con la funcionalidad es la derivada del problema de si la disposición de la legítima estricta es compatible con la libre disposición del tercio de mejora o de libre disposición que puede hacer el testador en favor de cualquier otro heredero forzoso o tercero –todo ello, salvando en todo caso el usufructo de la viuda (Art. 834 del CC)–. De nuevo nos encontramos con varias posturas. Claramente, los hay que entienden que, de permitirse dicha libertad obraría, "sin causa", una suerte de desheredación encubierta para alguno de los herederos forzosos[45]. Frente a ello ESPEJO LERDO DE TEJADA[46], desde una posición contraria a la limitación, llama a ser coherentes con la finalidad de la ley que es, a partir de la voluntad del causante, mejorar de las posibilidades testamentarias de la persona, ahora, con discapacidad suficiente. La postura primera puede coartar total o parcialmente la voluntad del testador, en tanto no podría disponer universalmente, la parte de libre disposición y, por ende, la posibilidad de mejorar a alguno de sus hijos o descendientes; en este punto, se denuncia una infracción del derecho a la herencia del Art. 33 de la Constitución Española[47]. Si bien esto no es totalmente cierto dado que, en todo caso, siempre hemos visto a la legítima como una institución que supone una restricción de la voluntad testamentaria, por lo que, deben ésta siempre conformarse de acuerdo con el principio de intangibilidad visto[48]. Sin embargo, debemos partir de la necesidad de que se pueda deducir del testamento dicha mejora en la situación de la persona con discapacidad: si, por ejemplo, se dispone sólo de la legítima estricta sin añadir más, no se podría deducir directamente dicha finalidad y podría considerarse que otra es la finalidad existente. A ello podemos unir un resultado perjudicial para los herederos forzosos sin discapacidad; daño que puede incrementarse cuando se diluyen las expectativas del heredero forzoso permitiendo la disposición onerosa e "intervivos vivos" de los bienes fideicomitidos. De todo ello puede deducirse un posible caso de fraude de ley, dado que indirectamente consigue, sin atender el fin de la norma de cobertura, contrariar el principio de intangibilidad cualitativa de la legítima estricta, en contradicción con la norma imperativa del Art. 813 del CC.

Frente a nuestra posición hay autores que plantean casos que pueden perfectamente admitirse, como CABEZUELO ARENAS[49] que nos habla de las disposiciones en favor de descendientes con discapacidad de los hijos del testador, hijos con discapacidad que no llegan a tener declarado los mínimos exigibles por la Disposición Adicional

---

45. AMUNÁTEGUI RODRÍGUEZ, *Ob. cit.*, pp. 944-945. APARICIO VAQUERO, *Ob. cit.*, p. 572. También LORA TAMAYO, *Ob. cit.*, p. 170-171. Antes de la reforma MORENO FLÓREZ, Ob. cit., pp. 1008-1009.

46. *Ob. cit.*, p. 792 aclara: por tanto el gravamen de la legítima sólo resultaría permitido en el caso en que se quieran destinar al incapacitado todavía más bienes: "Garantizada esta mayor percepción por el incapacitado, tanto dará que el resto de los bienes de la masa se destinen a extraños, o a sujetos que puedan ser mejorados (p.e. nietos en vida de sus padres) como que se destinen a los demás legitimarios, siempre – claro esta que los legitimarios queden al menos beneficiados en su legítima estricta como segundos llamados en la sustitución fideicomisaria".

47. ROBLES RAMOS, K. J.: *La intangibilidad cualitativa de la legítima. Excepciones*, Dykinson, Madrid, 2021, p. 369.

48. En la línea de la posición de ROCA TRIAS, E.: "Una reflexión sobre la libertad de testar" en *Estudios de Derecho de Sucesiones. Liber Amicorum Teodora F. Torres Garcia*, Wolters Kluwer, Madrid 2014, p. 1261 que une en la p. 1265 la protección de determinados parientes en situación de necesidad a la idea de función social que debe cumplirse, conforme al Art. 33 del CE.

49. CABEZUELO ARENAS, *Ob. cit.*

Cuarta del CC, hijos de parejas de hecho del causante, o ORTEGA DOMENECH[50], en el caso de hermanos que se encuentren en una situación económica difícil por otras circunstancias, o BOTELLO HERMOSA[51] en el caso de "...un hermano que lo acogió durante los últimos años de su vida". También se pueden dar situaciones de disponibilidad igualitaria de la legitima estricta, entre los herederos forzosos, por debajo de lo que les correspondería, que no puede considerarse contraria al Art. 813 del CC, por el principio de la lógica de que quien puede lo más puede también lo menos[52]. Para resolver estos casos, entendemos, a partir de lo dicho, que la aplicación del principio de fraude de ley permite, específicamente, salvar situaciones concretas. Conviene, dado que estamos en el mundo de los principios, tener una mentalidad abierta para, en función de las situaciones individualizadas, efectivamente aplicar o no, el Art. 6.3. del CC.

III. CONSTRUCCIÓN DE LA DISPOSICIÓN TESTAMENTARIA COMO MEDIO DE SALVAR LOS PROBLEMAS DE INTERPRETACIÓN Y APLICACIÓN DE LAS NORMAS

1. Parece claro que nuestro legislador, en la redacción de una sucesión de instrumentos de protección económica de los legitimarios con discapacidad suficiente ha preferido dejar en manos de los causantes, la posibilidad, mediante el ejercicio de su voluntad testamentaria, de garantizar unas mejores condiciones de vida, tal como se ve en el Art. 782, 808.4.º párrafo, y 822 del CC. Es, en concreto, el testador quien puede conformar la manera en que dispone a favor de su hijo o hija con discapacidad de la legitima estricta, a partir de la norma permisiva ya examinada. Pero es más, dado un serie de problemas de interpretación y aplicación de las normas, conviene en este punto el asesoramiento notarial para que, en el caso, establezca la forma y manera en que se debe instrumentalizar dicha disposición a los efectos de que quede suficientemente trazada la voluntad real, evitando la inseguridad jurídica que no pocas veces produce la voluntad hipotética resultante del esfuerzo interpretativo que hemos visto en parte de la doctrina[53]. De todos los tipos de testamento, el más recomendable es el uso del testamento abierto, con objeto de que el Notario trasmita de forma clara y terminante la *voluntad* testamentaria, pudiendo a su vez asesorar al causante de todas las cuestiones que se le plantean en este supuesto[54].

---

50. *Ob. cit.,* p. 134 y 135.
51. *Ob. cit.,* 2017, pp. 145-146.
52. MORENO FLÓREZ, R.: *El fiduciario favorecido con la sustitución fideicomisaria especial,* Ed. Dykinson, Madrid 2019, p. 163; BOTELLO HERMOSA, *Ob. cit.,* 2017, p. 128.
53. A decir de MIQUEL GONZÁLEZ, J. M.: "Notas sobre 'la voluntad del testador'", *Revista jurídica Universidad Autónoma de Madrid,* N.º. 6, 2002, p. 155. En el mismo sentido, IRURZUN GOICOA, D.: "El fideicomiso de residuo y la voluntad del testador (notas para su formulación notarial", *Anales de la Academia Madrileña del Notariado,* Tomo XVIII, 1974, pp. 181 a 219, especialmente en p. 187.
54. Ya la entendía así, antes de la reforma ROBLES RAMOS, *Ob. cit.,* p. 336. NIETO ALONSO, *Ob. cit.,* pp. 14, 96 y ss entiende que la introducción de una cláusula de sustitución, de residuo o de disposición integra deberá operarse, mediante la oportuna intervención notarial, a partir de la interpretación qué el fedatario haga de la voluntad del testador, procurando que sea su expresión clara y precisa (Arts. 147 y 148 del Reglamento Notarial). Se debe procurar salvar las ambigüedades que pudieran derivarse precisamente de la falta de suficiente determinación de la institución y su contenido para procurar su eficacia.

Así una correcta redacción del testamento permite conocer expresamente cual es la extensión y límites de la voluntad del causante, en evitación de futuros conflictos; es necesario precisar, dentro de las posibles instituciones –teniendo presente que los argumentos por una interpretación sistemática no son conclusivos–, cual es su extensión; así designando a la persona como heredero en la totalidad de la herencia, con plena disposición de la misma, ya sea a título oneroso o gratuito, ya sea "intervivos" o "mortiis causa"; o la posibilidad de dejar el usufructo sobre la misma, con la posibilidad o no de disponer – con cada una de las expresiones anteriores; o instituirse una sustitución fideicomisaria común o de residuo, detallando el tipo del mismo (*si aliquid supererit o de eo quod supererit*), también si se somete a condición la sustitución fideicomisaria, o a término o es pura. Si no se integra dentro de su patrimonio la herencia recibida, total o parcialmente, debe establecerse o salvarse claramente las obligaciones de inventario –o de fianza– o de conservación y mantenimiento de los bienes, la posibilidad de hacerse con sus frutos e intereses. También, si hay disponibilidad, debe indicarse hasta que extensión cabe la trasmisión (onerosa/gratuita/"intervivos" o "mortiis causa") o la constitución de derechos reales o rentas vitalicias o su gravamen; también si rige el principio de necesidad como condición –pudiendo incluirse que sólo cabe dicha disposición agotados el patrimonio propio–, si rige o no el principio de subrogación real. Así como nos indica ROBLES RAMOS[55]: "Si se relacionara con actos onerosos podría habérsele permitido disponer de los bienes de la herencia, a su libre voluntad o, siendo la más habitual, en situación de necesidad, circunstancia que deberá evidenciarse por el albacea, un tercero o el mismo fiduciario, siempre que este actúe de buena fe".

2. Dicho lo anterior, debemos tratar de pergeñar unos contenidos mínimos respecto a la configuración legal de la institución que hemos hecho, como es la necesidad de que, si no partimos de una interpretación restrictiva de la normativa, se identifique claramente la existencia de una cláusula de sustitución –razón de ser propiamente de la institución, el llamamiento sucesivo–, entendiendo por tal aquella en la que se señala operativamente la institución, no necesitando la designación concreta de las persona fideicomisarias, en tanto puede incorporarse mediante acta de notoriedad. Y ello por dos cuestiones, primera, porque la simple designación a título de heredero, puede ser confusa si admitimos que se puede no sólo lo menos, es decir, conformar una sustitución fideicomisaria común, sino también lo más, la atribución de la totalidad de la herencia a título de heredero no llevaría a la consideración de la institución como una sustitución fideicomisaria sea ordinaria o de residuo. Segundo, porque, si algunos bienes o derechos tienen transcendencia real, difícilmente será aceptado por el Registro un documento que no incorpore tal cláusula, tal como nos impone directamente el Art. 82 del Reglamento Hipotecario, sin perjuicio también del Art. 51.6 del Reglamento Hipotecario, cuando exige en la inscripción: "Sexta. – Para dar a conocer la extensión del derecho que se inscriba se hará expresión circunstanciada de todo lo que, según el título, determine el mismo derecho o límite las facultades del adquirente, copiándose literalmente las condiciones suspensivas resolutorias, o de otro orden, establecidas en aquél".

Pero también, respecto a dichos contenidos mínimos, para hacer operativa la institución, especialmente en el Registro, tal como hemos visto anteriormente, debemos

---

55. ROBLES RAMOS, *Ob. cit.,* p. 373.

partir con que, inicialmente, es tradicional, que la disposición testamentaria originaria, en la mayoría de los casos, no venga con atribución concreta de bienes y derechos dispuestos en favor del o de los herederos. Así, si este es el caso, posteriormente, en el momento de aceptación de la herencia, con consecuente manifestación de herencia o partición, sea esta realizada notarialmente o no, se debe hacer, por la razón que expondremos y por otras, inventario de los mismos con participación de todos los herederos forzosos[56]. En ese momento, a partir de la valoración de los lotes finalmente atribuidos, deberá indicarse qué bienes deben ser objeto del gravamen, con cargo a la legítima estricta de los hijos sin discapacidad. Por lo tanto es necesario naturalmente realizar dicho inventario para trazar los lotes sobre los que se impone las limitaciones a la disponibilidad del fiduciario. Y así, en Cataluña se señala en el Art. 424-20 de su Código Civil; norma que es interesante además porque impone el inventario judicial y notarial y, en segundo lugar, indica que no hay obligación de citar a los fideicomisarios, pero pueden intervenir. Creo que es importante que se intente la participación de los fiduciarios y fideicomisarios en el inventario con objeto de respetar sus derechos, más allá de otras posibilidades legales, necesidades registrales o evitación de futuras contiendas[57]. A partir de la designación de los bienes objeto del fideicomiso, sobre estos recaerá la prohibición de disposición a título gratuito y/o mortis causa. Y, lo que es más importante, permitirá que pueda la misma registrarse con objeto de que se haga valer dicha publicidad frente a terceros de buena fe y, también, en su día pueda ser más sencilla la transmisión de los bienes a los fideicomisarios (Art.26.3 de la Ley Hipotecaria y Art. 82.II del Reglamento Hipotecario)[58]. Ahora bien, como nos advierte ALONSO NIETO[59]: no es requisito" sine qua non" que los bienes figuren inscritos a favor del fiduciario para que hagan tránsito válidamente hacia el fideicomisario, señalando la Resolución de la DGRN de 10 de noviembre de 1998[60] que no se aprecia la falta de tracto sucesorio en el caso, ya que el fideicomisario no sucede del fiduciario sino del fideicomitente; por lo tanto constando la inscripción a favor de éste no plantea problema alguno la inscripción futura.

No creemos que la necesidad de prestar fianza, de forma natural, sea una obligación del fiduciario, salvo que se disponga por el testador. Y ello por varias razones, en primer lugar, no se tiene la obligación estricta de conservar –a partir de la nueva norma dispositiva del 808.4.° párrafo del CC–. Por ello, no cabe decir que deba aplicarse analógicamente lo dispuesto en el 491 del CC para el usufructo. También las normas de

---

56. ORTEGA DOMENECH, *Ob. cit.*, p. 153 la exige si bien no justifica suficientemente la normativa que la impone. Antes de la reforma DÍAZ ALABART, *Ob. cit.*, p. 264 indicaba que no hay una norma que imponga la necesidad de inventario; no obstante, la obligación de conservar la imponía naturalmente; indicando que debía aplicarse analógicamente lo que disponía el art. 491 del CC (usufructo) –tal como pregonaba OSSORIO MORALES, *Ob. cit.*, p. 284– o 977 del CC (reserva). Esta última norma puede entenderse aplicable más en nuestro caso, dado que, actualmente, no hay obligación de conservar si se dispuso la sustitución fideicomisaria de residuo. También, BOTELLO HERMOSA, *Ob. cit.*, 2017, p. 121.

57. LORA TAMAYO, *Ob. cit.*, p. 175.

58. Ver ALONSO NIETO, *Ob. cit.*, p. 286 y ss. En este punto se debe aclarar que los fideicomisarios solo tendrán expectativas de derecho, protegida jurídicamente, tal como reconoce la Resolución de la DGRN de 17 de marzo de 1966.

59. *Ob. cit.*, p. 284.

60. BOE núm. 288, de 2 de diciembre de 1998, pp. 39576 a 39578.

derecho foral o especial no son concluyentes, puesto que expresamente el Art. 426-21 del CC de Cataluña, excluye dicha garantía cuando los fideicomisarios son hijos o hermanos del fiduciario, salvo disposición en contrario. Finalmente, pudiendo disponerse no se ha hecho así en el Código Civil, siendo que el inventario es funcionalmente necesario para que pueda operar el segundo llamamiento, mientras que la fianza obra como garantía –siendo el testador el que, en último término, tendrá la palabra–[61].

La sustitución fideicomisaria se extingue cuando se produce el fallecimiento, la declaración de fallecimiento, renuncia o la revisión de la discapacidad en un grado que no permita el mantenimiento de la situación privilegiada de la persona con discapacidad suficiente[62]. A partir de ello, deben pasar los bienes fideicomisitos que resten –en el supuesto de aplicación de la norma dispositiva– a los herederos fideicomisarios. Además, como nos indica el Art. 783.2.º párrafo del CC: "El fiduciario estará obligado a entregar la herencia al fideicomisario, sin otras deducciones que las que correspondan por gastos legítimos, créditos y mejoras, salvo el caso en que el testador haya dispuesto otra cosa".

Conocer el momento en que se produce la extinción es esencial. De ahí la necesidad de obtener otra serie de documentos, tales como los certificados de defunción, documento administrativo de revisión, resolución judicial, a los inicialmente determinados anteriormente[63]. A partir de ello, a los efectos registrales, se incorporaran en un acta notarial, específicamente, de notoriedad, dichos documentos con objeto de solicitar la inscripción de los bienes fideicomitidos (que resten en caso de la sustitución fideicomisaria de residuo)[64].

Por otro lado, cualquier disposición futura de bienes "intervivos" a título oneroso, por ejemplo, cuando ya se ha producido la revisión de la situación de discapacidad, sería impugnable. Y en este punto, de nuevo retorna lo dicho respecto al ultimo inciso del Art. 808.5.º párrafo, del CC.

3. Por último, conviene observar en concreto algunas recomendaciones en la construcción de la cláusula testamentaria:

a) Si la cláusula de sustitución se establece sobre toda la herencia, de modo erróneo a nuestro parecer, se está gravando la parte de la legítima estricta de la persona con discapacidad, en contradicción con la regla imperativa del Art. 813, 2.º párrafo del CC – lo que supondría su nulidad parcial sobre dicha porción, al deberse eliminar el gravamen así impuesto[65]. Luego, conviene advertir que sólo puede establecerse, como

---

61. En contra OSSORIO MORALES, *Ibidem.*, incluyendo como base no sólo la norma del Art. 491, sino también el 805 del CC, si bien señala una sentencia de 29 de enero de 1916 del Tribunal Supremo en contra. No obstante, es razonable indicar lo gravoso que sería la prestación de fianza ante un patrimonio no líquido, como ve BOTELLO HERMOSA, *Ob. cit.*, 2017, p. 124. También en contra SERRANO GARCÍA, *Ob. cit.*, pp. 473-474.

62. ORTEGA DOMENECH, *Ob. cit.*, p. 129 introduce dicha posibilidad de renuncia, que supone el alzamiento del gravamen impuesto a los demás coherederos forzosos.

63. Ver en ROBLES RAMOS, *Ob. cit.*, p. 336.

64. Así lo entiende ALONSO NIETO, *Ob. cit.*, pp. 294 y ss, con referencia al Art. 82.4 del Reglamento Hipotecario.

65. ORTEGA DOMENECH, *Ob. cit.*, p. 137. LORA TAMAYO, *Ob. cit.*, p. 171, también, incluyendo que "tampoco debe quedar afectada la cuota legal usufructuaria del cónyuge viudo, pues las normas

máximo, la cláusula de sustitución sobre toda la herencia, menos lo que le corresponda al tercio de legítima estricta a la persona con discapacidad. Y de hacerse, como hemos dicho anteriormente, será anulable parcialmente, liberándose de esa parte del gravamen. Esta parte, en el futuro, al haberse integrado plenamente en el patrimonio de la persona con discapacidad, deberá ser dispuesta o en testamento por ésta o por ley a sus herederos.

b) Si, antes del fallecimiento, el testador realizó donaciones a favor de alguno de los coherederos forzosos no discapacitados y, en función del testamento, los demás colegitimarios no discapacitados, resultan junto a aquel, gravados con una sustitución fideicomisaria de residuo con facultad de disposición "intervivos" y onerosa, nos encontramos con una situación irregular; unos coherederos forzosos han recibido inmediatamente una parte o la totalidad de su legítima (estricta o mejora) y algunos no han recibido más que una expectativa futura a que, después del fallecimiento del fiduciario, puedan recibir la parte que reste de su legítima. Es al momento de la disposición efectiva de los bienes fideicomitidos cuando se verá si las expectativas han resultado frustradas por la disposición de bienes. En este caso, hay una contradicción con la regla imperativa del Art. 813, 2.º párrafo del CC. Caben dos soluciones; una general, la del recurso al fraude de ley (Art. 6.4 del CC), al resultar de dichas atribuciones, una infracción del principio de intangibilidad cualitativa de la legítima sin que este cubierta la situación infractora –sólo lo estaría respecto de la persona con discapacidad–. LORA TAMAYO sin extensión refiere otra posibilidad, la de la causa ilícita[66]. El resultado aparente sería la nulidad de pleno derecho de la donación efectuada. Pero esta solución resulta contradictoria con la regla especial de la donación inoficiosa del Art. 634 del CC –en relación con el Art. 817 del CC–, en tanto no produce esta última nulidad sino derecho a reducir.

Otro problema es que sólo es posible conocer el quantum legitimario, propiamente, al momento del fallecimiento de fiduciario, por lo que, en dicho momento, es cuando debería plantearse una acción de reducción de la donación con objeto de integrar "igualitariamente" la parte de legítima estricta que resultare para los herederos fideicomitentes. Esta cierta complejidad y excesiva pendencia del problema es la que nos lleva a pensar que, de haberse producido dichas donaciones, debería el testador, de buena fe, en previsión de evitar conflictos, no disponer íntegramente de la herencia a favor de la persona con discapacidad para evitar que se produjera la desheredación de facto de alguno de los herederos forzosos.

c) En relación con que exigencia del requisito de necesidad debemos ser cuidadosos en la construcción legal de la cláusula. Debemos partir que la falta de exigencia causal de la necesidad, debería interpretarse de manera que el fiduciario tiene plena libertad de disponer a título oneroso durante su vida.

_____

del CC regulan la legítima de los hijos o descendientes, pero no la del cónyuge, debiendo esta excepción a la intangibilidad cualitativa de las legítimas interpretarse restrictivamente". Antes de la reforma, ROBLES RAMOS, *Ob. cit.,* P. 346 a 355, con amplio desarrollo de argumentos; BOTELLO HERMOSA, *Ob. cit.,* 2017, pp. 133-134 o SERRANO GARCÍA, *Ob. cit.,* pp. 449 y 471, por entenderlo contrario a los intereses del hijo o descendiente "incapacitado". En contra MORENO FLÓREZ, *Ob. cit.,* 2019, p. 167-168.

66.   *Ob. cit.,* p. 171.

Si no se desea esto, deberá tenerse muy presente los problemas derivados de la prueba del estado de necesidad. Como nos advierten varios autores[67] este concepto de necesidad es subjetivo, elástico y contingente; depende de una sucesión de circunstancias (edad, salud, ambiente, nivel social y cultural, aspiraciones y aptitudes). Por ello es preferiblemente partir de que, estructuralmente, la persona con discapacidad suficiente tiene un hándicap para la consecución de rentas y se sobreentiende inicialmente las necesidades. Estado del que se pudiera beneficiar algunas personas con discapacidad que pudieran estar por encima de dichas expectativas. De modo que, si se desea señalar el requisito, se debe condicionar a la decisión o asentimiento concurrente de personas que no tengan un conflicto de intereses, a partir de una mínima justificación, desde el aspecto material o formal.

IV. A MODO DE CONCLUSIÓN

La norma permisiva que permite al testador disponer de la legítima estricta en favor de los hijos con discapacidad suficiente no ha sido conformada correctamente en la nueva redacción del Código Civil, a partir de la reforma de 2 de junio de 2021. Identificamos problemas de racionalidad legislativa, desde el aspecto lingüístico y jurídico formal. Los argumentos de interpretación teleológica e histórica no son completamente conclusivos puesto que, si bien invitan a la restricción de los tipos de instituciones que permiten la disposición, centrándose en la sustitución fideicomisaria, sea ordinario o de residuo, sin embargo, estas razones son instrumentales a los efectos sistemático/formales de trazar un cauce "seguro" para disponer.

A esta conclusión se une, además, que la institución "elegida", la sustitución fideicomisaria, ni está plenamente configurada legislativamente, ni tampoco, dogmáticamente, la doctrina mayoritariamente ha trazado unas líneas que permitan solucionar los problemas de integración de la voluntad hipotética del testador en caso de duda. Así, la norma dispositiva que se ha creado en el Art. 808, 4.º párrafo del CC, no permita dar una solución clara a todas las cuestiones que se pueden plantear; por ejemplo, el peso que tiene que tener la necesidad como justificación de la disposición, si debe o no estar integrado el principio de subrogación real. Ni tampoco se puede dar una solución concluyente a la posibilidad de mantener, con independencia de la disposición sobre la legítima estricta, la libertad de disponer de los tercios de mejora y libre disposición.

Por todo ello, la labor notarial de asesoramiento cobra especial relevancia en tanto que permite que el testador vaya identificando y salvando todos los problemas que, de futuro, puede dar un texto poco claro o ambiguo. Problemas que no sólo son de interpretación de la voluntad real, sino también prácticos, en el sentido de que el testamento pueda ser operativo y las disposiciones, inclusive, puedan ser registradas. Pero, no debemos esconder que, como ya paso en el año 2003, dudamos que esta posibilidad se vaya a utilizar mucho. Y ello en tanto que sólo personas con un grado de conocimiento de las instituciones sucesoras podrán con suficiente tranquilidad conformar por si mismas una disposición tan compleja como es la sustitución fideicomisaria.

---

67. NIETO ALONSO, *Ob. cit.,* p. 38-39.

V. BIBLIOGRAFÍA

ALBALADEJO, M.:

– "El gravamen con una sustitución fideicomisaria a favor del descendiente incapacitado de la legítima estricta de los demás descendientes" *Anales de la Real Academia de Jurisprudencia y Legislación,* núm. 35 (2006), pp. 37 a 48.

– *Derecho Civil, I,* 15.ª ed., Librería Bosch s.l., Barcelona, 2002.

AMUNÁTEGUI RODRÍGUEZ, C. de: "Comentario a los arts 782, 808 y 813.II", en GUILARTE MARTÍN-CALERO, C.: *Comentarios a la Ley 8 / 2021 por la que se reforma la legislación civil y procesal en materia de discapacidad,* 2021, Ed. Aranzadi, Cizur Menor, pp. 933-953.

APARICIO VAQUERO, J. P.: "Comentario a los Arts. 782, 808 y 813.II", en GARCÍA RUBIO, M. P.-MORO ALMARAZ, M. J.: *Comentario Articulado a la Reforma Civil y Procesal en Materia de Discapacidad* Thomson Reuters-Civitas, Cizur Menor, pp. 559 a 574.

ATIENZA, M.: *Contribución a una teoría de la legislación,* Editorial Civitas, S.A., Madrid 1997.

BOTELLO HERMOSA, P. I.:

– "La importante modificación que propone en el derecho sucesorio español el anteproyecto de ley de reforma de la legislación civil y procesal en materia de discapacidad", *Revista Crítica de Derecho Inmobiliario,* ISSN 0210-0444, Año n.º 95, N.º 776, 2019, pp. 2783-2804.

– *La sustitución fideicomisaria especial introducida por la Ley 41/2003. Inicial de la tangibilidad de la legítima estricta y origen de la desigual liberta de testar existente en España,* Tirant lo Blanch, Valencia 2017,

BULYGIN, E.: "Sobre la equivalencia pragmática entre permiso y no prohibición", Doxa, Cuadernos de Filosofía del Derecho, 33 (2010), p. 283 y ss.

CABEZUELO ARENAS, A. L.: "El fideicomiso de residuo del art. 808.IV CC: Cambio de condiciones subjetivas del fiduciario", *Revista Aranzadi Doctrinal,* ISSN 1889-4380, N.º 8, 2021.

CÁMARA LAPUENTE, S.: "Comentario al Art. 782", en *Código Civil Comentado,* 2.º ed., 2016, Thomson Reuters, Cizur Menor.

CERVILLA GARZÓN, M. D.: "La sustitución fideicomisaria y la protección de las personas con discapacidad", en *Un nuevo orden jurídico para las personas con discapacidad,* 2021, ISBN 978-84-9090-583-8, pp. 691-706.

DELGADO ECHEVERRIA, J.: ¿Qué reformas cabe esperar en el Derecho de Sucesiones del Código Civil? (un ejercicio de prospectiva), *El Cronista del Estado Social y Democrático de Derecho,* núm. 3, 2009, pp. 26-35.

DÍAZ ALABART, S.: "La sustitución fideicomisaria sobre el tercio de legitima estricta a favor de hijos o descendiente incapacitado judicialmente (Art 808 CC, reformado por la Ley 41/2003, de 18 de Noviembre)" *Revista de Derecho Privado*, núm. 5-6, Mayo, pp. 260 a 270.

TORRES GARCÍA, T. F.-DOMÍNGUEZ LUELMO, A.: "La Legitima en el Código Civil (I), en Tratado de Derecho de Sucesiones, Tomo II, 2.ª ed., ed. Aranzadi, Cizur Menor 2016.

ESPEJO LERDO DE TEJADA, M.: "Comentario al Art. 808" en *Código Civil Comentado*, vol. II, 1.º ed., Thomson Reuters, Cizur Menor 2011.

GARCÍA AMIGO, M: "La integración del testamento", en *Libro Homenaje al profesor Manuel Albadalejo Garcia*, tomo I, Colegio de Registradores de la Propiedad y Mercantiles de España/Servicio de Publicaciones de la Universidad de Murcia, Murcia, pp. 1839 a 1841.

IRURZUN GOICOA, D.:" El fideicomiso de residuo y la voluntad del testador (notas para su formulación notarial", *Anales de la Academia Madrileña del Notariado*, Tomo XVIII, 1974, Pp. 181 a 219.

LORA-TAMAYO RODRÍGUEZ, I.: *Guía rápida de la Reforma Civil y Procesal para el apoyo a Personas con Discapacidad*, Editorial Francis Lefebvre, Madrid, 2021.

MIQUEL GONZÁLEZ, J. M.: "Notas sobre "la voluntad del testador", *Revista jurídica Universidad Autónoma de Madrid*, ISSN 1575-720X, N.º. 6, 2002, pp. 153-190.

MORENO FLÓREZ, R. M.:

– *El fiduciario favorecido con la sustitución fideicomisaria especial*, Ed. Dykinson, Madrid 2019.

– "La sustitución fideicomisaria a favor del incapacitado", en *Estudios de derecho de sucesiones: Liber amicorum Teodora F. Torres Garcia*, Wolters Kluwer, Madrid 2014, pp. 1003-1024.

NIETO ALONSO, A.: *Sustitución fideicomisaria de residuo, usufructo testamentario de disposición y donación. La atribución de facultades dispositivas y la repercusión de la situación de necesidad*, La Ley, Madrid 2014.

ORTEGA DOMENECH, J.: "Constitución de una sustitución fideicomisaria a favor del heredero con discapacidad sobre el tercio de legítima estricta: cuestiones y problemas a la luz de la reforma introducida por la Ley 8/2021, de 2 de junio", en *Modificaciones sucesorias, Discapacidad y otras cuestiones. Una mirada comparada*, Ed. Reus, Madrid 2022.

OSORIO MORALES, J: *Manual de Sucesión Testada*, Instituto de Estudios Políticos, Madrid 1957.

PÉREZ RAMOS, C.: "Incidencia de la Ley 8/2021 sobre las sustituciones hereditarias". *El Notario del Siglo XXI*, Septiembre-Octubre, núm. 99 (2021).

ROBLES RAMOS, K. J.: *La intangibilidad cualitativa de la legitima. Excepciones*, Dykinson, Madrid, 2021.

ROCA TRIAS, E.: "Una reflexión sobre la libertad de testar" en *Estudios de Derecho de Sucesiones. Liber Amicorum Teodora F. Torres Garcia*, Wolters Kluwer, Madrid 2014.

RUIZ MANERO, J.: "Diez Observaciones y un cuadro final sobre permisos y normas permisivas. (A propósito de un aspecto de la teoría del derecho de Eugenio Bulygin)", *Journal for Constituional Theory and Philosophy of Law*, vol. 36 (2018), pp. 41-51.

SERRANO GARCÍA, I: *Protección Patrimonial de las personas con discapacidad. Tratamiento sistemático de la Ley 41/2003*, Iustel, Madrid 2008.

14

La incidencia del nuevo artículo 808 CC en el sistema legitimario español y otras novedades tangenciales de la Ley 8/2021

NIEVES ROJANO MARTÍN

Contratada predoctoral FPU de Derecho Civil
Universidad de Málaga

I. INTRODUCCIÓN

La Ley 8/2021, de 2 de junio, por la que se reforma la legislación civil y procesal para el apoyo a las personas con discapacidad en el ejercicio de su capacidad jurídica, se promulga para alinear nuestra normativa interna con la Convención sobre los derechos de las personas con discapacidad, hecha en Nueva York el 13 de diciembre de 2006. Esta ley supone un gran avance en el marco de los derechos de las personas con discapacidad, a las que se les reconoce ahora capacidad jurídica en las mismas condiciones que las demás.

Se inicia así una etapa presidida por la adopción de medidas que promueven la toma de decisiones por las propias personas con discapacidad cuando sea posible y, en su defecto, con los apoyos necesarios para ello, desterrando, por tanto, la idea de que sean siempre otros individuos los que decidan por ellas, con el fin de que primen y sean respetados los deseos y preferencias de la persona con discapacidad, y se eviten conflictos de intereses e injerencias indebidas.

Como señala el preámbulo de la Ley, no estamos ante una simple modificación de la terminología, sino ante un auténtico cambio de mentalidad social, que exige dejar atrás las limitaciones que tradicionalmente se han vinculado a la discapacidad para optar por un enfoque distinto basado en unos nuevos principios inspirados en el respeto a la voluntad de la persona con discapacidad.

Con el objetivo señalado, la Ley 8/2021 introduce novedades sustanciales en el tratamiento de la discapacidad, lo que ha dado lugar a modificaciones de gran calado en nuestro ordenamiento jurídico, en particular, en materia sucesoria, siendo objeto del presente trabajo algunas de las más controvertidas.

II. EL NUEVO ARTÍCULO 808 DEL CÓDIGO CIVIL Y SUS DIVERSAS INTERPRETACIONES

Una de las principales novedades que la Ley 8/2021 ha introducido en el artículo 808 CC ha sido la sustitución de la expresión "judicialmente incapacitados" por la de "en situación de discapacidad". Por tanto, tras esta modificación, para saber cuándo una persona se encuentra en situación de discapacidad a los efectos de los artículos 96, 756.7.º, 782, 808, 822 y 1041 del Código Civil, habrá que acudir a la Disposición Adicional 4.ª del propio Código, que remite, a su vez, a la Ley 41/2003, de 18 de noviembre, de protección patrimonial de las personas con discapacidad y de modificación del Código Civil, de la Ley de Enjuiciamiento Civil y de la Normativa Tributaria con esta finalidad, y a la Ley 39/2006, de 14 de diciembre, de Promoción de la Autonomía Personal y Atención a las personas en situación de dependencia. Es en estas dos leyes donde se recoge el concepto de persona con discapacidad, concretándose el grado de discapacidad por el que puedan estar afectadas. A los efectos del resto de preceptos, hay que entender que cuando el Código habla de discapacidad se está refiriendo, con carácter general, a aquella que conlleva la necesidad de medidas de apoyo para ejercer la capacidad jurídica. Por tanto, no comparto la opinión de quienes sostienen que el legislador no ha sido del todo claro en este aspecto[1], pues más bien pienso que el legislador, lejos de ser ambiguo, simplemente nos exige un pequeño esfuerzo en el sentido de tener que acudir a otras leyes para averiguar cuándo estamos ante una persona en situación de discapacidad en orden a determinar si se le pueden aplicar las disposiciones del Código Civil, pero una vez superado dicho esfuerzo, nos encontramos con una noción de discapacidad suficientemente explícita. No debemos confundir, pues, la falta de claridad con la incomodidad o la desconveniencia.

Al margen de esta precisión, la nueva redacción dada al artículo 808 del Código Civil por la Ley 8/2021, si bien supone un refuerzo de la protección y autonomía jurídica de las personas con discapacidad, plantea diversos problemas y dudas interpretativas.

La reforma ha roto el esquema del Derecho de sucesiones sin que la regulación de la sucesión forzosa en el Derecho civil común haya sido revisada o actualizada. En efecto, al permitir al testador establecer una sustitución fideicomisaria de residuo sobre la legítima estricta en la que sean fiduciarios los legitimarios con discapacidad, y fideicomisarios los restantes legitimarios sin discapacidad, se quiebra el sistema

---

1.   Así, LORA-TAMAYO RODRÍGUEZ, I., *Guía rápida de la Reforma Civil y Procesal para el apoyo a personas con discapacidad*, Francis Lefebvre, Madrid, 2021, p. 20.

legitimario del Código Civil, atacándose no solo la intangibilidad cualitativa sino también la cuantitativa. Así, aunque el legitimario con discapacidad no puede donar los bienes fideicomitidos, puede venderlos y disponer del dinero obtenido total o parcialmente, sin que los demás legitimarios puedan oponerse a tales disposiciones, lo cual encaja perfectamente con el concepto de fideicomiso de residuo, pero provoca un desajuste cuando la figura se aplica a la legítima.

Al hilo de ese gravamen de la legítima estricta de los legitimarios sin discapacidad, surge el interrogante de si cabe la posibilidad de que no sea el legitimario con discapacidad a favor del que se establece el fideicomiso de residuo a quien se atribuyan los tercios de libre disposición y de mejora. Atendiendo a la finalidad de la norma, parece que la respuesta ha de ser negativa[2], pues qué sentido tendría entonces atacar la intangibilidad de la legítima.

Resulta igualmente criticable de la reforma la técnica legislativa empleada, lo que hace que quepan varias interpretaciones de sus distintos incisos. Uno de los problemas que se plantea es el de cómo interpretar la expresión "salvo disposición contraria del testador" del actual párrafo cuarto del artículo 808 CC. ¿Significa ello que el fideicomitente podrá permitir al fiduciario con discapacidad donar los bienes recibidos? O, por el contrario, ¿quiere decir que el testador podrá ordenar, como máximo, un fideicomiso de residuo limitado a actos a título oneroso? Esta segunda interpretación, según la cual el fideicomitente podría prohibir algunos actos onerosos o limitar el fideicomiso de residuo a parte de los bienes fideicomitidos, es la más acorde con el respeto a la legítima sin apartarse del tenor literal del precepto, y la más coherente con la *ratio legis* y finalidad del mismo, pues es difícil pensar que la protección económica del fiduciario con discapacidad se vaya a ver favorecida por la realización de actos de disposición a título gratuito. Descartada queda, a mi juicio, la posibilidad de que el testador pueda, apoyándose en la expresión cuya interpretación aquí se discute, fijar un determinado número de legitimarios que puedan recibir los bienes objeto del fideicomiso una vez fallecido el fiduciario, ni tampoco imposibilitar que obtengan dichos bienes aquellos legitimarios que no hayan cuidado y atendido al fiduciario con discapacidad, imponiendo así un modo testamentario[3]. Es claro que la redacción actual del artículo 808 CC supone una ampliación del contenido de la sustitución fideicomisaria, permitiendo al fiduciario enajenar los bienes fideicomitidos y consumir la remuneración obtenida, frente a la redacción anterior, que solo le permitía poseerlos y percibir sus frutos, pero no una facultad del testador de disponer a su antojo a favor del legitimario con discapacidad de las legítimas del resto de legitimarios. Pero aún cabe una tercera interpretación: que la expresión "salvo disposición contraria del testador" haga referencia a la posibilidad de que, a voluntad del *de cuius*, la sustitución fideicomisaria no sea de residuo, sino ordinaria, lo que dependería de en qué medida quisiera el causante beneficiar al legitimario con discapacidad a costa de las legítimas de los demás.

Tampoco queda claro con la nueva redacción del precepto si rige el principio de subrogación real en el fideicomiso de residuo que aquel establece. Una interpretación

---

2.   Esta es la postura de LORA-TAMAYO RODRÍGUEZ, I., *op. cit.*, p. 171, con la que coincido.
3.   Así lo entiende también PÉREZ RAMOS, C., "La incidencia de la Ley 8/2021 sobre las sustituciones hereditarias", *El Notario del Siglo XXI*, 2021, núm. 99, pp. 43-44.

restrictiva del gravamen de la legítima parece que inclina la balanza hacia la respuesta afirmativa, subrogándose así el producto de la enajenación en el lugar de lo enajenado y sometiéndose a la sustitución fideicomisaria, siempre y cuando se trate de una operación llevada a cabo para satisfacer las necesidades del fiduciario. No obstante, habida cuenta de la posibilidad que el legislador brinda al causante de "disponer lo contrario" –sin que, como ya se ha dicho, se sepa exactamente a qué–, quizá, haciendo uso de esa facultad, pueda el testador decidir en qué medida operará la subrogación real, quedando a salvo el derecho de impugnación del fideicomisario que haya resultado afectado.

Por otro lado, en el mencionado párrafo cuarto del artículo 808 CC se habla ahora de legitimarios, a diferencia de la redacción anterior, que solo hacía referencia a los "hijos o descendientes". Sin embargo, unas líneas más abajo el precepto alude en su redacción actual al "hijo beneficiado". Con esta última expresión el legislador deja claro que el fiduciario no puede ser ascendiente ni cónyuge viudo, pero queda la duda de si puede serlo un descendiente que no sea hijo. Por ejemplo, cuando un hijo premuere al causante y, en consecuencia, el nieto de este se convierte en legitimario. Una alternativa sería atender al tenor literal del precepto y entender, por tanto, que no es posible beneficiar a cualquier legitimario, sino que este tiene que ser hijo del testador. De acuerdo con esta interpretación, no podrían ser fiduciarios los nietos del causante que hayan adquirido la condición de legitimarios. Esta tesis tiene su fundamento en la necesidad de realizar una interpretación restrictiva del artículo 808 CC, habida cuenta de que se están atacando las legítimas de los demás legitimarios sin discapacidad. La otra solución posible es considerar que, a pesar de que el citado precepto supone una excepción a la intangibilidad de la legítima, no es posible privar a quien haya obtenido la condición de legitimario del testador de la posibilidad de ser fiduciario si tiene una discapacidad. El argumento en el que se basa esta alternativa es que el legislador, consciente de la excepción a la intangibilidad de la legítima que supone el establecimiento de una sustitución fideicomisaria de residuo en favor de persona con discapacidad, solo ha querido que puedan ser fiduciarios los descendientes más cercanos del causante, sin por ello dejar fuera al nieto que, siendo persona con discapacidad, haya adquirido la condición de legitimario.

Otro de los incisos que suscita dudas interpretativas es el último párrafo del referido artículo 808 CC, en concreto, cuándo se entiende que no concurre causa que justifique la sustitución fideicomisaria de residuo a favor de persona con discapacidad. Así, cabría entender que la posibilidad de impugnación a la que hace referencia el precepto solo existe cuando no se cumplen los requisitos para que el fiduciario sea considerado persona en situación de discapacidad. Sin embargo, para poder impugnar por incumplimiento de requisitos, no hubiera sido necesario que el legislador lo dijera expresamente; es evidente que no cabe gravar la legítima estricta con una sustitución fideicomisaria de residuo en favor de persona con discapacidad cuando no existe tal discapacidad. En consecuencia, se podría también sostener que el hijo que haya visto afectada su legítima estricta podrá impugnar el gravamen de esta cuando el fiduciario con discapacidad tenga un patrimonio tal que no hubiera duda sobre su capacidad para mantener su nivel de vida y sufragar los gastos y atenciones que pudiera requerir como consecuencia de su discapacidad. Esta segunda línea interpretativa es la que parece tener más sentido, pues si la intención del legislador es que el testador pueda beneficiar al legitimario con discapacidad salvaguardando sus intereses económicos, parece lógico poder impugnar la sustitución cuando dicho legitimario no necesite protección económica alguna y, en consecuencia, el ataque a las legítimas de los demás no tenga sustento alguno.

También se plantea el problema de determinar qué sucede en caso de premoriencia de alguno de los fideicomisarios. El Tribunal Supremo, en su Sentencia núm. 268/2010, de 13 de mayo, declaró que el fideicomiso de residuo es condicional, en la medida en que está sujeto a que, al tiempo de la muerte del fiduciario, queden bienes fideicomitidos de los que este no haya dispuesto. En consecuencia, según el Alto Tribunal, si alguno de los fideicomisarios premuere al fiduciario con discapacidad se aplica el artículo 759 CC, en lugar del artículo 784 CC, de modo que el fideicomisario premuerto no trasmitirá derecho alguno a sus herederos. De esta manera, aunque los únicos supuestos previstos legalmente en los que el legitimario puede perder tal condición una vez que ha sobrevivido al causante son la repudiación de la herencia, la declaración de indignidad o la desheredación, al aplicar el artículo 759 CC lo perdería también en caso de que premuera al fiduciario con discapacidad. Para evitar esta privación al legitimario sin discapacidad de su legítima, debería aplicarse el artículo 784 CC, porque, contrariamente a lo que sostiene la jurisprudencia, el fideicomiso de residuo no es condicional, pues lo único que está sujeto a condición es la cuantía del residuo, pero el derecho a recibir los bienes fideicomitidos que queden al tiempo de la muerte del fiduciario lo adquiere el fideicomisario desde el fallecimiento del testador[4]. De esta forma, aunque el fideicomisario premuera al fiduciario, si sobrevive al causante, trasmitirá su derecho al residuo a sus herederos.

Por último, se hace necesario analizar qué ocurre con las sustituciones fideicomisarias ordenadas antes de la entrada en vigor de la Ley 8/2021. Dado que el citado texto legal no contiene ninguna disposición que establezca expresamente cómo han de resolverse estos casos, parece que serán las disposiciones transitorias del Código Civil las que hayan de dirimir la cuestión. Dado que con la nueva redacción dada al artículo 808 CC lo que se hace es ampliar el límite con el que testador puede favorecer al legitimario con discapacidad, permitiéndole hacerlo con un fideicomiso de residuo, sin que se brinde a dicho legitimario ningún derecho más allá de la posibilidad de ser beneficiado con el total de la herencia, parece que lo más correcto es atender a la Disposición Transitoria 12.ª CC, en virtud de la cual se aplicaría el régimen jurídico que en el momento de apertura de la sucesión estuviera vigente, "pero cumpliendo, en cuanto este lo permita, las disposiciones testamentarias", manteniéndose, en consecuencia, la sustitución fideicomisaria en los términos en que fue ordenada en el testamento de acuerdo con el anterior régimen legal, esto es, como sustitución fideicomisaria ordinaria y no de residuo[5].

La cuestión tampoco es sencilla en aquellos supuestos en los que el fiduciario es un nieto no legitimario en situación de discapacidad, pues, de acuerdo con la redacción anterior del tantas veces referido artículo 808 CC, era suficiente con que el fiduciario fuera descendiente, sin necesidad de que fuese también legitimario, mientras que la letra actual del precepto exige la condición de legitimario e incluso, como ya se ha

---

4.   Así, entre otros, PÉREZ RAMOS, C., *op. cit.*, pp. 44-45.
5.   Sostiene este criterio PÉREZ RAMOS, C., *op. cit.*, p. 45.

apuntado, cabría interpretar que es preciso, asimismo, que sea hijo del fideicomitente. También en este caso parece que la solución más acertada es la de aplicar la Disposición Transitoria 12.ª CC –si bien, aquí, en su último inciso–, de manera que la sustitución quedará sin efecto en lo que se refiere al gravamen de la legítima estricta de los legitimarios sin discapacidad, pero se mantendrá sobre los tercios de libre disposición y de mejora[6].

III. LA SUPRESIÓN DEL ARTÍCULO 776 DEL CÓDIGO CIVIL: PROBLEMAS Y ALTERNATIVAS A LA SUSTITUCIÓN EJEMPLAR

Otra de las novedades de la reforma ha sido la supresión de la sustitución ejemplar, lo que hace que sean varios los escenarios posibles. La consecuencia más inmediata es la imposibilidad de ordenar sustituciones ejemplares en los testamentos otorgados después de la entrada en vigor de la Ley 8/2021. En segundo lugar, puede ocurrir que el sustituido haya fallecido antes de la entrada en vigor de la citada ley, en cuyo caso la sustitución ejemplar se mantendría de acuerdo con el antiguo artículo 776 CC, aplicándose pues, el régimen anterior a la reforma. Por último, es posible que la sustitución ejemplar se haya ordenado antes de la entrada en vigor de la Ley 8/2021, esto es, antes del 3 de septiembre de 2021, pero la muerte del sustituido haya tenido lugar ese mismo día o en una fecha posterior. En este supuesto, se aplicará la Disposición Transitoria 4.ª de la Ley, que establece que, en estos casos, la sustitución ejemplar pasará a ser una sustitución fideicomisaria de residuo en la que los bienes fideicomitidos sean aquellos que el sustituyente hubiera transmitido a título gratuito al sustituido.

Sin embargo, la solución ofrecida por el legislador para el tercero de los supuestos mencionados trae consigo dos problemas. Por un lado, se suscita la duda de si dentro de los bienes que el sustituyente hubiera transmitido al sustituido a título gratuito se incluyen también los que le haya donado en vida. Responder afirmativamente a esta cuestión supondría añadir a la transformación de la sustitución ejemplar en sustitución fideicomisaria de residuo una donación reversional (art. 641 CC), que quedaría imposibilitada por la falta de inclusión de la cláusula de reversión en la donación inicial, de manera que cuando la persona con discapacidad (donatario) aceptó la donación no hizo lo propio con la cláusula de reversión. Como el donatario está obligado a aceptar la donación (art. 618 CC), hay que entender que cuando el legislador habla de los bienes transmitidos al sustituido a título gratuito se refiere solo a los adquiridos por transmisión *mortis causa*. Por otro lado, la conversión de la sustitución ejemplar en sustitución fideicomisaria de residuo supone que el sustituido tenga menos poder de disposición, pues la doctrina[7] y la jurisprudencia[8] coinciden en que, salvo que el testador se lo permita, en el fideicomiso de residuo el fiduciario no puede donar los bienes fideicomitidos, ni tampoco puede transmitirlos *mortis causa*, salvo concesión

---

6. PÉREZ RAMOS, C., *ibidem*.
7. En opinión de RIVAS MARTÍNEZ, J.J., *Derecho de sucesiones común*, t. II, Valencia, Tirant lo Blanch, 2020, en el fideicomiso de residuo, la posibilidad del fiduciario de realizar actos de disposición a título gratuito choca con la intención del fideicomitente de que los bienes fideicomitidos se transmitan a los fideicomisarios, por lo que, a menos que el testador le haya conferido expresamente esa facultad, hay que entender que no la tiene.
8. *Vid.* la STS núm. 773/1994, de 22 julio.

expresa, rasgo este propio de la sustitución preventiva de residuo. En cambio, en la sustitución ejemplar, el sustituido podía realizar transmisiones tanto a título gratuito como *mortis causa*.

Quizá hubiera sido más acertado que la Disposición Transitoria 4.ª de la Ley 8/2021 estableciera la transformación de la sustitución ejemplar en una sustitución preventiva de residuo en lugar de un fideicomiso de residuo, pues, atendiendo al contexto y espíritu de la reforma, no parece que la intención del legislador fuese disminuir las facultades de disposición de la persona con discapacidad. Es evidente que el legislador quería dejar fuera del panorama jurídico la sustitución ejemplar porque suponía testar por otro, pero esto podía haberse hecho limitándola a los bienes que la persona con discapacidad hubiese adquirido en la sucesión del testador y permitiéndole disponer de ellos libremente, lo que encaja con una sustitución preventiva de residuo. Pareciera así que el legislador se hubiera encariñado repentinamente con el fideicomiso de residuo, pues no solo ha optado por él en el artículo 808 CC, sino que también lo ha considerado la mejor opción para ocupar el lugar de la sustitución ejemplar en aquellos casos en que esta se hubiera ordenado en testamento cuando regía el régimen anterior a la Ley 8/2021 y el sustituido hubiese fallecido cuando dicha norma ya estaba en vigor.

Suprimida la sustitución ejemplar, cabe preguntarse si existe alguna otra figura que permita conseguir los mismos resultados que se lograban con aquella. En puridad, no hay ningún mecanismo jurídico que tenga exactamente el mismo efecto que la sustitución ejemplar, pero sí es posible una gran aproximación a través de la sustitución preventiva de residuo, que se diferencia de aquella en que solo se puede disponer de los bienes procedentes del patrimonio del causante; salvo por esta matización, el resultado que se obtendría sería el mismo[9].

Si lo que se pretende es que no exista esa limitación sobre los bienes de los que se puede disponer, habría que recurrir a la fiducia sucesoria prevista en el artículo 831 CC. Esta figura resultará de utilidad cuando se prevea que en el futuro el testador pueda sufrir una discapacidad originada por una enfermedad mental propia de la vejez que le impida otorgar testamento, en cuyo caso podrá hacerlo el cónyuge o persona con análoga relación de afectividad a favor de los hijos o descendientes que tengan en común. De esta manera, se logra uno de los objetivos que se pretendía alcanzar con la sustitución ejemplar, que es favorecer a aquellos que han prestado atenciones al causante cuando la delicada salud de este lo requería.

Desde esta perspectiva, la fiducia sucesoria puede suponer una alternativa para conseguir alguna de las finalidades perseguidas con la sustitución ejemplar. Alternativa que, por otro lado, no consigue llenar el vacío legal que deja la supresión de la segunda de ambas instituciones[10]. La razón de ello es que la fiducia sucesoria presenta una desventaja: solo puede ser ordenada por quien tenga capacidad para testar, lo que deja fuera a muchas personas con discapacidad, y además, al contrario de lo que sucedía con la sustitución ejemplar, no puede ser ordenada por el ascendiente.

---

9. PÉREZ RAMOS, C., *op. cit.*, p. 46.
10. Así, RIVAS MARTÍNEZ, J.J., *op. cit.*, p. 1188.

El referido vacío legal que deja la ausencia de regulación de la sustitución ejemplar hace que deba cuestionarse la necesidad de su supresión, que se ha fundamentado en la falta de conformidad de dicha figura con la Convención de Nueva York en la medida en que implica testar por otro. Buena parte de la doctrina[11], contraria a esta decisión del legislador, la considera una institución muy útil, en tanto que permite evitar la sucesión intestada de la persona con discapacidad, pudiendo favorecer a quienes se considere más conveniente según el interés del sustituido, por ejemplo, aquellos que le hayan procurado atenciones y cuidados. Con ello, no solo se va a conseguir beneficiar a quien se haya ocupado de la persona con discapacidad, sino que también se va a fomentar el interés por atenderle, habida cuenta de que quien lo haga va a ser premiado en la sucesión de aquel[12].

Además, la sustitución ejemplar presenta una ventaja que, más que distanciarla de los objetivos de la Convención de Nueva York, está en sintonía con la finalidad pretendida por esta. Así, en los casos en que la persona con discapacidad no pueda, ni por sí misma ni con apoyos, otorgar testamento, la designación por el progenitor de un sustituto es una forma, quizá, de atender los deseos y preferencias de la persona con discapacidad[13]. En definitiva, el legislador ha pasado por alto la posibilidad de que la sustitución ejemplar sea una forma de respetar la voluntad de la persona con discapacidad cuando esta no pueda, de ningún modo, designar a sus sucesores y concretar qué bienes van a recibir.

No debemos caer en el error de pensar que, por el hecho de que todos tengamos capacidad jurídica, no vamos a encontrarnos con personas con discapacidad a las que les resulte imposible otorgar testamento porque no tengan el discernimiento o la aptitud necesaria para ello. Cuesta entender que, en estos casos, el legislador prefiera que se abra la sucesión intestada en lugar de permitir que el ascendiente de la persona con discapacidad decida, probablemente respetando la voluntad de este y queriendo lo mejor para él, quién le sucederá y en qué extensión. Es cierto que se trata de una decisión de mucho calado, pero la sustitución ejemplar no es una institución que, como parece insinuar la reforma, obvie por completo los deseos y preferencias del sustituido, ya que este puede otorgar testamento una vez adquirida la capacidad necesaria para ello, en cuyo caso la sustitución ejemplar ordenada no produciría efecto alguno. Y si no tiene capacidad para testar, la sustitución ejemplar no le está impidiendo tomar sus propias decisiones sobre su sucesión porque no las podría adoptar aunque no se hubiese ordenado aquella.

IV. VALORACIÓN CRÍTICA DE LA REFORMA

A pesar de su deficiente técnica legislativa, la reforma merece en general un juicio eminentemente favorable, puesto que está en sintonía con los principios de la

---

11. En esta línea, DE AMUNÁTEGUI RODRÍGUEZ, C., *La sustitución ejemplar como medida de protección de la persona*, Madrid, Reus, 2018, p. 37.
12. En este sentido, ALBALADEJO GARCÍA, M. (coord.), *Comentarios al Código Civil y compilaciones forales*, Madrid, Edersa, 1978, pp. 55 y 73.
13. Así, DE AMUNÁTEGUI RODRÍGUEZ, C., *op. cit.*, p. 44.

Convención de Nueva York y confiere una mayor autonomía jurídica a las personas con discapacidad. Autonomía que se refleja en el establecimiento de un fideicomiso de residuo en el artículo 808 CC, que permite al fiduciario obtener recursos económicos con los que hacer frente a los gastos y cuidados que precise mediante la venta de los bienes fideicomitidos, lo que supone, a su vez, sin duda, una mayor protección económica. No obstante, y sin por ello desmerecer el valor y trascendencia de la reforma, no se pueden pasar por alto determinados aspectos que no han tenido un efecto tan positivo en el Derecho de Sucesiones.

En primer lugar, resulta criticable que se haya atacado la legítima sin acometer una revisión del actual sistema legitimario, habida cuenta de la tan discutida conveniencia del mantenimiento de este y la tendencia hacia un sistema que aboga por la libertad de testar. Es cierto que la Ley establece nuevas aplicaciones o posibilidades de encaje de instituciones que ya existían en nuestro Derecho, pero no introduce nuevos mecanismos que supongan un avance en la regulación de la legítima en términos de flexibilidad. Así, aunque la persona con discapacidad, bien por sí misma, bien con medidas de apoyo, va a poder testar, habrá una parte de su herencia que, quizá, no responda a su voluntad, y ello debido a la existencia de la legítima. Si tanto aboga la Ley 8/2021 por el respeto a los deseos y preferencias de la persona con discapacidad, ¿por qué se ha dejado el sistema legitimario español tal y como estaba? ¿Acaso no es la legítima, en muchos casos, un impedimento a ese absoluto respeto a la voluntad del testador[14], posea o no una discapacidad? Este freno a la libertad de disposición hace que el testador se encuentre limitado a la hora de distribuir sus bienes entre aquellas personas que no sean herederos forzosos, lo que reviste especial gravedad en el caso de las personas con discapacidad, que en ocasiones no pueden beneficiar todo lo que quisieran a quienes han cuidado de ellas y con quienes han tenido un verdadero vínculo de apego.

La segunda crítica viene por la decisión de prescindir de la sustitución ejemplar de una manera tan precipitada y vagamente motivada, más aún cuando se trata de una figura útil en la práctica, que ofrece una respuesta a los recelos que pueden aparecer en algunas familias en las que hay una persona en situación de discapacidad, respuesta que no tiene por qué desatender los anhelos y querencias de esta, sino que más bien pretende evitar la apertura de la sucesión intestada y potenciar la protección de la persona con discapacidad favoreciendo a quien le haya procurado atenciones y cuidados. Pero igualmente discutible es su transformación transitoria en una sustitución fideicomisaria de residuo, que supone un paso hacia atrás con respecto a las facultades de disposición que tenía el sustituido conforme al régimen del antiguo artículo 776 CC.

En definitiva, es claro que las intenciones de la Ley 8/2021 son indiscutiblemente buenas, pero la realidad demuestra que en materia sucesoria las modificaciones introducidas se quedan un poco cortas, siendo necesaria una actualización en el ámbito de la sucesión *mortis causa*, en particular, en el sistema de legítimas. Solo así se logrará realmente ese respeto absoluto a los deseos y preferencias del testador. Es cierto que la norma se centra en el tratamiento de la discapacidad, sin poner el foco en la regulación de la sucesión forzosa más que en aquellos extremos que guardan relación con

---

14. Pensemos, por ejemplo, en el caso de una madre que no quiera, por el motivo que sea, dejarle a una de sus hijas ningún bien, o no quiera darle todo lo que le correspondería por legítima.

los objetivos perseguidos por la Ley, pero ello podría haberse aprovechado para llevar a cabo una reforma del sistema legitimario español desde una perspectiva integral, en lugar de establecer excepciones y soluciones que no terminan de encajar con nuestra regulación positiva.

V. BIBLIOGRAFÍA

ALBALADEJO GARCÍA, M. (coord.), *Comentarios al Código Civil y compilaciones forales*, Edersa, Madrid, 1978.

DE AMUNÁTEGUI RODRÍGUEZ, C., *La sustitución ejemplar como medida de protección de la persona*, Reus, Madrid, 2018.

FERNÁNDEZ GONZÁLEZ, M. B., *Sistema de apoyos para personas con discapacidad. Medidas jurídico-civiles y sociales*, Dykinson, Madrid, 2021.

GETE-ALONSO CALERA, M. C. (dir.) y SOLÉ RESINA, J. (coord.), *Tratado de derecho de sucesiones (código civil y normativa civil autonómica: Aragón, Baleares, Cataluña, Galicia, Navarra, País Vasco)*, 2.ª ed., Civitas, Pamplona, 2016.

GUILARTE MARTÍN-CALERO, C., *Comentarios a la Ley 8/2021 por la que se reforma la legislación civil y procesal en materia de discapacidad*, Aranzadi, Pamplona, 2021.

LORA-TAMAYO RODRÍGUEZ, I., *Guía rápida de la Reforma Civil y Procesal para el apoyo a personas con discapacidad*, Francis Lefebvre, Madrid, 2021.

PÉREZ RAMOS, C., "La incidencia de la Ley 8/2021 sobre las sustituciones hereditarias", *El Notario del Siglo XXI*, n.º 99, 2021, pp. 42-49.

PÉREZ RAMOS, C., *Memento práctico de Sucesiones*, 3.ªed., Francis Lefebvre, Madrid, 2021.

RIVAS MARTÍNEZ, J. J., *Derecho de sucesiones común*, T.II, Tirant lo Blanch, Valencia, 2020.

SÁNCHEZ VIGIL DE LA VILLA, J., "Legítimas y Ley 8/2021, de 2 de junio de reforma del Código Civil en materia de discapacidad", *Revista de Derecho, Empresa y Sociedad (REDS)*, n.º 18-19, 2021, pp. 27-36.

15

Dicotomía en la disposición de la legítima estricta en favor de un legitimario en situación de discapacidad: ¿mecanismo de protección o medida excesiva?[1]

ROMINA SANTILLÁN SANTA CRUZ

Profesora Ayudante Doctora de Derecho civil
Universidad de Zaragoza

SUMARIO: I. ESTADO DE LA CUESTIÓN. II. CONTENIDO Y ALCANCE DEL GRAVAMEN DE LA LEGÍTIMA ESTRICTA CON UNA SUSTITUCIÓN FIDEICOMISARIA EN LA REDACCIÓN ANTERIOR DE LOS ARTÍCULOS 782 Y 808 DEL CÓDIGO CIVIL. III. CAMBIOS INSERTADOS POR LA LEY 8/2021 EN LOS ARTÍCULOS 782 Y 808 DEL CÓDIGO CIVIL. 1. *Facultad del testador para disponer de la "legítima estricta" en favor de un legitimario en situación de discapacidad.* 2. *Posibles beneficiarios de la disposición de legítima estricta del artículo 808 del Código civil: ¿cualquier legitimario?* 3. *Establecimiento de una sustitución fideicomisaria: ¿solo de residuo?* IV. FUNDAMENTO ÚLTIMO DE LA DISPOSICIÓN DE LA LEGÍTIMA ESTRICTA EN FAVOR DE UN LEGITIMARIO CON DISCAPACIDAD. V. VISIÓN DICOTÓMICA DE LA DISPOSICIÓN TESTAMENTARIA DE LA LEGÍTIMA ESTRICTA: ¿UN MECANISMO DE PROTECCIÓN O UNA MEDIDA EXCESIVA? VI. BIBLIOGRAFÍA.

I. ESTADO DE LA CUESTIÓN

La Ley 8/2021, de 2 de junio, por la que se reforma la legislación civil y procesal para el apoyo a las personas con discapacidad en el ejercicio de su capacidad jurídica (en adelante, Ley 8/2021), ha tenido incidencia en distintos ámbitos del Código civil. Uno de esos ámbitos que se ha visto afectado por la reforma en cuestión es el

---

1. Este trabajo ha sido realizado en el marco de las actividades del Grupo Consolidado de Investigación del Gobierno de Aragón "Ius Familiae", IP. Carlos Martínez de Aguirre Aldaz, y del Proyecto de Investigación del Ministerio de Ciencia e Innovación PID2019-105489RB-I00: "Vulnerabilidad patrimonial y personal: retos jurídicos", IIPP. M.ª Victoria Mayor del Hoyo y Sofía de Salas Murillo.

Derecho de sucesiones, cuya característica más común ha sido desde siempre contener un conjunto de normas imperativas que operan como límite a la libertad dispositiva del testador. No sucede así, sin embargo, cuando se trata de favorecer a un legitimario en situación de discapacidad, pues la reforma refuerza antiguas disposiciones (actualizando términos y mecanismos legales) para su protección frente a los legitimarios sin discapacidad, aunque esto suponga la flexibilización de tales normas imperativas y la afectación del derecho a la legítima de estos últimos.

La aludida reforma, como cabe reconocer, cumple una función ratificadora y continuista de la línea protectora de las personas con discapacidad que ya había marcado la Ley 4/2003, de 18 de noviembre, de Protección Patrimonial de las Personas con Discapacidad[2], aunque es verdad que sus efectos recaen sobre un ámbito subjetivo de aplicación más restringido, variando también, junto con ello, el alcance de la protección (que, aun cuando referido a beneficiarios más concretos, puede ser mucho más amplio, dependiendo de la voluntad del testador).

En el seno de las nuevas previsiones del Código civil, la cuestión estriba en la posibilidad legal del testador para disponer de la legítima estricta de los demás colegitimarios (en principio intangible) en orden a favorecer a uno o varios legitimarios en situación de discapacidad (ya no se habla de hijos o descendientes judicialmente incapacitados). Y en conexión directa con esto está el estado en que ha de permanecer ese patrimonio del que dispone el testador en favor de aquel o aquellos (que puede estar sujeto a una sustitución fideicomisaria de residuo, salvo disposición contraria del disponente). Entramado de aspectos, todos estos, que han quedado concentrados en los artículos 782 y 808 del Código civil, de acuerdo con la nueva redacción que, para lo pertinente, les ha sido dada por la Ley 8/2021, aunque, en ciertas ocasiones, se tenga que recurrir a la hermenéutica jurídica para dilucidar determinados claroscuros normativos, como luego veremos.

Con ocasión de la reforma, el actual artículo 782 del Código civil prescribe, en su primer párrafo, que: "Las sustituciones fideicomisarias nunca podrán gravar la legítima, salvo cuando se establezcan, en los términos establecidos en el artículo 808, en beneficio de uno o varios hijos del testador que se encuentren en una situación de discapacidad". Mientras que, en su párrafo segundo, dice que: "Si la sustitución fideicomisaria recayere sobre el tercio destinado a mejora, solo podrá establecerse a favor de los descendientes".

Por su parte, el artículo 808 del Código civil, en su redacción vigente, dedica su párrafo cuarto a establecer que: "Cuando alguno o varios de los legitimarios se encontraren en una situación de discapacidad, el testador podrá disponer a su favor de la legítima estricta de los demás legitimarios sin discapacidad. En tal caso, salvo disposición contraria del testador, lo así recibido por el hijo beneficiado quedará gravado con sustitución fideicomisaria de residuo a favor de los que hubieren visto afectada su legítima estricta y no podrá aquel disponer de tales bienes ni a título gratuito ni por acto mortis causa". Y, de forma inmediata, en su párrafo quinto, este mismo precepto continúa estableciendo: "Cuando el testador hubiere hecho uso de la facultad que le

---

2.   Pormenores de esta regulación en VIVAS TESÓN, I., "Una aproximación al patrimonio protegido a favor de la persona con discapacidad", *Revista de Derecho*, vol. XXII, n.º 1, julio 2009, pp. 55-76.

concede el párrafo anterior, corresponderá al hijo que impugne el gravamen de su legítima estricta acreditar que no concurre causa que la justifique".

De los dos preceptos transcritos, el que concibe propiamente la facultad del testador para disponer de la legítima estricta en favor de un legitimario con discapacidad, incluso previendo la sustitución fideicomisaria de residuo como medida para "salvaguardar" los derechos de los demás legitimarios (en la lógica de la figura), es el artículo 808 antes mencionado. El artículo 782 del Código civil se dedica, en todo caso, y de forma más enunciativa, a la sustitución fideicomisaria en general, por tratarse, precisamente, de un precepto que está situado en la sección relativa a las sustituciones hereditarias[3]. Por ello, teniendo en cuenta la perspectiva con que pretende desarrollarse el objeto de estudio en este trabajo, el artículo 782 del Código civil se presenta como uno complementario del artículo 808[4] y será empleado como un precepto instrumental para comprender el real alcance de este último artículo.

De otra parte, no es que, con anterioridad a la reforma de 2021, como se ha advertido al inicio, el artículo 808 del Código civil no hubiese previsto alguna medida para gravar la legítima estricta en favor de los coherederos afectados; de hecho, sí lo hacía y la figura era, en principio, algo parecida: "una sustitución fideicomisaria sobre el tercio de legítima estricta", salvo matices que se verán después. Y cabe precisar que la redacción derogada del precepto en cuestión se refería a "los hijos o descendientes judicialmente incapacitados", una nomenclatura[5]

---

3.   Concretamente, en la Sección 3.ª ("De la sustitución") del Capítulo II ("De la herencia") del Título III ("De las sucesiones") del Libro Tercero del Código civil ("De los diferentes modos de adquirir la propiedad").

4.   También es verdad que, dependiendo de la perspectiva con que se analice el asunto, puede ser complementario tanto el artículo 782 del artículo 808 como este del primero. Así, si la cuestión principal se centra en la sustitución fideicomisaria del artículo 782, lo razonable sería que el artículo 808 complemente el análisis de aquel. De ahí que resulte lógico –y, por ende, nada contradictorio– que, en este último caso, se diga que: "[el] papel que juega, entonces el art. 808 es el de complementar el mensaje legislativo contenido básicamente (como se ha dicho) en el 782, en cuanto precisa que, salvo disposición contraria del testador, esa sustitución fideicomisaria lo será de residuo 'a favor de los que hubieran visto afectada su legítima estricta'" (CARRIÓN, S., "Sustitución fideicomisaria en favor de hijos con discapacidad. Algunas consideraciones sobre los arts. 782 y 808 CC tras su redacción de la Ley 8/2021, de 2 de junio", *Tribuna*, diciembre 2021, p. 3. [consulta: 25 junio 2022] Disponible en: https://idibe.org/tribuna/sustitucion-fideicomisaria-favor-hijos-discapacidad-algunas-consideraciones-los-arts-782-808-cc-tras-redaccion-la-ley-82021-2-junio/).

5.   La Ley 8/2021 decide desmarcarse de las tradicionales expresiones de "incapacidad" e "incapacitación" porque estas ya no responden al enfoque que la Convención sobre los Derechos de las Personas con Discapacidad quiere dar a la discapacidad y a las personas que la presentan, cualquiera que fuere su modalidad (física, sensorial e intelectual o psíquica): las personas con discapacidad tienen capacidad jurídica y son titulares del derecho a la toma de sus propias decisiones. Por lo que más allá de las connotaciones peyorativas con que suele revestirse a los citados términos, se puede afirmar que la reforma introducida por la Ley 8/2021, en consonancia con lo dispuesto en la citada Convención, ha querido diferenciar suficientemente los conceptos de incapacidad y discapacidad, por cuanto –desde una visión general y ontológica– ser persona con discapacidad no significa ser persona con incapacidad o, en otras palabras, sin capacidad para obrar. El reconocimiento de la capacidad de ejercicio a las personas con discapacidad, en los términos en que lo hace la nueva regulación, parecería venir a cumplir una función reivindicadora de su capacidad a estos sujetos en las dos dimensiones conocidas, esto es, la capacidad jurídica (en sentido estricto) y capacidad de obrar. *Vid.*, a este respecto, SANTILLÁN SANTA CRUZ, R., "Los claroscuros de la reforma del Código Civil peruano por el Decreto Legislativo n.º 1384", en *Avanzando en la inclusión. Balance de logros alcanzados y agenda pendiente en el Derecho español de la discapacidad*, Aranzadi,

que, a día de hoy, por razones más allá de las terminológicas[6], ya ha desaparecido del orden jurídico español.

Pero la mayor problemática posiblemente estribe en ese fragmento de la nueva redacción del artículo 808 del Código civil que permite al testador gravar la legítima estricta de los legitimarios sin discapacidad en favor de los legitimarios que sí la presentan, pero con la salvedad de que pueda disponer en contrario sobre el destino de lo gravado, pues no necesariamente tendría que operar respecto de ello una sustitución fideicomisaria de residuo (una consecuencia que viene ahora preestablecida, aunque ya se aplicaba en el escenario derogado como medida para gravar la legítima estricta[7]). Con lo cual se deja abierta la posibilidad para que el testador, con ocasión del gravamen, pueda establecer una sustitución fideicomisaria ordinaria (que aparece como una medida menos gravosa para los legitimarios sin discapacidad e igualmente favorable para el fiduciario) o incluso, desde una perspectiva más literal, establecer una sustitución hereditaria que afecte más intensamente la legítima estricta de los afectados, dada la opacidad en la redacción actual del precepto. Luego veremos si esto último sería posible o si habría que reconducir siempre la cuestión hacia la sustitución fideicomisaria de residuo prescrita en la norma.

Por otra parte, nótese, de esta primera aproximación, que es restringido el ámbito de personas potencialmente protegidas por hallarse en una situación de discapacidad en el seno de la medida prevista por el artículo 808 del Código civil, en la redacción dada tras la reforma de 2021. Se excluye de este ámbito a los descendientes del testador que no tengan respecto de él la condición de legitimarios. Y dentro del grupo de los que sí la tengan, se introduce, de acuerdo con el artículo 782 del Código Civil (en su actual redacción), una diferenciación entre legitimarios con discapacidad que sean hijos del testador y los que, hallándose en una situación de discapacidad, no sean sus hijos. Algo que también tiene que ver con el tercio sobre el que recaiga la sustitución fideicomisaria: la legítima estricta o la mejora. Cuestión esta última que es muy importante, pues el problema se plantea realmente respecto del llamado tercio de "legítima estricta"; sobre la cual nos introduciremos más adelante.

Por adelantarnos un poco al escenario que antes se ha delimitado, véase que en la regulación anterior se podía favorecer incluso a un descendiente judicialmente incapacitado, aunque no concurriese en él la condición de legitimario. Sin embargo, con ocasión de la reciente reforma, esa posibilidad desaparece por cuanto el legislador alude exclusivamente a los legitimarios y parece ser (dada la técnica legislativa empleada, aun cuando contenga ligeras deficiencias) que no a cualquier legitimario.

Cizur Menor, 2019, pp. 466-473, que recoge cuestiones relativas a la materia analizada en la experiencia comparada, y que, dada la contemporaneidad y los paralelismos existentes entre las nuevas regulaciones sobre capacidad, pueden ser de aplicación al Derecho español.

6. Un desarrollo más detallado de las razones por las cuales se han desterrado del ordenamiento jurídico español los conceptos de "incapacidad" e "incapacitación", puede verse en SANTILLÁN SANTA CRUZ, R., "La incidencia del nuevo sistema de protección de las personas con discapacidad en el régimen de sociedad de gananciales. A propósito de la Ley 8/2021, de 2 de junio", *Revista Crítica de Derecho Inmobiliario*, Año 98, n.º 790, 2022, pp. 817-818, 837 (nota n.º 5).

7. Véase un amplio análisis sobre la sustitución fideicomisaria de residuo que operaba en la regulación anterior, en BOTELLO HERMOSA, P., "Aceptación por nuestro Tribunal Supremo de la institución de residuo como tipo de sustitución fideicomisaria a término", *Revista de Derecho Civil*, vol. II, n.º 2, abril-junio 2015, pp. 127-170.

La sola discapacidad presente en un determinado sujeto, que no va acompañada de la condición de legitimario y que además no ostente la cualidad de "hijo" del testador, no resultaría suficiente para gravar de un modo tan intenso la legítima estricta de los demás legitimarios, con la consecuencia del establecimiento de una sustitución fideicomisaria de residuo, "salvo disposición contraria del testador", como dice textualmente la versión vigente del artículo 808 del Código Civil.

En vista de ello, se pretenden resolver en este trabajo las siguientes interrogantes: ¿la posibilidad de disponer de la legítima estricta en favor de un legitimario en situación de discapacidad, incluso en apartamiento de la sustitución fideicomisaria de residuo prevista en la norma (en cuanto cabe disposición contraria del testador), constituye un mecanismo de protección a ese legitimario o una medida excesiva para los colegitimarios sin discapacidad? ¿o cabe hablar, dependiendo del caso, de una dicotomía excluyente y de otra incluyente? A lo aquí planteado se procura dar respuesta y para ello tendrá que acudirse a dos hipótesis debidamente diferenciadas. Pero, en forma previa, se realizará una revisión y estudio de todos esos cambios que la Ley 8/2021 inserta en el seno de la disposición de la legítima estricta en favor de un legitimario con discapacidad, cuya regulación se concentra en los artículos 782 y 808 del Código civil; cambios que son propios del proceso de adaptación de las antiguas reglas al nuevo sistema de protección de las personas con discapacidad.

II. CONTENIDO Y ALCANCE DEL GRAVAMEN DE LA LEGÍTIMA ESTRICTA CON UNA SUSTITUCIÓN FIDEICOMISARIA EN LA REDACCIÓN ANTERIOR DE LOS ARTÍCULOS 782 Y 808 DEL CÓDIGO CIVIL

La cuestión relativa a la posibilidad del testador de disponer de la legítima estricta como supuesto excepcional que afecta a unos o varios herederos forzosos, así como aquella otra referida a la medida con que ha de gravar esa parte de su patrimonio que, en principio, y por disposición legal, está reservada en favor de todos aquellos, no son asuntos nuevos (ni acabados, como se ha podido ver), pero tampoco surgieron con la dación del Código civil en 1889. Son más bien producto de una constante evolución experimentada por este Código como consecuencia de diversas reformas. A continuación, vamos a analizar, en tanto relevante para este estudio, la redacción que a los artículos 782 y 808 del Código civil les fue dada tras la reforma de 2003, reservándose para un apartado posterior el estudio de los cambios insertados en tales preceptos por la reforma de 2021.

Sobre la materia objeto de estudio, el Código civil, en sus inicios, solo contemplaba la posibilidad de gravar la mejora con una sustitución fideicomisaria y siempre que ello tuviera como finalidad favorecer a los descendientes del testador. Esto venía establecido en el artículo 782 del Código civil, cuyo texto recogía, en su dicción literal, que: "Las sustituciones fideicomisarias nunca podrán gravar la legítima. Si recayeren sobre el tercio destinado a la mejora, sólo podrán hacerse en favor de los descendientes". El artículo 808 del Código civil no recogía nada sobre este asunto y se limitaba a demarcar el contenido de la legítima y a fijar los tercios de la herencia[8].

---

8.   Véanse algunos comentarios sobre el contenido y alcance de estos preceptos en la regulación anterior a la reforma de 2003, en ALBALADEJO GARCÍA, M., "Comentarios al Art. 782", en

Posteriormente, fue con la entrada en vigor de la Ley 41/2003 de Protección Patrimonial de las Personas con Discapacidad y de modificación del Código Civil, de la Ley de Enjuiciamiento Civil y de la Normativa Tributaria con esta finalidad (en adelante, Ley 41/2003), cuando el Código civil empieza a prever en su artículo 782, por la vía de la excepción, que pueda gravarse la legítima estricta[9], pero solo si se hiciere "en beneficio de un hijo o descendiente judicialmente incapacitado", remitiéndose al artículo 808 para completar el alcance del gravamen. La sustitución fideicomisaria de la mejora se mantiene en los mismos términos anteriores.

Siguiendo en la línea anterior, el artículo 808 del Código civil, con ocasión de la reforma de 2003, incorpora a su texto un nuevo tercer párrafo (pasando el que ya lo era a ocupar el párrafo siguiente) que se expresa en los siguientes términos: "Cuando alguno de los hijos o descendientes haya sido judicialmente incapacitado, el testador podrá establecer una sustitución fideicomisaria sobre el tercio de legítima estricta, siendo fiduciarios los hijos o descendientes judicialmente incapacitados y fideicomisarios los coherederos forzosos".

Pero esta particular regulación que introduce la Ley 41/2003 en el Código civil no ha estado exenta de críticas (no poco fundadas). Y es que, como bien apunta BOTELLO HERMOSA, "en 2003 se introdujo en nuestro ordenamiento un supuesto de tangibilidad incluso cuantitativa de la legítima estricta, al concedérsele al testador la facultad de establecer a favor de sus descendientes con su capacidad modificada judicialmente, una sustitución fideicomisaria sobre todo ese tercio de la herencia"[10], algo que, continúa observando dicho autor, "atenta contra los antecedentes históricos del Código civil, ya que dicha situación puede desembocar en que el resto de herederos forzosos se vean totalmente privados de su herencia"[11].

Aun con ello, cabe precisar que esta excepción al principio de intangibilidad de la legítima, que se produce tras la modificación del artículo 782 del Código civil por la Ley 41/2003, no estuvo pensada sino para la defensa de los judicialmente incapacitados, previéndose, al propio tiempo, el establecimiento de una sustitución fideicomisaria como medida para gravar el tercio de legítima estricta en favor de los afectados. En esta misma línea lo reiteraba el artículo 813.II del Código civil (también reformado en 2003) al señalar que: "El testador no podrá privar a los herederos de su legítima sino en los casos expresamente determinados por la ley. Tampoco podrá imponer sobre ella gravamen, ni condición, ni sustitución de ninguna especie, salvo [...] lo establecido en el artículo 808 respecto de los hijos o descendientes judicialmente incapacitados".

Comentario del Código Civil, tomo I, Ministerio de Justicia. Centro de Publicaciones, Madrid, 1991, p. 1921; y, VALLET DE GOYTISOLO, J. B., "Comentarios al Art. 808", en *Comentario del Código Civil*, tomo I, Ministerio de Justicia. Centro de Publicaciones, Madrid, 1991, pp. 1974-1976.

9. Sobre el tema en cuestión, como apunta LACRUZ BERDEJO, J. L. *et al.*, *Elementos de Derecho Civil V: Sucesiones*, 4.ª ed., Dykinson, Madrid, 2009, p. 264, la regla siempre será que "los legitimarios deben recibir la legítima estricta en pleno dominio, sin limitación alguna, salvo el supuesto previsto en la propia norma, según la reforma de 2003".

10. BOTELLO HERMOSA, P., "La importante modificación que propone en el derecho sucesorio español el anteproyecto de ley de reforma de la legislación civil y procesal en materia de discapacidad", *Revista Crítica de Derecho Inmobiliario*, Año 95, n.º 776, 2019, p. 2785.

11. BOTELLO HERMOSA, P., "La importante modificación", cit., p. 2785.

Para justificar lo anterior, la Exposición de Motivos de la Ley 41/2003 recoge, entre sus diversas razones, que: "[s]e permite que el testador pueda gravar con una sustitución fideicomisaria la legítima estricta, pero sólo cuando ello beneficiare a un hijo o descendiente judicialmente incapacitado. En este caso, a diferencia de otros [supuestos] regulados en la ley, como se aclara a través de una nueva disposición adicional del Código Civil, se exige que concurra la incapacitación judicial del beneficiado, y no la minusvalía de éste en el grado establecido en el artículo 2.2 de la ley". La incapacitación judicial del hijo o descendiente del testador operaba, por tanto, como presupuesto para el gravamen de la legítima estricta con una sustitución fideicomisaria. Y era suficiente con que la declaración judicial de incapacitación se hubiese pronunciado en el momento del fallecimiento del testador[12].

De este modo, prevista la habilitación legal del testador para gravar la legítima estricta en favor de un hijo o descendiente judicialmente incapacitado (artículo 782 del Código civil en la redacción dada por la Ley 41/2003), tal gravamen solo podía concretarse a través del establecimiento de una sustitución fideicomisaria sobre el tercio de legítima estricta (artículo 808 del Código civil en la redacción dada por la Ley 41/2003) –y, según se podía interpretar, su sentido y utilidad debía ser la conservación de los bienes gravados en favor de los coherederos no judicialmente incapacitados–. En la dinámica de esta sustitución hereditaria, contemplada para gravar la legítima estricta, los hijos o descendientes judicialmente incapacitados adquirían en forma exclusiva la calidad de fiduciarios, y los coherederos forzosos que soportaban el gravamen de tal legítima, la calidad de fideicomisarios –de acuerdo con el citado artículo 808–. El fideicomitente, es decir, quien instituye el gravamen al otorgar su testamento, necesariamente debía ser un ascendiente[13].

Sobre la sustitución fideicomisaria, teniendo en cuenta la regulación introducida en 2003, y no obstante lo anterior, la doctrina destacaba la existencia de dos clases[14]: la sustitución ordinaria o pura[15] y la sustitución de residuo. La sustitución fideicomisaria ordinaria suponía para el heredero fiduciario el deber de conservar los

---

12. Cfr. PÉREZ DE CASTRO, N., "Comentarios al Artículo 782", en *Comentarios al Código Civil*, 3.ª ed., Aranzadi, Cizur Menor, 2009, p. 942.

13. En esta misma línea, observa GÓMEZ GÁLLIGO, F. J., "La sustitución fideicomisaria en la legítima estricta a favor del discapacitado", *Revista Crítica de Derecho Inmobiliario*, Año 81, n.º 687, 2005, p. 13, que "ningún otro testador puede imponer esta sustitución fideicomisaria: no pueden hacerlo los hijos o descendientes respecto de sus padres o ascendientes, ni el cónyuge causante en beneficio del cónyuge sobreviviente incapacitado". En una posición contraria, DÍAZ ALABART, S.: "La sustitución fideicomisaria sobre el tercio de legítima estricta a favor de hijo o descendiente incapacitado judicialmente: art. 808 Cc., reformado por la Ley 41/2003, de 18 de noviembre", *Revista de Derecho privado*, Año 88, n.º 3, 2004, pp. 259-270 p. 263, consideraba al respecto que, "puede llamar la atención que puestos a permitir que se grave la legítima estricta no se haya pensado en extender la posibilidad al caso de que sea el cónyuge del testador o su ascendiente el que esté incapacitado judicialmente puesto que su legítima es más corta y por razón de edad ese fideicomiso sería más natural".

14. *Vid.*, por todos, LASARTE, C., *Derecho de Sucesiones. Principios de Derecho civil VII*, 4.ª ed., Tecnos, Madrid, 2005, p. 140; y, ALBALADEJO, M., *Curso de Derecho civil. Derecho de sucesiones*, tomo V, 11.ª ed., Edisofer, Madrid, 2015, p. 276.

15. ALBALADEJO, M., *Curso de Derecho civil. Derecho de sucesiones*, cit., p. 276, incluso la denomina sustitución fideicomisaria normal.

bienes hereditarios para que luego, cuando correspondiera (ya fuera por la muerte de aquel o por la revocación de su sentencia de incapacitación), pasaren a los fideicomisarios. Respecto de la sustitución fideicomisaria de residuo, caracterizada por conceder al heredero fiduciario facultades de disposición sobre los bienes, podían identificarse, a su vez, dos modalidades básicas[16]: el fideicomiso *de eo quod supererit* ("de lo que quedase") y el fideicomiso *si quid supererit* ("si quedase algo"). En la primera modalidad, el heredero fiduciario tiene facultades de disposición de los bienes, pero deberá transmitir obligatoriamente alguno de estos a los fideicomisarios. En la segunda modalidad, el fiduciario queda autorizado por el testador fideicomitente para disponer de la totalidad de los bienes y los fideicomisarios solo recibirán lo que reste si, llegado el momento de la delación en su favor, quedasen algunos bienes fideicomitidos[17].

Señalan DÍEZ-PICAZO y GULLÓN que hubo cierta resistencia a encuadrar la figura de la institución de residuo como tipo de sustitución fideicomisaria, pues se estimaba que la esencia de esta era la conservación de los bienes, algo que, por definición, no estaba ínsito en aquella[18]. Y aun cuando, como se acaba de ver, la institución de residuo llegó a ser finalmente una modalidad de sustitución fideicomisaria admitida por la doctrina, y también por la jurisprudencia[19], en opinión de DE PABLO CONTRERAS, en el marco de la regulación instaurada tras la reforma de 2003, "el art. 808 no faculta[ba] al testador para constituir un fideicomiso de residuo, pues la naturaleza de la legítima estricta a que tienen derecho sus hijos y descendientes le [impedía] atribuir a uno de ellos el poder de disposición sobre la misma en perjuicio de los demás (cfr. arts. 782 pr., 813, 815 y 816 Cc.)"[20]. Un razonamiento bastante lógico –pues debía evitarse perjudicar en mayor medida a los coherederos forzosos no incapacitados (que ya, de primeras, se veían afectados por el gravamen de su legítima)–, pero del que, sobre la base de lo dispuesto en el artículo 783.II del Código civil[21], el testador parecía quedar justificado a apartarse[22].

Visto lo anterior, en el siguiente apartado voy a detenerme en la nueva regulación que reciben los artículos 782 y 808 del Código civil, para conocer, desde una primerísima aproximación, las reglas que, tras la reforma de 2021, regirán tan delicado asunto.

---

16. *Vid.*, por todos, LASARTE, C., *Derecho de Sucesiones. Principios*, cit., pp. 149-150; LACRUZ BERDEJO, J. L. *et al.*, *Elementos de Derecho Civil V*, cit., pp. 274-276; ALBALADEJO, M., *Curso de Derecho civil. Derecho de sucesiones*, cit., pp. 282-289; y, CÁMARA LAPUENTE, S., "Las sustituciones", en *Curso de Derecho Civil. Vol. V. Derecho de Sucesiones*, Edisofer, Madrid, 2016, p. 232.
17. Cfr. LASARTE, C., *Derecho de Sucesiones. Principios*, cit., pp. 140, 149-150.
18. Cfr. DÍEZ-PICAZO, L. y GULLÓN, A., *Sistema de Derecho Civil. Derecho de sucesiones*, vol. IV, tomo 2, 11.ª ed., Tecnos, Madrid, 2012, pp. 105-106.
19. Al respecto, *vid.* BOTELLO HERMOSA, P., "Aceptación por nuestro Tribunal Supremo de la institución de residuo", cit., pp. 127-170.
20. DE PABLO CONTRERAS, P., "Legítimas y mejora: su satisfacción en la sucesión testada", en *Curso de Derecho Civil. Vol. V. Derecho de Sucesiones*, Edisofer, Madrid, 2016, p. 297.
21. Cuyo tenor señalaba y sigue señalando lo siguiente (porque no ha sido reformado): "El fiduciario estará obligado a entregar la herencia al fideicomisario, sin otras deducciones que las que correspondan por gastos legítimos, créditos y mejoras, salvo el caso en que el testador haya dispuesto otra cosa".
22. En el mismo sentido se pronuncia BUSTO LAGO, J. M., "Comentarios al Artículo 808", en *Comentarios al Código Civil*, 3.ª ed., Aranzadi, Cizur Menor, 2009, p. 969.

III. CAMBIOS INSERTADOS POR LA LEY 8/2021 EN LOS ARTÍCULOS 782 Y 808 DEL CÓDIGO CIVIL

Dada la necesaria lectura sistemática que debe darse a los artículos 782 y 808 del Código civil para comprender la finalidad y alcance de la disposición de la legítima en favor de un legitimario con discapacidad, en el presente trabajo no se analizarán ambos preceptos por separado, sino que serán articulados sobre la base de tres epígrafes que se han delimitado en virtud de los cambios que la Ley 8/2021 introduce en cada uno de ellos.

1. FACULTAD DEL TESTADOR PARA DISPONER DE LA "LEGÍTIMA ESTRICTA" EN FAVOR DE UN LEGITIMARIO EN SITUACIÓN DE DISCAPACIDAD

Aun cuando de la redacción anterior del artículo 808 del Código civil se podía inferir que esa posibilidad del testador de gravar la legítima estricta quedaba configurada como una potestad a cuyo ejercicio estaba legalmente legitimado (pues decía en forma textual la citada norma: "el testador podrá establecer una sustitución fideicomisaria sobre el tercio de legítima estricta"), la redacción vigente del artículo 808 del Código civil, en su párrafo quinto, viene ya a señalarlo expresamente al hacer la siguiente apreciación: "Cuando el testador hubiere hecho uso de la facultad que le concede el párrafo anterior, corresponderá al hijo que impugne el gravamen de su legítima estricta acreditar que no concurre causa que la justifique". A salvo la posible impugnación del gravamen, interesa detenerse ahora en esa clara y directa alusión a la "facultad" que tiene el testador para gravar "la legítima estricta de los demás legitimarios sin discapacidad" en beneficio de alguno o varios legitimarios que sí la tuvieren.

Como se sabe, las sustituciones fideicomisarias podrán recaer tanto sobre el tercio de legítima estricta como sobre el tercio de mejora (ambos tercios componentes de la denominada "legítima amplia o larga"). Sin embargo, la cuestión problemática se plantea realmente respecto del primero y no tanto respecto del segundo, cuya previsión normativa ha sufrido tan solo modificaciones gramaticales –las únicas variaciones que experimenta este último aspecto en el párrafo segundo de la redacción actual del artículo 782 del Código civil es la referencia en singular a la "sustitución fideicomisaria" frente a la referencia en plural que fuera empleada en la redacción anterior, así como el reemplazo del término "hacerse" por "establecerse"[23] (ahora dice tal precepto: "Si la sustitución fideicomisaria recayere sobre el tercio destinado a mejora, solo podrá establecerse a favor de los descendientes", donde antes decía: "Si recayeren [tales sustituciones] sobre el tercio destinado a la mejora, sólo podrán hacerse a favor de los descendientes")–. Sobre el tercio de libre disposición –cuya regulación no sufre cambio alguno–, como su mismo nombre lo indica, el testador podrá seguir disponiendo con plena libertad.

---

23. En palabras de CARRIÓN, S., "Sustitución fideicomisaria en favor de hijos con discapacidad", cit., p. 3, "el empleo ahora del término 'establecer' resulta técnicamente más correcto que el de 'hacerse', tratándose como se trata de la constitución de un gravamen sobre una parte de la legítima, que requiere disposición testamentaria".

Centrándonos ya en la facultad de disposición del testador sobre la legítima estricta, cabe señalar que la redacción actual del artículo 808 del Código civil ha corregido una deficiencia de técnica legislativa que presentaba su redacción anterior. Este precepto antes enunciaba: "el testador podrá establecer una sustitución fideicomisaria sobre el tercio de legítima estricta", lo que hacía suponer que aquel debía gravar el total de este tercio de legítima con una sustitución fideicomisaria, es decir, incluyendo la parte del tercio que le correspondía al heredero fiduciario. En la redacción introducida por la Ley 8/2021 se ha corregido tal defecto al indicarse que: "el testador podrá disponer a su favor [entiéndase, a favor de los legitimarios en situación de discapacidad] de la legítima estricta de los demás legitimarios sin discapacidad". El gravamen, como está aclarado, solo ha de recaer sobre esa porción del tercio de legítima estricta que corresponda a los legitimarios sin discapacidad, quedando a salvo la del legitimario con discapacidad, que tendrá sobre su porción de la legítima estricta plena libertad patrimonial.

No queda duda, entonces, de que, en el marco del artículo 808 del Código civil, estamos ante una verdadera facultad del testador de disponer de la legítima estricta en favor de alguno o varios legitimarios en situación de discapacidad, excluida de este tercio, claro está, la porción que corresponde a estos últimos.

2. POSIBLES BENEFICIARIOS DE LA DISPOSICIÓN DE LEGÍTIMA ESTRICTA DEL ARTÍCULO 808 DEL CÓDIGO CIVIL: ¿CUALQUIER LEGITIMARIO?

En su párrafo cuarto, el actual artículo 808 del Código civil, en un primer momento, señala que: "Cuando alguno o varios de los legitimarios se encontraren en una situación de discapacidad, el testador podrá disponer a su favor de la legítima estricta de los demás legitimarios sin discapacidad", para luego continuar indicando, en un segundo momento, que: "En tal caso, salvo disposición contraria del testador, lo así recibido por el hijo beneficiado quedará gravado con sustitución fideicomisaria de residuo […]".

Una lectura inmediata del precepto mencionado conduce a interpretar que, a diferencia de la regulación anterior –en la que podía ser beneficiario de la legítima estricta cualquier hijo o descendiente judicialmente incapacitado, fuese o no legitimario del testador–, en la regulación vigente el testador solo podría disponer de la legítima estricta en favor de un legitimario en situación de discapacidad. Pero, debido a los matices introducidos en esta nueva redacción del precepto, surge inevitablemente la pregunta de si podría ser beneficiario de esta disposición cualquier legitimario en situación de discapacidad. La respuesta parece ser negativa si se da una mirada a ese segundo momento del artículo 808 del Código civil, al que antes se ha hecho referencia.

Si bien es verdad, la primera parte del párrafo cuarto del artículo 808 del Código civil se refiere a "alguno o varios de los legitimarios" del testador que se encontraren en una situación de discapacidad, no menos cierto es que, inmediatamente, en su segunda parte, ese mismo párrafo del precepto en cuestión se refiere a "lo así recibido por el hijo beneficiado", reconduciendo de este modo el concepto de legitimario, que inicialmente emplea con sentido genérico, al concepto de hijo del testador. De modo que, sobre la base de esta primera interpretación, simplemente gramatical, solo podría ser beneficiario de la legítima estricta, en la disposición que posibilita el mencionado precepto, aquel legitimario que tenga la condición de hijo del testador y no cualquier descendiente suyo, aunque fuese legitimario (así, por ejemplo, el nieto con discapacidad, hijo de un hijo premuerto o desheredado, es legitimario del abuelo, pero no podrá ser beneficiario de la legítima estricta en los términos de lo previsto en el artículo 808 del Código civil).

No obstante lo anterior, una respuesta más directa a la pregunta formulada la vamos a encontrar en la primera parte del artículo 782 del Código civil. En el tenor de esta norma: "Las sustituciones fideicomisarias nunca podrán gravar la legítima, salvo cuando se establezcan, en los términos establecidos en el artículo 808, en beneficio de uno o varios hijos del testador que se encuentren en una situación de discapacidad". A diferencia de este último precepto, el artículo 782 se refiere expresamente a "uno o varios hijos del testador" (que presenten una discapacidad) como potenciales beneficiarios de la legítima estricta que será objeto de gravamen con una sustitución fideicomisaria. Y dada la remisión que el artículo 782 hace al artículo 808, no queda duda de que ambos preceptos se refieren al mismo ámbito personal de aplicación, es decir, a los mismos sujetos beneficiarios de la legítima estricta en el supuesto previsto.

En palabras de CARRIÓN, la regulación de la materia ha experimentado una sensible reducción en cuanto al ámbito de personas potencialmente protegidas por hallarse en una situación de discapacidad[24]. Por lo que, en la misma línea arriba expuesta, considera que, por un lado, "la reforma excluye de ese ámbito a los descendientes del testador que no tengan la condición de legitimarios de aquél; y, de otro, y dentro ya del marco de los que sí la tienen, el legislador introduce una importante diferenciación entre legitimarios que, hallándose en una situación de discapacidad, sean hijos del testador, y aquellos otros que, aun hallándose asimismo en tal situación, sean descendientes de ulterior grado"[25]. Visto así, no cualquier legitimario con discapacidad puede ser beneficiario de la legítima estricta de los demás legitimarios sin discapacidad.

3. ESTABLECIMIENTO DE UNA SUSTITUCIÓN FIDEICOMISARIA: ¿SOLO DE RESIDUO?

Si nos centramos en la actual redacción del artículo 782 del Código civil, vamos a ver que la regla general de intangibilidad de la legítima (que, entre otras cosas, implica que esta, en principio, nunca podría quedar gravada con una sustitución fideicomisaria) queda flexibilizada al admitirse como excepción que puedan constituirse sustituciones fideicomisarias sobre ella siempre que se proceda a tal efecto "en los términos establecidos en el artículo 808, en beneficio de uno o varios hijos del testador que se encuentren en una situación de discapacidad".

La técnica empleada por el artículo 782 del Código civil redirige el asunto relativo al gravamen al artículo 808 de este mismo Código. Por lo que, antes de entrar en este

---

24. Cfr. CARRIÓN, S., "Sustitución fideicomisaria en favor de hijos con discapacidad", cit., p. 1.
25. CARRIÓN, S., "Sustitución fideicomisaria en favor de hijos con discapacidad", cit., p. 1.

último precepto, habrá que poner sobre la palestra dos cuestiones que servirán como punto de partida para conocer los términos en que ha de operar el gravamen de la legítima a que se refiere el artículo 782 del Código civil. La primera cuestión es a qué legítima se refiere este precepto (y aunque a estas alturas el desenlace es suficientemente conocido, no está de más una interpretación clarificadora, pues en la redacción anterior del artículo 782, dada por la reforma de 2003, sí se hacía mención expresa a la "legítima estricta"; decía: "Las sustituciones fideicomisarias nunca podrán gravar la legítima, salvo que graven la legítima estricta en beneficio de un hijo o descendiente judicialmente incapacitado en los términos establecidos en el artículo 808"). La segunda cuestión, por su parte, tiene que ver ya con el gravamen en sí mismo, es decir, con qué tipo de sustitución fideicomisaria puede gravarse esa legítima. A estas dos cuestiones da respuesta el artículo 808 del Código civil, pero invitando a un amplio trabajo de interpretación.

Empecemos por la primera cuestión. Aun cuando el artículo 782 del Código civil no especifique, en su primer párrafo, que se está refiriendo a la "legítima estricta o corta" y no a la "legítima amplia o larga" (que comprende tanto el tercio de legítima estricta como el tercio de mejora), la propia remisión termina por aclarar el asunto, pues el actual artículo 808 del Código civil sí que precisa que la sustitución fideicomisaria puede recaer sobre la legítima estricta. Pero, en los términos de este último precepto –concretamente, de su párrafo cuarto–, solo cabe la disposición de la legítima estricta de los demás colegitimarios (y no del total de la legítima estricta), como hemos visto hasta ahora, para favorecer a alguno o varios legitimarios en situación de discapacidad que tenga la condición de hijos del testador.

Resuelta la primera cuestión corresponde ahora entrar en la segunda. El actual artículo 808 del Código civil, en su párrafo cuarto, establece también que: "salvo disposición contraria del testador, lo así recibido por el hijo beneficiado quedará gravado con sustitución fideicomisaria de residuo a favor de los que hubieren visto afectada su legítima estricta y no podrá aquel disponer de tales bienes ni a título gratuito ni por acto mortis causa". Este precepto viene a cumplir varios fines: i) reitera la potestad o facultad del testador para establecer una sustitución fideicomisaria sobre la legítima (entiéndase, estricta), prevista ya en el artículo 782 del Código civil; ii) complementa el enunciado del artículo 782 del Código civil al establecer que, como regla general (salvo disposición contraria del testador), la sustitución fideicomisaria con que se entenderá gravada la legítima estricta será una de residuo a favor de los que hubieren visto afectado su derecho sobre tal tercio de la herencia (una sustitución fideicomisaria de residuo que tiene una configuración legal específica y que incluso algún autor ha calificado como "fideicomiso de residuo limitado"[26]); y, iii) amplía la facultad dispositiva del testador al prever que este podrá ordenar una sustitución fideicomisaria distinta a la de residuo establecida en la norma. De modo que, la regla general antes apuntada (ii) solo operará cuando no exista "disposición contraria del testador".

---

26. PÉREZ RAMOS, C., "Incidencia de la Ley 8/2021 sobre las sustituciones hereditarias", *El Notario del Siglo XXI*, n.º 99, septiembre-octubre 2021, p. 6. [consulta: 23 junio 2022] Disponible en: https://www.elnotario.es/hemeroteca/revista-99/opinion/opinion/10933-incidencia-de-la-ley-8-2021-sobre-las-sustituciones-hereditarias.

De lo visto se infieren, entonces, tres posibilidades: i) que el testador grave expresamente la legítima estricta con la sustitución fideicomisaria de residuo típica (que es la prevista en la norma); ii) que omita señalar que la sustitución fideicomisaria establecida es una de residuo, en cuyo caso operará por defecto la regla del precepto mencionado (cuyas notas veremos a continuación); y, iii) que, haciendo uso de su potestad reforzada para gravar la legítima estricta, el testador disponga que la sustitución establecida no será la de residuo predeterminada en la norma (pudiendo ser, en consecuencia, menos intensa que una de residuo o mucho más intensa que esta).

Dicho lo cual, voy a detenerme, a continuación, a analizar la naturaleza de la sustitución fideicomisaria de residuo por la que ha apostado la reforma de 2021 en el artículo 808 del Código civil, cuyo párrafo cuarto, que es el que ahora interesa, antes ha sido transcrito.

De dicho párrafo cuarto pueden extraerse las siguientes notas características de la sustitución fideicomisaria de residuo que ha quedado legalmente configurada. Una primera nota a destacarse es la relativa a los sujetos beneficiarios del gravamen, es decir, de la sustitución fideicomisaria de residuo típica que ha quedado contemplada en la norma, que, como se puede ver, no serán otros que los colegitimarios sin discapacidad que hubieren visto afectada su legítima estricta. Una segunda nota de la sustitución fideicomisaria de residuo establecida en el artículo 808 del Código civil es que solo lleva anejas facultades de disposición por *actos inter vivos* y a título oneroso para el legitimario con discapacidad, quien no podrá disponer de los bienes hereditarios recibidos por actos *mortis causa* ni por actos *inter vivos* a título gratuito; lo inicialmente apuntado se deduce de una interpretación *a contrario* de esto último, que sí aparece señalado en el propio tenor del precepto. Finalmente, como tercera nota cabe destacar que la sustitución hereditaria del artículo 808 del Código civil, que opera como regla general, encajaría más en el doctrinalmente denominado fideicomiso *si quid supererit* ("si quedase algo"), con las limitaciones expuestas, quedando siempre a salvo, claro está, que el testador disponga algo distinto.

Como la sustitución fideicomisaria de residuo que establece el actual artículo 808 del Código civil implica facultades de disposición *inter vivos* a título oneroso y no directamente un deber de conservación de los bienes recibidos, entonces habría que barajar las alternativas que podrían presentarse con ocasión de una disposición distinta del testador respecto de este gravamen. Las alternativas que podrían darse son las siguientes: i) que el testador establezca una sustitución fideicomisaria ordinaria, que no concede al legitimario fiduciario facultades de disposición de ningún tipo (ni onerosas ni gratuitas, ni *inter vivos* ni *mortis causa*), pero sí el deber de conservar los bienes fideicomitidos para posteriormente ser restituidos a los legitimarios fideicomisarios; ii) que establezca una sustitución fideicomisaria de residuo *de eo quod supererit* ("de lo que quedase"), que concede al legitimario fiduciario facultades de disposición, pero también la obligación de transmitir alguno o algunos de los bienes recibidos a los herederos fideicomisarios; y, iii) que el testador establezca una sustitución fideicomisaria atípica o *sui generis*, que conceda al fiduciario facultades de disposición de todo tipo y a cualquier título, y que, evidentemente, suponga la afectación indeterminada de los fideicomisarios ante el latente peligro de no recibir nunca su legítima estricta.

De darse la última alternativa esgrimida (iii), sin ápice de duda, se atentaría desde un inicio contra el principio de protección de las legítimas (cosa distinta es que existiendo un fideicomiso de residuo *si quid supererit* limitado a actos *inter vivos* y onerosos, las porciones de la legítima estricta de los legitimarios sin discapacidad hubiesen sido finalmente dispuestas, vendidas o hipotecadas, por el beneficiario con discapacidad porque las necesitaba para sobrevivir; aunque también podría pasar que no las necesitara para sobrevivir, pero igualmente dispusiera de ellas al estar facultado para hacerlo). Sobre este tema volveremos más adelante.

IV. FUNDAMENTO ÚLTIMO DE LA DISPOSICIÓN DE LA LEGÍTIMA ESTRICTA EN FAVOR DE UN LEGITIMARIO CON DISCAPACIDAD

Como se ha podido ver, la discapacidad por sí misma, por un lado, y la sola condición de descendiente, por otro, no son suficientes tras la reforma de 2021 para justificar que pueda gravarse de una forma tan intensa o profunda la legítima estricta de los demás legitimarios sin discapacidad. Esto, a diferencia de lo que ocurría en la regulación de 2003, en la que la concurrencia de la mera condición de descendiente (legitimario o no legitimario del testador) y la declaración judicial de incapacitación habilitaban al causante a gravar la legítima estricta en favor de aquel.

Pero tampoco es que en la actualidad los descendientes no legitimarios del testador, que se hallaran en situación de discapacidad, no puedan quedar patrimonialmente protegidos por el testador, quien, si así lo considerara oportuno, siempre podría disponer en su favor del tercio de libre disposición. Y lo mismo respecto de un legitimario en situación de discapacidad que no tuviera la condición de hijo del testador, en cuyo favor este último, si así lo quisiera, siempre podría destinar la totalidad del tercio de libre disposición y, en igual medida, la totalidad del tercio de mejora (artículo 808 del Código civil, párrafo segundo), además de la porción que a aquel corresponda en el tercio de legítima estricta, aunque eventualmente tuviera que soportar este tercio la carga del gravamen en favor del hijo o hijos del testador que se encontraren en situación de discapacidad.

Aun con todo, no debe olvidarse que la disposición del tercio de la legítima estricta de los legitimarios sin discapacidad en favor del o los legitimarios que sí la presentaran, estableciendo en consecuencia sobre lo dispuesto una sustitución fideicomisaria en beneficio de aquellos, entra en el escrupuloso campo de una posibilidad (el campo de la *voluntas testandi*). En virtud de lo cual, solo el testador puede decidir si quiere hacer uso o no de esa posibilidad para favorecer a un hijo que, siendo legitimario suyo, se encontrare en situación de discapacidad.

Y hasta aquí la cuestión es bastante evidente: se ha restringido el ámbito de los hipotéticos beneficiarios de tal disposición testamentaria. Con la reciente reforma, quedan excluidos los descendientes no legitimarios (por ejemplo, un nieto cuyo padre continúa vivo) y los legitimarios que no sean hijos del testador (por ejemplo, un nieto que es hijo de un hijo premuerto o desheredado).

Se puede entender, por tanto, que, en la nueva regulación de 2021, el fundamento último de la disposición de la legítima estricta, que ha de ser gravada necesariamente con una sustitución fideicomisaria, no es otro que la protección de los descendientes inmediatos con discapacidad, pero siempre que así lo valore oportuno el testador. Quedan fuera de tal ámbito de protección "los descendientes ulteriores del testador que sean legitimarios. Esta solución se apoya en el argumento de que el artículo 808 CC supone una excepción a la intangibilidad de la legítima por lo que debe interpretarse restrictivamente"[27].

V. VISIÓN DICOTÓMICA DE LA DISPOSICIÓN TESTAMENTARIA DE LA LEGÍTIMA ESTRICTA: ¿UN MECANISMO DE PROTECCIÓN O UNA MEDIDA EXCESIVA?

La posibilidad de disponer de la legítima estricta para favorecer a determinados legitimarios que, dadas sus especiales circunstancias, precisarían de una mayor protección patrimonial, no es algo nuevo, ni nuevo es tampoco que tal disposición ha de venir acompañada de un gravamen, que no puede ser otro que una sustitución fideicomisaria.

Con la regulación de 2003, los contornos de tal sustitución fideicomisaria quedaron delimitados por la doctrina y la jurisprudencia ante la referencia genérica con la que los artículos 782 y 808 del Código civil hacían alusión a ella[28]. Y más en concreto, era el artículo 808 el que, conforme a su redacción anterior, preceptuaba que: "Cuando alguno de los hijos o descendientes haya sido judicialmente incapacitado, el testador podrá establecer una sustitución fideicomisaria sobre el tercio de legítima estricta, siendo fiduciarios los hijos o descendientes judicialmente incapacitados y fideicomisarios los coherederos forzosos".

Tras la reforma de 2021, el artículo 808 del Código civil viene a decir que, salvo disposición contraria del testador, la sustitución fideicomisaria establecida será una de residuo. Y, como hemos visto en un apartado anterior, la sustitución fideicomisaria de residuo configurada en el mencionado precepto sería una de la modalidad *si quid supererit* ("si quedase algo"), que, en efecto, es más protectora para el legitimario con discapacidad, pero no más favorable para los legitimarios sin discapacidad. Y es que, en la nueva redacción del artículo 808, "salvo disposición contraria del testador, lo así recibido por el hijo beneficiado quedará gravado con sustitución fideicomisaria de residuo a favor de los que hubieren visto afectada su legítima estricta y no podrá aquel disponer de tales bienes ni a título gratuito ni por acto mortis causa", pero sí a título oneroso por actos *inter vivos* y, según se advierte, sin exigencia alguna de conservación de los bienes fideicomitidos.

De modo que, en la nueva regulación, la sustitución fideicomisaria de residuo *si quid supererit*, (que sería la fórmula fideicomisaria típica), aun con los límites que antes

---

27. PÉREZ RAMOS, C., "Incidencia de la Ley 8/2021 sobre las sustituciones hereditarias", cit., p. 2.
28. Sobre la esencia de la sustitución fideicomisaria y la particularidad dispositiva de la institución de residuo, véase la STS 323/2014, de 6 de junio (RJ 2014, 3127). Por su parte, en relación con las amplias facultades de que goza el testador en orden a fijar el alcance de la sustitución fideicomisaria de residuo *si quid supererit*, véanse las Ss.TS 624/2012, de 30 de octubre (RJ 2013, 2274) y 327/2010, de 22 de junio (RJ 2010, 4900). No obstante, es de precisarse que el desarrollo jurisprudencial de las dos modalidades fideicomisarias de residuo es incluso mucho anterior a la reforma de 2003; *vid.* Ss.TS de 25 de mayo de 1971 y 7 de enero de 1959.

vimos, representaría un gravamen más intenso que la sustitución fideicomisaria de residuo en la modalidad *de eo quod supererit*, que bien podría derivar de la voluntad contraria del testador. Pero sin olvidar que, en virtud de su libertad dispositiva, este último también podría establecer una sustitución fideicomisaria ordinaria (más acorde con la protección de las legítimas y para nada incompatible con la protección patrimonial del legitimario con discapacidad) o incluso crear una sustitución fideicomisaria de residuo atípica o *sui generis*, que podría ser mucho más intensa y lesiva que una de residuo típica (atendiendo a su configuración legal actual) si concediera al fiduciario (legitimario con discapacidad) amplias facultades de disposición y sin límite alguno.

De ahí que no quepa duda de la dicotomía que puede presentarse en la disposición de la legítima estricta en favor de un legitimario en situación de discapacidad. Esta disposición supone para el testador, que actúa en virtud de una voluntad realmente querida, la puesta en marcha de un mecanismo dirigido a proteger a alguno o varios de sus legitimarios que se encuentran en una situación de especial vulnerabilidad en relación con los demás legitimarios por estar presente en los primeros algún elemento discapacitante, aunque esto implique afectar la porción que a estos últimos corresponde sobre el tercio de legítima estricta. Y aquí está por tanto la cuestión más delicada del tópico analizado. El mecanismo de protección no supondrá, en consecuencia, la lesión del derecho a la legítima de los colegitimarios sin discapacidad cuando la sustitución fideicomisaria establecida sea una ordinaria (pues esta no implica facultades de disposición y, por ende, sí la conservación y posterior restitución de lo gravado a los fideicomisarios), ni una lesión absoluta cuando la sustitución establecida sea una de residuo *de eo quod supererit* ("de lo que quedase").

Distinto será el supuesto cuando la sustitución fideicomisaria sea la de residuo prevista en el artículo 808 del Código civil o cuando, haciendo uso de esa mayor libertad dispositiva que le concede este mismo precepto, el testador decidiera gravar la legítima estricta (entiéndase de los legitimarios sin discapacidad) con una sustitución fideicomisaria atípica (que extendiera las facultades de disposición del legitimario fiduciario incluso a las no previstas, en su fórmula típica, por el precepto), pues en estos casos el legitimario con discapacidad gozaría de amplias facultades de disposición y ninguna obligación de conservar (salvo, claro está, que el testador dispusiera otra cosa), llegando finalmente a manos de los fideicomisarios tan solo los bienes que quedasen o restasen, o nada, en el peor de los casos. En escenarios como estos la disposición de la legítima estricta, destinada a la protección del legitimario con discapacidad, se torna en una verdadera medida excesiva (y lesiva), pues los fideicomisarios podrían correr el riesgo de no percibir nunca de modo efectivo aquella porción que les correspondería sobre el tercio de legítima estricta. En estos últimos casos, la dicotomía, como se puede ver, no es excluyente, y la disposición de la legítima estricta operará como un mecanismo de protección (para los legitimarios fiduciarios) pero, al mismo tiempo, como una medida excesiva (para los colegitimarios fideicomisarios).

El mayor grado de protección que recibe un legitimario con discapacidad al quedar gravada la legítima estricta (de los demás) con una sustitución fideicomisaria de residuo *si quid supererit* (o con una sustitución hereditaria que involucre mayores facultades para aquel por voluntad del testador), representa para los colegitimarios sin discapacidad una latente posibilidad de ver postergado indefinidamente su derecho a recibir la legítima. Por lo que solo una disposición testamentaria intermedia que sepa conjugar la protección del primero con la salvaguarda efectiva del derecho a recibir la legítima estricta de los segundos (o, al menos, parte de esta), justificaría esa tangibilidad excepcional de la legítima que contemplan los artículos 782.I *in fine* y 808 del Código civil, porque, como cabe recordar, en principio, y como regla general, dicha tangibilidad está prohibida en los artículos 782.I (parte inicial) y 813.II del Código civil.

VI. BIBLIOGRAFÍA

ALBALADEJO GARCÍA, M., "Comentarios al Art. 782", en *Comentario del Código Civil*, tomo I, Ministerio de Justicia. Centro de Publicaciones, Madrid, 1991, p. 1921.

ALBALADEJO, M., *Curso de Derecho civil. Derecho de sucesiones*, tomo V, 11.ª ed., Edisofer, Madrid, 2015.

BOTELLO HERMOSA, P., "Aceptación por nuestro Tribunal Supremo de la institución de residuo como tipo de sustitución fideicomisaria a término", *Revista de Derecho Civil*, vol. II, n.º 2, abril-junio 2015, pp. 127-170.

BOTELLO HERMOSA, P., "La importante modificación que propone en el derecho sucesorio español el anteproyecto de ley de reforma de la legislación civil y procesal en materia de discapacidad", *Revista Crítica de Derecho Inmobiliario*, Año 95, n.º 776, 2019, pp. 2783-2804.

BUSTO LAGO, J. M., "Comentarios al Artículo 808", en *Comentarios al Código Civil*, 3.ª ed., Aranzadi, Cizur Menor, 2009, pp. 968-969.

CÁMARA LAPUENTE, S., "Las sustituciones", en *Curso de Derecho Civil. Vol. V. Derecho de Sucesiones*, Edisofer, Madrid, 2016, pp. 203-237.

CARRIÓN, S., "Sustitución fideicomisaria en favor de hijos con discapacidad. Algunas consideraciones sobre los arts. 782 y 808 CC tras su redacción por la Ley 8/2021, de 2 de junio", *Tribuna*, diciembre 2021, pp. 1-5. [consulta: 25 junio 2022] Disponible en: https://idibe.org/tribuna/sustitucion-fideicomisaria-favor-hijos-discapacidad-algunas-consideraciones-los-arts-782-808-cc-tras-redaccion-la-ley-82021-2-junio/

DE PABLO CONTRERAS, P., "Legítimas y mejora: su satisfacción en la sucesión testada", en *Curso de Derecho Civil. Vol. V. Derecho de Sucesiones*, Edisofer, Madrid, 2016, pp. 295-326.

DÍAZ ALABART, S.: "La sustitución fideicomisaria sobre el tercio de legítima estricta a favor de hijo o descendiente incapacitado judicialmente: art. 808 Cc., reformado por la Ley 41/2003, de 18 de noviembre", *Revista de Derecho Privado*, Año 88, n.º 3, 2004, pp. 259-270.

DÍEZ-PICAZO, L. y GULLÓN, A., *Sistema de Derecho Civil. Derecho de sucesiones*, vol. IV, tomo 2, 11.ª ed., Tecnos, Madrid, 2012.

GÓMEZ GÁLLIGO, F. J., "La sustitución fideicomisaria en la legítima estricta a favor del discapacitado", *Revista Crítica de Derecho Inmobiliario*, Año 81, n.º 687, 2005, pp. 11-30.

LACRUZ BERDEJO, J. L. *et al.*, *Elementos de Derecho Civil V: Sucesiones*, 4.ª ed., Dykinson, Madrid, 2009.

LASARTE, C., *Derecho de Sucesiones. Principios de Derecho civil VII*, 4.ª ed., Tecnos, Madrid, 2005.

PÉREZ DE CASTRO, N., "Comentarios al Artículo 782", en *Comentarios al Código Civil*, 3.ª ed., Aranzadi, Cizur Menor, 2009, pp. 942-943.

PÉREZ RAMOS, C., "Incidencia de la Ley 8/2021 sobre las sustituciones hereditarias", *El Notario del Siglo XXI*, n.º 99, septiembre-octubre 2021, pp. 1-8. [consulta: 23 junio 2022] Disponible en: https://www.elnotario.es/hemeroteca/revista-99/opinion/opinion/10933-incidencia-de-la-ley-8-2021-sobre-las-sustituciones-hereditarias.

SANTILLÁN SANTA CRUZ, R., "La incidencia del nuevo sistema de protección de las personas con discapacidad en el régimen de sociedad de gananciales. A propósito de la Ley 8/2021, de 2 de junio", *Revista Crítica de Derecho Inmobiliario*, Año 98, n.º 790, 2022, pp. 815-841.

SANTILLÁN SANTA CRUZ, R., "Los claroscuros de la reforma del Código Civil peruano por el Decreto Legislativo n.º 1384", en *Avanzando en la inclusión. Balance de logros alcanzados y agenda pendiente en el Derecho español de la discapacidad*, Aranzadi, Cizur Menor, 2019, pp. 463-476.

VALLET DE GOYTISOLO, J. B., "Comentarios al Art. 808", en *Comentario del Código Civil*, tomo I, Ministerio de Justicia. Centro de Publicaciones, Madrid, 1991, pp. 1974-1976.

VIVAS TESÓN, I., "Una aproximación al patrimonio protegido a favor de la persona con discapacidad", *Revista de Derecho*, vol. XXII, n.º 1, julio 2009, pp. 55-76.